RICHARD WAGNER

Hans Mayer

RICHARD WAGNER

Mitwelt und Nachwelt

Belser Verlag Stuttgart · Zürich

Im Gedenken an Ernst Bloch und Wieland Wagner

INHALTSVERZEICHNIS

EINLEITUNG: WIR WAGNERIANER

Nach offizieller Lesart haben Richard und Cosima Wagner das Renegatentum ihres einstigen Freundes und Verehrers Professor Nietzsche mit einem Schweigen des Bedauerns quittiert. Als Nietzsche im Juni 1878 sein Buch »Menschliches, Allzumenschliches. Ein Buch für freie Geister« nach Bayreuth sandte, wurde aus Schonung für den einstigen Anhänger und offenkundig kranken Menschen von jeglicher Lektüre abgesehen. Den schrillen Ekstasen Friedrich Nietzsches in seinen späteren Büchern über den Fall Wagner oder gar »Nietzsche contra Wagner« haben keine Bayreuther Repliken entsprochen. In Wahnfried nahm man einen »Fall Nietzsche« nicht zur Kenntnis.

So schien das Hohe Paar beschlossen zu haben; nahezu ein Jahrhundert lang hat man sich in Bayreuth an die Anweisung gehalten. Auch heute ist nicht bekannt, da Cosimas Tagebücher mit dem Tode des Meisters und Gatten abbrechen, ob Nietzsches späte Dionysos-Dithyramben zur Kenntnis genommen wurden: mit ihnen jene merkwürdige »Klage der Ariadne«, die unmittelbar an Cosima gerichtet war, wie aus Zeugnissen des umnachteten Philosophen hervorgeht. Was Nietzsche von Wagner getrennt, doch bis zum Tode mit Cosima verbunden hatte, wird am Schluß dieser Ariadne-Klage als Replik des Dionysos auf ein klassisches Lamento verkündet: der klagenden Ariadne erscheint Dionysos als Gott »in smaragdener Schönheit«. Er verkündet:

Sei klug, Ariadne!...
Du hast kleine Ohren, du hast meine Ohren:
steck ein kluges Wort hinein! –
Muß man sich nicht erst hassen, wenn man sich lieben soll?...
Ich bin dein Labyrinth...

Der kranke Nietzsche freute sich über sein Geheimnis. Niemand sollte wissen, wer Ariadne sei. Cosima hat es wohl nie erfahren, auch kaum ahnen mögen.

Dennoch hat Nietzsches Verrat, wie er von Wagner verstanden werden mußte, den Bayreuther Meister in schweren Krisenjahren nach dem Mißerfolg der Festspiele von 1876 viel härter getroffen, als man vermuten mochte. Das würdige Schweigen der Trauer und Gleichgültigkeit wurde zwar in der Tat dekretiert, allein es war nicht durchzusetzen. Der nunmehr entsiegelte und enthüllte Inhalt der Tagebücher läßt erkennen, wie tief auch Wagner selbst die Antithetik empfand, die durch Nietzsches Gegnerschaft entstanden war. Zunächst mochte man daran denken, das neue Buch des einstigen Freundes als Entgleisung abzutun. Richard Wagner wußte es insgeheim besser. Auch ließ Nietzsche unmißverständlich mitteilen, er wünsche mit weiteren Zusendungen der Bayreuther offiziellen Verklärungsliteratur nicht länger behelligt zu werden.

Dabei geht es im Hause Wahnfried nicht ohne Komik ab. Cosima hätte in der Tat gewünscht, daß der Meister die Nietzsche-Gedanken »für freie Geister« vornehm ignorierte. Allein Wagner, von Schlaflosigkeit und Sorge gequält, kann es nicht lassen, in der Nacht an der teuflischen Schrift gleichsam immer wieder ein bißchen zu naschen. Er kann von Nietzsche nicht los. Noch zehn Tage vor seinem Tode in Venedig kommt es zu einem Rückfall in die Haß-Liebe von einst. Dionysos hatte seiner Ariadne verkündet: »Muß man sich nicht erst hassen, wenn man sich lieben soll?...« Richard Wagner, bereits schwerkrank, entdeckt im Palazzo Vendramin eine Monatsschrift, wo über Nietzsches Buch »Fröhliche Wissenschaft« referiert wird. Cosima macht eine Andeutung und notiert dann: »R. blickt hinein, um seinen ganzen Widerwillen dagegen kundzutun. Alles sei von Schopenhauer entlehnt, was Wert habe. Und der ganze Mensch sei widerwärtig.« Cosima lenkt ab mit dem Bericht über einen Schiffszusammenstoß in der Nähe von Hamburg. Doch bereits am nächsten Tag, am 4. Februar, einem Sonntag, kommt Wagner abermals auf Nietzsche zu sprechen, der sei ein »Geck« und »absolut nichtig, ein rechtes Beispiel für das Nicht-Sehen«.

Damals hatte Wagner noch neun Tage zu leben. Auch er ist von seinem scheinbar so nichtigen und geckenhaften Widersacher bis zum Ende nicht losgekommen.

Seit jener Konstellation im späten 19. Jahrhundert hat es den Antagonismus gegeben zwischen Wagnerianern und Antiwagnerianern. Die einstige Gegnerschaft der Wagner-Feinde, die sich auf eine Konvention gewordene musikalische Ästhetik stützten und nur

Witzeleien vorzubringen hatten über die »Zukunftsmusik« eines Richard Wagner, brach langsam, doch unverkennbar zusammen. Spätestens mit den Festspielen von 1882 und der Uraufführung des *Parsifal* hatte Richard Wagner gesiegt. Auch seine konservativen Gegner in München, die wissen konnten, daß sich König Ludwig nicht mehr mit einstiger Liebe für Wagner einzusetzen gedachte, durften nicht mehr auf eine Vernichtung des Wagnerismus hoffen. Sie mußten sich mit einem Unentschieden begnügen. In einer Art etwa, die von Cosima in den Tagebüchern notiert wird: daß man in München den Maximilians-Orden gleichzeitig einem Johannes Brahms verleiht und einem Richard Wagner. Der Meister von Bayreuth kann nicht ablehnen, um seinen König und Gönner und Gläubiger nicht abermals zu verstimmen. Auch Wagner mußte mit seinen musikalischen Gegnern leben, indem er sie ignorierte und in Gesprächen zu Wahnfried heruntermachte: den ingrimmig gehaßten und geschmähten Robert Schumann etwa. Vor der Partitur der II. Symphonie von Brahms, die in Wien und Leipzig sehr erfolgreich war, bemerkt Wagner zu Cosima (6. Februar 1878): »Daß derlei geschrieben wird, ist kein Wunder und hat nichts auf sich, aber ein zujubelndes Publikum! Beethoven und die großen Dichter haben für sie ganz vergebens gelebt.« Diese einstige Art des Anti-Wagnerianismus hatte längst aufgehört, eine mögliche Gegenposition zu Wagners Werken und Kunstgedanken zu etablieren. Die Kunst eines Johannes Brahms oder Giuseppe Verdi mochte Wagner beschimpfen oder bewitzeln: sie traf ihn jedoch nicht, bedeutete nicht Gefahr. Auch wenn Eduard Hanslick etwa, der verhaßte Kritiker zu Wien und Freund von Brahms, auf Wagners Spott nicht ohne Grund hätte antworten können: gerade in jener Symphonie von Brahms finde sich Nachfolge der Beethoven-Musik. Vermutlich war es Wagner auch zu Ohren gekommen, daß ausgerechnet Hans von Bülow, vor dem er sich als schuldig empfand, die I. Symphonie des Hamburger Meisters enthusiastisch als »Zehnte Symphonie« gefeiert hatte.

Als sich Nietzsche von Wagner lossagte, war die einstige Front des konventionellen Anti-Wagnerianismus zerbrochen. Wagner schien gesiegt zu haben: allen Nöten und Miseren zum Trotz. Nun aber entstand eine neue geistige Konstellation, die gefährlicher werden sollte als alles Agieren der Anhänger Meyerbeers und Mendelssohns und Robert Schumanns, als Kabinettsintrigen zu München und Finanzmiseren in Bayreuth. Nietzsches Abrechnung in der Streit-

schrift »Nietzsche contra Wagner« machte den Schöpfer der Ring-Tetralogie und erst recht des *Parsifal* weniger verantwortlich für seine
Werke, weit stärker für seine Wirkungen. Was Nietzsche vor allem
bekämpft, ist der *Richard Wagner als Meister der Wagnerianer*. In einem
Abschnitt der Streitschrift umreißt Nietzsche – unter der Überschrift
»Wo ich Einwände mache« – die Gegenposition wie folgt: »Klarheit
und Wagnerianer! Ich sage kein Wort mehr. Es gab Gründe, noch
hinzuzufügen ›Seien Sie doch ein wenig ehrlicher gegen sich selbst!
Wir sind ja nicht in Bayreuth. In Bayreuth ist man nur als Masse
ehrlich, als Einzelner lügt man, belügt man sich. Man läßt sich selbst
zu Hause, wenn man nach Bayreuth geht, man verzichtet auf das
Recht der eignen Zunge und Wahl, auf seinen Geschmack, selbst
auf seine Tapferkeit, wie man sie zwischen den eigenen vier Wänden
gegen Gott und Welt hat und übt. In das Theater bringt niemand
die feinsten Sinne seiner Kunst mit. Am wenigsten der Künstler,
der für das Theater arbeitet – es fehlt die Einsamkeit, alles Vollkommene verträgt keine Zeugen... Im Theater wird man Volk, Held,
Weib, Pharisäer, Stimmvieh, Patronatsherr, Idiot – *Wagnerianer*: da
unterliegt auch noch das persönlichste Gewissen dem nivellierenden
Zauber der großen Zahl, da regiert der Nachbar, da *wird* man Nachbar...‹«
    Mit dieser schroffen Absage war eine neue Form des Anti-Wag-
nertums begründet worden. Von nun an sollte die Auseinandersetzung um Richard Wagner und Bayreuth bis weit ins 20. Jahrhundert
hinein als Alternative »Wagner oder Nietzsche« geführt werden. Daß
Nietzsches tückische und nicht sehr aufrichtige Identifizierung Richard Wagners mit den von ihm angeblich nach seinem Ebenbild
geschaffenen Wagnerianern weit mehr treffen sollte als eine ästhetische Position, war offensichtlich. Bei ihnen beiden, Richard Wagner
wie Friedrich Nietzsche, gab es Unschärfen in der Abgrenzung zwischen der genialischen Einsamkeit des Künstlers (oder Denkers) und
des Demagogen, der Anhänger sucht, die er sich hörig machen kann.
Dabei war die Position Nietzsches in der Diatribe »Nietzsche contra
Wagner« besonders abgefeimt auch in den kulturpolitischen Postula-
ten. Während nämlich die Anti-Wagnerianer alter Schule, ob konservativ oder auch liberal, das Bayreuther Unternehmen und erst recht
eine Schöpfung wie den *Parsifal* als Höhepunkt einer geistesaristokra-
tischen Haltung bekämpften, machte der späte Friedrich Nietzsche
umgekehrt dem Bayreuther Meister seine Anbiederung an die Masse

und Menge, an das plebejische Ressentiment, an die Herden- oder
Sklavenmoral zum Vorwurf. Wo noch Karl Marx, mit ihm die deutschen Sozialdemokraten des neu begründeten Deutschen Reiches,
verächtlich den »Staatsmusikanten« Wagner ablehnten, den Renegaten an den Gedanken und Vorgängen von 1849, glaubte Nietzsche
umgekehrt, ein Weiterwirken des plebejisch-demokratischen Geistes
eines einstigen »wahren Sozialismus« denunzieren zu müssen.

Übrigens durchaus nicht ohne Grund, wenn man heute die Aus-
sprüche und Bekenntnisse Wagners studiert, die Cosima in täglicher
Dienerschaft aufbewahren sollte. Es verblüfft in der Tat, daß der
späte Richard Wagner offensichtlich in völliger »Gleichzeitigkeit«
zu leben verstand mit all seinen scheinbar so wechselnden und so
unsteten geistigen Positionen eines fast siebzigjährigen Lebens. So
wie er im Haus Wahnfried nach wie vor Freude empfand über frühe-
ste eigene Kompositionen und Entwürfe, hatte er sich bis zuletzt
auch nicht von Proudhon losgesagt oder von Ludwig Feuerbach.
Ganz gewiß nicht, in genauer Kenntnis der politischen Bedeutung
einer solchen Freundschaft, von Michail Bakunin. Von dem Revolu-
tionsfreund aus den Dresdener Tagen, dem Anti-Marxisten und
Theoretiker der Anarchie, wird stets mit Hochachtung gesprochen.
In einem schlimmen Traum (16. Oktober 1878) glaubt Wagner die
Folterungen, die Bakunin in St. Petersburg ertragen muß, am eigenen
Leibe zu spüren.

Eine Woche vor seinem Tode, am 6. Februar 1883, kehrt Wagner
mit Cosima zurück von einer Gondelfahrt durch den Canal Grande.
Cosima notiert: »... wie ich die geschlossenen, unbewohnten Paläste
betrachte, sagt R.: ›Das ist Eigentum! Der Grund alles Verderbens,
Proudhon hat die Sache noch viel zu materiell aufgefaßt, denn das
Eigentum bedingt die Ehen in Rücksicht darauf und dadurch die
Degeneration der Rasse. Das hat mir gefallen von Heinse in seinen
»Seligen Inseln«, daß er sagt: Sie hatten kein Eigentum, um den
vielen Übelständen vorzubeugen, die damit verbunden sind.‹«
Das ist höchst merkwürdig sowohl als Gleichzeitigkeit wie als
späte Konfession. Abermals die Pariser Hungerjahre und Proudhons
These, wonach Eigentum einfach Diebstahl sei. Wiederum das Be-
kenntnis zu Wilhelm Heinses Roman »Ardinghello oder die glückseli-
gen Inseln«: Quelle einer Inspiration aus der frühen Zeit.
Friedrich Nietzsche muß es geahnt oder auch beim Umgang mit
Wagner erfahren haben, daß alle Schmeichelbriefe an König Ludwig,

alle finanzpolitischen Spekulationen mit Bankiers und Mäzenen das *Bewußtsein des eigenen Plebejertums* nicht ersticken konnten. Der späte Wagner ist alles immer noch gleichzeitig: jungdeutscher Ekstatiker einer befreiten Sinnlichkeit und keuscher Gralsritter; Zerstörer der bürgerlichen Institutionen und ihr Nutznießer; Freund Bakunins in unauslöschlicher Verehrung und scheinbarer Seelenfreund Ludwigs II.; Ankläger gegen das Eigentum an Palästen und Hausherr zu Wahnfried.

Hierauf ist in Wahrheit das Anti-Wagnertum Nietzsches und seiner Nachfolger gerichtet. Wo Wagner für die Frühen unerträglich geworden war als Geistesaristokrat und Künstlerfürst, als ein Junker Stolzing, der unter die biederen Handwerkskünstler gerät, entdeckt die neue Antithetik Friedrich Nietzsches den plebejischen Untergrund einer nur angemaßten geistigen Aristokratie.

Dieser geistige Antagonismus, verkörpert in zwei Repräsentanten von höchstem Rang, ist folgenreich gewesen in der deutschen Kulturgeschichte und damit in der deutschen Geschichte. Es war nicht allein die Lust Friedrich Nietzsches, seinen ungeliebten Deutschen, denen er doch innerlich so tief verbunden war, mit geistigen Provokationen aufzuwarten: im Lob Heinrich Heines; in der Begeisterung für die Oper »Carmen«; im Begriff des »guten Europäers«. Nicht zuletzt in der dezidierten Ablehnung einer modisch-deutschen Judenfeindschaft.

Natürlich hat die Nietzsche-Nachfolge im einzelnen Falle nicht vor dem Antisemitismus bewahren können und vor einer Anfälligkeit für Träumereien vom Dritten Reich. Das läßt sich am Lebenslauf eines Ernst Bertram, der unter Zustimmung Stefan Georges sein Buch »Nietzsche, Versuch einer Mythologie« entwarf, nicht minder demonstrieren als an Martin Heideggers lebenslanger Auseinandersetzung mit dem Philosophen einer »Fröhlichen Wissenschaft«.Vielleicht war es einzig Stefan George, der folgerichtig die schroffen Antithesen der Schrift »Nietzsche contra Wagner« in seinem Tun, Dichten und Trachten verwirklicht hat.

Dieser Anti-Wagnerianismus, der sich auf Nietzsche berufen durfte, konnte nur in Einsamkeit und gesellschaftlicher Absage verwirklicht werden. In sonderbarem Rücklauf mußte sich die von Nietzsche begründete Wagner-Feindschaft schließlich mit der konservativen Gegnerschaft einstiger Traditionalisten gegen das Phänomen Wagner vereinigen. Nietzsche hatte in der Tat die richtige Diagnose gestellt, als er das scheinbare Außenseiterphänomen Wagner, das inkommensurabel geblieben ist, dank dem Genie dieses einzigartigen Künstlers, für unecht hielt. Wie recht das war, hat die weitere Entwicklung der Wagner-Kunst in der bürgerlichen Gesellschaft seit einem Jahrhundert bewiesen. Diese scheinbar so einsame und unvergleichbare Kunst, die nach Wagners Plan gleichzeitig Erfüllung aller bisherigen Musikgeschichte von Gluck bis Beethoven und Weber *und* moderne Renaissance der antiken Tragödie sein sollte, erwies sich im höchsten Verstande als modisch-zeitgemäß: mithin durchaus nicht als »unzeitgemäß« im Sinne des frühen Wagnerianers Nietzsche. Sehr rasch wurde die Kunst Richard Wagners im gesellschaftlichen Vollzug zum Inbegriff einer konservativen Ästhetik, mit deren Hilfe die nachfolgende und nachwachsende Generation von Künstlern und Denkern niedergehalten und zum ästhetischen Gehorsam vermahnt werden konnte. Im Namen Richard Wagners, das hat die Geschichte von Bayreuth bewiesen, konnte alles bekämpft werden, was in schludriger Abstraktion als »entartete Kunst« denunziert werden sollte. Die Anti-Wagnerianer, vor allem solche aus der Schule Friedrich Nietzsches, erwiesen sich dabei als weniger anfällig.

Dies alles ist heute abgetan. Es wäre durchaus wünschenswert, wenn die Auseinandersetzung zwischen Wagnerianern und Gegen-Wagnerianern bloß noch als historisches deutsches und außerdeutsches Phänomen interpretiert werden dürfte. Freilich muß stets gerechnet werden mit dem, was die Soziologie als »Residuen« definiert. Ernst Bloch sprach von »Ungleichzeitigkeiten«. Nicht allein im Leben und Denken Richard Wagners war alles bis zum Schluß als Gleichzeitigkeit vorhanden. Auch abgelebte Gedanken und Erinnerungen aus einer einstmals bewußt-nationalen Kultur sind virtuell immer mitgegeben. Als künftige Wirklichkeit sind sie stets möglich. Daß sie dabei stets unter Berufung auf Richard Wagner von neuem debütieren können, haben die Ereignisse des Jahres 1933 bestätigt. Das Exil des Schriftstellers Thomas Mann, der gleichzeitig ein Wagnerianer geblieben ist und ein Nietzscheaner bis ans Ende, wofür am deutlichsten sein Roman »Doktor Faustus« einstehen mag, wurde erzwungen durch eine Polemik Münchener Künstler gegen Thomas Manns scheinbar abschätzige und verleumderische Jubiläumsrede über »Leiden und Größe Richard Wagners«, gehalten zum fünfzigsten Todestag des Meisters von Bayreuth. Mit den Unterschriften eines Hans Pfitzner, Richard Strauss oder Hans Knappertsbusch gedachte man die Ehre Richard Wagners zu verteidigen gegen einen unwürdigen Anti-Wagnerianer. In der Realität präsentierte sich dies Bekenntnis zum Lebenswerk eines großen Künstlers des 19. Jahrhunderts als Angriff gegen alle Kunst damaliger Gegenwart: wofern sie sich nicht – willentlich oder unwillentlich – zum gesellschaftlichen und ästhetischen Quietismus bekannte. Alles ist heute gleichzeitig sehr fern und bedrohlich nah. Es ist Möglichkeit geblieben in Deutschland. Bleibt zu fragen, ob die Beschäftigung mit Richard Wagner und seinem Werk, ob sogar jegliche Aufnahmebereitschaft für Werke wie *Lohengrin* und *Parsifal,* zu schweigen vom *Ring des Nibelungen,* gleichgesetzt werden muß mit solchem Quietismus. Die Berufung auf Ernst Bloch oder Theodor W. Adorno muß nicht schlüssig sein als Gegenthese. *Ernst Bloch* vom Jahrgang 1885 gehörte durchaus noch zur geschichtlichen Konstellation der virulenten Auseinandersetzung zwischen den Wagnerianern von einst und ihren Gegnern in Nietzsches Gefolge. Der vergleichsweise geringe Nietzscheanismus im Denken einer konkreten Utopie, umgekehrt die prägende Kraft des Wagner-Erlebnisses im »Prinzip Hoffnung«, demonstrierbar allenthalben, nicht allein bei den Gedanken Blochs über das Hohe Paar, bedeutet eine aktuell gebliebene Stellungnahme in einem anachronistisch gewordenen Streit. Ganz wie Martin Heideggers durchaus Wagner-fremde und sogar bewußt »unmusikalische« Denkweise, die sich mit Nietzsche immer wieder in der Auseinandersetzung weiß.

Auch *Theodor W. Adornos* glanzvoller »Versuch über Wagner« taugt nicht als Antwort auf die Frage nach der Zeitgemäßheit oder Unzeitgemäßheit einstiger Querelen. Zwar ist es bezeichnend, wenn Adorno bei der Alternative »Nietzsche oder Wagner« stärkere Ablehnung bekundet gegenüber dem späten und »eigentlichen« Nietzsche, als gegenüber dem Schöpfer der Ring-Tetralogie. Just die tiefe Verstrickung Martin Heideggers in nietzscheanische Kulturkritik veranlaßt Adorno, als Gegner Heideggers, zu besonderer denkerischer Vorsicht. Der Vergleich fällt daher zugunsten Richard Wagners aus. In Adornos »Versuch über Wagner« lautet die Bilanz im Schlußkapitel so: »Wohl könnte man fragen, ob das Nietzscheanische Desiderat der Gesundheit mehr taugt als das kritische Bewußtsein, das die grandiose Schwäche Wagners im Umgang mit den unbewußten Mächten des eigenen Zerfalls gewinnt. Er wird als Stürzender seiner selbst mächtig. Sein Bewußtsein schult sich in der Nacht, die das

Bewußtsein zu verschlingen droht. Der Imperialist träumt die Katastrophe des Imperialismus; der bürgerliche Nihilist durchschaut den Nihilismus der Epoche nach ihm.«

Andererseits kann Richard Wagners durch Dramaturgie wie Theatralik bedingte Harmonisierung der musikalischen Tragödie den Maßstäben einer Negativen Dialektik nicht genügen. Zwar billigt der Ästhetiker Adorno den Destruktionscharakter des Nibelungenrings; trotzdem wird ihm der musikalische Abschluß verdächtig. Adorno behauptet:»Unterm Namen Erlösung wird die Negativität und die Negation der bürgerlichen Welt unterschiedslos für positiv ausgegeben. Der Weltuntergang am Ende des Rings ist zugleich ein Happy-End. Er bequemt sich dem Schema von Tod und Verklärung an, das in der Phraseologie der Todesanzeigen, Zeitungsnachrufe und Grabinschriften seinen wahren Charakter enthüllt: noch die Unausdenkbarkeit des Todes wird zum Mittel, das schlechte Leben zu vergolden.«

Ein Mißverständnis, denn die große Musik am Schluß der *Götterdämmerung* taugt nicht mehr zu irgendeiner Aussage über Zukünftiges. Es bleibt der Spruch der Nornen:»Zu End ewiges Wissen!/Der Welt melden/Weise nichts mehr. –« Das ist kein »Happy-End«. Der musikalische Abschluß fällt nicht mit dem tragischen zusammen. Zu Ende war die Tragödie im Grunde mit der Trauermusik nach dem Mord an Siegfried, also mit einem Beziehungskonzentrat, das nichts mehr mitzuteilen hatte als den Verlust jeglicher Illusion.

Sonderbar berührt es, daß Theodor W. Adorno, dem illustrative Musik grundverhaßt war, den Schluß der *Götterdämmerung* in solcher Weise verkennen mochte. Die Lust am Paradox läßt ihn gar schreiben:»Der Schluß der Götterdämmerung und der von Gounods Wagner mit Recht verhaßtem Faust, wo Gretchen als Christengel über die Dächer der deutschen Mittelstadt schwebt, sind im Grunde nicht gar so verschieden.«

Dies alles scheint abgetan in unserer Zeit. Ernst Bloch, Martin Heidegger, Adorno: sie alle dachten und argumentierten noch innerhalb jenes Bannkreises, wo Wagnerianer und ihre Gegner immer noch eine Katalaunische Schlacht durchzukämpfen suchten. Zwar wurde Richard Wagner durch keinen Führer und Reichskanzler widerlegt, und auch nicht Friedrich Nietzsche durch einen Duce, dem sein Führer-Freund die gesammelten Bände einer Philosophie »Jenseits von Gut und Böse« als Angebinde überreicht hatte. Der Festredner des Jubiläumsjahres 1976 und Präsident der Deutschen Bundesrepublik bekannte im Bayreuther Festspielhaus: er sei kein Wagnerianer. Das rief beim Publikum arges Befremden hervor, denn diesmal füllten fränkische Bewohner der Festspielstadt den Raum des Amphitheaters. Weshalb sich der Redende sogleich beeilte: er sei jedoch auch kein Anti-Wagnerianer. Soll man hier, mit welcher Akzentuierung immer, von einem Jenseits von Gut und Böse sprechen? Was so begütigend klingen mag und harmonisierend, bedeutet im Grunde die Entschärfung und Entwesung einstiger Konflikte. Dann wird Richard Wagners Kunstwerk der zerbrochenen Illusionen ebenso wie Nietzsches Gegendenken, das er selbst voller Stolz für ein »Verhängnis« hielt, und das in der Tat verhängnisvoll werden konnte, zum Genußartikel für Liebhaber des Antiquarischen. Dann hat Richard Wagners Kunst einer Spätzeit das Schicksal der bürgerlichen Gesellschaft teilen müssen: *nicht sterben zu können,* gleich dem Holländer, gleich Amfortas und Kundry. Permanenz der Agonie jedoch ist »kein Leben mehr«. Wenn Tristan, Tetralogie und Parsifal den Rückweg vom Drama zur Oper antreten mußten, war Richard Wagners Konzept einer erneuten Vergegenwärtigung antiker Tragik obsolet geworden.

Wie wäre das denkbar heute: nicht Wagnerianer zu sein und nicht Anti-Wagnerianer, trotzdem aber ein Werk ernst zu nehmen, jenseits genußreicher Abende im Opernhaus? Scheinbar ist ein Zugang zu Werk und Essenz Richard Wagners, nicht allein zu einzelnen Kunstwerken, kaum mehr denkbar. Richard Wagner verwandte in den ersten Bayreuther Jahren, kurz nach Gründung des Kaiserreichs, viel Nachdenken auf die Frage »Was ist deutsch?«. Neben seinen bekannten Formulierungen, wonach es deutsche Art sei, eine Sache um ihrer selbst willen zu tun, was Leere bedeutet, solange nicht entwickelt wird, von welcher »Sache« geredet werden soll, plante er eine umfangreiche Abhandlung, wollte gleich nach den Festspielen von 1876 eine Vortragsreise unternehmen, dann nach Abschluß des »Parsifal« nur noch kulturgeschichtliche Reflexionen niederschreiben – und mindestens ein Dutzend Symphonien. Davon wird in Cosima Wagners Tagebüchern berichtet. Dies war ein zentrales Thema der Zeit und des Zeitgedankens: die neue politische Einheit eines deutschen Fürstenbundes aus Preußen und Bayern, Sachsen und Hessen und Oldenburgern zu reflektieren. Die Dringlichkeit der Frage empfand auch Nietzsche, als er an Wagner zum Renegaten geworden

war. Zwei Jahre nach Wagners Tode (1885) schrieb Nietzsche, be-
zeichnenderweise nach einer Analyse des Vorspiels zu den *Meistersingern von Nürnberg,* über die Deutschen:»Sie sind von vorgestern
und von übermorgen – sie haben noch kein Heute.«
Wäre mithin auch *diese gemeinsame Fragestellung Wagners und Nietzsches nach der Essenz einer deutschen Kultur* hinfällig geworden im Zeichen eines national indifferenten Kosmopolitismus der reisefreudigen
deutschen Landsleute? Um so stärker, als die einstige Grundvoraus-
setzung solcher Fragen nach dem Deutschtum, damit nach einer par-
tiellen eigenen Identität der Fragenden, unabdingbar mit dem Bewußtsein geschichtlicher Kontinuität verbunden ist. Richard Wagner
empfand sich in höchstem Maße als Fortsetzer (und natürlich End-
punkt) einer geschichtlichen Entwicklung in aufsteigender Linie. Sich
selbst verstand er als lebendige und fortwirkende Synthese aus Griechentum, Weimarer Klassik und poetisch-musikalischer deutscher
Romantik. Der junge Friedrich Nietzsche, damals noch ein Freund
und Schüler des Bayreuther Meisters, formulierte vorsichtig die ersten
Thesen eines entschiedenen Anti-Historismus. Dem spätromantischen
Spiel mit einer historisierenden Maskenkunst im garantiert altgriechi-
schen oder altdeutschen Stil stellte er aus Überdruß eine *Gegenkunst
des Vergessenkönnens* gegenüber. Damit wurde Nietzsche für künftige
Denker und Künstler – für Gottfried Benn und Paul Valéry oder
Albert Camus – zum Vorbild. Schierer Nachteil der Historie für
das Leben. Die Kunst des Vergessenkönnens bleibt zu erlernen. Sie
erschafft dann Statische Gebilde.

Nietzsche selbst hat diese Gegenthesen zum Historismus zwar
postuliert, aber sich selbst kaum daran gehalten. Der Historismus
nicht allein, sondern jegliches Denken, das dem Geschichtsablauf
irgendwelche Kategorien zur Deutung von Aktualität entnehmen
möchte, wird verlacht vom modernen Denken, das fasziniert scheint
von allem, was quantifizierbar ist. Von den neuen Schopenhaueria-
nern, die immer wieder gegen das Verhängnis der Hegelinge ankämp-
fen; von den Strukturalisten, die allenthalben Archetypen erblicken
statt geschichtlicher Bindung. Als einziger unter den Denkern einer
solchen zeitgenössischen Reflexion scheint sich *Claude Lévi-Strauss*
im Werk Richard Wagners ein Thema des eigenen Nachdenkens
erschlossen zu haben. Freilich um den Preis der dezidierten Entge-
schichtlichung. Tetralogie und Parsifal werden verstanden als ein
ewiges Heute. Dann präsentiert sich Richard Wagner, nach der For-

mel Friedrich Nietzsches, in der Tat als Ewige Wiederkehr des Gleichen.

Ein schwieriges Unternehmen: den Bannkreis einstiger Wagnerianer und Anti-Wagnerianer zu durchbrechen, den bequemen Ausweg
eines Operngenusses zu verschmähen, um die Bedeutung zu reflektieren, die Richard Wagner heute abermals gewinnen könnte. Scheinbar
spricht alles gegen solche neue Aktualisierung. Richard Wagner hat
in den *Meistersingern von Nürnberg* die Vergöttlichung der Kunst gestaltet, was mehr bedeuten sollte als bloße Säkularisierung eines ehemals
sakralen Bereichs. Bei Wagner wurde die Kunst nicht zur Ersatzreligion, sondern recht eigentlich zur neuen Religion. Viele unsinnige
Behauptungen in den späten Schriften Richard Wagners, erst recht
in seinen Gesprächen mit Cosima, sind nicht zu verstehen als Ergebnis
eines intensiven Nachdenkens, der geschärften und sachgemäß abge-
stützten Reflexion, sondern gleichsam als »unerforschliche Ratschlüs-
se« eines Künstler-Gottes. Cosimas Tagebücher demonstrieren das
an einem merkwürdigen Beispiel, das abermals zurückführt zur Ursache des Konflikts mit Nietzsche. Es handelt sich um den Philosophen
und Nietzsche-Freund *Dr. Paul Rée.* Die berühmte Photographie
zeigt Nietzsche und Rée als Zugpferde vor einem Karren, der von
Lou Salomé mit der Peitsche angetrieben wird. Lou Salomé hat Nietzsches Werbung abgelehnt und sich damals für Rée entschieden. Als
Nietzsche zum letztenmal mit Wagner zusammen ist, in Sorrent im
Spätherbst des Jahres 1876, in der Krisensituation nach den ersten
Bayreuther Festspielen, erlebt Wagner bei diesem scharfen Denker
Paul Rée, der sich im Gegensatz zu Nietzsche nicht schonungsvolle
Rücksicht auferlegt beim Anhören von Wagners gesprochenen Edik-
ten und Verdikten, den rationalen Widerspruch. Der Künstler-Gott
findet sich konfrontiert mit einem wirklichen Denker, der nicht
gleichzeitig Dichter ist wie Nietzsche. Es kommt im Gespräch zur
tiefen Verstimmung. Vermutlich hat Nietzsche an jenem Abend die
Abkehr von Wagner vollzogen. Cosima notiert unter dem 1. November 1876: »Abends besucht uns Dr. Rée, welcher uns durch sein
kaltes pointiertes Wesen nicht anspricht, bei näherer Betrachtung
finden wir heraus, daß er Israelit sein muß.«

Womit alles erklärt zu sein schien. Nicht so ganz indessen. Am
24. Juni 1878 liest Wagner erneut, offensichtlich in faszinierter Negation, in Nietzsches Buch »für freie Geister«. Wie gewöhnlich entrüstet
er sich über »die prätentiöse Gewöhnlichkeit« des einstigen Freundes,

um fortzufahren:»Ich begreife, daß Rée's Umgang ihm mehr behage als wie der meinige.«In Paul Rée, unmittelbar darauf natürlich in Nietzsche selbst, trat dem Künstler-Gott ein Antagonist entgegen, der Wahrheit oder Unwahrheit des Gedanken sorgfältig zu trennen gedachte von der Person des jeweiligen Denkers. Für ihn war die konkrete Subjektivität eines Genies noch kein Wahrheitskriterium. Vergöttlichung der Kunst in Richard Wagners Verstande ist uns noch fremder geworden als Paul Rée und seinen Nach-Denkern. Es kommt hinzu, daß das Kulturleben der Gegenwart, im Gegensatz zur kapitalistischen Welt des 19. Jahrhunderts, wo der geniale freie Unternehmer und der geniale Künstler als Grundwerte respektiert wurden, immer mehr vom Vorrang allseitiger Administration bestimmt wird. Die einstige Vergöttlichung der Kreativität wurde abgelöst durch Allmacht der Distributionssphäre. Die Künstlerreligion Richard Wagners wurde nicht minder»vereinnahmt«als das scheinbar unzugängliche Außenseitertum Nietzsche-Zarathustras, Stefan Georges, eines Karl Kraus. Richard Wagners Hang zum amateurhaften Philosophieren ist abgelöst worden durch ein – oft nicht minder amateurhaftes – Soziologisieren. Die Psychologie im Spätwerk Richard Wagners, wodurch sie ihr Gegenstück besitzt in der Dramatik Henrik Ibsens, was Shaw sehr früh schon entdeckt hatte, ging davon aus, daß das Individuum ernstgenommen wurde. Wagner erweiterte, im *Parsifal* wenigstens, die Lehre im Ernstnehmen jeglicher»Kreatur«. Auch hier produzierte die Gegenwart ein Anti-Prinzip. Es scheint sich demokratisch auszunehmen gegenüber dem individualistischen Denken des 19. Jahrhunderts, erweist sich aber nicht minder als Aristokratismus einer bedenklichen Art. Fortan wird unterschieden zwischen»Personen der Zeitgeschichte«, die alle Rechte entfesselter Individualität wahrzunehmen scheinen, oft bis in den Untergang hinein – und anonymen Massen, die bloß noch taugen als»repräsentativer Querschnitt der Gesellschaft«. Der Konflikt des 19. Jahrhunderts präsentiert sich folglich in gewandelter Verkleidung. Der Skandal um Richard Wagner in München, der Prozeß Oscar Wildes ist nach wie vor möglich. Auch die *Kontinuität der Bayreuther Festspiele* seit mehr als einem Jahrhundert beweist nichts, was für einen neuen Wagnerianismus sprechen könnte. Die Verwandlung einstiger Gralspilgerschaft in eine exquisite Form der Sommerunterhaltung wurde längst vollzogen. Das reicht zurück in die Herrschaftszeit Cosima Wagners. Der Enkel Richard Wagners als Festspielleiter betreibt Festspiele als Beruf: eine andere Lösung wäre gar nicht denkbar. Er weiß natürlich, daß Richard Wagners Plan einstiger Festspiele der Sammlung transformiert wurde zu Festspielen der Zerstreuung.

Es kommt hinzu, daß unsere heutige Kenntnis des Menschen Richard Wagner, seiner Gedanken, Emotionen und Handlungsweisen, alle einstigen Ressentiments gegen den Autor der Schrift über das Judentum in der Musik, den Verfasser der peinlichen Operette über das deutsche Heer vor Paris mitsamt Verhöhnung der Communarden in der belagerten Stadt, noch verstärken muß. Wagners Urteile über Meister der Vergangenheit sind oft fast unbegreiflich, weil sie als eigensinnige Vorurteile verkündet werden, trotzdem allgemeine Gültigkeit haben sollen. Hölderlin ist langweilig, und Mozart wird oft sehr gönnerhaft belobigt: beim Vergleich mit Beethoven kann er nur mäßig abschneiden. Nichts ist ernstgenommen, all diese Bayreuther Jahre hindurch, als eben das eigene Werk und das jeweils wechselnde Eigeninteresse. Verhöhnung eines jeglichen Parlamentarismus und Demokratismus, gleichzeitig bittere Verachtung des Politikers Bismarck. Cosima notiert am 28. Juli 1878:»Mit der Genialität sei es vorbei, meint R., die ›Trivialität der Witze, sei es der Studenten-Witze Bismarck's oder Leutnants-Witze des Kronprinzen‹, widert ihn an.« Liebe zu Deutschland und den Deutschen? Das wird von Fall zu Fall entschieden: je nach dem Verhalten Deutschlands und der Deutschen zum Meister zu Bayreuth.

Wenn die Londoner Konzerte des Jahres 1877 mißlingen, weil die englischen Organisatoren schlecht gearbeitet haben und wenig zahlungsfähig sind, so hat man eine einfache Erklärung:»Ganz Israel wirkt wieder gegen uns.« Eine Aufführung des Mendelssohnschen »Lobgesangs« in der Westminster Abbey empfindet Cosima, die hier wohl in Richards Namen spricht, einfach als»ungehörig«. Die Ausfälle nehmen kein Ende. Wobei niemals klar wird, warum die Rubinstein oder Joseph Joachim oder Mendelssohn oder Levi oder ein so treuer und begnadeter Wagnerianer wie Karl Tausig als Juden so besonders verwerflich sein müssen, während gleichzeitig immer wieder von Enttäuschungen und üblen Erfahrungen mit den treudeutschen Sängern Niemann und Betz, von den Grobheiten des Bayreuther Kostümbildners Döpler usw. die Rede sein muß. Daß beim Abschieds-empfang nach Abschluß der Festspiele von 1876 mit wenigen Ausnahmen alle führenden Sänger der Tetralogie ihren Meister im Stich lassen, daß der Bankier Feustel in Bayreuth als kühler Geschäftsmann agiert, daß der Bayerische König sein Geld wiederhaben will, ist bedauerlich und wird von Wagners entsprechend zornig registriert. Wagt aber ein »Israelit« etwas Ähnliches, so beweist er damit abermals seine gemeine Rasse.

Nicht zu zählen auch die Ausfälle gegen die Franzosen, gegen die Katholiken, gegen die Sozialdemokraten. Die Franzosen: das ist abermals Pariser Trauma. Wenn Richard Wagner etwas als groß anerkennt, erklärt er es fast automatisch als »typisch deutsch«. Sein Erleben in Deutschland freilich entspricht dieser Tatsache im mindesten nicht. Auch zögert Wagner drei Jahre später, als ihn das Defizit der Festspiele niederdrückt, ebensowenig, eine Auswanderung nach Amerika und ohne Rückkehr zu planen. Sie scheitert vor allem an den finanziellen Absicherungen.

Der Hasser von Juden, Jesuiten und Franzosen, der immer wieder dem bewunderten Bismarck gute Ratschläge geben möchte, ohne vom Deutschen Reichskanzler beachtet zu werden, ist auch ein entschiedener Gegner der Parlamentarischen Demokratie. Am 19. Juni 1873 notiert Cosima: »... kein Verdienst hilft dem großen Mann. Der Jude Lasker wird ihm gegenübergestellt. Furchtbar rächt sich das Spiel, eine verachtete Institution – wie die Kammer vor Bismarck von je war – anscheinend ernstgenommen zu haben, um sie gelegentlich zu verhöhnen. Gott gebe nur, daß dem unsinnigen Parlamentarismus ein Ende gemacht werde.« Bei den Wahlen zum Deutschen Reichstag im Januar 1874 befindet das Ehepaar Wagner: »Schrecken über die Wahlen – Deutschland durchaus nicht für allgemeines Stimmrecht geeignet. Die Guten, zufrieden mit der Regierung, enthalten sich, und nur die Schlimmen sind tätig (Juden, Ultramontane, Sozialisten).«

Alle Absurditäten des Antisemiten und politischen Kannegießers Richard Wagner sind kaum als läßliche Entgleisungen abzutun; sie hängen mit der Substanz, auch mit der Kreativität zusammen. Noch die Albernheit, die Richard Wagner in Bayreuth veranlaßt, beim Anblick einer Gänseleberpastete über Tierquälerei zu wettern, was ihn nicht hindert, dem nützlichen Bankier Feustel ein solches Produkt zum Geburtstag zu schenken, ist bedeutsam für das Werk, denn als Sublimierung gehört sie zur Mitleidsreligion des *Parsifal* und zur Episode des durch den reinen Toren sinnlos getöteten Schwans.

Schiebt man die Fülle der geschichtlich widerlegten und von jeher unbeweisbaren Behauptungen Wagners zu den meisten Zeitfragen beiseite, so bleibt, vermittelt durch Cosimas Aufzeichnungen, nach wie vor das Phänomen einer geistigen Erscheinung, nicht bloß eines immensen Künstlertums. Der Autodidakt Richard Wagner liest unmäßig viel. Mit Cosima arbeitet er Tag für Tag die Werke der Philosophen und Historiker durch. Die großen Dichtungen der Weltliteratur und die großen Partituren vergangener Meister. Auch hier immer wieder schrullige Behauptungen, die leicht widerlegt werden können. Bei »Werthers Leiden« sei der Roman unwichtig gegenüber dem philosophischen Gehalt. Platon sei umgekehrt zwar ein mäßiger Philosoph, doch ein bedeutender Poet. Mit Hölderlin können beide Wagners nichts anfangen, legen ihn beiseite und lesen altindische Dichtung.

Überall dort hingegen, wo Wagner ernsthaft und rational, von traumatischen Erinnerungen unbehelligt, die künstlerischen Phänomene seiner eigenen Epoche analysiert, ist er ungemein scharfsinnig. Einfälle stehen ihm stets zur Verfügung.

Vieles kann jetzt erst genau belegt werden, was man vermuten mochte. Daß Wagner keine Illusionen hatte über König Ludwig II. Daß der Ablauf der Festspiele von 1876 insgesamt eine Tragikomödie bedeutet hat, und daß Wagner, im Gegensatz zu den Münchener Uraufführungen des *Tristan* und der *Meistersinger*, den künstlerischen Ertrag als tief enttäuschend empfand und folglich eine Wiederholung der Tetralogie gleichsam schaudernd in sich ablehnte. Übrigens wird man die schlichte Gleichsetzung von absurdem Vorurteil und »schlechtem Charakter« im Fall Richard Wagner aufgeben müssen. Richard Wagner wirkt mit allen Unsinnigkeiten seines Zorns und oft verqueren Denkens immer wieder rein und naiv, fast kindhaft, keineswegs infantil. Er offenbart immer wieder eine merkwürdige Unschuld des Werdens, um einen Ausdruck von Nietzsche zu verwenden.

Es geht im Falle Wagner nicht an, weil es bei keiner bedeutenden Erscheinung der Vergangenheit glücken könnte, die reinliche Scheidung zu postulieren zwischen dem schlechten und dem guten Charakter in Wagner; zwischen Fortschritt und Reaktion, um es mit den Formeln von Georg Lukács auszudrücken; zwischen tragischer Größe und offenkundigem Kitsch. Unsinnig vor allem sowohl der Versuch, die Kunst Richard Wagners gegen ihren Schöpfer zu verteidigen, wie das anmaßende Unterfangen, den Musiker Wagner retten zu wollen auf Kosten des Librettisten, Kunsttheoretikers und Komödianten. Die antiseptische Behandlung eines immensen Künstlers und eines nach wie vor inkommensurablen Kunstwerkes wäre nicht minder spießbürgerlich und unzeitgemäß wie so vieles an Richard Wagner selbst. Wer sich mit Richard Wagner abgibt, muß sich auf das Ganze einlassen. Hier ist in jedem Fall, was immer Adorno einwenden mochte, das Ganze als das Wahre zu interpretieren. Die Größe des Werkes liegt nicht zuletzt in den Widersprüchen und Brüchen, die auch dieser Schöpfung vom Ursprung her anhaften mußten.

In einem oft zitierten Aufsatz vom Jahre 1929 hat Ernst Bloch die »Rettung Wagners durch surrealistische Kolportage« gefordert. Den Aufsatz reproduzierte er gleich nach dem Jahre 1933 in der Exilschrift »Erbschaft dieser Zeit«. Bloch wollte damit bekunden, daß just die Spektakel und Aufzüge des damals angehenden Dritten Reiches als Bestätigung einer Analyse verstanden werden durften, der es um eine »Rettung« Richard Wagners geht: »Es ist nicht möglich, das Schlechte, gar Sächsische an Wagner zu lieben, so wie man etwa Banalitäten an Verdi liebt, ja, ihn um dieser Dinge willen besonders liebt, den freundlich tiefen Geist. Wagner ist dafür zu anmaßend, an den Blößen eines Gewaltzwingers ist nichts Rührendes wie an den Schwächen eines Geliebten...«.Der Kunstdenker Ernst Bloch, auch darin ein Wagnerianer, mit neuen geistigen Impulsen und in einer neuen Ära, forderte auch für die Interpretation von Werken Richard Wagners das Miteinander aus Pathos und Parodie. Er prophezeite: es ergäben sich dabei »Parodie und echtes Pathos im gleichen Werk, oft an den gleichen Gestalten, gestaffelt und gewiß sonderbar, doch jedenfalls als echter Zustand im Werk, den man jetzt nur zudeckt. Das macht keinen quantitativen, sondern einen qualitativen Strich im Ring, den einzig sinnvollen.« An anderer Stelle: »Und auf jeden Fall kann jetzt auch Kolportage in Wagners Werk einbrechen, Jahrmarkt, Zirkus, Rummelplatz in ihr darin.«

Es ist nicht zu leugnen, daß moderne Interpretationen, vor allem am Beispiel der Tetralogie, genau diese frühe Erkenntnis Ernst Blochs von 1929 auf der Bühne zu realisieren suchen. Nicht zuletzt im Festspielhaus zu Bayreuth. Wer sich beim Anschauen und Anhören entrüstet und ereifert ob der angeblichen Blasphemie, hat weder die komplexe Größe dieses Künstlers erfaßt noch die geschichtlichen Wandlungen im Jahrhundert seit Begründung von Festspielen in Bayreuth. Blasphemie meint Verletzung einer religiösen Totalität mitsamt ihren

Requisiten und Ritualen. Die aber hatte bereits Richard Wagner in bezug auf das Christentum praktiziert; es führt ein unmittelbarer Weg von der Vergöttlichung der Kunst in den *Meistersingern von Nürnberg,* wo man mit dem Taufchoral in der Kirche beginnt und im musikalischen Parodieverfahren mit der Vergöttlichung der Kunst abschließt, bis zur Manipulation religiöser Riten und Symbole im Bühnenweihfestspiel. Richard Wagner wurde bei der Premiere des *Parsifal* ungeduldig, als die Leute nicht zu applaudieren wagten. Für ihn war in keinem Augenblick zweifelhaft, daß man sich nicht in der Kirche befand, sondern im Theater.

Stellt man aber fest, daß Richard Wagner, wie die Aufzeichnungen Cosimas von 1869 bis Februar 1883 ausführlich belegen, alle geistigen Stationen seines Lebens, auch alle Lebenserfahrungen eines geistigen Mitläufers, in fast unschuldsvoller Gleichzeitigkeit bis zum Schluß für sich aufbewahren konnte: Heinse und Feuerbach, Proudhon und Bakunin, Schopenhauer und die Rassentheorien des Grafen Gobineau, so wird man diese Gleichzeitigkeit auch in den großen Musikdramen wiederentdecken. Also den Calderón in *Tristan und Isolde*; die Jahrmarktskolportage in den *Meistersingern von Nürnberg*; Proudhons Theorie vom Eigentum und Bakunins Ästhetik der Destruktion im *Ring des Nibelungen*. Die heißersehnte Niederbrennung des verhaßten Paris, dieser eigentlichen »Hauptstadt des 19. Jahrhunderts« (Walter Benjamin), hat Wagner vorgeschwebt, als er die Niederbrennung von Walhall konzipierte. Noch in einem Werk wie dem *Parsifal*, das sich streng an die Regeln des Mysterienspiels und der Prädestination zu halten scheint, findet sich ein Schluß, der dem utopischen Denken entstammt, nicht dem sakralen.

Die bürgerliche Ästhetik des 19. Jahrhunderts pflegte mit scharfen Antithesen zu arbeiten, übrigens meist moralischen. Als ein Entweder – Oder. Es gab die Kunst und den Kitsch, was immer man darunter jeweils verstehen mochte. Die Ernste und die Unterhaltende Musik. Die Erbauung und die Zerstreuung. Preisgegeben wurden dadurch gerade die größten Kunstwerke vergangener Zeiten. Den sehr großen Werken nämlich ist es eigentümlich, daß sie die äußerste Erhabenheit und die derbste Vulgarität zur Einheit gestalten konnten: bei Shakespeare und Balzac, in den Kolportageelementen des »Faust« wie der »Zauberflöte«. Hugo von Hofmannsthal hat sich als Librettist von Richard Strauss ein Leben lang damit abgemüht, die Welten der Zerbinetta und der Ariadne immer wieder im selben Kunstgebilde miteinander zu vereinigen. Er hat es nicht erreicht, sondern mußte stets die geliebte Kolportage aus den Ursprüngen des Wiener Volkstheaters an die scheinbare Erhabenheit des angeblichen Wagner-Modells verraten.

Wenn es heute gelingt, dem Menschen Richard Wagner und seinem Werk mit Unbefangenheit gegenüberzutreten, so wird damit nicht Entsühnung oder gar Erlösung praktiziert, was undenkbar wäre, sondern historische Gerechtigkeit geübt. Wagnerianer und Anti-Wagnerianer heute, das ist gleichfalls ein Anachronismus aus vergangenen Zeiten. Nietzsches Kritik hat das Werk Richard Wagners nicht hinfällig gemacht, was übrigens der Autor der Schrift »Nietzsche contra Wagner« niemals geplant haben mochte. Es gibt auch keine Alternative zu Richard Wagner. Nicht einmal die totale Negierung von Mann und Werk könnte das repräsentieren. Sie bewiese nur, daß in höchst ungeschichtlicher Weise und in der Nachfolge Friedrich Nietzsches versucht wird, die »Kunst des Vergessenkönnens« zu erlernen. Die aber ist nicht zu erlernen. Weder beim einzelnen Menschen noch bei den Generationen.

Da in unseren Tagen nichts gelöst worden ist von dem, was Richard Wagner leiden und schaffen machte, besteht nach wie vor Gleichzeitigkeit zwischen ihm und uns. Er hat es gewußt, auch wenn er in kaum mehr zu zählenden Einzelheiten ein falscher Prophet gewesen sein mag. Er hat nicht gewußt und voraussagen können, wie es in der Welt zugehen würde nach dem Brand von Walhall und der Rückkehr des Rheingolds. Das Ringsymbol meint die ewige Wiederkehr des Gleichen, also Geschichtslosigkeit. Menschliche Geschichte jedoch ist im Sinnbild des geschlossenen Kreises nicht zu fassen. Es gehört zu den Eigentümlichkeiten der Dramaturgie Richard Wagners, daß seine wichtigsten Gestalten niemals eigenbestimmt handeln, sondern immer durch fremde Bestimmung getrieben werden: nach den Plänen eines Gottes, eines dämonischen Verbrechers, durch Trank und Gegentrank, als Gralsritter, ehrenhafte Vasallen und »liebe Sänger« eines mäzenatischen Landesfürsten. Damit steht Richard Wagner am Ende einer dramaturgischen Philosophie, die mit Schillers Kunstfiguren der scheinbar freien Autonomie begonnen hatte. Die Entfremdung und Selbstentfremdung ist auch Richard Wagners verborgenes und doch offenkundiges Grundthema. Leidvolle Erfahrung hat es dazu gemacht. Allein die Möglichkeit einer Nichtentfremdung ist gleichzeitig postuliert. Freilich bleibt Alberich am

Leben, aber auch eine Menschenwelt jenseits von Siegfried und Brünnhilde, von Walhall und der Gibichungenclique. Auch die Musik der verlorenen Illusion im sogenannten Trauermarsch um Siegfried kann nicht das Ende bedeuten. Es geht weiter. Alles ist möglich, solange noch alles möglich ist. Solange sich nicht in Wahrheit der Ring geschlossen hat.

RICHARD WAGNER
IN SEINER ZEIT

DIE JUGENDGESCHICHTE
EINES GEISTIGEN MITLÄUFERS

Richard Wagners Jugend und Bildungsgang ist das Gegenteil eines stetigen humanistischen Formungsprozesses. Das neunte Kind aus der Ehe des Polizeiaktuars am Leipziger Stadtgericht, des Herrn Carl Friedrich Wilhelm Wagner, verlor seinen Vater 1813 genau sechs Monate nach seiner Geburt. Der Leipziger Beamte war nach der Völkerschlacht dem Lazarettfieber erlegen. Ludwig Geyer, ein in vielen Künsten beschlagener Schauspieler, Sänger, Dichter und Maler, ging mit Johanne Wagner eine neue Ehe ein. Der Stiefvater Geyer wurde von Richard Wagner später in Dankbarkeit als sein eigentlicher »geistiger Vater« bezeichnet. Aber auch Geyer starb bereits im Herbst 1821. Richard Wagners Elternhaus stand am Brühl in Leipzig: in unmittelbarer Nähe vom Alten Theater. Der Knabe kam früh mit Theater und Theaterleuten in Berührung. Auch er wollte Schauspieler und Sänger werden, wie Geyer. Drei seiner älteren Schwestern hatten gleichfalls als Schauspielerinnen oder Sängerinnen die Bühnenlaufbahn eingeschlagen. Nach Geyers Tode zieht die Familie nach Dresden. Richard Wagner verlebt die entscheidenden Jahre seiner Jugend unter ausschließlich weiblicher Leitung und Beaufsichtigung. Er ist ein eigenwilliger Schüler, dessen Studien immer wieder durch Ortsveränderungen unterbrochen werden. Er besucht die Kreuz-Schule in Dresden, erlebt dort eine »Freischütz«-Aufführung unter Webers Leitung, die ihn sehr beeindruckt: es ist der Zauber des Werkes, aber nicht minder das Bild des Dirigenten, der da steht und »leitet«. Auch Wagner möchte einmal so dastehen und die Menschen im Bann halten. Er liest viel und wahllos, hört viel – ebenso wahllos. Der Dreizehnjährige entdeckt für sich E.T.A. Hoffmann und Shakespeare. Er schreibt ein Gymnasiastendrama im Stil der Ritterstücke und der Shakespeareschen Haupt- und Staatsaktionen, mit dem Titel *Leubald*.

Thomas Mann hat wiederholt davon gesprochen, in Wagners Jugendentwicklung seien die Züge des Dilettantischen nicht zu ver-

kennen. Richtig ist daran, daß Richard Wagner keineswegs mit genie-
haften frühen Leistungen aufzuwarten vermag, die einen Vergleich
mit der Frühreife Mozarts oder Mendelssohns, der die Ouvertüre
zum »Sommernachtstraum« schreibt, oder dem noch knabenhaften
Schubert, dem Komponisten des »Erlkönig«, zulassen. Wagners frühe
dramatische und kompositorische Entwürfe sind ebenso leidenschaftlich in Angriff genommen wie schlecht durchgeführt. Aber sie werden
eben durchgeführt und zu Ende gebracht. Gewiß, wenn man von
der Entstehung des *Leubald* durch Wagner selbst erfährt, muß man
an Primanerdramen denken. Aber Wagner hat sein Primanerdrama
nicht nur geplant und skizziert, sondern zu Ende geführt. Dank
bohrender Zähigkeit und Besessenheit wird in jahrelanger Arbeit
eine schrittweise Steigerung künstlerischer Qualität erreicht, wie sie
zunächst weder dem Talent des jungen Menschen noch seinem Können zugänglich schien. Über dem Gymnasiastendrama wird der Schul-
unterricht vernachlässigt. Inzwischen leben die Wagners wieder in
Leipzig; Richard Wagner wird an die Nicolaischule versetzt, muß
aber von der Sekunda den Rückweg in die Tertia antreten, da er
noch keine wirkliche »Sekundareife« besitzt. Dadurch wächst seine
Unlust am Studium. Es steigert sich dafür die Lust an Musik und
musikalischer Komposition. Erst als Autodidakt, dann in gründ-
lichen, aber zu früh abgebrochenen Theoriestunden lernt er die
Grundzüge des kompositorischen Handwerks. Er komponiert eine
Ouvertüre, die sogar aufgeführt wird. Sein Haupterlebnis ist Beethoven: die 7. Symphonie und der »Fidelio« in Wilhelmine Schröder-
Devrients ergreifender Darstellung. Wagner hat das Erlebnis der
Beethoven-Symphonie getreulich aufgezeichnet. Beethovens Bild und
Musik waren für ihn untrennbar zur Einheit geworden: Künstler
und Kunstwerk. »Dieses Bild floß mit dem Shakespeares in mir zusammen: in ekstatischen Träumen begegnete ich beiden, sah und
sprach sie; beim Erwachen badete ich in Tränen.« Hier ist bemerkenswert, daß Dichtungserlebnis und Musikerlebnis untrennbar ineinander übergehen, ohne daß der junge Wagner dem Dramatiker oder
dem Musiker einen Vorrang einzuräumen gewillt wäre. Das ist kein
Schwanken zwischen der Dichtung und einer Nachbarkunst, etwa
der Malerei oder Plastik, wie beim jungen Goethe, beim frühen Gottfried Keller oder beim jungen Gerhart Hauptmann. Wagner schwankt
nicht zwischen zwei Künsten; er will beide zu gleicher Zeit. Der
Text des *Leubald* ist beendet, nun beginnt der sechzehnjährige Gym-

nasiast mit der Komposition seines Dramas. Zu Ostern 1830 verläßt
er die Nicolaischule, um Musiker zu werden, muß aber im Herbst
des gleichen Jahres noch einmal auf die Schulbank, diesmal auf die
Thomasschule, wo er bis zum Februar 1831 bleibt. Dann wird er
entlassen: ohne Reifeprüfung, erhält aber die Erlaubnis, auch ohne
Examen als Studierender der Musik an der Leipziger Universität
immatrikuliert zu werden.

Zwischen der ersten dramatischen und musikalischen Produktion
und dem Schulabschluß liegt jedoch ein Erlebnis ganz anderer Art.
Ein neues Element, das für Richard Wagners geistige Entwicklung
entscheidend sein sollte, mischt sich hinein: die Politik. Im Juli 1830
wurde das Bourbonenregime in Paris durch einen dreitägigen revolutionären Aufstand des Pariser Volkes vertrieben. Die Wirkungen
sind ungeheuer auch außerhalb Frankreichs. Es kommt zu revolutionären Bewegungen in Belgien und Italien, in Spanien und auch an
manchen Punkten Deutschlands. Bauernaufstände, gelegentliche
Meutereien deutscher kleinfürstlicher Truppen, Abdankungen und
Regierungswechsel an einigen deutschen Höfen. In Leipzig kommt
es zu Revolten der jungen Demokraten, vor allem der Studenten-
schaft. Der siebzehnjährige Richard Wagner ist dabei. Er begeistert
sich am Bilde von Aufruhr und Volkswiderstand gegen rückständige
Verhältnisse. Aber er ist gleichzeitig auch ehrlich begeistert von den
Gedanken der deutschen Einigungs- und Befreiungsbewegung. Er
ist ein Anhänger der Juli-Revolution wie Heine und Börne, wie
sein hessischer, gleichfalls 1813 geborener Altersgenosse Georg Büchner. Mit den meisten jungen und fortschrittsfreudigen Deutschen
jener Tage ist er ein glühender Freund der polnischen Unabhängig-
keitsbewegung. Noch sechs Jahre später gestaltet er seine Anteilnahme am Kampf des polnischen Volkes gegen den Zarismus in einer
Polonia-Ouvertüre.

Richard Wagners Lektüre ist in jenen Jahren fast ausschließlich
durch die jungdeutschen Prinzipien bestimmt. Er entdeckt in Wilhelm
Heinses Künstlerroman »Ardinghello« (1785 erschienen) einen der
Ausläufer der Sturm- und Drang-Bewegung, den Verkünder eines
eudämonistischen, auf Sinnenlust und Diesseits-Religion gegründeten
Lebensprinzips. Diese jungdeutsche Verehrung der Sinnenlust, die
Scheinantinomie eines »Kampfes der Geschlechter« wird nun für Richard Wagner zum Grundgedanken seiner ersten auf die Bühne gelangenden Oper, des 1835/36 entstandenen *Liebesverbots*. Voraufgegan-

gen war ein durchkomponierter Operntext der Weber-Nachfolge unter dem Titel *Die Feen.* Das *Liebesverbot* wird in Magdeburg, wo Wagner inzwischen als Kapellmeister wirkt, eineinhalbmal aufgeführt: der zweite Abend endet – übrigens nicht aus Gründen, die mit der Oper zusammenhängen – mit einem Theaterskandal und Abbruch der Vorstellung. Das *Liebesverbot* ist ein Libretto nach Shakespeares Schaupiel »Maß für Maß«. Abermals also ein Weiterwirken der Shakespeare-Verehrung im jungen Wagner. Aber der Text, der sich im übrigen eng an die Schauspielvorlage hält, ist in einem wesentlichen Punkt verändert worden. Die Gestalt des Herzogs ist verschwunden – und damit Shakespeares Grundproblem der Gerechtigkeit und des Gerichts. Richard Wagner hat den Herzog beseitigt, der Oper selbst den sonderbaren Untertitel *Große komische Oper* gegeben. Für ihn steht im Mittelpunkt bloß noch der Konflikt zwischen ungehemmter und gehemmter Sinnlichkeit. Wobei in einem ekstatischen Karnevalsjubel des Finales das Prinzip der Liebesfreiheit propagiert wird.

Auch in den folgenden Jahren bemüht sich Richard Wagner um eine merkwürdige Synthese zwischen seinen geistigen Grunderlebnissen: der Liebe zu Beethoven und Shakespeare, dem jungdeutschen Eudämonismus – und der Anteilnahme an den großen Freiheitsbewegungen jener Epoche. Er komponiert in Berlin 1836 die *Polonia*-Ouvertüre, eine *Britannia*-Ouvertüre, die dem bürgerlichen England gilt als dem damaligen Widerpart und Gegenspieler der Heiligen Allianz, worauf als Schlußstück einer sinfonischen Trilogie eine *Napoleon*-Ouvertüre geplant wird, die aber nicht zur Aufführung gelangt. Auch hier ist die enge Beziehung Wagners zum politischen Zeitgeschehen unverkennbar: genau in jenen Jahren 1836/37 beginnt die erste Neuagitation für den Bonapartismus in Frankreich als Opposition gegen das Bürgerkönigtum. Genau um diese Zeit schreibt Louis Bonaparte, der spätere Napoleon III., seine Programmschrift »Idées Napoléoniennes«. Man sieht: Richard Wagners Schaffen ist überall in geradezu sinnfälligster Weise als typische Aufnahme und Vearbeitung von Ideen zu betrachten, die damals »in der Luft lagen«. Im Sommer 1837 liest er den überaus erfolgreichen historischen Roman des Engländers Bulwer »Cola Rienzi«. Der Kapellmeister Wagner liest ihn in Riga, wo er unter höchst mißlichen Verhältnissen am Theater wirkt. Er hatte im November 1836 die Sängerin Minna Planer geheiratet. Zwischen 1837 und 1839 entwirft er nun einen Operntext nach

Bulwers Roman, den er als Riesenpartitur komponiert. 1839 muß er vor seinen Gläubigern aus Riga fliehen. Zusammen mit der Frau und einem Neufundländer gelangt er in abenteuerlicher Fahrt auf einem Segelschiff nach London und trifft Ende August 1839 in Frankreich ein, wo er Meyerbeer aufsucht und dann nach Paris weiterfährt. *Rienzi* ist vollendet, Meyerbeer soll zur Aufführung in der Pariser Oper verhelfen.

Nun erlebt Richard Wagner drei schwere Hungerjahre (1839 bis 1842) in Paris. Er sieht die bürgerlich-kapitalistische Gesellschaft in ihrer entwickelten Form: die »giftige Geldwirtschaft«, wie Börne das genannt hat, Elend des Volkes und Prachtentfaltung der herrschenden Bankiers, jener Rothschilds vor allem, denen Balzac um diese Zeit in der Gestalt des Barons von Nucingen ein schauerlich lebenswahres Konterfei in der Literatur geschaffen hat. Er ist in aller Bewußtheit Schüler und Verehrer der klassischen deutschen Kunst und Musik, Goethes und Schillers, Beethovens und Webers. Mit diesem Credo sieht er sich inmitten eines Kunstbetriebes, der alle Kunst in Ware zu verwandeln strebt. Hier in Paris hat Richard Wagner gesellschaftliche Erfahrungen gesammelt, die sein ganzes späteres Weltbild beeinflussen sollten.

Er wird im Januar 1840 durch Laube mit Heinrich Heine bekannt gemacht und übernimmt von ihm die Stoffe zu *Holländer* und *Tannhäuser*. Er komponiert als Bekenntnissynthese aus Beethoven und Goethe seine *Faust*-Ouvertüre und schreibt, als ihn die Not zwingt, durch Schriftstellerei etwas Geld zu verdienen, einige novellistische Musikerzählungen nach Hoffmanns Vorbild, worin er den Gegensatz von echter Kunst und kunstfeindlicher Umwelt, wie in den Erzählungen *Eine Pilgerfahrt zu Beethoven* oder *Ein Ende in Paris,* mit großer epischer Kraft gestaltet. In Paris lernt er außer Heine noch einige der bedeutendsten Künstler der damaligen Zeit kennen; vor allem macht er die für sein späteres Leben so bedeutungsvolle Bekanntschaft Franz Liszts.

Inzwischen hatte sich in Deutschland, natürlich auch in Frankreich, das Emanzipationsdenken durch die Philosophie Ludwig Feuerbachs entscheidend weiterentwickelt. Feuerbachs »Wesen des Christentums« erschien 1841 und erregte in ganz Europa stürmische Begeisterung. Hier war die bisherige Religionskritik ersetzt worden durch eine Darstellung der Beziehungen zwischen Mensch und Religion, die alle Religion als menschlich-gesellschaftliche Schöpfung zu enthüllen suchte. Eine neue Diesseits-Religion der Menschenliebe sollte von nun an das »abgeschaffte« Christentum ersetzen. Auch Richard Wagner ist von nun an Feuerbachianer und Atheist. Noch im Jahre 1852 schreibt er an seinen Freund Uhlig in Dresden aus dem Exil:

»Bringt mir von Eduard Devrient das Geständnis, daß er den lieben Gott und die Unsterblichkeit der Seele fahren lasse, so will ich an ihn glauben; wo nicht, so muß all sein Wissen und Wollen nur darauf hinausgehen, den lieben Gott und die Fortdauer der Seele nach dem Tode zu konservieren. Was aber habe ich mit solch einem Menschen zu tun, und was soll Wahrhaftiges an ihm sein, als seine Feigheit und Schwäche?«

Damit aber sind die Keimzellen für den späteren *Nibelungenring* gegeben: das Ende der Götter und das Ende einer auf Herrschaft des Goldes gegründeten Gesellschaft. Auch hier gestaltet Richard Wagner überall konkrete gesellschaftliche Erlebnisse und Erfahrungen.

Im Frühjahr 1842 kann er endlich von Paris in die Heimat zurückkehren: der *Rienzi* wurde in Dresden, der inzwischen vollendete *Holländer* in Berlin zur Aufführung angenommen. Bei der Rückkehr durch das frühlinghafte Thüringen erlebt Richard Wagner den Anblick der Wartburg bei Eisenach: das *Tannhäuser*-Thema Heinrich Heines verschmilzt mit dem Motiv des Sängerkrieges auf der Wartburg.

Ludwig Feuerbachs Religionsersatz der Menschenliebe hatte Richard Wagner für sich durchaus im Sinne der Junghegelianer interpretiert. Seine Schriften zur Kunst- und Gesellschaftsreform, vor allem die Broschüren des Jahres 1848, zeigen ihn in Ausdrucksweise und Gehalt als typischen Anhänger der Stirnerschen »Egoismus«-Lehre, die sich mit Feuerbachs Diesseits-Ethik trotz allen scheinbaren Gegensätzen in den Grundgedanken deckt. In Wagners rhapsodischer Schrift *Die Revolution* von 1849 heißt es:

»Ich will zerbrechen die Gewalt der Mächtigen, des Gesetzes und des Eigentums. Der eigene Wille sei Herr des Menschen, die eigene Lust sein einzig Gesetz, die eigene Kraft sein ganzes Eigentum, denn das Heilige ist allein der freie Mensch, und nichts Höheres ist denn er.«

Daß es sich dabei nicht, wie Wagner in der Spätzeit wahrhaben wollte, um Augenblicksstimmungen und Gelegenheitsäußerungen handelte, zeigt sein wichtigstes dramatisches Projekt aus der Zeit der achtundvierziger Revolution: das sehr weit durchgestaltete dramatische und zur Komposition bestimmte Gedicht *Jesus von Nazareth*. Während die Einflüsse der Jungdeutschen, Gutzkows und Laubes oder Feuerbachs unmittelbar dokumentarisch nachgewiesen werden können, die Wirkungen Stirners in mittelbarer Weise, gesellt sich als geistiges Erlebnis aus der Pariser Zeit noch eine Gestalt hinzu, der Wagner, wenn auch scheu und versteckt, doch bis an sein Lebensende den Zoll der Dankbarkeit entrichtet hat. Es handelt sich um *Proudhon*. Im Jahre 1840 war in Paris dessen berühmtes Buch mit dem Titel »Qu'est-ce que la propriété?«, also: »Was ist Eigentum?«, erschienen. Proudhon hatte bekanntlich auf die selbstgestellte Frage mit der lapidaren Feststellung geantwortet: Eigentum sei Diebstahl. Wagner lebte damals in Paris; er hat die Schrift Proudhons gelesen und sich zu eigen gemacht. Indem er Proudhon zustimmte, zog er, wie ihm schien, Bilanz aus eigenen Erlebnissen und allgemein-gesellschaftlichen Erfahrungen. Er hat später immer wieder als die beiden Hauptschwierigkeiten seiner Lebensentwicklung die allzufrüh geschlossene Ehe und das Fehlen eines ererbten Vermögens bezeichnet. Sehr schwer hat Richard Wagner darunter gelitten, daß es ihm nicht möglich war, »von Hause aus« als ein wirtschaftlich unabhängiger Mensch seine Künstlerlaufbahn zu verfolgen. Sein Ressentiment gegen Mendelssohn und Meyerbeer hat zweifellos hier auch eine höchst persönliche Ursache. Dann aber hatte Wagner in Paris die Allmacht des Geldkapitals und das Genußleben der Bankiersgesellschaft erlebt – und auch diese Eindrücke machten ihn zum Jünger Proudhons. Hier bildete sich die Grundkonzeption des *Nibelungenring*, denn bis in überraschende Einzelheiten kann man den Proudhonismus in Wagners Mythos vom Kreislauf des *Rheingoldes* verfolgen. Auch der Dramenentwurf *Jesus von Nazareth* ist unverkennbar proudhonistisch. Dort heißt es etwa: »Die Sünde gegen das Eigentum entspringt einzig aus dem Gesetz des Eigentums. Oder: Das Leben des Menschen ist Entwicklung im Egoismus und Wiederentäußerung desselben zugunsten der Allgemeinheit.« Hier vereinigen sich junghegelianische Auffassungen von der Selbstentfremdung des Menschen mit Proudhons Gedanken, wonach diese Selbstentfremdung durch Besitz und Eigentum bewirkt würde, und schließlich mit Feuerbachs Versuch, die Selbstentfremdung durch eine neue Ethik der Menschenliebe aufzuheben.

Atheismus und sozialreformatorische Utopie, Antikapitalismus und unverkennbare Züge des anarchistischen Individualismus. Denn nicht bloß Stirners Gesetzes- und Autoritätsfeindlichkeit wird von Wagner übernommen, sondern auch die anarchistische These von der terroristischen »direkten Aktion« als einem Kampfmittel gegen die ausbeuterische Herrschaftsschicht. Man hat bisher – auch hierin getreu der wagnerischen Zurechtbiegung seiner Biographie – im gemeinsamen Auftreten Richard Wagners und Michail Bakunins beim Dresdner Mai-Aufstand von 1849 bloß eine zufällige Bekanntschaft und Begegnung erblicken wollen. Richard Wagner war später, vor allem Liszt gegenüber, bestrebt, seine »Ahnungslosigkeit« in bezug auf Bakunins Pläne zu beteuern. Auch an seine Frau Minna schrieb er unmittelbar nach der Flucht aus Dresden in einem Brief aus Weimar vom 19. Mai 1849: »Meine Bekanntschaft mit Bakunin hat nur ein rein menschliches und künstlerisches Interesse.« Allein die Grundgedanken Wagners und Bakunins decken sich in jener Zeit in auffallender Weise. In Zürich ist Wagner eng befreundet mit Georg Herwegh, gleichfalls einem vertrauten Freund des russischen Anarchisten. Und schließlich ist es *reiner Bakunismus,* wenn Richard Wagner in einem Brief vom 22. Oktober 1850 an seinen Dresdner Freund Uhlig in einem leidenschaftlichen anarchistischen Ausbruch, den Cosima Wagner sorgfältig gestrichen hatte und der erst jetzt im vollen Wortlaut bekanntwurde, die folgenden Sätze niederschreibt:

»Wie wird es uns aber erscheinen, wenn das ungeheure Paris in Schutt gebrannt ist, wenn der Brand von Stadt zu Stadt hinzieht, wenn sie endlich in wilder Begeisterung diese unausmistbaren Augiasställe anzünden, um gesunde Luft zu gewinnen? – Mit völligster Besonnenheit und ohne allen Schwindel versichere ich Dir, daß ich an keine andere Revolution mehr glaube, als an die, die mit dem Niederbrande von Paris beginnt.«

Wobei zu bedenken ist, daß diese Sätze niedergeschrieben werden, während Richard Wagner am *Nibelungenring* arbeitet. Der Brand von Walhall ist also von Wagner keinesfalls bloß »symbolisch« verstanden, sondern als Erlebnis einer »direkten Aktion« zur Vernichtung der verrotteten bisherigen, auf Egoismus und Geldherrschaft gegründeten Gesellschaft.

Richard Wagners politische Grundanschauungen sind keineswegs als ein »Nebenher« gegenüber seinen großen musikdramatischen Gestaltungen zu verstehen. Ohnehin verbietet sich eine solche Aufteilung zwischen der politischen und der »rein künstlerischen« Sphäre bei Wagner von selbst. Denn er vor allem strebte in aller Bewußtheit nach der Einheit aus künstlerischer Form und weltanschaulichem Gehalt. Darin gerade suchte er den Gegensatz des Dramas und Musikdramas zur bisherigen bloßen Oper zu fassen. In der Tat sind auch die großen Wagner-Werke ihrem geistigen Gehalt nach eng mit dem Werdegang des Jungdeutschen, des Junghegelianers, des utopischen Sozialisten und anarchischen Individualisten Richard Wagner verknüpft. Allerdings besitzen sie – und darin liegt die Grundlage für ihre unverminderte Leuchtkraft und Lebensfähigkeit – als Ausgleich nicht bloß das musikalische Schöpfertum des großen Komponisten, sondern immer wieder auch die Beziehung zu anderen Gedankengängen, als sie Wagner bei Laube, Feuerbach, Bakunin oder Proudhon finden konnte. Die großen Musikdramen vom *Rienzi* bis zu den *Meistersingern* enthalten neben dem sozialen oder utopisch-sozialistischen *Wähnen* gleichzeitig die echten Impulse eines nationalen Künstlers, der von der Einigung und vom nationalen Aufstieg seines Vaterlandes träumt. Der überdies aus den Werken der großen deutschen Dichter und Musiker auch für sein eigenes Werk immer neue Kraft der Gesundung zu schöpfen vermag.

Das zeigt sich sogleich am *Rienzi*. Er wurde am 20. Oktober 1842 in der Dresdner Hofoper aufgeführt. Man begann um sechs Uhr nachmittags, der Vorhang fiel erst nach Mitternacht: die Zeitmaße der späteren Wagner-Opern waren damit bereits vorweggenommen. Dennoch wurde keineswegs die gesamte vorhandene Partitur aufgeführt. Es war ein ungeheurer Erfolg; am 1. Februar des nächsten Jahres wurde Richard Wagner mit lebenslangem Vertrag als königlich-sächsischer Kapellmeister angestellt. Er war damit der Nachfolger Carl Maria von Webers. Was er sich als Knabe erträumt hatte, war eingetreten: nun stand er an der gleichen Stelle und vor dem gleichen Orchester. Endlich hatten sich Minna Wagners Hoffnungen erfüllt. Von nun an sollte sie nicht müde werden, den Gatten immer wieder zu drängen, einen neuen *Rienzi* zu schreiben und den Erfolg wiederkehren zu lassen.

Richard Wagner aber empfand bereits bei der Uraufführung des *Rienzi* tiefes Befremden über sein Werk. In der Tat hat er einen so rauschenden Premierenerfolg wie beim *Rienzi*-Abend erst Jahrzehnte später, erst bei der Münchener Uraufführung der *Meistersinger* am 21. Juni 1868, erleben dürfen.

Große tragische Oper in fünf Akten lautet der Untertitel. In Klammern steht dahinter: »(nach Bulwers gleichnamigem Roman)«. Dem Geist der großen Oper im Stile Meyerbeers weiß sich der Dichter-Komponist ganz ausdrücklich verpflichtet. Die Gattung der »Großen Oper« aber ist untrennbar verbunden mit der Bankierswelt des französischen Bürgerkönigtums, deren ästhetische Prinzipien und Lebensformen keineswegs auf Frankreich beschränkt geblieben waren, sondern nach Deutschland hinüberstrahlten. In Frankreich paßte die Große Oper ebensogut zu dem neu aufkommenden bürgerlichen Reichtum wie zwei Jahrzehnte später die Operette Offenbachs, die Genuß, Gesellschaftsparodie und Kunstparodie in einem zu bieten gedacht, zur Welt des Zweiten Kaiserreichs. Große Oper aber ist

Einbruch des Rekorddenkens, des Quantitativen, bürgerlicher Rechenhaftigkeit in die Welt der Opernszene. Wagners spätere Auseinandersetzung mit dem Thema »Oper und Drama« findet hier die soziale Grundlage. In dieser Großen Oper, damit also auch im *Rienzi*, ist der höfische Traditionalismus der Opernszene aus dem 18. Jahrhundert ebenso überholt wie das ethische Postulat des »Fidelio« oder das Nationalkolorit des »Freischütz«. Der Komponist will dem Opernbesucher für das Geld etwas bieten. Werke von übermäßiger Länge, Aneinanderreihung von Rekorden der Bravour, ganz tiefe Bässe, ganz hohe Tenöre, ganz schwere und glitzernde Koloraturen. Dazu dann aber noch »ernste Probleme« von aktueller Bedeutung wie Judenemanzipation, religiöse Toleranz, Ehefragen.

Im *Rienzi* findet sich dies alles wieder. Beim Adriano, der als Altpartie geschrieben ist, greift Wagner sogar auf die Kastratentradition des 18. Jahrhunderts zurück. Die Liebeshandlung wird dadurch sinnlos: es fehlt der erotische Reiz, den Mozarts Cherubino besitzt; es fehlt erst recht das parodistische Element, das bei Strauss und Hofmannsthal mit der Hosenrolle des Rosenkavaliers verbunden ist. Außerdem ist das doppelte Transvestitentum in »Figaro« und »Rosenkavalier« ganz eng mit der Handlung verknüpft, was alles im *Rienzi* fehlt. Für die musikalische Entscheidung Wagners mochte einmal sprechen, daß er den *Rienzi* selbst bereits als Tenorpartie geschrieben hatte, so daß eine zweite Tenorstimme daneben wirkungslos bleiben mußte. Auch dürften Klanggründe bei der Paarung Adriano und Irene mitgesprochen haben. Dennoch zeigt sich hier bereits das Nachgeben des Dichters und Tonsetzers vor Publikumswünschen. Wagner hatte dem *Rienzi* gegenüber eigentlich niemals Illusionen: er wußte, wie äußerlich er, bei vielen glänzenden Einfällen, als Komponist gearbeitet hatte. Die mangelnde künstlerische Sorgfalt bei Abfassung des Textes war ihm sogar noch stärker bewußt. In der Einleitung zum ersten Band der Gesammelten Schriften gesteht er dazu in aller Ehrlichkeit:

»Hätte ich bei der Abfassung dieses Opernbuches nur im mindesten dem Ehrgeiz gefrönt, mir die Allüren eines Dichters zu geben, so würde ich nach dem Stande meiner damaligen Bildung es wohl bereits ermöglicht haben, nicht ohne einigen Erfolg für Diktion und Vers mich genügend korrekt zu zeigen, was mir bei der Ausführung eines früheren Operntextes: »Das Liebesverbot« sogar schon in dem Maße gelungen war, daß mir dies selbst die Anerkennung meines

oben genannten sonstigen Freundes eintrug. Hiergegen ist es mir
nun aber nicht unbelehrend, den Gründen nachzugehen, welche mir
bei der Abfassung des Textes von »Rienzi« eine so auffällige Vernach-
lässigung der Diktion und des Verses zu gestatten schienen. Diese
leiteten sich von sehr sonderbaren Wahrnehmungen her, welche ich
um jene Zeit an den Opern unseres damaligen Repertoirs machte.
Ich hatte nämlich gefunden, daß stümperhaft schlecht übersetzte französische und italienische Opern durch die Elendigkeit der hierbei
zutage kommenden Diktion und Versifikation, sobald das Sujet selbst
ein wirkungsvolles Theaterstück ausmachte, über jede Beachtung der
Worte und der Reime hin durchweg effektuierten, während die Bemühungen von fachmäßigen Dichtern, dem Komponisten anständige
Verse und Reime zu liefern, selbst der vortrefflichsten, ja edelsten
Musik nie zu der allererst notwendigen Wirkung eines guten Theaterstückes verhelfen konnten, sobald dieses eigentliche Stück eben mißglückt war. In dieser Hinsicht hatten mich z.b. die »Jessonda« und
die »Euryanthe« in sehr bedenklicher Weise zu einem Nachsinnen
gebracht, welches für jetzt sehr bald in eine verzweifelte Stimmung
von leichtfertigster Tendenz umschlug. Da ich mich selbst nach einem
glücklichen Erfolge auf dem Theater sehnte, faßte mich, sobald ich
auf Operntexte ausging, ein völliger Abscheu vor hie und da mir
präsentierten sogenannten »schönen Versen und zierlichen Reimen«.
Hiergegen griff ich nach jeder Erzählung, jedem Roman, nur in
der Absicht, mir daraus ein tüchtiges Theaterstück für eine Musik,
welche wiederum mit musikalischer Schönrederei gar nichts zu tun
haben sollte, zustande zu bringen.«

Nachträglich wollte er den *Rienzi* bloß noch als *musikalisches Theaterstück* angesehen wissen, von welchem seine »weitere Ausbildung
zum musikalischen Dramatiker, ohne jede Belehrung des eigentlichen
Dichter-Métiers ihren Fortgang nahm.« Im Bayreuther Kreis ist denn
auch bis heute nicht gültig entschieden worden, ob der *Rienzi* bereits
zum »eigentlichen« Werk Richard Wagners gehöre.

Die Opernanlage also ist konventionell im Sinne der Meyerbeer-
Tradition. Das Libretto wurde rein handwerksmäßig, kaum im Geist
künstlerischer oder gar dichterischer Verantwortung, nach Bulwers
damals so erfolgreichem Roman zurechtgemacht. Handlung aber und
geistige Substanz sind durchaus mit dem politischen Denken Wagners
und dem »Zeitgeist« der ausgehenden 30er Jahre verbunden. Cola
Rienzi, päpstlicher Notar, ist ein Mann des Volkes. Der römische

Adel ist ihm feindlich gesinnt. Unter Führung ihres Tribunen ver-
treibt das römische Volk – Wagner bezeichnet sie als Plebejer –
die Nobili aus der Stadt. Wagners anti-aristokratische Haltung ist
offensichtlich. Die Colonna und Orsini sind fünf Akte hindurch der
Inbegriff für Verrat, Kriegslust, Meuchelmord. Mit der Entführung
einer reinen Jungfrau durch lüsterne Aristokraten (es ist Irene, Rienzis Tochter) debütiert bereits der erste Akt. Weiblich-bürgerliche
Unschuld und adlige Wollust: das ist ein beliebtes Thema bürgerlicher Emanzipation. Wagner kannte die Ahnenreihe – mit Emilia
Galotti und Bertha, der Tochter Verrinas in Schillers »Fiesko«. Überall übrigens, bei Lessing wie Schiller, wird das altrömische Motiv
des Tarquinius und der Lucretia benutzt, das Wagner als Pantomime,
also als traditionelle Ballettszene der Großen Oper, in seine Partitur
einbaut. Sonderbar oder eigentlich gar nicht sonderbar: Wagners
Rienzi beginnt mit einem Handlungsmotiv, das später in Verdis »Rigoletto« stark in den Mittelpunkt rücken sollte. Der bürgerliche Anti-
feudalismus ist dem *Rienzi-* wie dem »Rigoletto«-Komponisten vertraut. Auch ein anderes Grundelement bürgerlicher Emanzipations-
literatur spielt hinein: Bekämpfung kirchlicher, sprich katholischer
Intoleranz. Rienzi gelingt es zwar, die römischen Aristokraten zu
besiegen, aber die Feindschaft des Papstes und der Kirchenbann,
die als Ergebnis politischen Paktierens zwischen Kaiser und Papst
geschildert werden, bringen ihn zu Fall. Hatte der Opernbeginn mit
Irenes Entführung den »Rigoletto« vorausgenommen, so wirken die
beiden letzten *Rienzi*-Akte dem politischen Gehalt nach wie eine
Vorwegnahme von Verdis »Don Carlos«. Es handelt sich dabei nicht
um motivische Abhängigkeiten, sondern um gemeinsame politische
Anschauungen zweier Künstler vom Jahrgang 1813.

Bemerkenswerter aber ist vielleicht die Vorwegnahme von späteren Wagner-Themen und szenischen Konstellationen. Das Volk erscheint im *Rienzi* bereits in einer für Wagner typischen Attitüde.
Es ist Chor, bloßer Chor, der den Helden entweder schmäht oder
ihm fast urteilslos akklamiert; wie das Volk im Verlauf der fünf
Akte (*Rienzi* besitzt sehr starke und wirkungsvolle Chorpartien) den
Rienzi entweder unterstützt oder verrät, das weist hin auf die spätere
Ritterschaft des *Lohengrin,* deren chorisch-musikalische Bedeutung
groß ist, deren Beitrag zum Geschehen aber auf die Akklamation
jeweils rasch wechselnder Herzöge beschränkt bleibt: Telramund,
Lohengrin, Gottfried von Brabant. Das hat nicht bloß mit musikali-

schen oder dramaturgischen, sondern wesentlich mit politischen Dingen zu tun. *Rienzi, diese Große tragische Oper, schwankt sonderbar zwischen Rebellion und konservativer Beharrung.* Revolution – aber erst nach Aufforderung von oben! Freiheitskampf – *doch würdig, ohne Raserei.* Rienzi ermahnt das Volk ausdrücklich:

»Ihr Freunde, ruhig geht in eure Häuser
Und rüstet euch, zu beten für die Freiheit!
Doch hört ihr der Trompete Ruf
In langgehaltnem Klang ertönen,
Dann wachet auf, eilt all herbei,
Freiheit verkünd ich Romas Söhnen!
Doch würdig, ohne Raserei,
Zeig jeder, daß er Römer sei!«

Dies ist die Keimzelle dieser ersten großen Wagner-Oper. Bekanntlich beginnt schon die berühmte Ouvertüre mit *der Trompete Ruf in langgehaltnem Klang.* Dieser Beginn und seine Verknüpfung mit dem thematischen Material der Ouvertüre gehört zu Wagners glänzendsten Einfällen. (Verdis Vorspiel zum »Rigoletto« läßt übrigens vermuten, daß der Italiener den Beginn der Rienzi-Ouvertüre gekannt hat.) Musikalisch steht diese Große Oper durchaus in den Traditionen ihrer Gattung: Arien, Ensembles, wirkungsvolle Chöre und Aufmärsche (am berühmtesten der Gesang der Friedensboten), Schlachthymne nach dem Vorbild von Meyerbeers »Hugenotten«, große Ballettpantomime an der üblichen Stelle des zweiten Aktes. Auch szenisch wird überaus viel geboten: Entführung, Leichen, Mordversuche, Rienzi zu Pferde, Lateran und Kapitol, endlich Brand und Zusammensturz des Kapitols. Es war sicher mehr als szenische Wirkung beabsichtigt, wenn der Schluß dieser Oper bereits den Schluß des größten späteren Musikdramas, der *Ring*-Tetralogie, vorwegnimmt. Brand des Kapitols und Untergang Rienzis – Brand Walhalls und Untergang Wotans und seiner Götter.

Sicher ist es nicht unbillig, auf solche Kontinuitäten hinzuweisen, denn der Verfasser des *Rienzi* war später nur allzusehr bemüht, diese Große tragische Oper von seinem späteren Werk abzugrenzen. In der Einleitung zu den Gesammelten Schriften heißt es darüber:

»Soweit meine Kenntnis reicht, vermag ich im Leben keines Künstlers eine so auffallende Umwandlung, in so kurzer Zeit vollbracht, zu entdecken, als sie hier bei dem Verfasser jener beiden Opern sich zeigt, von denen die erste kaum beendigt war, als die zweite fast fertig schon vorlag. Gewiß aber dürfte der verwandtschaftliche Zug beider Arbeiten dem aufmerksam Prüfenden dennoch nicht entgehen. Das wirkungsvolle ›Theaterstück‹ liegt dem *Fliegenden Holländer* gewiß nicht weniger zugrunde, als dem ›Letzten Tribunen‹. Nur fühlt wohl jeder, daß mit dem Autor etwas Bedeutendes vorgegangen war; vielleicht eine tiefe Erschütterung, jedenfalls eine heftige Umkehr, zu welcher Sehnsucht wie Ekel gleichmäßig beitrugen. Ich darf hoffen, daß der ›Deutsche Musiker in Paris‹ hierüber genügenden Aufschluß gibt.«

Zwischen *Rienzi* aber und *Holländer* liegen die Pariser Hungerjahre, die Erfahrungen mit der Welt des Bürgerkönigtums.

DER FLIEGENDE HOLLÄNDER

Heinrich Heines Fragment »Aus den Memoiren des Herrn von Schnabelewobski« war 1831 entstanden und drei Jahre später im ersten Band des »Salon« veröffentlicht worden. Dort erzählt Heine die Geschichte vom fliegenden Holländer. Er hat sie natürlich nicht erfunden, sondern will die Nacherzählung eines in Holland gesehenen Theaterstückes geben, was durchaus möglich ist. Der Stoff war damals in der europäischen Literatur ganz allgemein bekannt und beliebt. Dennoch ist es offensichtlich, daß Richard Wagner die gesamte Handlungsführung von Heine oder auch von Heines Vorlage entnahm. Der Kapellmeister Wagner hatte Heines Erzählung in Riga gelesen: kurz bevor er mit Minna und dem Neufundländer Robber vor den Gläubigern entfliehen mußte. Mit Schmugglerhilfe war man nach Pillau gelangt; darauf sollte ein altes Segelschiff »Thetis« die beiden Flüchtlinge, den Riesenhund und sieben Mann Besatzung nach London bringen. Im Skagerrak erfaßte sie ein furchtbarer Sturm, trieb die »Thetis« nach Norwegen, wo sie in einer Bucht Zuflucht fand. Die Matrosen freuten sich der Rettung und sangen ein Seemannslied. Nach all der Aufregung und Angst vermischten sich in Wagners Vision die Bilder, die Klänge, die literarischen Reminiszenzen. Klänge des Matrosenliedes, der Schreckensanblick des wütenden Meeres, die Erinnerung an Heines Erzählung vom Gespensterschiff und vom fliegenden Holländer. In London machte Wagner zuerst Station, um dem Lord Bulwer-Lytton das nach dessen Roman geschaffene Opernlibretto zu überreichen, doch der Romancier und Staatsmann war nicht zu sprechen. In Paris entstand dann in den Hungerjahren, zwischen Bittstellereien, Besuchen bei Opernleuten und einflußreichen Gönnern, der Text einer romantischen Oper über das Holländer-Thema.

Die grausamste Ironie damaligen Lebens im Paris des Bürgerkönigs lag wohl für Wagner darin, daß der Direktor der Oper, Léon Pillet, zwar bereit war, den interessanten, wenn auch in Frankreich nicht mehr ganz neuartigen Opernstoff über das »vaisseau fantôme«, das Gespensterschiff, zu akzeptieren, über den von Wagner selbstverständlicherweise vorgetragenen Plan aber, ihm selbst als Textdichter gleichzeitig auch die Vertonung zu übertragen, nur die Achseln zuckte. Wagner fand sich schließlich bereit, für fünfhundert Franken seine Rechte an dem Libretto zu verkaufen: unter dem inneren Vorbehalt, das Werk dann in deutscher Versgestalt und für die deutsche Opernszene so zu vertonen, wie es der Bild- und Klangvision vom Meer und von dem norwegischen Fjord entsprechen mochte.

Die *Holländer*-Musik ist dann noch in Paris, in sieben Wochen, entstanden. Mit den fünfhundert Franken, die schließlich ein gewisser Paul Foucher durch Vermittlung des Operndirektors zahlte, um die Werkidee zu erwerben, konnte ein Klavier angeschafft werden. Der Einfall des Steuermannsliedes, das unbegleitet, fast kunstlos, durchaus unopernhaft aufsteigt, um in erstaunlichen Naturlauten, mit Oktavintervall, auszuklingen, wobei allerdings das typische Tremolo des *Holländer*-Orchesters den Gesang stützt, stellte sich zuerst ein. Dann wurde das Spinnerlied komponiert. Als Wagner die Nachricht von der Annahme des *Rienzi* durch Dresden erhielt, konnte er auch die *Holländer*-Partitur bereits mit auf die Rückreise nehmen.

Der fliegende Holländer, Romantische Oper in drei Akten von Richard Wagner, erlebte am Montag, 2. Januar 1843, noch nicht drei Monate nach der Uraufführung des *Rienzi,* am königlich-sächsischen Hoftheater zu Dresden seine erste Aufführung. Es war ein Achtungserfolg, wohl kaum mehr. Das Publikum hatte begreiflicherweise ein Gegenstück zum vergötterten *Rienzi* erwartet und war enttäuscht. Den Holländer sang »Herr Wächter«, die Senta »Mad. Schröder-Devrient«.

Auch dies hatte Wagner nunmehr erreicht, neben der Kapellmeisterstelle dort, wo einst Weber stand: daß Wilhelmine Schröder-Devrient, deren Fidelio als Jugenderlebnis großer musikalischer Dramatik den künftigen Meister der Opernszene so entscheidend geprägt hatte, nun ihre Kunst für eine seiner eigenen Operngestalten einzusetzen bereit war.

Immerhin war der halbe Erfolg der *Holländer*-Premiere für Wagner nicht mehr zur Lebensfrage geworden; die Ernennung zum Ersten Kapellmeister an der königlichen Oper konnte als Ausgleich dienen.

Beides ist richtig: daß Wagner erklären kann, der *Holländer* sei genauso als wirkungsvolles »Theaterstück« angelegt wie der *Rienzi,*

und daß er trotzdem in seiner romantischen Oper, die nun nicht
mehr den Untertitel einer »Großen Oper« trägt, ein Werk *heftiger
Umkehr* geschaffen habe.

Der *Holländer* steht zunächst in der Tradition deutsch-romantischer Opernkunst: in den stofflichen und geistigen Antithesen wie
in der Verwendung der musikalischen Mittel. Wie stets beinahe in
der Handlungsführung romantischer Opern in Deutschland, bildet
der Zusammenstoß zwischen Menschenwelt und Geisterwelt das geistige Zentrum. Nach diesem Grundprinzip war E. T. A. Hoffmanns
Oper »Undine« nach der Erzählung des Barons de la Motte Fouqué
angelegt; »Freischütz« und »Oberon« hatten diesen Zusammenstoß
nicht weniger behandelt als die Opern Heinrich Marschners. Es gehörte auch durchaus zu dieser Tradition, daß die Begegnung des
Menschen, der sich liebend und vertraut mit der Geisterwelt einließ,
tragisch zu enden hatte. Die Vermischung der beiden Sphären, der
irdischen mit der außerirdischen, vollzog sich lange vor Wagner
als Konstellation von Liebe und Tod. Das Thema des Liebestodes,
von Richard Wagner später immer wieder umkreist und abgewandelt,
bildete bereits bei E. T. A. Hoffmann ein Leitmotiv. Richard Wagner
hat immer wieder bewiesen, daß er sein frühes Hoffmann-Erlebnis
zu nutzen verstand.

Zusammenstoß also der Menschen- und Geisterwelt im Zeichen
des Liebestodes. Ein zweites Überlieferungselement lag in der Weltschmerzthematik. Die Holländer-Gestalt Richard Wagners ist nicht
bloß Verkörperung der Geisterwelt. Sie bedeutet – darüber hinaus –
eine Erweiterung des weltschmerzlichen Außenseitertyps der europäischen Romantik ins Geisterhafte. Die Weltschmerzliteratur gehört
geschichtlich dem Zeitalter der politischen Restauration in Europa,
der Metternich-Zeit an. Immer wieder wird gerade von den kühnsten
und wahrhaft empörerischen Künstlern der europäischen Romantik
(die sich in der politischen Zielsetzung wie den künstlerischen Aus-
drucksformen ganz wesentlich von der deutschen romantischen Schule unterscheidet) die skeptisch-gesellschaftsfeindliche Gestalt des resi-
gnierenden Empörers nachgestaltet. Man hat oft von »Byronismus«
gesprochen, denn Byrons »Kain« oder »Manfred« konnten als Modelle dieser Literatur dienen. Byrons »Manfred« steht am Anfang einer
Gestaltenreihe, der sich die polnische Romantik eines Adam Mickiewicz ebenso verpflichtet fühlt wie Puschkin mit dem »Eugen Onegin«
oder Lermontov mit seinem Petschorin, dem »Helden unserer Zeit«.

Auch Friedrich Hebbels Golo aus der »Genoveva«, die in diesem
gleichen Jahre 1843 erschien, weist viele gemeinsame Züge mit der
Weltschmerztradition und damit auch mit Wagners Holländer-Gestalt
auf. Der Verbindung zwischen dem Holländer und den typischen
Weltschmerzhelden Heinrich Marschners, dem Vampir oder Hans
Heiling, mag gleichfalls gedacht werden.

Die Holländer-Gestalt Richard Wagners ist durchaus nicht bloß
Inkarnation eines Verfluchten; sie bedeutet weit mehr als das, was
Heine an der Gestalt gesehen hatte, wenn er sie mit dem Hinweis
auf den »ewigen Juden des Ozeans« bewältigt zu haben glaubte.
Wagners Holländer ist verflucht, aber er ist vor allem der Menschen
überdrüssig und ihrer Gesellschaft. Seine Todessehnsucht, die er in
der Auftrittsarie ausspricht, ist gegründet auf der Enttäuschung, auf
der Verzweiflung am Menschen:

> »Dich frage ich, gepries'ner Engel Gottes,
> der meines Heil's Bedingung mir gewann:
> war ich Unsel'ger Spielwerk deines Spottes,
> als die Erlösung du mir zeigtest an? –
> Vergeb'ne Hoffnung! Furchtbar eitler Wahn!
> Um ew'ge Treu' auf Erden – ist's getan! –«

Der Holländer erscheint viel mehr als ein enttäuschter Mensch denn
als ein verfluchtes Gespenst. Er ist unter anderem auch ein Misanth-
rop der klassischen Dramentradition, die gerade nach 1830 von neuem
in der Literatur zu wirken begann.

Allerdings entsteht aus der Verbindung der beiden Motive: Geisterwelt–Menschenwelt und Weltschmerzthematik ein Konflikt, dessen Tiefe Wagner hier noch nicht ausgelotet hat. Sentas Schwur
ewiger Treue kann nur auf eheliche Treue gerichtet sein: auf ein
treues irdisches Zusammenleben mit dem geliebten Mann. Der Holländer aber muß diesen Schwur ganz anders verstehen. Sentas ewige
und bewährte Treue braucht er, um sterben zu können! Der Konflikt
ist unlösbar. Die irdische Bindung ist von Anfang an irreal. Ihr
ist ebenso von Anbeginn an ein Element des Absurden beigemischt,
wie später der Eheschließung Elsas mit Lohengrin. An dieser Stelle
aber weist der *Holländer* wesentlich über alle literarischen und libretti-
stischen Vorbilder hinaus; zum erstenmal erscheint eine typische
Wagner-Problematik auf der Opernbühne.

Sie besteht eigentlich darin, daß *Der fliegende Holländer* die Reihe der für Wagner so kennzeichnenden Künstlerdramen eröffnet. *Holländer*, *Tannhäuser* und *Lohengrin* haben untereinander ebensoviel Trennendes wie Gemeinsames. Sie alle aber sind Künstlerdramen mit beinahe gleicher Konstellation. Immer geht es um den Konflikt des Genies mit den herkömmlichen Lebens-, Kunst- und Moralbegriffen der Umwelt. Tannhäusers Künstlertum stößt zusammen mit traditionalistischer Kunstauffassung und Kunstübung. Die Künstlergestalten des Holländers und Lohengrins aber sind Geniegestalten, die ohne Beweis und Untersuchung mit dem Anspruch auf Unbedingtheit auftreten. Der Holländer fordert von Senta die fraglose *ewige Treue* ohne Gegenleistung. *Höchstes Vertrauen* (Lohengrin) und *die Treue bis zum Tod!* (Senta) entsprechen einander. Das ergibt keine mögliche Bindung. Wagner hat das gefühlt und auch komponiert: ekstatisch schwingt sich Sentas Stimme auf zum Schwur, ein Forte der Sängerin und des Orchesters markiert die Stelle *die Treue bis zum Tod!* Da aber der Schwur geleistet, die Tonart H-dur wieder erreicht ist, folgt kein Jauchzen und irdisches Frohlocken des Orchesters. Ein unheimliches plötzliches Pianissimo der Holzbläser und Hörner mit tremolierenden Streichern deutet auf das Ungute, Ungeheure dieses Schwurs. Der Künstler, das Genie, sie verlangen Treue ohne Frage und Beweis: kraft ihrer Lebensform als Genie, als Geist. Holländer, Tannhäuser und Lohengrin enthalten ebenso autobiographische Elemente Wagners wie Stolzing und Sachs, wie Tristan, Wotan und Amfortas. In einem späteren Brief an Franz Liszt (11. Februar 1853) wird die Gleichsetzung Wagner-Holländer ganz ausdrücklich vollzogen.

Auch die Musik des Holländers steht im Übergang zwischen dem Herkömmlichen und dem durchaus Neuen. Die Partitur ist als Nummernoper angelegt. Ouvertüre, dann erster Aufzug mit Introduktion, Lied des Steuermanns, Rezitativ und Arie, Szene und Duett, Schlußchor.

Auch in den anderen beiden Aufzügen begegnen wir den gewohnten Formen romantischer Opernkunst, der Ballade, Arie, Kavatine, Duetten und Terzetten, schulgerechten Finales mit Chor. Die romantische Harmonik ist weitgehend übernommen und beibehalten; die verminderten Septimen Webers, Mendelssohns oder Marschners erscheinen auch dem Komponisten des *Holländers* als dienlich. Dennoch findet sich Chromatik von einer Kühnheit, die weit über alle Vorbilder hinausreicht.

Die Vision endlicher Vernichtung in der Holländer-Arie steigt im Unisono der Singstimme mit Trompeten und Posaunen in gewaltigen Schritten auf. Dies alles ist romantische Tradition und dennoch bereits eigene Wagnersche kühne Erfindung. Außerordentlich ist auch die Weiterbildung der volkstümlichen Lied- und Chornummern Carl Maria von Webers. Spinnerlied und Matrosenchöre sind volkstümlich melodische Einfälle ersten Ranges; sie haben wesentlich zur unverminderten Popularität der Oper beigetragen. Hart und nicht immer organisch verbunden neben diesen volkstümlichen Nummern aber stehen melodische Floskeln, die ebenso in die Nähe Meyerbeers wie des jungen Verdi weisen. Dalands D-dur-Arie im zweiten Akt gehört hierher.

Nahezu vergleichslos bleibt die Ouvertüre. Sie ist eine symphonische Dichtung, die aber nicht bloß, wie bei Beethoven oder Weber, einige der Hauptthemen und geistig-musikalischen Kontraste zu einem geschlossenen Orchesterstück verbindet. Die *Holländer*-Ouvertüre ist eigentlich eine Vorwegnahme der Gesamthandlung. Sie unterscheidet sich dadurch auch von der *Tannhäuser*-Ouvertüre, erst recht von den Vorspielen zu *Lohengrin, Tristan* oder *Parsifal*. Erst im Vorspiel zu den *Meistersingern* hat Wagner von neuem eine musikalische Gesamtdarstellung der eigentlichen Handlung vorangestellt. Im Grunde läßt sich die *Holländer*-Ouvertüre durchaus episch nacherzählen. Das beginnt mit dem berühmten Holländer-Motiv in d-moll, läßt die Erscheinung des Gespensterschiffes folgen, die Überleitung führt zum Erlösungsmotiv in der Paralleltonart F-dur, schildert das weitere Umherirren auf dem Meer, die Begegnung von Geisterschiff und Menschenschiff, neues Suchen, die Erlösung scheinbar nahend in Sentas Schwur, scheinbares Scheitern der Erlösung mit dem zerrissen abbrechenden Fortissimo-Akkord, dem die Generalpause folgt; darauf die Heilsgewißheit, die sich formal, nach dem Vorbild Beethovens und Webers, als Schlußstretta im Übergang von d-moll zu D-dur ausdrückt, dann aber, in genauer Vorwegnahme des eigentlichen Opernschlusses, in leisen Tönen der Verklärung diese symphonische Kurzfassung des Werkes ausklingen läßt.

Auch der *Tannhäuser* entsteht aus dem Zusammenklang sinnlicher Eindrücke und literarischer Reminiszenzen. Zur frühen Hoffmann-Lektüre hatten die »Serapionsbrüder« gehört; dabei war Wagner mit der Geschichte vom »Kampf der Sänger« bekannt geworden, die den dritten Abschnitt der serapiontischen Auseinandersetzungen eröffnet. Angeregt durch Hoffmann, der seine Kenntnis vom sagenhaften Sängerkrieg auf der Wartburg nach eigener Angabe der Chronik des Altdorfer Professors Johann Christoph Wagenseil entnommen hatte, ohne wohl das 119 Strophen zählende mittelhochdeutsche Gedicht vom Wartburgkrieg gekannt zu haben, wendet sich Richard Wagner in Paris den Dokumenten mittelalterlicher deutscher Volks- und Kunstdichtung zu. Auch dies entspringt dem Protest des deutschen Musikers in Paris gegen den warenmäßigen Kunstbetrieb der Bürgerkönigswelt. Zweimal hatten literarische Schöpfungen des deutschen 19. Jahrhunderts bei Wagner die Neugier hervorgerufen, nun die eigentlichen mittelalterlichen Quellen dieser neuzeitlichen Dichtung kennenzulernen. So führte auch der Weg von Hoffmanns »Kampf der Sänger« zurück zum mittelhochdeutschen Lied vom Wartburgkrieg.

Die Textvorlage des Wartburgkrieges aber weiß kaum etwas vom Tannhäuser und vom Venusberg. Auch in Hoffmanns serapiontischer Erzählung steht Heinrich von Ofterdingen an dem Platz, den Wagner später in seiner romantischen Oper der Gestalt des Tannhäuser einräumte. Das Tannhäuser-Venus-Thema hat seine besondere Genesis und Überlieferung. Nur eine leichte Andeutung des mittelalterlichen Volksliedes vom Tannhäuser weist hinüber zum Sagenkreis um Wartburg und Sängerkrieg.

Das Tannhäuser-Thema hatte abermals Heinrich Heine an Wagner weitergereicht. »Der Tannhäuser. Eine Legende« war 1836 von Heine geschrieben und später in die Sammlung seiner »Neuen Gedichte« aufgenommen worden. Zuerst aber hatte er sein Tannhäuser-Gedicht, das abermals die Form eines Reisebilds annahm, an den Schluß eines Aufsatzes über »Elementargeister« gestellt und 1837 als dritten Band des »Salon« veröffentlicht.

Seltsame Kontinuität in der Beziehung Heine–Wagner: im ersten Band des »Salon« findet Richard Wagner die Holländergeschichte, der dritte Band dieser gleichen Sammlung Heinescher Werke vermittelt die Bekanntschaft mit dem Tannhäuser. Heine hatte dabei so getan, als besäße er eine neuere Bearbeitung des Tannhäuserliedes. Es gab damals, in den ersten Jahrzehnten des 19. Jahrhunderts, viele Möglichkeiten für einen Deutschen, die Tannhäusersage kennenzulermen: durch Arnim, Brentano und das »Wunderhorn«, durch die »Deutschen Sagen« der Brüder Grimm, durch eine ältere Fassung der Sage vom Venusberg, die Ludwig Bechstein 1835 im »Sagenschatz des Thüringer Landes« abgedruckt hatte. Heine übernahm das Motiv der Trennung Tannhäusers von der Frau Venus und schilderte dann die Pilgerfahrt nach Rom, die ein durchaus unbußfertiger Tannhäuser unternimmt, der als guter jungdeutscher Sensualist dem Papst die Schönheiten der Frau Venus preist und dafür nicht Zorn, sondern jammerndes Bedauern des Papstes erfährt. Im mittelalterlichen Tannhäuserlied hatte der Papst verkündet:

»So wenig das Stäblein in meiner Hand grünen mag,
kommst du zu Gottes Huld!«

Tannhäuser war dann, nach mittelalterlicher Überlieferung, in den Venusberg zurückgekehrt, wo er auch blieb, wenngleich das Stäblein grüne Blätter hervorgebracht hatte.

Dem Tannhäuser Heinrich Heines wird folgender Bescheid:

»Der Teufel, den man Venus nennt,
Er ist der Schlimmste von allen;
Erretten kann ich dich nimmermehr
Aus seinen schönen Krallen.

Mit deiner Seele mußt du jetzt
Des Fleisches Lust bezahlen,
Du bist verworfen, du bist verdammt
Zu ewigen Höllenqualen.«

Auch dieser Tannhäuser war – selbstverständlich, möchte man beinahe sagen – in den Venusberg zurückgekehrt: herzlich begrüßt. Ein satirisch-politischer Reisebericht hatte das Heine-Gedicht abgeschlossen, oder eigentlich auch bloß beendet, denn in der typischen Manier dieses Dichters war der formale Abschluß vermieden worden.

Heines Tannhäuser bringt Richard Wagner abermals dazu, die Quellen zu studieren. Die deutsche Mythologie der Brüder Grimm ist ihm vor allem wichtig. Nun hat er zwei getrennte Stoffe und Bereiche, die aber zueinander zu drängen scheinen: das Tannhäuser-Venusberg-Thema und das Sagenmotiv vom Sängerkrieg.

Im April 1842 kehrt Wagner mit Minna von Paris nach Dresden zurück. Die Reise dauert fünf Tage und Nächte. An der Grenze bei Forbach, so wird das später in *Mein Leben* ausführlich beschrieben, gerieten die Reisenden in Schnee und rauhes Wetter. Ein frühlinghaftes Paris hatten sie verlassen, hier in Deutschland schienen sie in den Winter zurückgedrängt zu werden. Die Reiseumstände waren wenig erfreulich. Im Rückblick hat sie Wagner als ein »Abenteuer von fast ähnlicher Gattung, wie unsere frühere Seereise« geschildert. Wie aber damals im norwegischen Fjord die Holländer-Vision als Bild und Klang aufgetaucht war, so brachte auch diese neue Reisestrapaze eine neue Vision:

»Einen wirklichen Lichtblick gewährte mir die Begegnung der Wartburg, an welcher wir in der einzigen sonnenhellen Stunde dieser Reise vorbeifuhren. Der Anblick des Bergschlosses, welches sich, wenn man von Fulda herkommt, längere Zeit bereits sehr vorteilhaft darstellt, regte mich ungemein warm an. Einen seitab von ihr gelegenen fernen Bergrücken stempelte ich sogleich zum ›Hörselberg‹, und konstruierte mir so, in dem Tal dahinfahrend, die Szene zum dritten Akte meines ›Tannhäusers‹, wie ich sie seitdem als Bild in mir festhielt, und später dem Pariser Dekorationsmaler Dépléchin, mit genauer Angabe meines Planes, zur Ausführung anwies. Hatte es mich bereits sehr bedeutungsvoll gemahnt, daß ich jetzt erst, auf der Heimreise von Paris, den sagenhaften deutschen Rhein überschritt, so dünkte es mich eine weissagungsvolle Beziehung, daß ich die so geschicht- und mythenreiche Wartburg eben jetzt zum ersten Mal leibhaftig vor mir sah.«

Der Einklang war vollzogen. Thüringer Frühlingslandschaft, Tannhäuserthema und Reminiszenz an Hoffmanns Erzählung vom Kampf der Sänger wurden ineinander verschmolzen.

Von Anfang an trat das Tannhäuserthema dominierend hervor. *Der Venusberg,* so lautete der ursprüngliche Titel des neuen Opernbuches. Warum Wagner drei Jahre später, als er den Klavierauszug versenden sollte, einen anderen Titel wählte, nämlich *Tannhäuser und der Sängerkrieg auf der Wartburg,* ist gleichfalls in der großen Autobiographie mitgeteilt worden. Der Kommissionsverleger C. F. Meser in Dresden hatte Anstoß am Titel *Der Venusberg* genommen: »Er behauptete, ich käme nicht unter das Publikum und hörte nicht, wie man über diesen Titel die abscheulichsten Witze machte, welche namentlich von den Lehrern und Schülern der medizinischen Klinik in Dresden, wie er meinte, ausgehen müßten, da sie sich an eine nur in diesem Bereich geläufigere Obszönität bezögen.«

Die Entstehung des Tannhäuser fällt also in die erste Dresdner Zeit. Die Niederschrift des szenischen Entwurfs erfolgte noch im Frühsommer 1842 in Teplitz. Dann unterbricht Wagner die Arbeit, da der Herbst für die Uraufführungen des *Rienzi* und des *Holländer* in Dresden vorgesehen wurde. Ungefähr ein Jahr nach jener Thüringer Frühlingsvision, im April 1843, ist der Text fertig. Wagner hatte schon in Teplitz einige erste musikalische Aufzeichnungen gemacht. Interessanterweise ist es auch diesmal wieder das volksliedhafte Element, das sich als erster musikalischer Einfall aufdrängt. Die Komposition des *Fliegenden Holländer* hatte mit Steuermannslied und Spinnerlied begonnen. Diesmal stellt sich zuerst der Frühlingsgesang des Hirten ein. Die Parallelität beider Fälle ist erstaunlich. Das Steuermannslied hatte unbegleitet begonnen, rauh und scheinbar kunstlos, um dann allerdings sogleich eine reiche harmonische Stütze zu erhalten. Der G-dur-Sang des Hirten dagegen – *Frau Holda kam aus dem Berg hervor* – wird durchaus unbegleitet gesungen, nur die »Schalmei« unterbricht einmal den Gesang und gibt schließlich dem Lied einen heiteren, instrumentalen Abschluß. Allerdings hatte sich sogleich mit dem Einfall des Hirtenliedes, wie Wagner aus der Erinnerung mitteilte, auch die Musik des Pilgerchors eingestellt.

Größte Schwierigkeiten bereitete dem Tonsetzer dann, nach eigenem Eingeständnis, die Venusberg-Musik. Es ist eigentümlich, daß alle späteren Umarbeitungen Wagners am *Tannhäuser* weitgehend dieser Musik des Bacchanales und der kompositorischen Beziehung zwischen Ouvertüre und Venusbergmusik gewidmet wurden.

Die Komposition wurde noch vor Jahresende 1844 in Dresden abgeschlossen, die Partitur in den ersten Monaten des Jahres 1845 ausgeführt. Auch diese Wagner-Uraufführung erfolgte in Dresden. Drei Jahre nach der *Rienzi*-Premiere an der gleichen Stelle, am 19. Oktober 1845, fand die *Tannhäuser*-Premiere in der sächsischen Hofoper statt. Richard Wagner stand wieder am Pult, am Kapellmeistersitz Carl Maria von Webers. Wilhelmine Schröder-Devrient, die fest an Wagners Genius glaubte, hatte die hochdramatische, reichlich undankbare Partie der Venus übernommen. Johanna Wagner, eine Nichte des Dichters, Komponisten und Dirigenten, sang die Elisabeth. Die überaus schwierige, auch von heutigen Sängern nach wie vor gefürchtete Partie des Tannhäuser sang der Tenor Tichatschek. Seinem Versagen vor allem schreibt es Wagner zu, wenn auch diese Dresdner Wagner-Premiere *nicht mehr als einen Achtungserfolg* erbrachte. Übrigens war der eigentliche Schluß der Oper in dieser ersten Dresdner Fassung noch sonderbar rudimentär: kein Wiedererscheinen der Venus, keine Leiche der Elisabeth, kein Auftreten der jüngeren Pilger mit dem grünenden Stab. Die Schlußszene verließ sich offensichtlich sehr stark auf ein Publikum, das auch bloße Andeutungen zu verstehen imstande sei. Wagner tat also recht daran, die ursprüngliche Fassung später zu erweitern und der Oper jenen Schluß zu geben, den wir heute kennen.

Wie schwer es war, den damaligen Sängern, die entweder an die deutsch-romantische Webertradition oder an den Stil der Großen Oper gewöhnt waren, die ganz neue Darstellungs- und Gesangsweise beizubringen, die der *Tannhäuser* nun schon gebieterisch verlangt, mag man ahnen, liest man den im Züricher Exil verfaßten umfangreichen Aufsatz *Über die Aufführung des ›Tannhäuser‹. Eine Mitteilung an die Dirigenten und Darsteller dieser Oper.* Wagner hatte bitterste Erfahrungen gesammelt, wenn er zu der Erklärung gezwungen war: »Es liegt auf der Hand, daß geistvolle dramatische Kompositionen auf diese Weise bis zur vollsten Unkenntlichkeit verstümmelt werden müssen; es ist aber auch ebenso gewiß, daß selbst die seichtesten modernen italienischen Opern in der Darstellung außerordentlich gewinnen würden, wenn dabei jener Zusammenhang, der selbst in diesen Opern (obgleich nur in den groteskesten Zügen) noch vorhanden ist, zur Geltung käme. Ich erkläre aber, daß eine dramatische Komposition wie mein ›Tannhäuser‹, deren einzige Wirkungsmöglichkeit lediglich in jenem Zusammenhange zwischen Szene und Musik beruht, geradeswegs umgebracht wird, wenn das von mir gerügte Verfahren der musikalischen und szenischen Dirigenten bei der Darstellung seine Anwendung erhält. Ich ersuche daher die musikalischen Dirigenten, denen Neigung oder Auftrag die Aufgabe zuwies, mein Werk aufzuführen, die Partitur zunächst nicht anders zu lesen, als mit der genauesten Beachtung der Dichtung und endlich der besonderen zahlreichen Angaben für die szenische Darstellung.«

Der Handlungsablauf des *Tannhäuser* und alle wichtigen Gestalten sind bereits in den mittelalterlichen Quellen und bei den neueren literarischen Anregern, bei Hoffmann und Heine, vorgebildet: Venus und Tannhäuser, der Landgraf Hermann, die sechs Sänger, die auch Hoffmann nennt, wobei Wagner die etwas künstlich anmutende Schreibweise der Namen bei Hoffmann modernisiert hat, und wobei allerdings, wie bereits gesagt, der Tannhäuser an die Stelle des Ofterdingen getreten war. Die Nichte des Landgrafen, die auch in Hoffmanns Erzählung zwischen Wolfram und Ofterdingen steht, heißt Mathilde im »Kampf der Sänger«. Wagner hat das Motiv der heiligen Elisabeth hinzugefügt, während die geschichtliche Elisabeth von Ungarn, die heilige Elisabeth, mit dem späteren Landgrafen Ludwig von Thüringen, einem Sohn des Landgrafen Hermann, vermählt wurde. Gemäß der Tannhäuser-Tradition spann sich auch bei Wagner der Bogen vom Auszug aus dem Venusberg über die Romfahrt, die Wagner allerdings bloß musikalisch ausführt und als Orchestereinleitung dem dritten Akt voranstellt, über den Fluch des Papstes und die Rückkehr nach Deutschland, bis zum Entschluß, in den Venusberg zurückzukehren. Auch der zweite Akt mit dem Sängerkrieg stützt sich sehr weitgehend auf überlieferte Bestandteile der Handlung.

Trotzdem ist aus der Verschmelzung der beiden Quellen und Motive etwas durchaus Neues entstanden: nicht bloß in der musikalischen Ausführung, sondern auch in der gedanklichen Substanz und der Charakteranlage der handelnden Gestalten. Das mittelalterliche Sängerstreitthema galt der Lobpreisung des besten Fürsten. Auch in Hoffmanns Erzählung wirkt diese Gestaltung der Vorlage weiter nach: allerdings mit entscheidenden Änderungen. Zunächst einmal war in der Erzählung vom »Kampf der Sänger« der Außenseiter Heinrich von Ofterdingen als »Bürger zu Eisenach« den fünf anderen Sängern, »alle ritterlichen Ordens«, wie Hoffmann schreibt, entgegengestellt worden. Wohl spielt auch bei Hoffmann die doppelte Gestalt der himmlischen und der irdischen Liebe hinein, denn der Zauberer Nasias singt in der Nacht bei der Generalprobe gegen Wolfram ein

»Lied von der schönen Helena und von den überschwenglichen Freuden des Venusberges«, wogegen Wolfram die »Himmelsseligkeit der reinen Liebe des frommen Sängers« gesetzt hatte. Dennoch war es dem Meister der Serapionsbrüder nicht eben darauf angekommen. Die Antithetik in seinem Sängerkrieg beruhte auf dem Konflikt zwischen einer Dichtung des natürlichen Empfindens und einer Poesie künstlicher Gelehrsamkeit. Auch waren bei Hoffmann die Gestalten als Repräsentanten von Gedanken nicht sehr folgerichtig angelegt: das galt für die zwischen Ofterdingen und Wolfram schwankende »Dame Mathilde« ebenso wie für den Meister Klingsohr aus Ungarland, der bald als Teufelskünstler, bald als echter Prophet geschildert wurde.

Wagner dagegen stellt ausdrücklich die beiden Formen der sinnlichen und der geistig-geistlichen, der niederen und der hohen Liebe gegeneinander. Indem er das Wartburg-Thema mit dem Tannhäuser-Thema vereinigt, muß er der Frau Venus eine ideell vollgültige Gegenspielerin geben. Darum kann er die Mathilde Hoffmanns nicht gebrauchen, sondern muß die Elisabeth von Anfang an als heilige Elisabeth konzipieren. Damit aber ist das Werk auf den Typengegensatz der Huldin und der Heiligen gebracht. Das entspricht zweifellos mittelalterlicher Anschauung, gehört aber sehr ausdrücklich auch zum Ideengut des Jungen Deutschland. Venus und Elisabeth, das ist heidnische und christliche Welt; nach der Auffassung der jungdeutschen Dichter ist darin auch der klassische Konflikt von Sinnenglück und Seelenfrieden (Schiller), von heidnischer Sinnlichkeit und christlicher Askese verkörpert (Goethes »Braut von Korinth«). Heinrich Heine hatte diese Auseinandersetzungen, die natürlich eng mit der Emanzipation des bürgerlichen Menschen von der lutherischen Moraltheologie zusammenhängen, als Gegensatz des sinnenfreudigen Hellenentums und der asketischen Nazarener verstanden. Auch diese Gedankengänge Heinrich Heines waren Richard Wagner bekannt. Das Element des Heiligen in Elisabeth verstand er nicht eigentlich christlich: auf die Askese, den sinnlichen Verzicht hin, war die Gestalt angelegt. Das hatte nun wieder mit E. T. A. Hoffmann zu tun, denn dessen Märchen und Geschichten hatten der Künstlerliebe alle sinnliche Verwirklichung abgesprochen. Der Musiker und die reine Sängerin, mit welcher eine irdische Vereinigung nicht möglich war: das zog sich als Leitmotiv durch Hoffmanns ganzes Werk, und auch der Kapellmeister Kreisler war ein Musiker, wie Tannhäuser...

Wie Tannhäuser, und wie Richard Wagner. Der Dichter des *Tannhäuser* hat später gelegentlich verquält bemerkt, der *Tannhäuser* sei eigentlich, um einen modernen Ausdruck für den Sachverhalt einzuführen, als »Abreaktion« zu verstehen. Der sinnlich unerfüllte Mann Wagner berauschte sich an den sublimen und sublimierten Gebilden des Venusbergs. Allein er ließ Tannhäuser dadurch schuldig werden und sich schuldig fühlen. Auch hier war der tragische Ausgang mit Notwendigkeit gegeben.

Das jungdeutsche literarische Glaubensbekenntnis wäre schon damit erfüllt worden, daß Tannhäuser zwischen der niederen und der hohen Minne schwankt, zwischen Heidentum und Christentum, und daß er sich in diesem Konflikt verzehrt. Wagner hat den Tannhäuser-Konflikt aber noch anders und eigentümlicher verstanden. Es kam ihm auf einen Aspekt an, der nicht immer klar erfaßt wurde. In einem sehr ausführlichen und wichtigen Brief an Liszt, der in Zürich am 29. Mai 1852 geschrieben wird und genaue Angaben für eine *Tannhäuser*-Aufführung enthält, wird die Grundproblematik des Werkes angedeutet:

»Nachdem zuvor alles um Elisabeth, die Mittlerin, sich gruppierte, sie den Mittelpunkt einnahm und alle nur auf sie hören oder ihr nachsprechen und singen, stürzt Tannhäuser, der sich seines furchtbaren Frevels inne wird, in die furchtbarste Zerknirschung zusammen. Alles übrige tritt zurück, alles begleitet gewissermaßen nur ihn, wenn er singt:

›Zum Heil den Sündigen zu führen,
Die Gottgesandte nahte mir:
Doch ach! sie frevelnd zu berühren
Hob ich den Lästerblick zu ihr!
O! du, hoch über diesen Erdengründen,
Die mir den Engel meines Heil's gesandt:
Erbarm' dich mein, der ach! so tief in Sünden
Schmachvoll des Himmels Mittlerin verkannt!‹

In diesem Verse und in diesem Gesang liegt die ganze Bedeutung der Katastrophe des Tannhäuser, ja, das ganze Wesen des Tannhäuser, was ihn mir zu einer so ergreifenden Erscheinung machte, liegt einzig hierin ausgesprochen. Sein ganzer Schmerz, seine blutige Bußfahrt, alles quillt aus dem Sinne dieser Strophen: ohne sie hier, und gerade hier, so vernommen zu haben, wie sie vernommen werden müssen, bleibt der ganze Tannhäuser unbegreiflich, eine willkürliche, schwankende – erbärmliche Figur.«

Was Wagner als Tannhäusers Schuld empfindet, wird plötzlich offenbar. Nicht daß er im Venusberg weilte, begründet seine Tragödie. Damit verfällt er bloß der Ächtung durch Papst und Kirche. Wagner scheint nicht gewillt, dieses Verdikt zu übernehmen; solche Schuld ist ihm nicht der tiefste Frevel. Der Venusberg bleibt – man ahnt warum! – eine läßliche Sünde. Aber die Projizierung sinnlichen Begehrens auf Elisabeth, verkennendes Luststreben vor *des Himmels Mittlerin:* das begründet Tannhäusers unsühnbare Schuld.

Sonderbare Übernahme klassischer Motive und Konflikte in diese romantische Oper! Muß man nicht sagen, der Künstler Tannhäuser versündige sich an der Fürstin Elisabeth in ähnlicher Weise wie der Künstler Tasso an der Prinzessin Leonore? Wirkt hier nicht Wolfram in der Art von Goethes Antonio, gibt es nicht Verbindungen zwischen Goethes Herzog und Wagners Landgrafen? Die Künstlertragödie in Wagners Tannhäuser wird in solcher Sicht ganz unmittelbar evident. Zugleich damit auch die sonderbare deutsche gesellschaftliche Konstellation des Tasso- wie des Tannhäuser-Konflikts.

Ein weiterer Grundaspekt dieser romantischen Oper nämlich hängt damit zusammen, der gleichfalls oft verkannt wurde, wenngleich Richard Wagner auch auf ihn ausdrücklich hinwies. Als er die eben fertig gewordene *Tannhäuser*-Partitur an Karl Gaillard nach Berlin schickte, hieß es im Begleitbrief vom 5. Juni 1845:

»Ich schicke Ihnen hier meinen Tannhäuser, wie er leibt und lebt; ein Deutscher vom Kopf bis zur Zehe; nehmen Sie ihn als Geschenk freundschaftlich an. Möge er imstande sein, mir die Herzen meiner deutschen Landsleute in größerer Ausbreitung zu gewinnen!! Diese Arbeit muß gut sein, oder ich kann nie etwas Gutes leisten. Es war mir ein wahrer Zauber damit angetan; sowie und wo ich nur meinen Stoff berührte, erbebte ich in Wärme und Glut: bei den großen Unterbrechungen, die mich von meiner Arbeit trennten, war ich stets mit einem Atemzuge so ganz wieder in dem eigentümlichen Dufte, der mich bei der allerersten Konzeption berauschte.«

Die Formulierung wirkt einigermaßen verwunderlich. Worin ist Tannhäuser, der Sänger nämlich, *ein Deutscher vom Kopf bis zur Zehe?* Viel eher möchte man diese Kennzeichnung für Wolfram in Anspruch

nehmen und die anderen Widersacher Tannhäusers im Wartburg-
streit, die Wolfram zu preisen unternimmt:

»... So viel der Helden, tapfer, deutsch und weise,
Ein stolzer Eichwald, herrlich, frisch und grün.

Sie alle aber, diese Helden, dieser Eichwald des deutschen Sanges,
sind Tannhäusers Widersacher. Er geht nicht eben glimpflich mit
ihnen um:

»Ha, tör'ger Prahler, Biterolf!
Singst du von Liebe, grimmer Wolf?
Gewißlich hast du nicht gemeint,
was mir genießenswert erscheint.
Was hast du Ärmster wohl genossen?
Dein Leben war nicht liebereich,
und was von Freuden dir entsprossen,
das galt wohl wahrlich keinen Streich!«

Dennoch wird von Wagner gerade das Deutschtum Tannhäusers
betont. Auch hier fließt die gesellschaftliche Erfahrung mit der höchst
persönlichen Problematik zusammen. Tannhäusers Schwanken zwischen Venus und Elisabeth hängt, wie angedeutet, mit seelischen
Vorgängen im Mann und Künstler Richard Wagner zusammen. Aber
Tannhäuser ist auch in anderer Hinsicht nicht bloß eine Künstlergestalt schlechthin, sondern eine Künstlergestalt mit autobiographi-
schem Erleben des Künstlers Richard Wagner. Das Deutschtum
Tannhäusers und Richard Wagners ist besonders spürbar bei der
Absage an Venus und die Umwelt des Venusbergs. Die tiefe Wirkung, die auf der Bühne jedesmal eintritt, wenn die Venuswelt blasser,
wesenloser wird und die deutsche, thüringische Frühlingslandschaft
hervorkommt, beruht nicht bloß auf dem szenischen Effekt des Deko-
rationswandels, sondern auf dem alternierenden Erscheinen zweier
geistiger Welten. Mit Recht hat Richard Wagner in einem anderen
Brief an Liszt (30. Januar 1852) gebieterisch gefordert, daß Tannhäuser im Venusberg alle drei Strophen seines Liedes singen müsse:
»Die richtige Steigerung, namentlich auch in der Wirkung auf die
Venus, geht sonst durchaus verloren.« Die Steigerung aber hat Wagner gleichzeitig im Gedicht und in der Musik angelegt. Tannhäusers

Lied wechselt die Tonart, es steigt chromatisch auf: erste Strophe in Des-dur, die zweite in D-dur, die dritte, zwingende steht in Es-dur. Das hängt mit dem Inhalt zusammen. Die erste Strophe des Tannhäuserliedes bittet um Befreiung aus romantischem Überdruß am Genießen. Schon Heinrich Heines Tannhäuser hatte sich nach »Bitternissen« gesehnt. Der Tannhäuser der ersten Strophe begehrt, im romantischen Des-dur:

»Aus Freuden sehn' ich mich nach Schmerzen.«

Die zweite Strophe ist weit kraftvoller angelegt; sie weiß andere, zwingendere Gründe der Befreiung zu nennen als die morbiden des Überdrusses:

»Doch ich aus diesen ros'gen Düften
verlange nach des Waldes Lüften,
nach unsres Himmels klarem Blau,
nach unsrem frischen Grün der Au',
nach unsrer Vöglein liebem Sange,
nach unsrer Glocken trautem Klange: –
Aus deinem Reiche muß ich flieh'n, –
o Königin, Göttin! Laß mich zieh'n!«

Von hier aus wird plötzlich die Sehnsucht nach der deutschen Landschaft, nach Deutschland verständlich. Plötzlich hat Tannhäuser die Gestalt des deutschen Musikers Richard Wagner in Paris angenommen. Venusberg und Pariser Lebensform, deutsche Landschaft und Deutschlandsehnsucht, das kommt nun zur Deckung. Darin aber ist Tannhäuser, und nicht Wolfram, urdeutsch von Grund auf.

Auch die Lockung mit der Liebesgrotte will jetzt nicht mehr verfangen: die dritte Strophe des Liedes bedient sich der von Beethoven her bekannten, heroischen Tonart Es-dur. In neuer Gestalt erscheint Tannhäuser, mit neuen Aspekten nationaldeutschen Künstlertums damaliger Zeit:

»Doch hin muß ich zur Welt der Erden,
bei dir kann ich nur Sklave werden;
nach Freiheit doch verlange ich,
nach Freiheit, Freiheit dürstet's mich;

zu Kampf und Streite will ich stehen,
sei's auch auf Tod und Untergehen: –
drum muß aus deinem Reich ich flieh'n,
o Königin, Göttin! Laß mich zieh'n!«

An diesen Grundgedanken seines Tannhäusers, die untrennbar mit
der Entstehungszeit des Werkes und den Ideen Richard Wagners
in den 40er Jahren zusammenhängen, hat auch der spätere Meister
niemals rütteln lassen. Er bestand darauf, daß der wahre Konflikt
in Tannhäuser gegen Ende des zweiten Aktes szenisch deutlich gemacht werde; es forderte unabdingbar, daß die innere Steigerung
des Tannhäuserliedes im ersten Akt geistig verstanden und szenisch
realisiert würde.

Das Deutschtum Tannhäusers äußert sich übrigens im musikalischen Bereich in eigentümlicher Weise. Es läßt sich zeigen, daß Richard Wagner die eminent deutschen Partien seiner Werke gern durch
eine Musik mit ausgesprochenem Marschcharakter auszudrücken
pflegte. Das beginnt lange vor den *Meistersingern*. Folgt man dem
Rhythmus gerade des Tannhäuserliedes, so ist der Charakter einer
hymnischen Marschmusik nicht zu verkennen. Allerdings kann auch
nicht geleugnet werden, daß ähnliche Stellen der Partitur (und sogar
diese Strophen des Tannhäuserliedes) gleichzeitig dem Belcanto der
Großen und insbesondere auch der italienischen Oper sehr nahe-
stehen. Die große Bariton-Kantilene in D-dur, die Wolfram bei der
Wiederbegegnung mit Tannhäuser anstimmt, um den Freund zur
Rückkehr zu Elisabeth zu veranlassen, und die dann durch die ein-
stimmenden vier Sänger und den Landgrafen zum Sextett erweitert
wird, bedeutet einen melodischen Einfall ersten Ranges; aber sie
bleibt ganz unverkennbar der Tradition der französischen oder italienischen Opernszene verhaftet.

Trotzdem sind die deutschen und die außerdeutschen geistig-seeli-
schen Bereiche, in Venus und Elisabeth nur äußerlich verkörpert,
durch Musik von extremster Gegensätzlichkeit ausgedrückt. Die Genialität der *Tannhäuser*-Partitur beruht gerade darauf. Auch hier gibt
es eine sonderbare und für Wagner kennzeichnende Ambivalenz der
musikalischen Haltung: in der Dichtung soll die französisch-heidni-
sche Welt des Venusbergs durch die deutsche Landschaft, das
deutsche Kunstideal, durch Sittenreinheit und Heiligkeit überwunden
werden. Der musikalische Ausdruck aber dieser Deutschheit, der

hohen Minne, der Rittertradition ist reichlich konservativ, um nicht
zu sagen herkömmlich. Der Pilgerchor und Wolframs Liedformen
besitzen eine fatale Ähnlichkeit mit der musikalischen Nachfolge der
Romantik durch die »kleinen Meister« des deutschen Männersangs.
Die unüberbietbare Beliebtheit von Pilgerchor oder Lied an den
Abendstern hat das nachträglich bestätigt. Es ist in der Tat nicht
leicht, dem Eröffnungslied Wolframs im Sängerkrieg musikalisch
gerecht zu werden. Es-dur, völlige rhythmische Unergiebigkeit des
2/2-Taktes, Modulation von Es-dur nach c-moll, nach As-dur, Septime der Dominante, Rückkehr in die Grundtonart, bescheidene Modulation nach G-dur und f-moll, und abermals die Grundtonart mit
Harfenklängen: es ist schwer, sich eine konservativere, spannungslo-
sere Musik vorzustellen. Auch Wolframs zweite Kantilene, gegen
Tannhäuser gerichtet, unter Wiederaufnahme der Es-dur-Tonart, ist
zwar sehr sangbar und sängerisch wirkungsvoll *(Dir, hohe Liebe,*
töne begeistert mein Gesang), aber sie bleibt rhythmisch und harmonisch
ebenso unergiebig.

Der Venuswelt dagegen hat Wagner eine Musik von äußerster
Genialität geschenkt, die in der rhythmischen Vielfalt, der Klang-
phantasie und Neuartigkeit der Instrumentation über alles hinausragt,
was vorher von ihm geschaffen worden war. Die festen und starren
Rhythmen des Pilgerchors oder der herkömmlichen deutsch-romantischen Kantilene sind gebrochen, alles scheint zu gleiten; die Eindeutigkeit der Tonarten scheint verwischt, das dunkle Tremolo des Hol-
länder-Orchesters hat sich in ein flirrendes Tremolieren der Geigen
verwandelt; kühne Figurationen fahren wie Stichflammen auf. Die
erotische Eindeutigkeit der rhythmischen Bewegung wird schon im
Venusbergteil der *Tannhäuser*-Ouvertüre durch chromatisch aufsteigende Sextolengänge der Celli gestützt; ein Taktbeginn im Forte
wird sogleich wieder ins Piano zurückgenommen. Wenn dann aber
– abermals in der Ouvertüre – diese eindeutige Musik der Ausschwei-
fung in Tannhäusers Venuslied übergeht, so bedeutet das zwar eine
kräftige instrumentale Steigerung, läßt aber sogleich auch die schwirrende, unfaßbare Tonwelt der Frau Venus in das deutsch-marschmä-
ßig preisende Lied Tannhäusers, des deutschen Musikers in Paris,
übergehen...

Hat Wagner gewußt, daß der musikalische Gegensatz zwischen
Tannhäuser und Wolfram als Antithese romantischer Epigonenmusik
und neuer Wagnermusik gestellt worden war? Vieles spricht dafür.

Das Unbehagen Mendelssohns und Robert Schumanns vor der *Tann-häuser*-Partitur war nicht unberechtigt: sie mußten sich in eigener Sache angegriffen fühlen. Immerhin hatte Wagner seinem musikalischen Gegenspieler Wolfram noch eine ernst gemeinte musikalische Ausdrucksform gegeben. Die musikalische Kennzeichnung Beckmessers gegenüber dem Wagnerianer Stolzing sollte ungünstiger ausfallen!

Mit dem Erscheinen des *Tannhäuser* und seiner langsam, doch unaufhaltsam wachsenden Beliebtheit beginnt aber zugleich die Auseinandersetzung zwischen Wagnerianern und Antiwagnerianern. Zehn Jahre nach der Uraufführung war die Oper bereits über die meisten deutschen Bühnen gegangen; auch Riga hatte sie gespielt, wo Wagner einst als Kapellmeister leiden und den Gläubigern ausweichen mußte; *Tannhäuser* in Prag, in Antwerpen, in Straßburg. Die Fronten der Anhänger und erbitterten Gegner begannen sich zu formieren. Jetzt war der Dichter und Komponist bereits so bekannt geworden, daß er ein lohnendes Thema für den Parodisten abzugeben vermochte. Johann Nestroy hatte sich Hebbels Judith nicht nehmen lassen. Auch der Tannhäuser, später der Lohengrin, schien ihm als Gegenstand der Parodie ergiebig zu sein.

Mit den wachsenden Erfolgen des *Tannhäuser* beginnt übrigens auch das auf lange Jahrzehnte hin fast unerschöpfliche Kapitel »Richard Wagner in der Karikatur«. Hierbei tut sich zunächst die Berliner Presse und Publizistik hervor, denn erst 1856 wird es möglich, den *Tannhäuser* an der preußischen Hofoper zu Berlin zu geben. Der »Kladderadatsch« veröffentlicht dazu eine ganze Seite Karikaturen, die sich fast mehr noch gegen den »Abbé« Franz Liszt als gegen Wagner richten und auf den Vorwurf religiöser »Proselittenmacherei« hinauswollen. In aller Plumpheit des bornierten Kleinbürgertums verstand dabei der »Kladderadatsch« die eigentlichen geistig-künstlerischen Positionen gar nicht so schlecht. Er hätte auch gegenüber Nietzsche recht gehabt, denn bereits mit dem *Tannhäuser,* nicht erst mit den *Parsifal,* beginnt der »Fall Wagner«.

LOHENGRIN

Die Heftigkeit der Auseinandersetzung steigert sich seit Erscheinen des Schwanenritters. Im Grund ist der *Lohengrin* heute vielleicht dasjenige Werk Richard Wagners, vor welchem sich die Gegensätze am stärksten zu äußern pflegen. Die balladeske Wucht des *Holländers* hat sich durchgesetzt. *Meistersinger* und *Tristan* sind gleichfalls dem Streit entrückt; der *Parsifal* war als Ausnahmewerk gedacht und ist auf der Bühne der Operntheater ein Ausnahmewerk geblieben. Auch geschlossene Aufführungen der Tetralogie sind verhältnismäßig selten; im übrigen zerfällt der *Nibelungenring,* darin einem allgemeinen Erfolgsgesetz heutigen Musiklebens folgend, in »beliebte« und weniger begehrte Stücke, fast könnte man sagen: in erquickliche und unerquickliche Partien; zu ersteren gehören erster Akt *Walküre,* Walkürenritt, Schmiedelieder und Waldweben, zu den unerquicklichen Teilen gehört eigentlich zum Leidwesen des perfekten Wagnerianers (um einen Ausdruck von Bernard Shaw zu gebrauchen) ziemlich genau die gesamte Ringmythologie. Der *Tannhäuser* besitzt noch seine beliebten Arien, Chöre und Orchesterstücke der alten Operntradition.

Die besitzt auch der *Lohengrin:* vielleicht noch in weit höherem Maße als sein Vorgänger. Dennoch verwandelt sich das *Lohengrin*-Gespräch stets mit Leichtigkeit in eine grundsätzliche Auseinandersetzung zwischen Anhängern und Gegnern. Vor dem *Tristan* und auch noch vor dem *Ring* ist es möglich geworden, musikalischen Genuß vom Unbehagen über Psychologie, Kryptophilosophie und Mythologie zu trennen. Im Falle des *Lohengrin* erhöht der musikalische »Genuß« das totale Unbehagen: gerade diese verzaubernde Musik scheint sich mitschuldig gemacht zu haben!

Es bedurfte nicht erst der Ereignisse aus Deutschlands jüngerer Vergangenheit, nicht erst der Zusammenstellung *Lohengrin* und Drittes Reich, um bedenkliche Elemente der Wagner-Kunst durch den *Lohengrin* sichtbar zu machen. Verzückung und Haß treffen hier so hart aufeinander wie selten sonst vor Werken der Kunst, selbst der Kunst Richard Wagners. Das *Lohengrin*-Erlebnis des bayerischen Kronprinzen Ludwig, der bereits mit zwölf Jahren Wagners Abhandlung *Das Kunstwerk der Zukunft* verschlungen hatte und dann am 16. Juni 1861, noch nicht sechzehnjährig, den *Lohengrin* hörte, bewirkte Verzauberung, die unter Tränen empfangen wurde. Das Wunder *Lohengrin* (der Wundertäter *in lichter Waffen Scheine* war dabei von der Musik nicht zu trennen) sollte sich auch in Richard Wagners Leben als Wunder erweisen. *Lohengrin* begründete das ebenso produktive wie folgenschwere Mißverständnis der Freundschaft eines früh gealterten Mannes und Tonsetzers mit einem knabenhaften, im tieferen Sinne wohl gar nicht musikverständigen König.

Tannhäuser war deutsche Sage und mittelalterliche Dichtung. Den Sagencharakter und die geschichtliche Undeutlichkeit der romantischen Mittelalterauffassung hatte Richard Wagner beibehalten. Sinnlicher, greifbarer, nachvollziehbarer wurde bei ihm die Landschaft. Der Sängersaal war romantisch-»altdeutsch« gehalten wie bei Moritz von Schwind, aber die Landschaft war wirkliches Thüringen. Auch Lohengrin, der ein Künstler ist wie Holländer und Tannhäuser oder auch Stolzing, ein Wunschbild dazu, bleibt Sagengestalt. Auch ihn hatte Wagner bei Wolfram von Eschenbach gefunden, der den Schwanenritter, den Sohn Parzivals, als Loherangrin bezeichnet. Das Gedicht vom Sängerkrieg weist gleichfalls Beziehungen zum Lohengrin-Thema auf. Am Ende des 13. Jahrhunderts war dann im Bayerischen ein eigenes Lohengrin-Epos entstanden, das die Geschichte des Schwanenritters schon in die Zeit des Sachsenkönigs Heinrich I. und in die Kriege gegen Ungarn und Sarazenen verlegt hatte. Wagner las das von Joseph von Görres mit einer ausführlichen Einleitung herausgegebene Lohengrin-Epos in Marienbad. Hier lag alles bereit: deutsche Sage in weitaus engerer Verbindung mit deutscher Geschichte als im Tannhäuser; deutsche Geschichte mit der Möglichkeit politischer Nutzbarmachung; daneben eine neue Gestaltungsmöglichkeit des Künstlerthemas. Der *Lohengrin,* Gedicht und Musik, entsteht in den drei Jahren, die zur Revolution von 1848 überleiten sollten. Die Partitur wird Ende März 1848 vollendet, einen Monat nach Ausbruch der französischen Februar-Revolution, die den Bürgerkönig Louis-Philippe vertrieben hatte, zwei Wochen nach den Märzkämpfen in Berlin und Wien, nach Ausbruch auch der sächsischen Revolution.

Einen Lohengrin des authentischen Mittelalters kann Wagner
nicht gebrauchen, denn nicht das christliche Künstlertum soll Lohengrins Tragik und Einsamkeit begründen, sondern bloß das Künstlertum:

　»Das mittelalterliche Gedicht brachte mir den Lohengrin
in einer zwielichtig mystischen Gestalt zu, die mich mit Mißtrauen
und dem gewissen Widerwillen erfüllte, den wir beim Anblicke der
geschnitzten und bemalten Heiligen an den Heerstraßen und in den
Kirchen katholischer Länder empfinden. Erst als der unmittelbare
Eindruck dieser Lektüre sich mir verwischt hatte, tauchte die Gestalt
des Lohengrin wiederholt und mit wachsender Anziehungskraft vor
meiner Seele auf; und diese Kraft gewann von außen her namentlich
auch dadurch Nahrung, daß ich den Lohengrinmythos in seinen einfa-
cheren Zügen, und zugleich nach seiner tieferen Bedeutung, als eigentliches Gedicht des Volkes kennen lernte, wie er aus den läutern-
den Forschungen der neueren Sagenkunde hervorgegangen ist. Nachdem ich ihn so als ein edles Gedicht des sehnsüchtigen menschlichen
Verlangens ersehen hatte, das seinen Keim keineswegs nur im christlichen Übernatürlichkeitshange, sondern in der wahrhaftesten
menschlichen Natur überhaupt hat, ward diese Gestalt mir immer
vertrauter.«

Lohengrins Tragik beruht auf seiner Einsamkeit. Er ist das Wunder in einer Welt, die (in der Gestalt der Elsa) das Wunder zwar
ersehnt, doch auch bemüht ist, es in die Alltagssphäre zu zwingen,
eben dadurch aber des Wunderbaren zu entkleiden. Der Gral ist
Utopie, die sich nicht alltäglich machen läßt. Darum muß der Lohengrin-Konflikt mit Notwendigkeit tragisch enden. Dies um so mehr,
als Wagner, wie bereits zitiert wurde, im Grunde geneigt ist, die
Umwelt und den Alltag als das Unnatürliche, das Wunder des Künstlers aber als höhere Natürlichkeit zu betrachten.

Wagner begründet, abermals in der Mitteilung an die Freunde,
die Unmöglichkeit dieses Verlangens in reinster Terminologie des
Jungen Deutschland und der Philosophie Ludwig Feuerbachs:

　»Was ist nun das eigentümlichste Wesen dieser menschlichen Natur, zu der die Sehnsucht nach weitesten Fernen sich, zu ihrer einzig
möglichen Befriedigung, zurückwendet? Es ist die Notwendigkeit
der Liebe, und das Wesen dieser Liebe ist in seiner wahrsten Äußerung Verlangen nach voller sinnlicher Wirklichkeit, nach dem
Genusse eines mit allen Sinnen zu fassenden, mit aller Kraft des

wirklichen Seins fest und innig zu umschließenden Gegenstandes. Muß in dieser endlichen, sinnlich gewissen Umarmung der Gott nicht vergehen und entschwinden? Ist der Mensch, der nach dem Gotte sich sehnte, nicht verneint, vernichtet?« Damit aber wiederholt sich die Tannhäuser-Situation in sonderbarer Umkehrung. Tannhäuser tiefste Schuld lag darin, die heilige Elisabeth in irdischer Weise begehrt zu haben. Diesmal sind die Rollen vertauscht. Der jungdeutsche Konflikt zwischen sinnlicher und irdischer Liebe ist von neuem wirksam geworden. In der Lohengrin-Gestalt wurde das jungdeutsche Prinzip der Madonna gleichsam ins Männliche übertragen. Elsa scheitert daran, daß sie dem Wunder Lohengrin gegenüber das »Verlangen nach voller sinnlicher Wirklichkeit« erhoben hat. Allein auch Lohengrin ist eigentlich schuldig. Seine Mission war von Anfang an mit Vollziehung der Ehe und fürstlichem Alltag nicht zu vereinigen. Wenn er sich trotzdem darauf einließ, so begründete auch er Schuld und legte die Grundlage für seine Stimmung der Trauer, die ihn »wehmütig« in der Stunde des Abschieds den Schwan erblicken, »mit heftigem Schmerze« zu Elsa sprechen läßt.

In seltsamer Weise ist hier also das Höchstpersönliche mit den philosophisch-literarischen Reminiszenen verwoben: abermals die Einsamkeit des Künstlers Wagner in seiner sächsischen Umwelt; die Trivialität von Eheleben und Berufsleben; die Reinheits- und Unreinheitsgedanken der jungdeutschen Literatur; Feuerbachs Philosophie der Menschenliebe, die das Christliche, ganz wie es Wagner mit Gral und Lohengrin tut, ins allgemein Menschliche umdeutet.

Es kommt hinzu, daß das Lohengrin-Drama außerdem noch bei Wagner auf einem tagespolitischen Gerüst abläuft. König Heinrich I. ist bereits in den Quellen erwähnt. Seine Appelle in den großen Königsreden der Oper wurden aber in jenen Jahren zwischen 1846 und 1848 von den Zeitgenossen im Sinne einer Verteidigung der deutschen Heimat gegen den Zarismus verstanden. Auch die Frage Schleswig-Holsteins und seiner Zugehörigkeit zu Deutschland spielt hinein in diese Jahre erhöhten nationalen Lebens und Bewußtseins.

Ortrud und Telramund gehören in den Bereich dieser politischen Aktualität. Auf den ersten Blick hat man hier nur ein Ritterspektakel vor sich, wie es nach alter Überlieferung auf dem Gegensatz von verfolgter Unschuld und verfolgender Zauberin oder Hexe aufgebaut zu werden pflegte. In Kleists »Käthchen von Heilbronn« hat man

Käthchen und Kunigunde, im Opernvorbild des Lohengrin, in Webers »Euryanthe«, wurde daraus das Gegenspiel der Euryanthe und
der Eglantine. Wagner übernimmt die Zuordnung der Gestalten und
ihre wesentliche dramatische Funktion. Aber Lohengrin ist durchaus
anders in Nam und Art als der Ritter Wetter vom Strahl oder Webers
Adolar. Die Rittertradition lieh das Handlungsgerüst, nicht die Substanz des Konflikts. Die nämlich ist politischer Art. Richard Wagner
gedachte im *Lohengrin* ausdrücklich die damalige tagespolitische Auseinandersetzung zwischen »Zeitgeist« und »Reaktion« auf die Bühne
zu bringen.

Aber selbst hier bleibt Richard Wagner in eigentümlicher Weise
den Gedankengängen der jungdeutschen Literatur verbunden: selbst
darin, daß er sie bekämpft. Frauenemanzipation, Politisierung des
Weibes, wie man es nannte, war ein Hauptthema der Jungdeutschen
gewesen. Der Wagner von 1845 stellt diesen Thesen in der Gestalt
der Ortrud das Schreckbild einer politisierten Frau gegenüber, einer
Frau allerdings, die politisiert ist im Sinne des Veralteten, des – in
Wagners Sinne – Reaktionären. Fünf Jahre vorher hatte Friedrich
Hebbel in seiner »Judith«, gleichfalls nach eigenem Eingeständnis,
die Unmöglichkeit einer politisch handelnden Frau als Gegenthese
zum Emanzipationsgedanken auf die Bühne gebracht.

Allerdings spürt man in Wagners Brief an die Fürstin Wittgenstein
bereits Gedankengänge der nachrevolutionären Entwicklung. Man
ahnt die innere Distanz, die der Briefschreiber zu seinem eigenen
damaligen Denken und Gestalten einnimmt. Er weiß selbst nicht
mehr recht, wie er sich der Ortrud gegenüber verhalten soll. Sie
ist großartig und verwerflich. Sie ist ihm entsetzlich als politisches
Weib. Ist sie aber entsetzlich durch die Tatsache ihres Politisierens
und Handelns, oder durch Art und Richtung dieser Politik, die reaktionär ist, ahnengläubig? Sonderbare geistige und politische Mischung auch hier. Die Ablehnung politischen Frauentums durch
Wagner ist ihrerseits reaktionär; seine Ablehnung der aristokratischen
Politik, die Ortrud betreibt, deutet wiederum auf den vorrevolutionären Wagner, den Empörer und Gegner aller Feudalität.

Im dramaturgischen Aufbau bedient sich Wagner ausdrücklich
der Alternierung von Tag- und Nachtszenen. Zum erstenmal erscheint die Szenerie des nächtlichen Mittelaktes, wie sie auch für
den Handlungsaufbau von *Tristan* und *Meistersingern* maßgebend werden sollte.

Die *Lohengrin*-Musik hat Wagner vom Ende her komponiert. Er begann mit der Vertonung des dritten Aktes im Herbst 1846. Bis März 1847 war der Schlußakt komponiert; damit war das Motivinventar aufgestellt und auch schon durch Verflechtungen zu den musikalischen Höhepunkten geführt. Nun kehrte Wagner zum Anfang zurück, komponierte den ersten, anschließend sogleich den zweiten Akt. Als er im August an Ferdinand Heine schrieb, lag die eigentliche Opernmusik vor. Darauf erst entstand das Vorspiel.

Der *Lohengrin* bildet zum erstenmal musikalische Einheit in einem bis dahin auf der Opernbühne noch nicht erlebten Maße. Das Prinzip der alten Nummernoper ist jetzt endgültig preisgegeben. Das Werk ist in Szenen gegliedert, aber genau durchkomponiert. Die Leitmotive dienen vorerst noch der Charakteristik der Gestalten, Vorgänge, geistigen Prinzipien. Die Motive des Schwanenritters, des Gottesgerichts, des Frageverbots sind so geprägt und beim erstmaligen Erscheinen wie bei der bedeutungsvollen Wiederkehr im musikalischen Fluß in einer Weise »herausgestellt«, daß sie des Aufmerkens der Zuhörer sicher sein können. Allerdings ist die Motivtechnik im *Lohengrin* noch durchaus dramatischer, opernhafter Art. Die Verknüpfung der Motive erfolgt noch nicht, wie in den späteren Werken, im Dienste psychologischer Analyse. Es gibt eigentlich im *Lohengrin* noch nicht jenen episch-musikalischen Stil, den Thomas Mann meinte, wenn er die Musikdramatik Richard Wagners als deutschen Beitrag zur Romankunst des 19. Jahrhunderts bezeichnete. Die Eigenart des neuen musikalischen Stils, die der Tonsetzer einige Jahre später bereits durch den Begriff der *absoluten Melodie* charakterisieren sollte, hängt eng mit Wagners Abkehr von den rhythmisch vorgeprägten und überlieferten Formen des Volksliedes und Volkstanzes zusammen. Abermals wird dieses neue musikdramatische Prinzip in der *Mitteilung an meine Freunde* entwickelt.

Wagner opferte bewußt die Volkstümlichkeit der Balladen, Volkslieder oder Chöre aus dem *Holländer,* die Arien oder französisch-italienischen Kantilenen, wie es sie noch in der *Tannhäuser*-Partitur gegeben hatte. Die *Lohengrin*-Musik verzichtete auf alle Volkstümlichkeit im hergebrachten Sinne. Es entsprach durchaus der Kernthematik des Werkes, die mit künstlerischer Einsamkeit und Unalltäglichkeit zusammenhing, wenn vor allem die Musik der Lohengrin-Gestalt durchaus neu, unvolkstümlich, absolut auftrat. Dem geistig Absoluten der Lohengrin-Gestalt entsprach eine Musik der absoluten Melo-

die. Dies wiederum mußte dazu führen, daß die den Schwanenritter
gleichsam als tönende Aura umschwebende Musik, mit Wagner zu
sprechen, von der *rhythmischen Volksmelodie* so weit wie möglich entfernt wurde. Das eigentliche Lohengrin-Thema, wie es in reizvoller
Verkleinerung in Elsas Vision erscheint, um dann triumphierend
im Fortissimo und in der Grundtonart A-dur den instrumentalen
Abschluß der Gralserzählung zu bilden, ist allerdings auch rhythmisch sehr genau geprägt, doch kaum im Sinne volkstümlicher
Rhythmik. Die übrige Schwanenritter-Musik dagegen ist merkwürdig
einlullend, verzaubernd. Der harmonische Erfindungsreichtum hat
gegenüber der Rhythmik durchaus den Vorrang; auch die typische
Harmonik der *Lohengrin*-Musik zeichnet sich weniger durch Kühnheit
und Überraschendes aus als durch magische, aber damit eigentlich
auch primitive Wiederholung. Der fünfte und sechste Takt des *Lohengrin*-Vorspiels in seiner Modulation von A-dur nach fis-moll enthält
eigentlich die musikalische Keimzelle des ganzen Werkes. In eigentümlicher Wiederholung erlebt man vor der *Lohengrin*-Musik ein Aus-
einanderfallen des musikalischen Formats, je nachdem, ob das positive
oder das negative Prinzip darzustellen ist. Die fis-moll-Welt Telra-
munds zu Beginn des zweiten Aktes ist kühner, leidenschaftlicher,
weitaus rhythmischer bewegt als der A-dur-Glanz des Schwanenritters. Allerdings sind Telramund und Ortrud in ihrer Musik dafür
viel stärker dem romantischen Opernstil Webers, Marschners, auch
noch des *Fliegenden Holländers* verhaftet. Wie es andererseits Wagner
gelingt, aus dem Sprachrhythmus und der Wortmelodie gesprochener
Rede ein ganz eigentümliches Melos erstehen zu lassen, so daß die
Lohengrin-Musik dadurch plötzlich, bei aller Abkehr vom musikalischen Volkston, eine neue musikalische Volkstümlichkeit überhaupt
erst zu begründen vermochte, das gehört zu den großen Errungen-
schaften neuerer Musikgeschichte. Von der Sprachmelodie des Lohengrin führt ein gerader Weg zum Sprachmelos einer Janáček in
der »Jenufa« und damit – zu einem Opernstoff aus dem Volksleben.

Auch das Vorspiel zum *Lohengrin* bricht mit allen Traditionen
der Opernouvertüre, sogar mit jenen der vorhergehenden Wagner-
Werke. Da ist nichts mehr von musikalischer Kurzfassung der Handlung wie im Vorspiel zum *Holländer*. Auch nicht mehr musikalische
Evokation der geistigen Gegenprinzipien wie in der *Tannhäuser*-Ou-
vertüre. Im *Lohengrin*-Vorspiel wird weder eine symphonische Dichtung noch eine Musik absoluter Symphonik geboten. Diese Musik

ist weder absolute Musik noch musikalische Dichtung. Sie gibt im Grunde eine *musikalische Bildwirkung*. In Umkehrung der berühmten Anweisung Beethovens wäre zu sagen, daß sie weit mehr Malerei ist als Ausdruck der Empfindungen. Das war beabsichtigt. Wagner hat in der Exilzeit neben anderen *Programmatischen Erläuterungen* auch eine Deutung des *Lohengrin*-Vorspiels gegeben, die er später in den fünften Band seiner Schriften aufnahm. Abermals beginnt er als treuer Schüler Feuerbachs.

Die Umdeutung des Grals ins allgemein Menschliche wird wiederholt: »Aus einer Welt des Hasses und des Haders schien die Liebe verschwunden zu sein: in keiner Gemeinschaft der Menschen zeigte sie sich deutlich mehr als Gesetzgeberin. Aus der öden Sorge für Gewinn und Besitz, der einzigen Anordnerin alles Weltverkehrs, sehnte sich das unertötbare Liebesverlangen des menschlichen Herzens endlich wiederum nach Stillung eines Bedürfnisses, das, je glühender und überschwenglicher es unter dem Drucke der Wirklichkeit sich steigerte, um so weniger in eben dieser Wirklichkeit zu befriedigen war. Den Quell, wie die Ausmündung dieses unbegreiflichen Liebesdranges setzte die verzückte Einbildungskraft daher außerhalb der wirklichen Welt, und gab ihm, aus Verlangen nach einer tröstenden sinnlichen Vorstellung dieses Übersinnlichen, eine wunderbare Gestalt, die bald als wirklich vorhanden, doch unnahbar fern, unter dem Namen des ›heiligen Grales‹ geglaubt, ersehnt und aufgesucht ward.«

Musikalisch ist das in eine Klangwelt höchst statischer Art getaucht. Eine leise Musik, die an- und abschwillt, aber kaum eigentlich auch nur die mittlere Tonstärke anstrebt, Streicher und Holzbläser, wobei die Höhenlagen entscheidend dominieren und eine schwirrende, fast zirpende Klangwirkung erzeugen. Erst im weiteren Niederschweben des Grals wird der Bereich der Grundtonart modulatorisch verlassen, um im 50. Takt in einem jähen Crescendo die Niederkunft und Enthüllung des Grals vorzubereiten, die der 51. und 52. Takt des Vorspiels *(sehr gehalten)* zelebriert. Forte, das sich bald zum Fortissimo steigert. Reine Akkorde in scharf rhythmischer Prägnanz nebeneinander gestellt: D-dur, h-moll, Fis-dur, h-moll, A-dur, D-dur. Die musikalische Bewegung endet als Kreislauf. Der Gral kehrt zurück. Das dreifache Pianissimo der Geigen im A-dur-Akkord führt die Musik des Vorspiels zu ihrem Ausgangspunkt zurück. Das Wunder war in den Alltag getreten und hatte, wie es Wagner später nannte, *über den in Liebeswonne Verlorenen … nun seinen Segen* ausgegossen, *mit dem er ihn zu seinem Ritter* weihte. Bindung und Dauer waren hier nicht möglich; der Gral mußte die Alltagswelt wieder verlassen. Das Künstlerthema war keines anderen als eines tragischen Ausgangs fähig.

Wagner hat im *Lohengrin* das eigene Sein und zugleich das Sein der Kunst, nicht bloß seiner eigenen Kunst, in der modernen Gesellschaft gestaltet. Seine Lohengrin-Problematik galt ihm – auch hier wieder – als einzigartig, höchst persönlich, untypisch. Sie war es nicht. Künstlertum und Bürgerwelt hieß das Thema. Die »Bedingungen der Möglichkeit« romantischer Kunst wurden hinfällig. Genau zehn Jahre nach Vollendung des Lohengrin hatte Flaubert die Geschichte der Madame Bovary zu Ende erzählt. Emma Bovary aber gehört an Lohengrins Seite. Für die beiden Künstler mit ähnlicher Thematik, Gustave Flaubert und Richard Wagner, bedeutete die europäische Revolution von 1848/49 einen Wendepunkt. Hier, bei Wagner, die Hinwendung zu den Erziehungslehren Arthur Schopenhauers; dort, bei Flaubert, die Geschichte des passiven Helden Frédéric Moreau, der seine »éducation sentimentale« gleichfalls im Ablauf der 1848er Revolution durchzumachen hatte.

REVOLUTION UND REVOLUTIONÄR

Richard Wagner durchlebt diese revolutionäre deutsche Auseinandersetzung als ein Künstler und Politiker, der versuchen muß, seine philosophischen und literarischen Reminiszenzen aus Jungem Deutschland und Feuerbach, Proudhon und Stirner mit seinen eigenen besonderen künstlerischen Aspirationen in Verbindung zu bringen. Wagner ist gar nicht fähig und erst recht nicht willens, einem Revolutionsprogramm sich anzuschließen ohne Rücksicht darauf, ob dieses Programm seine eigenen musikalischen und theatralischen Konzeptionen zu fördern imstande wäre. Die Revolution ist *seine* Revolution. Gewiß geht es auch ihm um die deutsche Einheit, um neue Verfassungsformen: aber vor allem geht es ihm doch um die Verwirklichung seiner künstlerischen Projekte mit Hilfe der Revolution. Da der sächsische Hof und die Hoftheaterverwaltung in Dresden bisher den Reformplänen des Kapellmeisters Wagner sehr zähen Widerstand geleistet hatten, neigt Richard Wagner – selbstverständlich, möchte man sagen – den republikanischen Tendenzen zu. Von denen allerdings hat er sonderbare, nicht sehr klare, aber vielleicht dafür recht eigennützige Vorstellungen. Seine Rede *Wie verhalten sich republikanische Bestrebungen dem Königtum gegenüber?* vermag darüber Auskunft zu geben. Monarchistischer Republikaner oder republikanischer Monarchist. Vor allem aber ein Revolutionär, dem es um die Kunst- und Theaterreform geht. Der Sieg der Revolution ist als Sieg der Theorie und Praxis des Künstlers Richard Wagner gedacht. Durch alle revolutionären Aktionen und Schriften dieses sächsischen Kapellmeisters und Tonsetzers – vom März 1848 bis zur ersten Maiwoche 1849 – zieht sich dieses Leitmotiv.

Viel Bitterkeit hatte sich in den Dresdener Dirigentenjahren angesammelt. Großes war allerdings auch vollbracht worden. Wagner hatte folgerichtig die Traditionen deutscher Opernkunst im Spielplan berücksichtigt. Als Dirigent und Tonsetzer wirkte er als Nachfolger und Fortsetzer Carl Maria von Webers. Seinem Eifer war die Überführung der Asche Webers von London nach Dresden im Dezember 1844 zu danken. »Euryanthe« wurde aufgeführt; Wagner hatte eine Trauermusik aus »Euryanthe«-Motiven verfaßt und am Grabe des »Freischütz«-Komponisten gesprochen. Am Palmsonntag des Jahres 1846 war eine Musteraufführung von Beethovens 9. Symphonie unter Wagners Leitung veranstaltet worden. 1847 wurde dann auch Gluck in die neubegründete deutsche Operntradition einbezogen. Beschäftigung mit Gluck, bei gleichzeitigem Studium griechischer Kunst und Philosophie, führte zu einer Wagnerschen Bearbeitung und zur erfolgreichen Einstudierung der »Iphigenia in Aulis«.

Das alles war bedeutend und künstlerisch erfolgreich, aber es schien nicht zu genügen. Die Wiederaufnahme des *Rienzi* mißlang. Der *Tannhäuser* wurde kein Erfolg. Um die Aufführungsmöglichkeiten des neuen *Lohengrin* in Dresden schien es schlecht zu stehen. Mit der Intendanz lebte der Erste Kapellmeister in ewigem Streit. Außerdem war Wagner nun offenbar nicht mehr fähig, andere Künstler, auch solche hohen Ranges, neben sich und vor sich selbst zu vertragen. Weber war tot; Marschner konnte er zur Aufführung des »Hans Heiling« nach Dresden holen, doch gefiel er sich dabei bereits in der Rolle des Gönners. Robert Schumann, der zur gleichen Zeit als Konzertdirigent und Kompositionslehrer in Dresden wirkte, war insgeheim ein Ärgernis. Mendelssohns plötzlicher Tod am 4. November 1847 beseitigte den Anlaß zu schweren Konflikten. In der Autobiographie *Mein Leben* kann nachgelesen werden, wie die Erfolge des Dirigenten und Tonsetzers Mendelssohn-Bartholdy als quälende Seelenlast von Wagner empfunden wurden, der anzudeuten scheint, daß auch Mendelssohn ihm, Wagner, gegenüber in ähnlichen Empfindungen gelebt habe.

Wagner strebte im Theater nach der Alleinherrschaft, daran war nicht zu zweifeln. Die Berufung Karl Gutzkows an das sächsische Hofschauspiel hatte ihn dazu veranlaßt, eine scharfe Einengung der Kompetenzen des Schauspielmannes zu erreichen. Der jungdeutsche Dramatiker sollte von aller Einflußnahme auf die Oper und ihren Spielplan ausgeschlossen werden. In diesen Auseinandersetzungen nahm Wagner offen Partei innerhalb der literarischen Auseinandersetzungen der jungdeutschen Schule: er war für Heinrich Laube und gegen Karl Gutzkow. Das führte zu ersten heftigen Streitigkeiten mit dem königlichen Intendanten, dem Freiherrn von Lüttichau. Als die Revolution ausbricht, im Frühjahr 1848, scheint Wagner eine

Möglichkeit zu sehen, die Alleinherrschaft des Kapellmeisters Wagner im Dresdener Theaterleben gleichsam gesetzlich zu begründen. Er schreibt den *Entwurf eines Nationaltheaters des Königreiches Sachsen.* Die Darstellung, die er selbst in der Autobiographie *Mein Leben* von dieser Episode gegeben hat, dürfte durch die Dokumente der Wagner-Sammlung von Mrs. Burrell widerlegt sein. Sicher ist, daß Wagner seinen Plan der Hoftheaterverwaltung einreichte, ohne, wie er selbst auch zugibt, seine Kapellmeisterkollegen oder die Mitglieder der Hofkapelle zu verständigen.

War Richard Wagner ein Revolutionär? Er selbst hat den gesamten Vorgang später nach Kräften bagatellisieren wollen. Seine Beteiligung am Dresdner Mai-Aufstand wurde als theatralische Ekstase eines leicht entflammten, aber eigentlich unpolitischen Künstlers hingestellt. Cosima und das Haus *Wahnfried* haben in diesem Sinne weitergewirkt. So entstand das Bild eines Künstlers, königlich-sächsischen Kapellmeisters, der eigentlich ohne Schuld auf die Barrikade geriet, flüchten muß, sehr schnell im Exil seine Taten bereut und schließlich, trotz offenbarer Reue, spät erst und unter großen Schwierigkeiten die wohlverdiente Amnestie erhält.

Von alldem kann in Wahrheit keine Rede sein. Die Behauptungen in *Mein Leben* sind nicht haltbar. Wagner stellt es so dar, als habe er, zuerst noch tief beschäftigt mit der Vollendung des *Lohengrin,* gleichsam blinzelnd aufgeschaut, den Ausbruch der Revolution gewahrt und sich nunmehr ein bißchen für das Politische interessiert. In *Mein Leben* liest man das so:

»In diesem Sinne begeisterte ich mich sogar zu einem populär-poetischen Aufruf an die deutschen Fürsten und Völker zu einem großen kriegerischen Unternehmen gegen Rußland, da von dorther zuletzt der Druck auf die deutsche Politik ausgeübt schien, welcher namentlich die Fürsten ihren Völkern so verhängnisvoll entfremdet hatte. Eine Strophe lautete:

›Der alte Kampf ist's gegen Osten,
Der heute wiederkehrt:
Dem Volke soll das Schwert nicht rosten,
Das Freiheit sich begehrt.‹«

Zunächst mag zu denken geben, daß der Geist dieser Verse durchaus den entsprechenden Sätzen König Heinrichs und auch Lohengrins in der Oper entspricht; die geistig-politische Kontinuität ist also offensichtlich. Nicht minder deutlich wird die geistige Beziehung der nun im Revolutionsverlauf entstehenden Manifeste des Politikers Wagner zu den neuen künstlerischen Plänen, die sich der Dichter und Tonsetzer nach Vollendung des *Lohengrin* ausgesucht hat. Auch die Tatsache, daß er in jenem Frühsommer 1848 nahezu als einzigen Freund den gescheiterten Musiker und leidenschaftlichen Revolutionär August Röckel festgehalten hat, um mit Röckel von nun an selbst politisch gemeinsame Sache zu machen, spricht gegen die These vom »Hineinschlittern eines unpolitischen Musikers«. Aus Erinnerungen Dresdener Bürger scheint hervorzugehen, daß Röckel später von den Wohlmeinenden als Wagners Verführer und Verderber angesehen wurde. Richard Wagner selbst war ehrlicher. Er hat der seltsamen, aber doch bedeutenden Gestalt seines Revolutionsfreundes ein ehrendes Andenken bewahrt.

Durch Röckel kommt nun der mißvergnügte, reformfreudige, verschuldete Musiker und Politiker Richard Wagner mit dem politischen Parteileben Dresdens in Verbindung. Der »Deutsche Verein« genügt nicht, denn er vertritt die »konstitutionelle Monarchie auf breitester demokratischer Grundlage«. In diesem Verein aber sind so bürgerliche Künstler wie Eduard Devrient und der Bildhauer Rietschel zu finden. Damit hat sich eine solche Partei für Wagner erledigt. Er tritt dem »Vaterlandsverein« bei, dem Sammlungsort der Linken, der eigentlichen Republikaner; vor ihnen spricht er, anstelle von Röckel, der nicht reden kann, zum Thema »Wie verhalten sich republikanische Bestrebungen dem Königtum gegenüber?«

Sie verhalten sich höchst sonderbar dem Königtum gegenüber. Richard Wagner beginnt damit, *den Untergang auch des letzten Schimmers von Aristokratismus* zu fordern. Abschaffung der Aristokratischen Ersten Kammer ist für die Männer des Vaterlandsvereins und auch für den Kapellmeister Wagner eine Selbstverständlichkeit. Ebenso steht es mit dem allgemeinen Wahlrecht:

»Weiter wollen wir die Zuerteilung des unbedingten Stimm- und Wahlrechts an jeden volljährigen, im Lande geborenen Menschen: je ärmer, je hilfsbedürftiger er ist, desto natürlicher ist sein Anspruch auf Beteiligung an der Abfassung der Gesetze, die ihn fortan gegen Armut und Dürftigkeit schützen sollen.«

Man würde nun folgerichtigerweise ein republikanisch-demokratisches Programm erwarten: Abschaffung des Aristokratismus hätte doch wohl mit der Beseitigung des Königtums zu beginnen. Daran aber denkt Richard Wagner ganz und gar nicht. Er weiß, daß man ihm Einwände machen und Unlogik vorwerfen wird: »Aber, fragt ihr nun: willst du dies alles mit dem Königtum erreichen? – Nicht einen Augenblick habe ich sein Bestehen aus dem Auge verlieren müssen –, hieltet ihr es aber für unmöglich, so sprächet ihr selbst sein Todesurteil aus! Müßt ihr es aber für möglich erkennen, wie ich es für mehr als möglich erkenne, nun: so wäre die Republik ja das Rechte, und wir dürfen nur fordern, daß der König der erste und allerechteste Republikaner sein sollte. Und ist Einer mehr berufen, der wahreste, getreueste Republikaner zu sein, als gerade der Fürst? Res publica heißt: die Volkssache. Welcher Einzelne kann mehr dazu bestimmt sein als der Fürst, mit seinem ganzen Fühlen, Sinnen und Trachten, lediglich nur der Volkssache anzugehören? Was sollte ihn, bei gewonnener Überzeugung von seinem herrlichen Berufe, bewegen können, sich selbst zu verkleinern und nur einem besonderen kleineren Teile des Volkes angehören zu wollen?«

Die Konzeption wird immer abenteuerlicher: der Republikaner singt das Lob des Hauses Wettin. Die unselige Forderung einer »Revolution von oben«, eines Kompromisses aus Fürstentum und Bürgertum, die seit der deutschen Aufklärung so verhängnisvoll in Deutschland umhergetragen wurde und schließlich zur Reichsgründung von 1871 führte, erscheint auch dem scheinbar so konsequenten Republikaner Richard Wagner als durchaus einleuchtend.

Da Wagner zur gleichen Zeit mit dem dramatischen Projekt seines *Jesus von Nazareth* beschäftigt ist, nimmt es nicht wunder, daß der erbliche König als erster Republikaner gleichzeitig auch als *schönste deutsche Auslegung* des Christus-Wortes angepriesen wird: »Der Höchste unter euch soll der Knecht aller sein.« Eigentümlich in der Tat wandeln sich die Ideen der Französischen Revolution in Deutschland. Schon 1796 nämlich hatte Friedrich Schlegel in seinem »Versuch über den Republikanismus« ähnlich argumentiert und geschrieben: »Das Kriterium der Monarchie... ist die größtmögliche Beförderung des Republikanismus.« Schlegel wollte damals sein Republikanertum aus der verdächtigen Nachbarschaft der Jakobiner entfernen. Auch Richard Wagner, der Republikaner und Sozialist, scheint das Bedürfnis zu verspüren, sich »nach links hin« abzugrenzen:
»Oder wittert ihr hierin etwa Lehren des Kommunismus? Seid

ihr töricht oder böswillig genug, die notwendige Erlösung des Menschengeschlechts von der plumpesten und entsittlichendsten Knechtschaft gemeinster Materie als gleichbedeutend mit der Ausführung
der abgeschmacktesten und sinnlosesten Lehre, der des Kommunismus, zu erklären? Wollt ihr nicht erkennen, daß in dieser Lehre
der mathematisch gleichen Verteilung des Gutes und Erwerbes eben
nur ein gedankenloser Versuch zur Lösung jener allerdings gefühlten
Aufgabe gemacht worden ist, der sich in seiner reinen Unmöglichkeit
selbst das Urteil der Totgeborenheit spricht?«

In alldem ist Richard Wagner nun wahrlich ein geistiger Mitläufer.
Seine Ideen, dieses Gemisch aus Republikanertum, Reform von oben,
Feuerbach, Stirner und Proudhon, wirken wie eine Illustration des-
sen, was im *Kommunistischen Manifest* unter der Etikette des »wahren
Sozialismus« angegriffen wird. Man glaubt eine Analyse auch über
Richard Wagners Revolutionsideen zu lesen, wenn es in diesem Mani-
fest von 1848 bei Marx und Engels heißt: »Deutsche Philosophen,
Halbphilosophen und Schöngeister bemächtigten sich gierig dieser
Literatur und vergaßen nur, daß bei der Einwanderung jener Schriften aus Frankreich die französischen Lebensverhältnisse nicht gleichzeitig nach Deutschland eingewandert waren. Den deutschen Verhältnissen gegenüber verlor die französische Literatur alle unmittelbar
praktische Bedeutung und nahm ein rein literarisches Aussehen an.
Als müßige Spekulation über die wahre Gesellschaft, über die Verwirklichung des menschlichen Wesens mußte sie erscheinen... Das
Gewand, gewirkt aus spekulativem Spinnweb, überstickt mit schön-
geistigen Redeblumen, durchtränkt von liebesschwülem Gemütstau,
dies überschwengliche Gewand, worin die deutschen Sozialisten ihre
paar knöchernen ›ewigen Wahrheiten‹ einhüllten, vermehrte nur den
Absatz ihrer Ware bei diesem Publikum.« Die Positionen sind klar.
Richard Wagner bekämpft als *wahrer Sozialist* den *roh-destruktiven*
Kommunismus von Marx und Engels. Der Kommunistenbund ver-
spottet die Positionen des wahren Sozialismus, also auch diejenigen
Richard Wagners, als »liebesschwüles« Geschwätz von Schöngeistern
und Halbphilosophen. Wie immer man über Richard Wagner als
Revolutionär denken mag: er repräsentiert eine typische Haltung;
keineswegs ist er ein Fremdkörper in dieser sonderbaren deutschen
Revolution. Er gehört zu ihr und sie gehört zu ihm. Da gibt es
nicht einmal eine Zweiteilung in den Revolutionär und den Künstler
Richard Wagner: Verse aus der *Lohengrin*-Dichtung verwandeln sich

in politische Kampfgedichte, die Gedanken des politischen Redners
und Agitators erfahren ohne Schwierigkeit eine Übertragung ins
Opernhafte und Dramatische. Richard Wagner interessiert sich als
Musikdramatiker neben der Arbeit am Jesus-Stoff für ein sonderbares
Projekt, das wiederum, wie schon beim *Lohengrin,* als Mischung aus
Mythos und Geschichte gedacht ist: als eine Synthese aus Nibelungen
und Hohenstaufen. Friedrich Barbarossa, die Waiblinger und die Ni-
belungen – daraus wird ein Plan mit dem Titel *Die Wibelungen.* Die
Schlußworte dieses Projektes, gleichfalls im Jahre 1848 niederge-
schrieben, zeigen die Synthese des revolutionären Politikers und des
Musikdramatikers: sie bilden überdies die Keimzelle des späteren
Nibelungenrings:

»Wann kommst du wieder, Friedrich, du herrlicher Siegfried!
und schlägst den bösen nagenden Wurm der Menschheit? –

›Zwei Raben fliegen um meinen Berg –‹, sie mästeten sich fett
vom Raube des Reiches! Von Südost hackt der eine, von Nordost
hackt der andere: – verjagt die Raben und der Hort ist euer! –
Mich aber laßt ruhig in meinem Götterberge!«

Auch die Revolutionsschriften des Jahres 1849 stehen dazu nicht
im Widerspruch. In diesen vierzehn Monaten einer deutschen oder
sächsischen Revolution bleibt Wagner folgerichtig. Sein Aufsatz *Der
Mensch und die bestehende Gesellschaft* stellt fest: »Im Jahre 1848 hat
der Kampf des Menschen gegen die bestehende Gesellschaft begonnen.« Es ist die seit Ludwig Feuerbach wohlbekannte »menschliche
Gesellschaft«, worin die konkrete Sozialstruktur unter den Zügen
einer Abstraktion »des Menschen« erscheint. Wagner fordert zwar
– was einen Fortschritt gegenüber seinen Ideen von 1848 darstellt –,
daß die bestehende Gesellschaft als eine verworfene beseitigt werden
müsse. Die Gesellschaft der Zukunft habe die Pflicht, die Menschen
»durch Vervollkommung ihrer geistigen, sittlichen und körperlichen
Fähigkeiten zu immer höherem, reinerem Glück zu führen.« Das
Bewußtsein aber einer solchen Bestimmung des Menschenrechtes
müsse in der Gesellschaft erst geweckt werden. Das bedeute Kampf.

Ihren Höhepunkt finden Wagners Revolutionsideen in seiner berühmten Flugschrift *Die Revolution.* Die sozialistische Utopie hat nunmehr die Form einer Rhapsodie angenommen. Die Schlußworte wirken wie eine Vorwegnahme des späten Nietzsche: Dionysos oder
der Gekreuzigte. Bei Wagner ist das keine Alternative, sondern eine
Synthese.

»Näher und näher wälzt sich der Sturm, auf seinen Flügeln die
Revolution; weit öffnen sich die wieder erweckten Herzen der zum
Leben Erwachten, und siegreich zieht ein die Revolution in ihr Ge-
hirn, in ihr Gebein, ihr Fleisch, und erfüllt sie ganz und gar. In
göttlicher Verzückung springen sie auf von der Erde, nicht die Armen, die Hungernden, die vom Elende Gebeugten sind sie mehr,
stolz erhebt sich ihre Gestalt, Begeisterung strahlt von ihrem veredel-
ten Antlitz, ein leuchtender Glanz entströmt ihrem Auge, und mit
dem himmelerschütternden Rufe: ›ich bin ein Mensch!‹ stürzen
sich die Millionen, die lebendige Revolution, der Mensch gewordene
Gott, hinab in die Täler und Ebenen und verkünden der ganzen
Welt das neue Evangelium des Glückes!«

Wie sehr dieses Denken in sich geschlossen bleibt und über die
Niederlage des Revolutionärs hinaus in die erste Exilzeit weiterzuwir-
ken vermag, zeigt die erste große Programmschrift des Emigranten
Wagner über *Die Kunst und die Revolution,* die – durchaus im Einklang
mit den eigentlichen Revolutionsschriften – in einer Synthese aus
Jesus und Apollon ihre Krönung findet.

Chaotisch und folgerichtig – so sind die Gedanken, Reden und
Flugschriften dieses Revolutionärs in dieser Revolution. Chaotisch
und doch folgerichtig ist auch sein *praktisches Handeln* zwischen dem
März 1848 und dem Mai-Aufstand 1849. Wagners Reden im Vaterlandsverein über Königtum und republikanische Bestrebungen hatten
ihn natürlich bei Hofe, am Theater und beim ganzen konservativen
Bürgertum Dresdens unmöglich gemacht. In der Presse wurde er
als »Dr. Richard Faust« verspottet. Man widmete dem Redner des
Vaterlandsvereins folgende Verse:

»Die Neunte Sinfonie, was wär' sie ohne ihn,
Was ohne ihn die Zeit, der Thron, das Haus Wettin?
Steht er nicht größer da als Lamartine?
O lasset im Triumph uns seinen Wagen ziehn
Und vor dem größten Geist der Mit- und Nachwelt knien.«

Nun geht Wagner auf Reisen, nach Wien, wo er die Auswirkungen
und trügerischen Euphorien der März-Revolution erlebt, nach Weimar, wo er Liszt im Hotel Erbprinz aufsucht und zu einer näheren
menschlichen und künstlerischen Bindung kommt; dann kehrt er
nach Dresden zurück. August Röckel, den man vorübergehend ver-

haftet hatte, ist eifrig als Publizist und sozialistischer Agitator tätig. Wagner steht ihm nach wie vor zur Seite. Beide gehören zum radikalsten Flügel der sächsischen Revolutionäre. Den Proudhonismus Röckels nahm Wagner durchaus und begeistert auf. Nur zwei Gedanken Röckels wollte er nicht mit in Kauf nehmen: die Abschaffung der Ehe und die Gleichheit aller arbeitenden Menschen ohne Sonderregelung für Künstler! In der späteren Autobiographie teilt das Wagner treuherzig mit. Hier handelt es sich in der Tat nicht mehr um abstrakte Menschheitsideen, um die Kunst und die »menschliche Gesellschaft«, sondern um eine geistige Konsequenz, die der Künstler und Mann Richard Wagner keinesfalls zu akzeptieren gewillt war. Keine Egalität ohne Ausnahme für den Künstler und Mann Richard Wagner!

Die Gedanken des Jungen Deutschland hatten sich für Wagner mit der Person Heinrich Laubes verbunden; Feuerbach und Proudhon kannte er aus ihren Büchern; nun machte er eine neue, entscheidende Bekanntschaft, die ihn menschlich und gedanklich außerordentlich beeindrucken sollte.

Michail Alexandrowitsch Bakunin, 1814 geboren, also fast ein Altersgenosse Richard Wagners, hatte Vermögen, Adelstitel, Offizierspatent in Rußland zurückgelassen, um das westliche und mittlere Europa zu revolutionieren. Zwischen 1840 und 1849 findet man ihn überall dort, wo in Europa »etwas los ist«. Als der alte Schelling, von Friedrich Wilhelm IV. auf den verwaisten Lehrstuhl Hegels berufen, im Wintersemester 1841/42 über Philosophie der Offenbarung liest, sitzt Bakunin im Auditorium, ebenso wie Sören Kierkegaard, wie Jacob Burckhardt, wie Friedrich Engels. Als Georg Herwegh ein Jahr später, im Herbst 1842, als gefeierter revolutionärer Dichter durch Deutschland zieht, begleitet ihn Bakunin. Er lebt dann als politischer Emigrant in der Schweiz, in Brüssel, in Paris. An der Februar-Revolution nimmt er teil. Als in Deutschland die Wahlen zur Frankfurter Nationalversammlung vorbereitet werden und die verschiedenen deutschen linken »Vaterlandsvereine« eine Generalversammlung nach Leipzig einberufen, trifft natürlich auch Bakunin ein: unmittelbar aus Paris.

Daß dieser Mann, der nach Dresden weiterreiste, um dort unter dem angenommenen Namen eines Dr. Schwartz zu leben, sehr stark auf Richard Wagner wirkte, war nahezu unvermeidlich. Bakunin war ein Revolutionär »an sich«; daneben ein Todfeind des Zaren und des Zarismus. Die Revolution schien ihm gleichbedeutend mit russischer Revolution. Nun schloß sich der Kreis. Bakunin war mit Georg Herwegh befreundet, Herwegh empfahl ihn an August Röckel; Röckel vermittelte die Bekanntschaft zwischen Bakunin und Wagner; Wagner wurde wenige Jahre später der Exilgefährte Georg Herweghs in Zürich. Hatte Georg Herwegh dem Revolutionär Richard Wagner den Revolutionär Bakunin zugeführt, so sollte er ihm in Zürich fünf Jahre später eine andere, für den Denker und Künstler Wagner höchst folgenreiche Bekanntschaft vermitteln: Schopenhauers Buch »Die Welt als Wille und Vorstellung«.

Die *Begegnung zwischen Wagner und Bakunin* war also weit von Zufall und zeitweiliger Verführung entfernt. Sie war notwendig. Noch die abwertende und abstandnehmende Kennzeichnung in *Mein Leben* läßt es ahnen:

»Alles war an ihm kolossal, mit einer auf primitive Frische deutenden Wucht. Ich habe nie den Eindruck von ihm empfangen, als ob er besonders viel auf meine Bekanntschaft gäbe, da ihm im Grunde auf geistig begabte Menschen nicht mehr viel anzukommen schien, wogegen er einzig rücksichtslos tatkräftige Naturen verlangte; wie es mir späterhin aufging, war aber auch hierin die theoretische Forderung in ihm tätiger, als das rein persönliche Gefühl, denn er konnte eben hierüber viel sprechen und sich erklären: überhaupt hatte er sich an das Sokratische Element der mündlichen Diskussion gewöhnt, und augenscheinlich war es ihm wohl, wenn er sich, auf dem harten Canapé seines Gastfreundes ausgestreckt, mit recht viel verschiedenartigen Menschen über die Probleme der Revolution diskursiv vernehmen lassen konnte. Bei diesen Gelegenheiten blieb er stets siegreich; es war unmöglich, gegen seine bis über die äußersten Grenzen des Radikalismus nach jeder Seite hin mit größter Sicherheit ausgedrückten Argumente sich zu behaupten.«

Praktisches Tun, Wahl des Umgangs, theoretische Überzeugungen, alles war einheitlich geworden. Am frühen Morgen des 4. Mai 1849 brach in Dresden der bewaffnete Aufstand aus. Die Frankfurter Reichsverfassung sollte durchgesetzt werden. Die sächsische königliche Regierung aber erklärte, die Verfassung der Paulskirche sei dadurch hinfällig geworden, daß Friedrich Wilhelm IV. von Preußen die angebotene Kaiserkrone abgelehnt habe. Der sächsische König bildete eine neue, revolutionsfeindliche Regierung und rief preußische Truppen zu Hilfe, um die gewaltsame Durchsetzung der Paulskirchen-Verfassung durch die demokratische und republikanische Partei zu verhindern. Am 3. Mai wurden Barrikaden errichtet, am 4. flüchteten Hof und Regierung nach der Festung Königstein, worauf in Dresden eine provisorische Revolutionsregierung gebildet wurde. Bis zum 5. Mai wurde Waffenruhe beschlossen, aber inzwischen waren die preußischen Truppen eingetroffen. Die Revolutionäre von Dresden dagegen erhielten fast keinen Zuzug. Ihre Leipziger Gesinnungsfreunde hielten flammende Reden, verhinderten aber nicht einmal, daß die sächsische Garnison abzog und sich auf Befehl der königlichen Regierung gegen Dresden in Bewegung setzte. Am Nachmittag des 6. Mai begann der Straßenkampf. Preußische Artillerie, zwei preußische Infanterie-Bataillone, dazu die sächsischen Regimenter. Die Kavallerie schnitt die Zuzüge ab, die Barrikaden wurden von der Artillerie beschossen. Michail Bakunin, ehemaliger zaristischer Offizier, war praktisch der einzige Befehlshaber auf den Barrikaden. Das Bild dieses Mannes mit dem »ungeheuren Bart« hat sich den Überlebenden stark eingeprägt. Die regierungstreuen Truppen drangen am 7. Mai in die Innenstadt ein. Richard Wagners Regierungsstätte, das alte Opernhaus, geriet in Flammen. Am Abend des 8. Mai beschlossen die Führer der provisorischen Regierung und des Aufstandes, mit ihren Kämpfern ins Erzgebirge zu ziehen, um von Freiberg aus den Kampf weiterzuführen.

Der Künstler des Vaterlandsvereins waren auf der Seite des Aufstands zu finden. August Röckel war Soldat und Befehlshaber; die von Gottfried Semper, dem Architekten, gebaute Barrikade erwies sich als besonders widerstandsfähig. Richard Wagner hatte Manifeste verteilt und das Feuer durchschritten. Am 7. Mai befand er sich auf dem Turm der Kreuzkirche als Beobachtungsposten.

Am 9. Mai zog auch er *mit Minna vereinigt im Einspänner* ins Erzgebirge. In Freiberg traf er mit Bakunin zusammen. Inzwischen aber hatte die provisorische Regierung entdecken müssen, daß die Freiberger Behörden nicht bereit waren, den Kampf gemeinsam mit den Aufständischen fortzusetzen. Man beschloß, nach Chemnitz zu übersiedeln. Bakunin eilte voraus, Wagner traf spät in der Nacht gleichfalls in Chemnitz ein. Das wurde sein Glück, denn Bakunin und die anderen Revolutionäre waren bereits verhaftet. Die königstreuen Chemnitzer Behörden hatten sich ihrer bemächtigt, um sie auszuliefern. So glückte Wagner, den man nicht entdeckt hatte, die Flucht. Er gelangte zunächst nach Weimar.

Bakunin und auch August Röckel waren gefangen. Der Russe ging seiner Auslieferung an den Selbstherrscher aller Reußen entgegen. Röckel wurde zum Tode verurteilt, dann aber zu lebenslänglichem Zuchthaus begnadigt. Elf Jahre hat er im Zuchthaus zu Waldheim abgebüßt. Die Gefangenen waren gefesselt und mußten einen Eichenklotz mit einer Kette am Bein mit sich nachschleppen. Hundertachtundsiebzig Aufständische wurden in Dresden getötet, den Verlust der Regierungstruppen gab man offiziell mit 34 Toten und 36 Verwundeten an.

Gegen Richard Wagner wurde der folgende Steckbrief erlassen:

Steckbrief.

Der unten etwas näher bezeichnete Königl. Capellmeister
Richard Wagner von hier
ist wegen wesentlicher Teilnahme an der in hiesiger Stadt stattgefundenen aufrührerischen Bewegung zur Untersuchung zu ziehen, zur Zeit aber nicht zu erlangen gewesen. Es werden daher alle Polizeibehörden auf denselben aufmerksam gemacht und ersucht, Wagner im Betretungsfalle zu verhaften und davon uns schleunigst Nachricht zu ertheilen.

Dresden, den 16. Mai 1849.

Die Stadt-Polizei-Deputation.
von Oppell.

Wagner ist 37–38 Jahre alt, mittler Statur, hat braunes Haar und trägt eine Brille.

Am 22. Mai machte der Illegale einen Marsch von sechs Stunden, um nach Jena zu gelangen, wo er Minna im Hause des Jenenser Professors Wolff traf. Liszt hatte ihm Geld und den Rat gegeben, in Frankreich als Kapellmeister und Opernkomponist weiterzukommen. Da aber der Weg durch preußisches Gebiet als unratsam galt, wählte Wagner den Umweg über die Schweiz. Ein anderer Jenenser Professor, Widmann, gab ihm seinen Paß. Über Coburg, Rudolstadt, Lichtenfels gelangte Wagner nach Lindau, überquerte den Bodensee und traf am Morgen des 28. Mai 1849 in Rorschach auf Schweizer Boden ein. Eduard Devrient erhält einen Brief mit der Handschrift des Flüchtlings. Der Brief ist für Minna bestimmt und teilt mit:

(Rorschach, ›7¹/₂ früh‹, 28. Mai 1849)

Mein liebes, treues Weib!

Glücklich bin ich auf dem Schweizerboden angekommen! Ich hoffte Dir schon einen Tag früher von hier aus schreiben zu können, leider ging die Reise aber sehr langsam von statten, viel Aufenthalt usw. In Lindau wurde einzig der Paß verlangt und ohne Umstände nach der Schweiz visiert. Heute früh fuhr ich von Lindau über den Bodensee hierher, und in einer halbe Stunde geht es weiter nach St. Gallen und Zürich. In Zürich gedenke ich mir etwas Ruhe zu gönnen, um Dir zugleich auch ausführlicher schreiben zu können. Ich bin im Sichern!

Gott erhalte Dich bei gutem Mute! Viel Kummer habe ich um Dich gelitten, aber – großer Lebensmut ist mir auch wieder gekommen! Leb' wohl, liebstes bestes Weib! Morgen von Zürich aus ein Weiteres –

Dein R. W.

Bakunin war gefangen, Röckel war gefangen, auch Gottfried Semper befand sich auf der Flucht in die Schweiz. Die Revolution war zu Ende. Der Revolutionär war Emigrant. Aber er war in Sicherheit.

OPER UND DRAMA

Für den Flüchtling ist die Schweiz zunächst bloß ein Durchgangsland; in Weimar hatte ihm Franz Liszt den Rat gegeben, von neuem in Paris sein Glück zu suchen. Wagner macht sich also auf den Weg und versucht zum zweitenmal, die fransösische Hauptstadt für sich und seine Kunst zu erobern. Die Enttäuschung ist abermals unvermeidlich. Die Revolution ist auch in Frankreich zu Ende. Die Welt der Bankiers ging unbesiegt aus der Krise hervor; zu ihnen gesellen sich nun die ständig mächtiger werdenden »industriels«. Allein auch deren Kunstgeschmack strebt, wie zu den Zeiten des Bürgerkönigtums, nach der Großen Oper. Meyerbeer ist abermals zur Stelle. Sein »Prophet« entspricht wieder genau dem Tagesgeschmack. Ein Heldentenor wird – ähnlich wie in Wagners *Rienzi* – für die Titelrolle eingesetzt. Das Thema kann gar nicht aktueller sein: Wiedertäufer, soziale Gleichheitsideen, gescheiterte Revolution.

Für Wagner aber hat sich in Paris und in der dortigen Kunstwelt seit den Hungerjahren kaum etwas geändert. Das muß er sehr bald erkennen. Liszt schickt dreihundert Franken Reisegeld, damit der Emigrant in die Schweiz zurückkehren kann. In einem erbitterten Brief vom 18. November an Ferdinand Heine wird Bilanz gezogen:

»Acht Tage in Paris genügten, um mich über den gewaltsamen Irrtum aufzuklären, in den ich hineingeworfen worden war. Erlaß es mir, Dir hier umständlich über die empörende Nichtswürdigkeit des Pariser Kunsttreibens, namentlich auch was die Oper betrifft, mich auszulassen. In den letzten Jahrzehnten sind unter Meyerbeers Geldeinflusse die Pariser Opernkunstangelegenheiten so stinkend scheußlich geworden, daß sich ein ehrlicher Mensch nicht mit ihnen abgeben kann. Trotzdem sich Liszts Sekretär Belloni, ein äußerst gewandter, terrainkundiger und dabei sehr gutmütiger Mensch, der Angelegenheit auf ganz glückliche Weise angenommen hat, trotzdem er mir einen Dichter, Gustav Vaes (gegenwärtig Präsident der Commission d'auteurs) zugestellt hat, der von mir den Plan zu einer

Operndichtung erwartet, um das Buch sogleich mir zu liefern und zur Annahme für mich von Seiten der Direction der Großen Oper zu bringen, so bin ich doch auf das Festeste überzeugt, daß ich nun und nimmermehr dazu gelangen werde, eine Oper von mir an der Akademie wirklich zur Aufführung zu bringen, wenigstens nicht unter den jetzigen Verhältnissen, bei dem dort jetzt herrschenden Geiste und unter dem jetzigen Regime. Wie es jetzt steht, hält Meyerbeer alles in seiner Hand, d.h. in seinem Geldsacke; und der Pfuhl der zu durchschreitenden Intrigen ist zu groß, daß ganz andere und pfiffigere Kerle wie ich es längst aufgegeben haben, sich in einen Kampf einzulassen, bei dem einzig das Geld den Ausschlag gibt.«

Er ist nun entschlossen, sich am Züricher See niederzulassen. Minna wird herbeigeholt, um einen neuen Hausstand einzurichten. Mit ihr kommt Natalie Planer, Minnas uneheliche Tochter, die aber in dem Glauben aufgezogen wurde, in Minna eine ältere Schwester zu besitzen. Auch der Hund Peps trifft ein und Wagners geliebter Papagei Papo, über dessen Künste – zum Beispiel das »Fagottspiel« – den Freunden jeweils berichtet wird. Die Möbel aus Dresden treffen gleichfalls ein. Die Bücher allerdings hat Heinrich Brockhaus als Pfand für ein nicht zurückgezahltes Darlehen in Leipzig behalten. Alte und neue Freunde helfen weiter. Es wiederholt sich in Wagners Künstlertum die Lage der ersten Pariser Zeit: wie damals fühlt sich der gedemütigte Flüchtling ohne Stellung und festes Einkommen zwar zur Schriftstellerei geneigt und fähig, nicht aber zur Musikdramatik. Der Rest des Jahres 1849 und das Jahr 1850 bedeuten daher einen gewissen Höhepunkt in den kulturphilosophischen Schriften Richard Wagners, während die dramatischen Themen *Siegfrieds Tod, Jesus von Nazareth* oder *Wieland der Schmied* stagnieren.

In drei theoretischen Schriften wird die Bilanz der bisherigen künstlerischen Erfahrungen versucht. Der Traktat über *Die Kunst und die Revolution* (1849) ist seinem Charakter nach eine Flugschrift, die eigentlich in den Umkreis der Revolutionspamphlete gehört. Dann folgt, bereits in Buchform und bei Wigand in Leipzig veröffentlicht, *Das Kunstwerk der Zukunft* (1850). Im gleichen Jahre schreibt Wagner einen Aufsatz über *Kunst und Klima,* widmet aber seine Hauptkraft dem umfangreichsten und ehrgeizigsten seiner kultur- und kunsttheoretischen Bücher: *Oper und Drama.* Das Vorwort ist datiert: *Zürich, im Januar 1851.* In drei Bänden erschien das Buch

aber erst ein Jahr darauf. Übrigens hatte Wagners Zähigkeit bereits
1850 nicht darauf verzichten wollen, wieder einen neuen, nunmehr
dritten Versuch zur künstlerischen Eroberung der französischen
Hauptstadt zu machen. Alle Erkenntnisse in den damals heranreifen-
den theoretischen Schriften mußten gegen ein solches Unterfangen
sprechen. Auch hier aber war Richard Wagner bereit, um eines möglichen praktischen Erfolges willen die eigenen theoretischen Anforderungen etwas »zurückzunehmen«, oder eigentlich auch wieder nicht,
denn Wagner bemühte sich zwar um französische Opernmachthaber
und Protektoren, allein nach wie vor und durchaus zugunsten seiner
eigenen neuartigen Kunst. Er wies zwar in *Oper und Drama* recht
folgerichtig nach, warum seine Kunst der Musikbühne den Künstler-
und Publikumsbegriffen in Frankreich (oder auch Italien) widersprechen müsse, allein er wollte dennoch auch an dieser Stelle siegen.
Allerdings in Weiterführung der *Lohengrin*-Kunst siegen, nicht aber
um des Erfolges willen zum *Rienzi*-Schema zurückkehren.

Eine Liebesepisode bot weiteren Anreiz zu dieser dritten Frank-
reichreise. Jessie Taylor, eine junge Engländerin, sehr musikalisch,
hatte ihn bereits in Dresden besucht. Nun teilt sie mit, daß sie als
Madame Laussot in Bordeaux lebt. Eugène Laussot, im Weingeschäft
E. Laussot & Cie., 38, Cours du Jardin Public, Bordeaux, ist zwar
recht vermögend und auch bereit, auf Wunsch seiner Frau den deutschen Komponisten an die Garonne zu holen, allein sonst scheint
er nicht viel Verständnis für die künstlerischen Neigungen seiner
Frau zu haben. Wagner trifft in Bordeaux ein, nachdem er vergeblich
in Paris versucht hat, das bisher nur knapp skizzierte Opernbuch
zu *Wieland der Schmied* auf ähnliche Weise unterzubringen wie damals
das Libretto des *Holländers*. Es kommt nun zwischen Richard Wagner
und Jessie Laussot zu einer merkwürdigen Liebesgeschichte, die alle
Akzente einer echten Leidenschaft besitzt und doch eigentlich haltlos
und unernst wirkt, daher auch als banaler Kompromiß zu enden
vermag. Was künstlerisch in reiner Sphäre von Wagner bereits vorgebildet worden war, vollzieht sich nunmehr – gleichsam nachgeliefert
– in der Wirklichkeit: eine Liaison zwischen Lohengrin und Emma
Bovary. In der realen Sphäre aber regiert diesmal die Logik eines
Flaubert...

Wagner war entschlossen gewesen, mit Jessie nach Griechenland
und Kleinasien zu entfliehen. Allein es treten nun die Gegenspieler
auf: Minna Wagner und Eugène Laussot. Doch es fehlt die Pathetik

Frickas, die Tragik König Markes. Die Liebenden verzichten ohne
wirklichen Kampf. Als Minna in Paris erscheint, zieht sich Richard
Wagner ans Ufer des Genfer Sees zurück. Seinen letzten Besuch
in Bordeaux hat er in *Mein Leben* recht anschaulich geschildert.
Die Dokumente der Sammlung Burrell aber enthalten sehr ergreifen-
de Briefe Minnas und auch einen sehr würdigen Brief von Jessies
Mutter, der Ann Taylor.

Der erste seiner drei Versuche ist gescheitert, als Friedloser, als
Wehwalt sich dadurch in einen »Frohwalt« zu verwandeln, daß er
fremde Lebens- und Eheordnungen stört. Der dritte Versuch erst
sollte glücken. Auf Jessie und Eugène Laussot folgte die Paarung
Mathilde und Otto Wesendonk, schließlich Cosima und Hans von
Bülow.

Im Mai 1850 feiert er in Villeneuve mit Julie Ritter und ihrem
Sohn Karl seinen siebenunddreißigsten Geburtstag, dann kehrt er
in die Züricher Wohnung zurück.

In Deutschland beginnt jetzt, vor allem nach dem Erfolg der
Weimarer Uraufführung des *Lohengrin* und überhaupt dank Liszts
nachdrücklichen Werbeversuchen, ein erster allgemeiner Ruhm des
Opernkomponisten Richard Wagner. Im Mai 1853, zu seinem vierzig-
sten Geburtstag, kann er im Züricher Stadttheater bereits erste Wag-
ner-Festspiele veranstalten. Das Vorwort zu den drei Operndichtun-
gen des *Holländer, Tannhäuser* und *Lohengrin* wird öffentlich vorgele-
sen, dann folgen an drei Tagen in konzertanter Aufführung wichtige
Ausschnitte aus den bisherigen Werken. Zum erstenmal kann Wagner
dabei selbst Ausschnitte der *Lohengrin*-Musik dirigieren. Zum erstenmal auch vollzieht sich bereits hier in Zürich, was später die Regel,
seit der Gründung Bayreuths sogar die Institution werden sollte:
daß Sänger und Instrumentalisten aus allen Teilen Deutschlands her-
beieilen, um sich in den Dienst dieser einen und einzigen Kunst
zu stellen.

Der Erfolg des *Lohengrin,* Liszts Freundschaft, der Abschluß der
theoretischen Schriften – alles trägt wieder dazu bei, den Musikdramatiker an die Arbeit zu locken. In diesen Züricher Tagen entsteht
die Dichtung des *Nibelungenrings,* anschließend die Komposition: vom
Urbeginn des *Rheingold*vorspiels über die *Walküre* bis zum Einklang
des jungen Siegfried mit der Waldesnatur.

Das Jahr 1852 ist ein Reisejahr innerhalb der Schweiz: Wagner
macht eine Frühlingswanderung im Berner Oberland, erlebt die Fel-

senlandschaften, die sich in *Rheingold*szenerie und Landschaft des zweiten *Walküre*-Aktes verwandeln sollten. Er gelangt in den Tessin, kommt nach Lugano und reist von dort an den Lago Maggiore. Hier erlebt er die Borromeischen Inseln, die Landschaft aus Jean Pauls »Titan«. Da Wagner alle Eindrücke teilen und mitteilen muß, läßt er Minna und auch den Züricher Exilfreund Georg Herwegh zu sich kommen.

Die Dichtung des *Nibelungenrings* ist im Herbst 1852 vollendet. Von nun an muß der Tonsetzer wirken. Wagner scheint fast ungeduldig an die voraufgehenden Jahre zurückzudenken, da er alle Kraft der theoretischen Spekulation geopfert hatte. Davon will er nun nichts mehr wissen. Als ihn Liszt im Sommer 1853 für ein gemeinsames Zeitschriftenprojekt gewinnen möchte, kann Wagner, der vor kurzem erst zwei theoretische Bücher und mehrere Traktate, dazu eine zweite Autobiographie geschrieben hat, nur unwillig abwehren.

In aller Unordnung und mit den zahllosen Umwegen stellt sich Richard Wagners Leben doch immer wieder als eine erstaunliche und organische Einheit dar. In der Rückschau will sich der Überfluß der theoretischen und häufig gar zähflüssigen Prosa ebenso als Notwendigkeit präsentieren wie die spätere entrüstete Abkehr von allem Theoretisieren zugunsten der neu entflammten Produktion. Insgeheim wußte Wagner natürlich, daß diese neue Produktion ohne die vorhergehende theoretische Spekulation nicht möglich sein konnte. Außerdem spekulierte nicht bloß der Musikdramatiker Richard Wagner über das Verhältnis von Oper und Dramas, von künftigem und gegenwärtigem Künstlertum. Die drei theoretischen Schriften waren gleichzeitig als Auseinandersetzung des Revolutionärs Richard Wagner mit seinen historisch-politischen Erfahrungen angelegt. Der beschwichtigende Erklärungsversuch im Brief an Minna, unmittelbar nach der Dresdner Mai-Katastrophe, konnte nicht genügen. Alle drei theoretischen Schriften stehen unter dem Leitmotiv, das den Titel der ersten von ihnen bestimmen sollte: die Kunst und die Revolution. Politische Erfahrung, Humanitätsphilosophie und künstlerische Velleitäten fügten sich abermals zur Einheit. Alles verschmolz zur Substanz der *Ring*-Tetralogie. Alles hinterließ dort seine Spuren: in der Dichtung, der Deutung, der Musik.

Den drei theoretischen Kunstschriften ist es gemeinsam, daß Wagner – auch hier wieder weit eher ein Nachfahre der deutschen Klassik, insbesondere Schillers, als der eigentlichen romantischen Ästhetik –

vom Kontrast zwischen der modernen Kunst und jener des Griechentums ausgeht. Das war ein typisches Thema europäischer Aufklärung. Die englischen wie französischen Gesellschaftstheoretiker (Montesquieu oder Gibbon) hatten nach den Ursachen des Niedergangs der antiken Kultur, insbesondere des Römertums, gefragt: die französischen Revolutionäre von 1792 hatten eine Wiedergeburt römischer Antike durch die Revolution angestrebt. Deutsches Denken kreiste seit Winckelmann und Lessing um die Synthese aus Deutschtum und Griechentum, von antik und modern. Richard Wagner bleibt also durchaus in den Traditionen deutscher Ästhetik und europäischer Revolutionstheorie, wenn er seinen Traktat über *Die Kunst und die Revolution* auf diesem Gegensatz von Antik und Modern, von Griechentum und moderner Zivilisation aufzubauen gedenkt. Nach wie vor ist Wagner als Feuerbach-Schüler ein Gegner der Verbindung zwischen Kunst und Christentum. Die christliche Welt ist ihm sogar prinzipiell unkünstlerisch. Eine größere Feindin der Kunst aber erblickt der gescheiterte Revolutionär in der modernen Industrie. Die eigentlichen Gegenspieler in der Götterwelt sind ihm Hermes-Merkur und Apollon. Dieser Gegensatz ist für Wagner im Grunde wesensgleich mit jenem von romantischer und deutscher Kunst, von Oper und Drama. Den »Gott der Betrüger und Spitzbuben« weiß er recht anschaulich zu beschreiben:

»Leibhaftig seht ihr ihn in einem bigotten englischen Bankier, dessen Tochter einen ruinierten Ritter vom Hosenbandorden heiratete, vor euch, wenn er sich von den ersten Sängern der italienischen Oper, lieber noch in seinem Salon als im Theater (jedoch auch hier um keinen Preis am heiligen Sonntage) vorsingen läßt, weil er den Ruhm hat, sie hier noch teurer bezahlen zu müssen als dort. Das ist Merkur und seine gelehrige Dienerin, die moderne Kunst.«

Wagner ist nach wie vor in dieser Schrift sowohl Demokrat wie Sozialist. Nur von einer Erneuerung des Publikums, von neuen, arbeitenden Volksschichten, die er ins Theater holen will, vermag er sich eine Renaissance der Kunst und ihre Befreiung von der Herrschaft Merkurs vorzustellen. Er steht ausdrücklich auf der Seite des Pariser Proletariats (auch dieser Ausdruck »Proletariat« wird verwendet) im gescheiterten Juni-Aufstand von 1848. Die Revolution, so meint Wagner, soll die Menschen aus dem Zwange der Industriegesellschaft befreien; die Kunst soll ihnen eine neue Schönheit erschließen, sie selbst zu schönerem Menschentum erziehen. Es ist, wie so oft bei Richard Wagner, abermals eine Synthese aus »wahrem Sozialismus« und klassischer deutscher Humanität.

Von einer solchen Gesellschaftserneuerung und Kunsterneuerung aber glaubt Wagner, sie werde nicht mehr »nach Gelde gehen«, nicht mehr im Zeichen des Mercurius stehen, sondern als Synthese von Jesus und Apollon wirken: »Jesus, der für die Menschheit litt, und Apollon, der sie zu ihrer freudenvollen Würde erhob!« Was der Kunstphilosoph und Sozialtheoretiker hier erst thesenartig verkündet hatte, suchte er in seinem Buch über *Das Kunstwerk der Zukunft* eingehender zu demonstrieren. Was schon im Traktat über das Verhältnis von Kunst und Revolution, inbesondere an den Visionen einer neuen menschlichen Schönheit und Emanzipation sichtbar geworden war: die prägende Kraft der Philosophie Ludwig Feuerbachs, wird in diesem neuen Buch von Wagner selbst ganz ausdrücklich unterstrichen. Das *Kunstwerk der Zukunft* ist

LUDWIG FEUERBACH
in dankbarer Verehrung gewidmet

Auch hier verrät eine Äußerlichkeit die tiefe Wandlung, die Wagner – der Künstler wie der Revolutionär – in den nächsten Jahrzehnten durchmachen sollte: in den Gesammelten Schriften erscheint das Buch vom Kunstwerk der Zukunft später ohne diese Widmung an Feuerbach. Der Widmungstext ist, ebenso übrigens wie die eigentlichen Revolutionsschriften, erst sehr viel später, lange Zeit nach Wagners Tode, in den zweiten Nachtragsband verbannt worden. Dabei wird die Schrift über das Kunstwerk der Zukunft der Substanz nach erst durch diese Widmung ganz verständlich. Der Verfasser wendet sich an den verehrten, aber persönlich unbekannten Philosophen mit folgender Anrede:

»Niemand als Ihnen, verehrter Herr, kann ich diese Arbeit zueignen, denn mit ihr habe ich Ihr Eigentum Ihnen wieder zurückzugeben. Nur in soweit es nicht mehr Ihr Eigentum geblieben, sondern das des Künstlers geworden, mußte ich unsicher darüber sein, wie ich mich zu Ihnen zu verhalten hätte: ob Sie aus der Hand des künstlerischen Menschen das wieder zurückzuempfangen geneigt sein dürften, was Sie als philosophischer Mensch diesem spendeten. Der Drang und die tiefempfundene Verpflichtung, jedenfalls Ihnen meinen Dank für die von Ihnen mir gewordene Herzstärkung zu bezeigen, überwog meinen Zweifel.

Nicht Eitelkeit, sondern ein unabweisbares Bedürfnis, hat mich
– für kurze Zeit – zum Schriftsteller gemacht.«

Der Schluß des Buches über das *Kunstwerk der Zukunft* verknüpft
den musikdramatischen Plan von *Wieland dem Schmied* mit diesen
kunstrevolutionären Gedankengängen. Der Entwurf des *Wieland*-
Dramas hatte abermals, wie schon im *Tannhäuser,* deutsche und französische Welt miteinander konfrontiert. Französische Geldherrschaft
und deutsche Volkskraft waren antithetisch aufeinander bezogen. Die
Namengebung war symbolisch. Der Goldherrscher hieß Neiding,
Wielands Arzt-Bruder wurde Helferich genannt, sein Marschall des
Königs Neiding heißt Gram. Man ist bereits im engsten Umkreis
des Nibelungenstoffes. Wieland schmiedet sich in höchster Not Flügel, die ihn, den Gelähmten, aus dem Banne Neidings in die Freiheit
tragen. Die Gedanken dieses *Wieland*-Entwurfes wählt Wagner als
Krönung seines neuen Buches. Die Schrift über Kunst und Revolution hatte ihm in der symbolischen Verschmelzung von Jesus und
Apollon gegipfelt. Indem Wagner den Wieland-Mythos an den
Schluß seiner Gedankengänge über das Künstlertum der Zukunft
stellt, verbindet er abermals die Kunst und die Revolution. Es ist
die bare revolutionäre Aktion und geht damit auch weit über Feuerbach hinaus, wenn Wagner seinen Schmied als Vorbild preist:

»Getragen von dem Werke seiner Kunst flog er auf zu der Höhe,
von da herab er Neidings Herz mit tödlichem Geschosse traf, –
schwang er in wonnig kühnem Fluge durch die Lüfte sich dahin,
wo er die Geliebte seiner Jugend wiederfand –.

O einziges, herrliches Volk! Das hast du gedichtet, und du selbst
bist dieser Wieland! Schmiede deine Flügel, und schwinge dich auf!«

Der Aufsatz über Kunst und Revolution war eine Skizze zu dem
Buch vom Kunstwerk der Zukunft. Dieses Buch aber wirkt, gegen
Wagners Riesenessay *Oper und Drama* gestellt, selbst wie eine skizzen-
hafte Vorform.

Man liest diese vor mehr als einem Jahrhundert geschriebenen
Gedanken heute gleichzeitig mit höchster Ungeduld und leidenschaftlicher Anteilnahme. Der Eindruck ist zwiespältig wie bei allen Schriften des merkwürdigen Mannes. Sehr Wahres und sehr Falsches
ineinandergeschlungen, höchste Sachkunde neben peinlicher Mitrede-
rei; durchaus bedenkenswerte Einsichten stehen hart neben Erzeug-
nissen des Ressentiments oder der Bösartigkeit, die sich achtzig Jahre
später in Deutschland sehr unheilvoll erweisen sollten.

Die Antithese von Oper und Dramas, die dem Buch den Titel und Grundgedanken gibt, wird in vierfacher Weise durchgeführt. Indem Wagner auf seine Thesen vom Kunstwerk der Zukunft zurückgreift, stellt er die unfreie Kunst der Gegenwart der zu befreienden Kunst einer künftigen Ära, einer revolutionären Umgestaltung gegenüber. Das ist die Antithetik des Sozialisten Wagner. Den zweiten Gegensatz liefert Feuerbach: zum eigenen Gebrauch umgedeutet durch Richard Wagner. Zwei Liebesformen sind gegeneinander gestellt, in ähnlicher Postierung wie im *Tannhäuser*. Dirnentum und Koketterie gegen echte Liebe, erst recht gegen die Menschenliebe. Die dritte Antithese hat mit Wagners Nationalempfinden, aber auch, wie stets bei diesem Künstler, mit Wagners Nationalismus zu tun. Französische und italienische Kunst wird zu einer Kunst des Deutschtums in Gegensatz gebracht.

Alle drei Antithesen jedoch, die revolutionäre, die nationale, die Opposition verschiedenartiger Sympathiegefühle gipfeln in der für den Verfasser einzig wirklichen Antithese von Opernkunst und Musikdramatik. *Die Musik ist ein Weib,* postuliert Richard Wagner. Italienische Opernkunst vergleicht er geschmackvollerweise mit einer *Lustdirne,* um hinzuzusetzen:»Die französische Opernmusik gilt mit Recht als Kokette.« Allerdings nimmt Wagner bei diesen erotischen Vergleichen auch die deutsche Opernkunst, die nicht-wagnerianische nämlich, keineswegs aus. Ihr wird die Rolle der Prüderie zugeteilt. Man sieht: wahre Liebe scheint nur im deutschen Kunstwerk der Zukunft, in jenem Richard Wagners möglich zu sein.

Zu diesem Zweck aber muß der bisherige Opernbegriff preisgegeben werden. In der bestehenden Opernkunst war das Drama bloß ein Mittel zur Entfaltung, zur Entfesselung von musikalischem Glanz; Richard Wagner möchte die Musik in den Dienst einer neuen musikalischen Dramatik stellen. Das führt ihn zu weitschweifigen, stellenweise sogar armseligen Betrachtungen über die Entwicklung der gesamten dramatischen Weltliteratur. Lessing, Schiller und Goethe werden in eigenwilliger Genealogie in die Rolle von Vorläufern versetzt: auf ihre Teillösungen soll nun die eigentliche Lösung folgen, die gleichzeitig Auflösung aller bisherigen Formen ist. Dabei hat Wagner einen höchst frappierenden Ausgangspunkt, der als geschichtliche Analyse ganz indiskutabel, als künstlerische Zeiterkenntnis in der Mitte des 19. Jahrhunderts aber höchst geistreich ist:

»Das moderne Drama hat zweierlei Ursprung: einen natürlichen, unsrer geschichtlichen Entwicklung eigentümlichen, den Roman –, und einen fremdartigen, unsrer Entwicklung durch Reflexion aufgepropften, das nach den mißverstandenen Regeln des Aristoteles aufgefaßte griechische Drama.

Der eigentliche Kern unsrer Poesie liegt im Roman; im Streben, diesen Kern so schmackhaft wie möglich zu machen, sind unsre Dichter wiederholt auf fernere oder nähere Nachahmung des griechischen Dramas verfallen. – Die höchste Blüte des dem Roman unmittelbar entsprungenen Dramas haben wir in den Schauspielen des Shakespeare; in weitester Entfernung von diesem Drama treffen wir auf dessen vollkommensten Gegensatz in der ›Tragédie‹ des Racine. Zwischen beiden Endpunkten schwebt unsre ganze übrige dramatische Literatur unentschieden und schwankend hin und her.«

Schon in den vorhergehenden Schriften hatten die Bemerkungen über Antike und Moderne gezeigt, daß Wagner gleichzeitig Fortsetzer und Gegenspieler der deutschen Aufklärung und Klassik sein wollte. Eine Synthese aus Deutschtum und Griechentum war trotz allem nicht beabsichtigt. Nunmehr sucht er zu beweisen, daß der Weg zu einer Erneuerung der Tragödie aus dem Geist des Griechentums bloß zu Racine und gewissen Dramen Goethes oder Schillers geführt habe, also auf einen Irrweg. Shakespeare wird angerufen, wie einstens im Sturm und Drang, nämlich die angebliche Regellosigkeit des Engländers. Entwicklung der Romankunst ist das Ziel, aber in anderer Weise als bei den Romantikern. Hier hat Wagner den Zeitgeist seiner eigenen Epoche genau erfaßt. Sein Musikdrama gehört in der Tat an die Seite der großen, gleichzeitig entstehenden Romankunst der Engländer, Russen, Franzosen. Auch in Wagners eigener Erkenntnis rücken Romankunst eines Flaubert und mythologische Musikdramatik, die besser musikalische Epik heißen würde, eng zusammen. Die weiteren Ausführungen in dem Buch *Oper und Drama* sind Spezialbetrachtungen für den eigenen künstlerischen Gebrauch: über Endreime und Stabreime, über die neue epische Funktion des Orchesters, das Verhältnis des Dichters und Musikers im musikdramatischen Schaffen. Ein großartiger Exkurs ist eingeschaltet: über die Ödipus-Sage und die Gestalt der Antigone. Hier ist aber das Thema des Liebesfluchs, die Annäherung zwischen Alberich und Antigone, so offensichtlich, daß dieser bedeutende Gedankengang im Zusammenhang mit der Entstehung des *Nibelungenrings* behandelt werden muß.

Wagners Buch schließt wieder mit einem Appell, gleichsam einem
»Ausblick«. Der Mythos ist aber nicht mehr aus vergangenen Kulturen entnommen: er präsentiert sich in der Zukunftsform der Utopie.
Eigentlich ist auch nicht mehr vom Kunstwerk der Zukunft die
Rede, sondern nur noch von dessen Künstler. Das Volk als bedingen-
de Kraft für das Kunstwerk scheint ebenso in die Statistenrolle zurückgedrängt zu sein wie auf der Szene des *Rienzi* und des *Lohengrin,*
später im Festwiesenbild der *Meistersinger*. Das Buch *Oper und Drama*
ist noch das Werk eines Revolutionärs. Es lebt noch in der Feuerba-
chianischen Utopie; allein es verrät auch wieder die Einsamkeit Lohengrins. Utopie und Entsagung. Die neue musikalische Romankunst
steht im Zeichen der Menschenliebe; doch spricht sie auch bereits
vom Liebesverzicht, vom Liebesfluch.

SCHOPENHAUER ALS ERZIEHER

Auch Wagner, der gescheiterte Revolutionär, findet jetzt, wie so
viele seiner Zeitgenossen, das Gedankenreich Arthur Schopenhauers
auf seinem Wege. In einem Brief über den *Holländer*-Aufsatz von
Liszt sind die Schopenhauer-Leitmotive noch versteckt: nur dem
Sachkenner verständlich. Im Herbst 1854 folgt dann, wiederum brieflich an Liszt gerichtet, das große und eigentliche Geständnis:

»Lieber Franz!
ich komme immer mehr dahinter, daß Du eigentlich ein großer Philosoph bist! – wie ein rechter Fahrhans komme ich mir dagegen
oft vor. Neben dem – langsamen – Vorrücken meiner Musik habe
ich mich jetzt ausschließlich mit einem Menschen beschäftigt, der
mir – wenn auch nur literarisch – wie ein Himmelsgeschenk in meine
Einsamkeit gekommen ist. Es ist Arthur Schopenhauer, der größte
Philosoph seit Kant, dessen Gedanken er – wie er sich ausdrückt
– vollständig erst zu Ende gedacht hat. Die deutschen Professoren
haben ihn – wohlweislich – 40 Jahre lang ignoriert; neulich wurde
er aber – zur Schmach Deutschlands – von einem englischen Kritiker
entdeckt. Was sind vor diesem alle Hegels etc. für Charlatans! Sein
Hauptgedanke, die endliche Verneinung des Willens zum Leben,
ist von furchtbarem Ernste, aber einzig erlösend. Mir kam er natürlich
nicht neu, und Niemand kann ihn überhaupt denken, in dem er
nicht bereits lebte. Aber zu dieser Klarheit erweckt hat mir ihn erst
dieser Philosoph. Wenn ich auf die Stürme meines Herzens, den
furchtbaren Krampf, mit dem es sich – wider Willen – an die Lebens-
hoffnung anklammerte, zurückdenke, ja, wenn sie noch jetzt oft zum
Orkan anschwellen –, so habe ich dagegen doch nun ein Quietiv
gefunden, das mir endlich in wachen Nächten einzig zu Schlaf ver-
hilft; es ist die herzliche und innige Sehnsucht nach dem Tod: volle
Bewußtlosigkeit, gänzliches Nichtsein, Verschwinden aller Träume
– einzigste endliche Erlösung! –

Wunderbar habe ich nun oft Deine Gedanken wiedergefunden: drückst Du sie auch anders aus, weil Du religiös bist, so weiß ich doch, daß Du ganz dasselbe meinst. Wie tief bist Du! In Deinem Aufsatz über den Holländer trafst Du mich oft mit Blitzeskraft. Als ich Schopenhauer las, war ich meistens bei Dir: Du hast's nur nicht gemerkt. – So werde ich immer reifer: nur zum Zeitvertreib spiele ich noch mit der Kunst.«

Geistiges Mitläufertum pflegt sich daran vorzüglich zu erweisen, daß es nicht genau zwischen Eigentum und Übernommenem zu unterscheiden weiß. Der philosophierende und publizierende Richard Wagner bildet keine Ausnahme. Die Schopenhauer-Lektüre, die auf Empfehlung Georg Herweghs zustande gekommen war, muß er weiterempfehlen: das ist ganz natürlich. Wagner ist immer bestrebt, seine neuen Eindrücke und Erkenntnisse auf die Freunde und Nahestehenden zu übertragen. Was er selbst erfuhr oder durchdachte, soll für jene zum gültigen Gesetz werden. Hier ist es Schopenhauer, der dann einige Jahre später, zu Minnas Ärger, den unerschöpflichen Gesprächsstoff des Freundeskreises auf dem grünen Hügel der Villa Wesendonk bilden sollte.

Geistiges Mitläufertum also doppelter Art: Wagner möchte auch Liszt zu Schopenhauer bekehren, spürt aber selbst einigermaßen geniert, daß das katholische Christentum des Freundes mit der so ganz unchristlichen Welt Schopenhauers schwerlich zusammengebracht werden kann.

Der Briefschreiber behilft sich also mit einem ergötzlichen Kompromiß: er macht den Katholiken Franz Liszt zu einem Schopenhauerianer wider Willen. Liszt soll Schopenhauer gelehrt haben, ohne es selbst zu wissen, so wie bei Molière der Bürger als Edelmann zeit seines Lebens Prosa sprach, und es auch nicht wußte.

Das geistige Mitläufertum ist darin zu finden, daß Wagner, den in seiner bisherigen geistigen Entwicklung nichts dazu legitimiert hatte, den Anschein erweckt, als sei ihm die Welt Schopenhauers von jeher vertraut gewesen. *Mir kam er natürlich nicht neu...* Allein der Briefschreiber vergißt, daß seine Behauptung: man könne Schopenhauers Prinzip der Willens- und Weltverneinung nur dann erfassen, wenn man dafür bereits insgeheim »disponiert« war, einen echten Schopenhauer-Gedanken darstellt, den man bisher als Richard Wagner-Gedanken noch nicht zu entdecken vermochte.

Es ist nämlich nicht so, daß Wagner von jeher Schopenhauerianer gewesen wäre, ohne es zu wissen. Das trifft weder für ihn selbst zu noch für Franz Liszt, von welchem er eben dies behauptet. Vieles mußte zusammenkommen: persönliche wie gesellschaftliche Erfahrungen, damit aus dem Feuerbachianer und Proudhonisten Richard Wagner, dem einstigen Schüler jungdeutscher Literatur, ein Jünger Arthur Schopenhauers werden konnte.

Schopenhauer wurde zum Erzieher, indem er zum Tröster zu werden schien. Thomas Mann hat in seinem Schopenhauer-Aufsatz von 1938 spöttisch bemerkt:»Schopenhauer ist recht etwas für junge Leute – gewiß aus dem Grunde, weil seine Philosophie die Konzeption eines jungen Mannes ist.« Es war die Anspielung darauf, daß ein Dreißigjähriger das Buch von der Welt als Wille und Vorstellung schrieb. Etwas für junge Leute – nach 1849 war Schopenhauer auch etwas für enttäuschte und gescheiterte Revolutionäre geworden. Die sonderbare und gewaltige Spätwirkung einer Philosophie, die aus mehr als dreißigjähriger Anonymität heraustrat und auf Jahrzehnte hin für deutsche junge Generationen zum geistigen Erlebnis werden sollte (das reicht von Wotan und Parsifal über Nietzsches»Unzeitgemäße Betrachtungen« bis zur Welt Thomas Buddenbrooks), ist nur aus der geschichtlichen Konstellation zu erklären. Der geschichtliche Aktivismus schlägt hier in Weltnegation und Entsagung um. Für die jungdeutsche Schule und nicht zuletzt für Ludwig Feuerbach waren die verschiedenen Liebesformen als Grundlage aller Gesittung anerkannt worden. Als Konflikt zwischen Sinnenliebe und hoher Liebe, zwischen Asketismus und Griechentum bei den jungdeutschen Literaten, als Ethik der Menschenliebe bei Ludwig Feuerbach. Dem tritt nun Schopenhauer mit einem ganz neuen Kategoriensystem entgegen. Das vierte Buch seines Hauptwerkes beschließt der Paragraph 66 mit dem Lehrsatz:»Alles Liebe ist Mitleid.« Der nächste Abschnitt erläutert die These aus der Umkehrung»Und jede Liebe, die nicht Mitleid ist, ist Selbstsucht«.

Für Wagners Kunst ist diese ethische Umdeutung überaus wichtig geworden. Es stimmte nicht, daß Schopenhauer virtuell bereits in dem Frühwerk angelegt war. Die Kunst Richard Wagners bis zum *Lohengrin* – und darüber hinaus in den Konzeptionen des *Jesus* oder *Siegfried* – steht im Zeichen der Willensbejahung, der Weltveränderung, der Liebesethik. Diese Grundpositionen, die untrennbar mit Wagners schöpferischem Genius im Einklang standen – Schopenhauer war ein (allerdings sehr musikalischer) Denker, jedoch kein schaffender Künstler –, erwiesen sich als so fest gefügt, daß sie auch durch das neue Schopenhauer-Erlebnis nicht ganz erschüttert werden konnten. Daher bieten sich die neuen Kunstwerke, vom *Tristan* bis zum *Parsifal,* als Schopenhauer-Tempel dar, die weitgehend aus den Bausteinen der früheren Götterhäuser Richard Wagners errichtet wurden: so wie Kaiser Justinian die Säulen des Artemis-Tempels von Ephesus nach Konstantinopel holte, um sie für den Bau der Hagia Sophia zu verwenden. Die innere Zweispältigkeit des *Nibelungenrings* vermag das besonders stark zu bezeugen.

Die Lehren Schopenhauers fanden also ihren fruchtbaren geschichtlichen Augenblick nach dem Scheitern der europäischen Revolution. Es ist ergreifend und tief sinnbildlich, wenn Richard Wagner aus Zürich am 4. Februar 1855 an den Herausgeber der »Neuen Zeitschrift für Musik« in Leipzig schreibt, um ihn zu bitten, ein Exemplar der soeben bei Brockhaus erschienenen zweiten Auflage der »Welt als Wille und Vorstellung« an August Röckel in das Zuchthaus zu Waldheim zu senden.

Noch wenn im Frühjahr 1866 zwischen Richard Wagner in Tribschen bei Luzern und der Baronin Cosima von Bülow in München geheime Telegramme gewechselt werden, tragen sie sonderbare Decknamen als Unterschrift. Wagner signiert als »Will«. Cosima antwortet mit der Unterschrift »Vorstel«. Die Begriffe »Wille« und »Vorstellung« haben hier in Wagners Leben eine neue und sonderbare Funktion erhalten.

Im März des Revolutionsjahres 1848 war die Komposition des *Lohengrin* abgeschlossen worden. Im November 1853 beginnt Richard Wagner mit der Vertonung der *Rheingold*-Dichtung und führt die Komposition in beispielloser Konzentration in drei Monaten zu Ende. Das deutet auf ein Verströmen, gleichsam einen Ausbruch lange gestauter musikalischer Kräfte. Fünfeinhalb Jahre eines Lebens als Agitator seiner selbst und der Revolution; als Redner und Publizist; als Kulturphilosoph und Dramaturg; als Kapellmeister eigener und vor allem fremder, geliebter und sehr ungeliebter Werke. Nun endlich tritt aus diesem Wandel der Erscheinungen und Tätigkeiten die eigentliche Gestalt des Künstlers hervor: die des Tondichters.

Richard Wagner hat sein vierzigstes Lebensjahr vollendet. Er sitzt in Zürich, stets voller Geldsorgen, doch aber in einem recht behaglichen Hausstand. Es gibt in Deutschland, in Frankreich, nunmehr auch in England, evidente Zeichen seines beginnenden Ruhmes. In Zürich hat sich aus deutschen Revolutionsemigranten und schweizerischen angesehenen und wohlhabenden Bürgern ein Kreis gebildet, zu dem Richard Wagner gehört, wenngleich er noch nicht als ausschließlicher Mittelpunkt dieser geselligen Veranstaltungen gelten kann. Mathilde Wesendonk allerdings sah in ihren viel später (1896) veröffentlichten Erinnerungen den damaligen Züricher Kreis durchaus als einen Sternenchor, der um die Wagner-Sonne kreiste. Das sieht folgendermaßen aus:

»Er war ein großer Naturfreund. In seinem Garten belauschte er das Nestchen der Grasmücke, eine Rose auf seinem Schreibtisch konnte ihn beglücken, und das Waldweben im Siegfried erzählt von dem Geflüster hoher Wipfel im Sihltalwalde, wohin er auf weiten Wanderungen, öfters in Gesellschaft des Dichters Georg Herwegh, seine Schritte lenkte. Das Gespräch der beiden drehte sich dann um die Philosophie Arthur Schopenhauers.

Seine ›Flügel-Adjutanten‹ waren zeitweise Tausig und Hans von
Bülow. Wagner nannte Hans sein Alter-Ego. Die Dankbarkeit, Unei-
gennützigkeit und Opferfreudigkeit v. Bülows kannte keine Grenzen.
Aber auch Tausig war rührend in seinem Bestreben, die Wünsche
des Meisters ihm an den Augen abzulesen. So hat er, als er in der
Wagner-Villa zu Gast weilte, nach dem Mittagessen mit der aufgeregten kränkelnden Frau eine Stunde lang – Domino (!) – gespielt,
damit das Mittagsschläfchen Wagners nicht gestört werde.

Die Berufung Gottfried Sempers an das Polytechnikum in Zürich
war ein Ereignis freudigster Art; Gottfried Kellers ›Grüner Heinrich‹
und die ›Leute von Seldwyla‹ las Wagner mit vollendeter Meisterschaft vor. ›Spiegel, das Kätzchen‹, die ›drei gerechten Kammacher‹
und ›Romeo und Julie auf dem Dorfe‹ waren seine Lieblinge.

Mit Frau Eliza Wille auf Mariafeld besprach er alles, was ihn
künstlerisch und menschlich tief bewegte.

Endlich nenne ich noch den Getreuesten der Getreuen, seinen
Hausfreund Dr. Jacob Sulzer, der auch die Zurückberufung Gottfried
Kellers im Großen Rat befürwortete und schließlich durchsetzte.

Besuche aus Weimar fehlten nicht. Gräfin d'Agoult verschmähte
es nicht, von Paris nach Zürich zu reisen: ›Pour faire connaissance
des grands hommes!‹«

Erfreulicherweise besitzen wir eine andere Schilderung dieses
Kreises und seiner Lebensform. Diesmal werden die Vorgänge durchaus distanziert, nüchtern und mit behaglicher Ironie geschildert. In
einem Brief vom 13. Januar 1856 schreibt *Gottfried Keller* an Lina
Duncker:

»Hier in Zürich geht es mir bis dato gut; ich habe die beste Gesellschaft und sehe vielerlei Leute, wie sie in Berlin nicht so hübsch
beisammen sind. Auch eine rheinische Familie Wesendonk ist hier,
ursprünglich aus Düsseldorf, die aber eine Zeitlang in Neuyork waren. Sie ist eine sehr hübsche Frau namens Mathilde Luckemeier,
und machen diese Leute ein elegantes Haus, bauen auch eine prächtige
Villa in der Nähe der Stadt; diese haben mich freundlich aufgenommen. Dann gibt es bei einem eleganten Regierungsrat feine Soupers,
wo Richard Wagner, Semper, der das Dresdner Theater und Museum
baute, der Tübinger Vischer und einige Zürcher zusammenkommen
und wo man morgens zwei Uhr nach genugsamem Schwelgen eine

Tasse heißen Tee und eine Havannazigarre bekommt. Wagner selbst verabreicht zuweilen einen soliden Mittagstisch, wo tapfer pokuliert wird, so daß ich, der ich glaubte, aus dem Berliner Materialismus heraus zu sein, vom Regen in die Traufe gekommen bin. An diversen zürcherischen Zweckessen bin ich auch schon gewesen; man kocht sehr gut hier, und an Raffiniertheiten ist durchaus kein Mangel, so daß es hohe Zeit war, daß ich heimkehrte, um meinen Landsleuten Moral und Mäßigung zu predigen, zu welchem Zweck ich aber erst alles aufmerksam durchkosten muß, um den Gegenstand recht kennen zu lernen, den ich befehden will.«

Der elegante Regierungsrat mit den feinen Soupers ist übrigens jener Dr. Sulzer, den Mathilde Wesendonk als »Getreuesten der Getreuen« bezeichnet. Dies ist eine vielschichtige, bedeutende Gesellschaft, allein es ist zunächst durchaus noch kein virtueller Wagner-Verein. Auch italienische Emigranten aus der gleichfalls gescheiterten italienischen Einigungsbewegung des Revolutionsjahres haben im Züricher geistigen und vor allem literarischen Leben mitzureden. Einer von ihnen, der Professor de Sanctis, Romanist an der Eidgenössischen Technischen Hochschule, wird sogar von Wagner als lästiger Nebenbuhler in der Gunst der Mathilde Wesendonk empfunden.

Bedeutsam ist die geistige Konstellation des Kreises. Gottfried Keller und Friedrich Theodor Vischer stehen einer Literaturauffassung nahe, die – wie es in dem Buch *Oper und Drama* geschehen war – den Roman, überhaupt das epische Kunstwerk, als höchste Kunstform pries. Die äußere Ähnlichkeit zwischen Vischer und Wagner geht sogar noch weiter. Auch Vischer, der von 1855 an als Professor der Ästhetik an der Universität und Technischen Hochschule in Zürich lehrt, vollzieht nun, im Lichte der Revolutionserfahrungen, eine Überprüfung seiner ästhetischen Prinzipien.

In dieser Auseinandersetzung, die stellvertretend werden sollte für die deutsche bürgerliche Geistigkeit im weiteren Verlauf des Jahrhunderts, ist Gottfried Keller derjenige, der gleichzeitig gemäßigt und folgerichtig bleibt. Keller war auch in seiner Berliner und Heidelberger Zeit niemals der revolutionären Aktion so zugetan wie Wagner oder Herwegh. Er hatte niemals die Egoismustheorien der jungen Hegelianer, eines Bruno Bauer oder Max Stirner, ernst genommen und brauchte daher auch nicht, wie später Friedrich Theodor Vischer, den anarchischen Egoismus eines Stirner in religiöser Weise umzu-

deuten (Vischer schreibt viel später, 1873, als auch bei Wagner bereits
die entsprechende religiöse Wendung eingeleitet wurde: »Die Religion ist das Tauwetter des Egoismus«). Andrerseits war auch für
Gottfried Keller, gleichfalls nach eigenem Bekenntnis, die Philosophie Ludwig Feuerbachs zum auslösenden Erlebnis geworden. Die
erste Fassung des »Grünen Heinrich« (1854/55) ist voll davon. Seine
Polemiken mit Jeremias Gotthelf demonstrieren den Feuerbach-
Standpunkt nicht minder als etwa jenes Märchen von Spiegel, dem
Kätzchen, das genau in jener Zeit entsteht, das Richard Wagner,
nach Mathilde Wesendonks Bericht, »mit vollendeter Meisterschaft«
vorlas, und das, in allem Märchenzauber, doch gleichzeitig ein Feuer-
bach-Thema, das Verhältnis von Leib und Geist, abhandelt! Als einziger dieses Kreises, im Gegensatz zu Wagner, zu Vischer und zu
Herwegh, macht Gottfried Keller die Wendung von Feuerbach zu
Schopenhauer durchaus nicht mit. Sein Bericht über die Gesellschaft
der Wagnerfreunde hält daher auf heiteren Abstand.

Die Züricher Jahre von 1853 bis 1858 sind also für die deutsche
Kulturgeschichte in ungewöhnlichem Maße bedeutsam geworden.
Auch ohne Richard Wagner ergab das ein wichtiges geistiges Koordi-
natensystem. In Wagners Schaffen aber vollzieht sich die Entfaltung
außerordentlicher Potenzen. Die Dichtung des *Nibelungenrings* wird
vollendet. Die Komposition des *Rheingold* gelingt in der Zeit vom
1. November 1853 bis zum 14. Januar des folgenden Jahres. Dieses
neue Jahr 1854 sieht die Entstehung der *Walküren*-Musik. Das Jahr
1855 findet Richard Wagner als Dirigenten von acht großen Früh-
jahrskonzerten der Londoner Philharmonischen Gesellschaft in England. Der Herbst des Jahres dient der Arbeit an der *Walküren*-Partitur,
also dem Vorgang der Instrumentierung. Erster und zweiter Akt
des *Siegfried* entstehen zwischen dem 22. September 1856 und dem
30. Juli 1857. Dazu tritt nun der *Tristan:* Dichtung und beginnende
Komposition. *Fünf Dilettantengedichte für Frauenstimme in Musik gesetzt
von Richard Wagner* gehören gleichfalls in jene Epoche: es sind die
fünf *Wesendonk*-Lieder, Gedichte der Mathilde Wesendonk, von Wagner vertont und bereits in zwei Fällen als Skizzen künftiger *Tristan*-
Musik behandelt.

Bis zur Übersiedlung in das »Asyl« auf dem grünen Hügel zur
Seite der Villa Wesendonk wohnten Richard und Minna Wagner
in einem der »Escher-Häuser« am Zeltweg. Das Haus, wo *Rheingold,
Walküre,* der Anfang des *Siegfried* entstanden, steht heute noch. Schau-

spielhaus und Opernhaus der Stadt Zürich liegen unweit von Wagners damaliger Wohnung. Das Geburtshaus Gottfried Kellers ist ebenso nahe wie das Sterbehaus Georg Büchners. In den 50er Jahren des 19. Jahrhunderts gehörten die Escher-Häuser am Zeltweg zur Vorstadt; nahe dem eigentlichen Züricher Stadtkern, aber doch in einer gewissen landschaftlichen Unabhängigkeit. Allerdings hatte Wagner am Zeltweg durch die Mit- oder Nebenmenschen und ihren Lärm viel Not. Erst waren es nur drei Klaviere und eine Flöte; dann richtete ein Schmied in unmittelbarer Nähe seine Werkstatt ein, so daß Wagner mit ihm einen Pakt schließen mußte. Allerdings gewann er dabei die zornige Musik Siegfrieds vor Mime.

Wie immer in Wagners Leben gibt es auch in diesen Jahren viele Reisen, Besuche, Kuren und Erholungsfahrten. Wagner ist nun wieder in Paris, wo er am 10. Oktober 1853 zum erstenmal die Tochter Liszts erblickt, Cosima, ein junges Mädchen von 16 Jahren. Die Londoner Konzerte bringen viel Ärger, aber auch viel Erfolg. Alte und neue Bekanntschaften: Berlioz, Hans von Bülow, die Pianisten Karl Tausig und Karl Klindworth, Malwida von Meysenbug. Wagner lernt an der Harmonik der neuen symphonischen Dichtungen von Franz Liszt und an dessen großer h-moll-Sonate für Klavier, die ihm Klindworth in London vorspielt. Geld erhält er von Liszt, von Otto Wesendonk, durch Gastkonzerte. Die Wohnung am Zeltweg wird sehr reichlich ausgestattet. Wagner arbeitet besessen und ist im Grunde unwillig, seine Arbeitskraft in den Dienst eines üblichen Broterwerbs zu stellen.

Im April 1857 wird ihm auf dem grünen Hügel ein Asyl geboten: fern von der Stadt, dem Lärm, dem Schmiedehämmern. Ohne wesentliche Geldaufwendung. Angeboten durch Otto Wesendonk; zur Miete auf Lebenszeit für einen jährlichen Mietbetrag von 800 Franken. Otto Wesendonk hatte das Grundstück auf dem Hügel in der »Enge« gekauft, um sich dort eine Villa für die Familie und die Gemäldegalerie zu erbauen. Sein Freundschaftsdienst für Richard Wagner hatte auch egoistische Gründe: das Nachbargrundstück war durch einen Irrenarzt erworben worden, der in unmittelbarer Nachbarschaft der Wesendonks auf dem grünen Hügel seine Kranken zu pflegen gedachte. Otto Wesendonk bot einen hohen Preis, um dieses Projekt zu verhindern. Er erwarb das Nachbargrundstück mit dem darauf stehenden kleinen Haus, das nun, im Frühling 1857 – wenngleich nur für kurze Zeit – Richard Wagners Asyl werden konnte.

Der Park der Villa Wesendonk ist immer noch schön. Der grüne
Hügel allerdings hat im Verlauf eines Jahrhunderts aufhören müssen,
einen Musensitz außerhalb des Stadtgetriebes zu tragen. Die einstige
»Enge« vor der Stadt gehört längst zum Züricher städtischen Bereich.
Ein eigener Bahnhof Zürich-Enge führt hinaus zum rechten Ufer
des Sees. Kilchberg ist nicht fern, wo Conrad Ferdinand Meyer und
Thomas Mann gelebt haben und begraben liegen. Die Villa Wesendonk auf dem grünen Hügel, nunmehr seit langem in die Stadt einbezogen, wirkt seltsam anachronistisch. Sie war es eigentlich schon
zur Zeit, da Otto Wesendonk den Prachtbau in nachgeahmter Renaissance errichten ließ. Heute wirkt der verlassene Bau wie das Traum-
schloß eines wenig stilsicheren Träumers. Arnold Böcklin in einer
Umwelt neuer Sachlichkeit. Hier waltete seit der Entstehung und
auch während der Wagner-Zeit 1857/58 der Geist des Historismus.
Die Renaissancepracht in der wenig gemäßen Landschaft des Züricher
Sees bedeutete kulturelles Erinnern, Geist einer Spätzeit. Vorgebildet
war bereits, was dreißig Jahre später der entfernte Nachbar vom
Züricher See, Conrad Ferdinand Meyer, in seinen Renaissance-Novel-
len nachgestalten sollte: Sehnsucht nach einer verlorenen Zeit und
Kraft. Scheinbar kontrastierte Wagners Kunst in ihrer ungestümen
Forderung nach Neuem mit solchem Historismus. Nur scheinbar
indessen. Germanische und keltische Vorzeit, Buddhismus, Calderón,
Schopenhauer: alle Stoff- und Bildungselemente, die auf dem grünen
Hügel von Wagner aufgenommen und verschmolzen wurden, gehör-
ten genauso zum historisierenden Geist der Epoche, wie der Baustil
der Villa Wesendonk. Abermals hatte der späte Nietzsche unrecht,
wenn ihm erst der *Parsifal* zum Anlaß offener Gegnerschaft wurde.
Seine unzeitgemäßen Betrachtungen über »Nutzen und Nachteil der
Historie für das Leben« hätten hier bereits ebenso gut anknüpfen
können.

Otto und Mathilde Wesendonk waren nicht Schweizer, sondern
Rheinländer. Beide stammten aus Elberfeld. Otto wurde 1815, Mathilde Luckemeyer am 23. Dezember 1828 geboren. Otto war Teilhaber
eines Newyorker Seidenhauses, dessen Alleinvertretung für Deutschland er besaß. Mathilde Luckemeyer stammte gleichfalls aus reichem
Kaufmannshause, sie war die Tochter eines Königlich Preußischen
Kommerzienrates. Am 19. Mai 1848, noch 19jährig, hatte sie Otto
Wesendonk geheiratet. Ein erster Sohn starb wenige Monate nach
der Geburt. Nach 1851 aber kamen abermals drei Kinder zur Welt,

eine Tochter und zwei Söhne. Der zweite Sohn Karl Wesendonk
wurde am 18. April 1857 geboren: zur gleichen Zeit, da Otto Wesendonk seinem Freunde Richard Wagner das Nachbarhäuschen auf dem
grünen Hügel angeboten hatte. Wesendonks waren 1851 nach Zürich
gekommen und wohnten zuerst im Hotel Baur au Lac. Seit 1853
war Wagner ein regelmäßiger Besucher in den Hotelzimmern, die
Wesendonks kamen dafür zum Zeltweg. Mathilde Wesendonk war
sehr begabt, musikalisch, empfänglich für eine Dichtung spätromanti-
scher Nachfolge, wie auch ihre von Wagner vertonten Gedichte beweisen. Sie war kultiviert und verwöhnt, im Grunde aber hart und
entschlossen in der Durchsetzung ihrer Wünsche. Liest man die späteren Erinnerungen an Wagner, um sie mit den eigenen Briefen und
Tagebuchaufzeichnungen des Künstlers zu vergleichen, so will es
scheinen, als sei Mathilde Wesendonk die stärker treibende Kraft
gewesen. Auch hier, wie bei der späteren und erfolgreicheren
»Wiederholung«, ist Wagner gleichsam ein Gegenstand der Eroberung. Die stark weiblichen Züge seines Künstlertums, worauf oft
hingewiesen wurde, werden in seiner Beziehung zu Mathilde Wesendonk gleichfalls sichtbar. Das Gemälde von Dorner, das die reiche
Kaufmannsfrau im Stil deutsch-romantischer Porträtkunst zeigt, verrät vom Innern der schönen Frau vielleicht weniger als ein Relief
von J. Kopf, das ebenfalls Schwärmerei zeigt, aber auch Härte, verbunden mit der Fähigkeit, weh tun zu können.

Die Ehe Wesendonk war offenbar glücklich. Otto Wesendonk
war großzügig, gebildet, verständnisvoll. Er hat sich während des
späteren Konfliktes sehr gut benommen: um ihn, der kaum zwei
Jahre jünger war als Richard Wagner, lag während der Krise etwas
von der Würde König Markes. Die Ehe von Richard und Minna
Wagner war seit langem zerstört. Die schwer herzleidende Frau mußte sich immer wieder zu längeren Kuren fortbegeben. Trotzdem war
sie es keineswegs allein, wie das Bayreuther Schrifttum später darzustellen bemüht war, die hartnäckig den Fortbestand der Ehe erzwang.
Auch Wagner war trotz allem untrennbar mit ihr verbunden. Sie
war der Inbegriff seines Hauses, seiner Bequemlichkeit, seiner Alltäg-
lichkeit. Er wollte beides haben: den Gebrauchsgegenstand Minna
und die hohe Liebe zu Mathilde Wesendonk. Eine sonderbare Trave-
stie des *Tannhäuser*-Themas.

In einem späteren Brief an Mathilde Wesendonk (Paris, 10. April
1860) berichtet er über die Sorgen mit *Tannhäuser*-Aufführungen,

die ihn zur Neukomposition des Venusbergs zwingen, und setzt hinzu, an die Empfängerin gerichtet: *Wundern Sie sich nicht, daß dies in einem Briefe an Elisabeth geschieht.* Mathilde Wesendonk war also Tannhäusers Elisabeth. Der Konflikt war damit in der Realität genauso gegeben wie auf der Opernbühne. Auch hier konnte er nur tragisch enden, oder wenigstens: in einer Weise, die als tragisch empfunden wurde. Das Ende war allerdings gut. Mathilde Wesendonk hat den Ausgang später berichtet.»Daß wir bis zum Tode des Meisters in freundschaftlichem Verkehr mit ihm waren, unterliegt doch wohl keinem Zweifel... Bei den Festspielen in Bayreuth haben wir nie gefehlt. Nach seiner Verheiratung mit Frau Cosima galt sein erster Besuch mit ihr Mariafeld (Wohnsitz von Herrn und Frau Wille) und dem grünen Hügel in der Enge; zum letzteren brachte er die Kinder mit.« Die Wesendonks bezogen die Villa erst am 22. August 1857. Richard Wagner aber konnte schon Ende April einziehen. Wie er nun lebte, das hat er Liszt im Briefe vom 8. Mai 1857 getreulich berichtet:

»Ich habe eine üble Zeit hinter mir, die nun allerdings einem recht angenehmen Zustande zu weichen scheint. Seit 10 Tagen haben wir das bewußte Landgütchen neben der Wesendonkschen Villa bezogen, das ich der wirklich großen Teilnahme dieser befreundeten Familie verdanke. Zuvor aber sollte mir noch manche Not erwachsen; die Einrichtung des Häuschens, die übrigens sehr nett und mir entsprechend ausgefallen ist, bedurfte langer Zeit, so daß wir mit dem Auszuge gedrängt waren, ehe die Möglichkeit des Einzuges zustand kam. Nun wurde auch meine Frau krank, so daß ich sie immer nur von jeder Einmischung abzuhalten, und dafür alle Auszugsmühe selbst und allein zu übernehmen hatte. Zehn Tage wohnten wir im Hotel, und endlich zogen wir bei furchtbarem Wetter und Kälte ein, so daß es wirklich nur dem Gedanken der definitiven Umsiedlung möglich war, die Laune mit gut zu erhalten. Nun ist aber alles überstanden; alles ist nach Wunsch und Bedürfnis für die Dauer hergerichtet und eingeräumt; alles steht am Platz, wo es stehen soll. Mein Arbeitszimmer ist mit der Dir bekannten Pedanterie und eleganten Behaglichkeit hergerichtet; der Arbeitstisch steht an dem großen Fenster, mit dem prachtvollen Überblick des Sees und der Alpen; Ruhe und Ungestörtheit umgibt mich. Ein hübscher, bereits sehr gut gepflegter Garten bietet mir Raum zu kleinen Promenaden und Ruhe-

plätzchen, und meiner Frau die angenehmste Beschäftigung und Ab-
haltung von Grillen über mich; namentlich nimmt ein größerer Ge-
müsegarten ihre zärtlichste Sorge in Beschlag.«

Fast genau ein Jahr dauern Idyll und Asyl auf dem grünen Hügel.
Minna ist mehrfach verreist, zwischen Wagner aber und Mathilde
Wesendonk entsteht eine sehr enge schwärmerisch-geistige Beziehung. Otto Wesendonk kennt sie und bemüht sich, in äußerster
Zurückhaltung zu leben. Minna Wagner ahnt erneut einen »Seiten-
sprung« nach dem Muster Jessie Laussot. Ihr Versuch, sich mit Otto
Wesendonk gegen Tristan und Isolde zu verbünden, muß scheitern,
aber der offene Streit der Königinnen führt schließlich zur Katastrophe. Tristans öder Tag bricht an. Ein Morgengruß an Mathilde Wesendonk wird am 7. April 1858 durch Minna, die den Gärtnerbur-
schen bestochen hatte, abgefangen. Er ist ein Zeugnis der Liebe,
der Eifersucht, aber auch einer starken künstlerischen Stilisierung.
Wagner schließt:

»Was fasele ich da für dummes Zeug! Ist's die Lust, allein zu
reden, oder die Freude, zu Dir zu reden? – Ja, zu Dir! Aber sehe
ich Dein Auge, dann kann ich doch nicht mehr reden; dann wird
doch Alles nichtig, was ich sagen könnte! Sieh, dann ist mir Alles
so unbestreitbar wahr, dann bin ich meiner so sicher, wenn dieses
wunderbare, heilige Auge auf mir ruht, und ich mich hinein versenke!
Dann gibt es eben kein Object und kein Subject mehr; da ist Alles
Eines und Einig, tiefe, unermeßliche Harmonie! Oh, da ist Ruhe,
und in der Ruhe höchstes, vollendetes Leben! O Tor, wer sich die
Welt und Ruhe von da draußen gewinnen wollte! Der Blinde, so
hätte er Dein Auge nicht erkannt, und seine Seele nicht in ihm
gefunden! Nur Innen, im Innern, nur in der Tiefe wohnt das Heil!
– Sprechen und mich erklären kann ich auch gegen Dich nur noch,
wenn ich Dich nicht sehe, oder Dich nicht sehen – darf. –

Sei mir gut, und vergib mir mein kindisches Wesen von gestern:
Du hast es ganz richtig so genannt! –

Das Wetter scheint mild. Heut' komm' ich in den Garten; sobald
ich Dich sehe, hoffe ich einen Augenblick Dich ungestört zu
finden! –

Nimm meine ganze Seele zum Morgengruße! –«

Noch einmal kommt es nach diesen Szenen zu einem Kompromiß.
Minna wird zur Kur geschickt, und Wagner schreibt ihr am 27. April
1858 äußerst hart und beleidigend:

»Dies, liebe Minna, ist der Datum, an dem ich mich entschlossen
habe, mich nicht in eine Wasserheilanstalt, sondern in ein Narrenhaus
bringen zu lassen; – denn dahin scheine ich einzig noch zu gehören!
Mit allem, was ich sage oder schreibe, und wenn ich es am besten
meine, richte ich nichts wie Unglück und Mißverständnis an. Schwei-
ge ich von gewissen Dingen, so mache ich Dich mißtrauisch und
argwöhnisch, ich wollte Dich hintergehen; schreibe ich dann ernst
und offen, und – wie ich Esel eben glaubte – zugleich gründlich
beruhigend, so erfahre ich, daß ich damit eine raffinierte Bosheit
ausgeheckt, um Dich schnurstracks unter die Erde zu bringen! Zugleich aber auch wird mir gesagt, ich soll ein Mann sein! Nun gut,
nicht ein Mann, sondern Dein Mann will ich sein: sag' mir nur
immer genau, wie ich sprechen, denken und die Dinge der Welt
ansehen soll, ich will mich immer genau darnach richten, und nichts
sprechen, denken und sehen, was Dir nicht recht ist: bist Du so
zufrieden? Gib mir auch immer an, was ich und wie ich componieren,
dichten und dirigieren soll: ich will mich ja in allem nach Dir richten,
damit Du nicht einen Augenblick mehr an mir zweifeln kannst.«

Der gesellige Verkehr zwischen den beiden Familien war abgebrochen, aber es wurde versucht, wenigstens das Asyl zu retten. Auch
das mißlingt. Eine läppische Episode führt zum Ende des Zwischen-
spiels: Minnas Heimkehr von der Kur wird durch Willkommenskrän-
ze gefeiert, die nunmehr über der Asyltür weiter hängen sollen, damit
deutlich dokumentiert werde, was hier legitim und was illegitim sei.
Nun verliert auch Mathilde Wesendonk die Geduld, und Wagner
muß abreisen. Die Komposition des *Nibelungenrings* ist bis zum zweiten Akt *Siegfried* gediehen. Die *Tristan*-Komposition steht gleichfalls
im zweiten Akt. Ein Entwurf der *Parzival*-Dichtung (die Schreibweise *Parsifal* folgt erst viel später) ist skizziert. Nun reist Wagner am
18. August 1858 ab: zunächst nach Genf, um dann mit Karl Ritter
nach Venedig weiterzureisen, wo die Arbeit am *Tristan* wieder aufgenommen werden soll. Damit war nicht nur die Seßhaftigkeit in Zürich
gescheitert, sondern auch die Ehe mit Minna Wagner. Ein undatierter
Brief Minna Wagners an Mathilde Wesendonk hat sich erhalten. Er
zeigt, wie Minna die Dinge verstand:

»Geehrte Frau!

Mit blutendem Herzen muß ich Ihnen vor meiner Abreise noch
sagen, daß es Ihnen gelungen ist, meinen Mann nach beinahe 22jähri-

ger Ehe von mir zu trennen. Möge diese edle Tat zu Ihrer Beruhigung, zu Ihrem Glück beitragen.

Es ist mir leid, daß Sie mich, durch sehr gehässige Äußerungen über mich, zwingen, Ihnen eine wörtliche Abschrift jenes verhängnisvollen Briefes, den mein Mann an Sie zu richten sich erlauben durfte, vorzulegen, wo ich mich nach Durchlesung endlich entschloß zu Ihnen zu gehen, um mich in Freundschaft zu besprechen.

Mögen Sie sich nun selbst fragen was Sie darin an meiner Stelle getan haben würden. Fest überzeugt daß Sie meine noble gute Absicht nicht verkannt als ich das letzte Mal Sie sah in Bezug meiner Besprechung mit Ihnen, leider aber mußte ich nur zu bald erfahren, daß Sie mein Vertrauen mißbraucht und einen ganz gewöhnlichen Klatsch daraus gemacht hatten. Sie hetzten meinen Mann wiederholt gegen mich auf und verklagten mich sogar ungerecht und unvorsichtig bei Ihrem guten Mann an. Bei meiner Zurückkunft nach dreimonatlicher Abwesenheit erklärte mir mein Mann daß ich mit Ihnen mich in persönlichen Verkehr setzen müßte. Ich gab nach einigen Exzessen auch nach, wollte den Mantel der Vergessenheit über das Vorgefallene decken; nur ein abscheuliches Gerede welches entstanden sein sollte niederzuschlagen und aufrichtig gestanden nur das Asyl zu erhalten doch vergebens, es war jedenfalls zu spät – Sie wollten es nicht und Sie hatten recht daran getan, es ist das Einzige wofür ich Ihnen zu danken vermag.

Nun wird Wagner auch wieder arbeiten von der er was mich sehr schmerzte lange Zeit so schmählich abgehalten wurde.

Wie ich in letzter Zeit noch erfahren mußte, dies der einzige Wunsch einer unglücklichen Frau.

M. Wagner«

Richard Wagner, der Friedmund heißen wollte, mußte sich nun wieder in die Rolle des Wehwalt finden. Die Wesendonk-Episode zwischen der Frau des reichen Kaufmanns und dem armen Künstler-Emigranten, hineingestellt in den Rahmen historisierender Renaissance, mochte, trotz allem, weniger tragisch als tragikomisch sein. Die künstlerische Transponierung war es nicht. *Tristan und Isolde* wurde gleichzeitig ein Werk der Klassik und der Romantik, keineswegs historisierend, sondern kühn und neu, Tragödie und Epos in einem.

TRISTAN UND ISOLDE

Tristan ist die erste der beiden großen »Einschaltungen«. Die *Nibelungen*dichtung war vollendet, die *Rheingold*-Partitur lag ebenso abgeschlossen vor wie jene der *Walküre;* zwei Akte des *Siegfried* hatte Wagner vertonen können, bevor die große Unterbrechung eintrat. Hinter den Figuren der Tetralogie aber war in der Züricher Zeit, schon am Zeltweg und erst recht im Asyl auf dem grünen Hügel, die Tristangestalt immer deutlicher hervorgetreten. Die Vollendung des *Tristan* und der Passionsweg bis zu seiner Uraufführung zogen dann noch, in eigenartiger Kontrapunktik von Leben und Werk, die *Meistersinger von Nürnberg* nach sich.

Die Entstehung des *Tristan* pflegt man herkömmlicherweise mit Mathilde Wesendonk in Verbindung zu bringen. Daß hier unmittelbare Beziehungen zwischen Leben und Lebensdeutung, Erlebnis und Dichtung bestehen, ist offensichtlich. Wagner hat später in einem Briefe an Eliza Wille von Mathilde Wesendonk gesagt: *Sie ist und bleibt meine erste und einzige Liebe!* Neuartiges Empfinden des Künstlers, bis dahin nur geahnt, aber nicht wirklich empfunden (was der *Tannhäuser*-Partitur zum Nachteil gereichen mußte), verwandelte sich nun in eine musikalische Emotion ohnegleichen.

Dennoch kann die Identifizierung nicht glücken: Mathilde-Isolde, Wagner-Tristan, Wesendonk-Marke. Gewiß spricht der liebende und entsagende Künstler später von Isolde und meint Mathilde Wesendonk; aber er nennt sie gelegentlich auch Elisabeth. Die Einheit aus Isolde und Elisabeth ist jedoch kaum möglich. Die Wirklichkeit der Vorgänge auf dem grünen Hügel bot dafür überdies keine Grundlage. Richard Wagners Liebe zu Mathilde Wesendonk erwies sich als eine auslösende, freisetzende Kraft. Tristanwelt und Tristanmusik konnten erst dadurch entstehen, allein die Tristanwelt wurde dadurch für Wagner nicht erst begründet: sie war im wesentlichen bereits innerlich vorgebildet. Was das Erlebnis im norwegischen Fjord für den *Holländer* bedeutet hatte, der Anblick der Wartburg für die Entstehung des *Tannhäuser,* nächtliche Prügelei zu Nürnberg im Jahre 1835 für das künftige zweite Finale der *Meistersinger,* das wurde nun durch Mathilde Wesendonk für den *Tristan* geleistet: eine Lebensvision, die sich den bereitliegenden künstlerischen Motiven beigesellte. Der Plan zu *Tristan und Isolde* wurde von einem Entbehrenden, nicht einem Liebenden entworfen. Im Dezember 1854 bereits hatte Wagner an Franz Liszt geschrieben:

»Da ich nun aber doch im Leben nie das eigentliche Glück der Liebe genossen habe, so will ich diesem schönsten aller Träume noch ein Denkmal setzen, in dem vom Anfang bis zum Ende diese Liebe sich einmal so recht sättigen soll: ich habe im Kopfe einen ›Tristan und Isolde‹ entworfen, die einfachste, aber vollblutigste musikalische Konzeption; mit der ›schwarzen Flagge‹, die am Ende weht, will ich mich dann zudecken, um – zu sterben.«

Für den Entstehungsprozeß des neuen Musikdramas war außerdem wichtig, daß eine innere Beziehung zwischen den Nibelungenthemen und der Tristankonstellation hergestellt werden konnte; Siegfried zog Tristan nach sich, wie dieser wiederum die Gestalt des Parzival hervorrief. In einem *Epilogischen Bericht,* den Wagner später über die Entstehungsgeschichte der *Ring*-Tetralogie veröffentlicht hat, schreibt er:

»Mit dem Entwurfe von ›Tristan und Isolde‹ war es mir, als entfernte ich mich selbst nicht eigentlich aus dem Kreise der durch meine Nibelungenarbeit mir erweckten dichterischen und mythischen Anschauungen. Der große Zusammenhang aller echten Mythen, wie er mir durch meine Studien aufgegangen war, hatte mich namentlich für die wundervollen Variationen hellsichtig gemacht, welche in diesem aufgedeckten Zusammenhange hervortreten. Eine solche trat mir mit entzückender Unverkennbarkeit in dem Verhältnisse Tristans zu Isolde, zusammengehalten mit dem Siegfrieds zu Brünnhilde, entgegen... Die völlige Gleichheit dieser besteht aber darin, daß Tristan wie Siegfried das ihm nach dem Urgesetze bestimmte Weib, im Zwange einer Täuschung, welche diese seine Tat zu einer unfreien macht, für einen anderen freit, und aus dem hieraus entstehenden Mißverhältnisse seinen Untergang findet.«

Eine Erwägung des Tonsetzers spielte noch mit, die Unterbrechung der Arbeit am *Nibelungenring* für ein Werk von ganz anderer Thematik und Bühnenstruktur zu nutzen. *Tristan* sollte nämlich, so sonderbar sich das heute ausnimmt, als ein Erfolgswerk unternommen werden, das leicht aufführbar sei, mit wenigen Personen und Dekorationen, daher rasch über viele Opernbühnen gehen und die Geldnöte Wagners tilgen könnte. In dem Briefaufsatz *Zukunftsmusik,* den Wagner im September 1860 an einen französischen Freund Fr. Villot richtete, gesteht er:

»Die äußerliche Veranlassung zu dieser Unterbrechung in jener großen Arbeit war der Wunsch, ein seiner szenischen Anforderungen und seines kleineren Umfanges wegen leichter und eher aufführbares Werk zu liefern; ein Wunsch, zu dem mich einerseits das Bedürfnis, endlich wieder etwas von mir auch hören zu können, trieb, sowie andererseits die zuvor Ihnen bezeichneten ermutigenden und versöhnenden Erfahrungen von den Aufführungen meiner älteren Werke in Deutschland mir diesen Wunsch jetzt wiederum als erreichbar darstellten.«

Er hätte sich damals allerdings schon sagen müssen, daß dieser Tristan, gerade dank der Beschränkung auf das musikalische Element und innere Drama, viel schwieriger darstellbar sein werde als alle Zauberei des *Rheingold.* Die Vorgeschichte der ersten Münchener *Tristan*-Aufführung, das Scheitern des Wiener Aufführungsprojektes nach 77 Proben, erwiesen abermals den Kontrast zwischen der ursprünglichen Werkidee und der endgültigen Werkgestalt.

Der *Tristan* wirkt ungewöhnlich nicht bloß durch die Einschaltung in den Entstehungsprozeß der Tetralogie. Er ist nicht nur merkwürdig durch die fast groteske Diskrepanz zwischen dem geplanten und dem entstandenen Werk. Bis heute ist er, trotz allen Beziehungen und Motivverflechtungen mit den anderen Wagner-Werken, durchaus einzigartig geblieben.

Nahezu alle Wagner-Werke sind schon vom Titel her an die Einsamkeit eines Helden gebunden: Rienzi, Holländer, Tannhäuser, Lohengrin, die Walküre, Siegfried, Parsifal. Bereits im Tristantitel dagegen wird die Einsamkeit gesprengt: das Liebespaar und Heldenpaar soll diesmal im Mittelpunkt stehen. Isolde spricht es aus:

»Doch uns're Liebe,
heißt sie nicht Tristan
und – Isolde?
Dies süße Wörtlein: und,
was es bindet,
der Liebe Bund,

wenn Tristan stürb',
zerstört' es nicht der Tod?«

Diese Verbundenheit ist für die Liebenden selbst nicht unange-
fochten. Für Tristan gibt es zunächst einmal »Tristans Liebe«, dann
erst, heikel und kaum ernsthaft geglaubt, »Tristans *und* Isoldens Liebe«. Die Gemeinsamkeit der Liebenden, die für beide den Ausbruch
aus der früheren Einsamkeit bedeuten soll, ist nicht nur von außen
bedroht: durch Marke, durch Melot. Sie ist innerlich gefährdet, denn
Liebe und Schuld, Glückserfüllung und Gewissensqual sind allzu
eng miteinander verknüpft. Auch dieses Werk Richard Wagners,
das ein Liebespaar statt des einsamen Helden schon im Titel vorzustellen gedachte, ist stets von neuer Einsamkeit bedroht.

Stärker als in den früheren Wagnerwerken, stärker sogar als später
im *Nibelungenring,* kreist dieses »Liebesdrama« um den Vorgang des
Verrats. Treue und Verrat sind Lebensmotive Richard Wagners, die
er nahezu all seinen Werken einprägen mußte. In *Rienzi* ist das noch
äußerlich politisch gemeint, im *Tannhäuser* als Schwanken zwischen
widerstreitenden Prinzipien gestaltet, für den Holländer und Lohengrin geht es um höchstes Vertrauen, Treue bis zum Tode. Das Ver-
ratsmotiv in Tristan dagegen ist tiefer, geheimnisvoller, daher töd-
licher für alles Glücksverlangen. Diesmal hat Wagner die Partner
auf der rein menschlichen Ebene belassen. Es gibt keine Berührung
zwischen Menschenwelt und Geisterwelt. Die Phantome, Götter,
Gralsritter sind verschwunden. Ein Menschenpaar steht in menschlicher Umwelt: zum erstenmal in Wagners Werk. Die Tragik entspringt nicht mehr dem Bruch eines Geistergesetzes, wie im *Holländer*
oder *Lohengrin,* das ohnehin unhaltbar sein mußte. Diesmal werden
menschliche Bindungen bedroht und verraten. Nicht der Ehebruch
wird von Wagner als tragisch gestaltet und von den Liebenden als
tragische Schuld verstanden. In Marke verrät Tristan den König
und den Freund. Isolde dagegen empfindet Tristan selbst als Verräter.
Eine unentrinnbare Verstrickung führt Tristan dahin, daß er sich
in jedem Falle als Verräter erweisen muß. Hält er Marke die Treue,
tritt er also als Liebender vor Isolde zurück, so verrät er seine einstige
Liebe zur irischen Königstochter, die ihn heilte und liebte. Dann
vertieft er seinen Verrat, der damit begann, daß er die geliebte Frau
für einen anderen zu freien unternahm. Genauso versteht es Isolde,
wenn sie das Scheitern aller Pläne reflektiert:

»Das als Verräter
dich mir wies,
dem Licht des Tages
wollt' ich entflieh'n,
dorthin in die Nacht
dich mit mir zieh'n,
wo der Täuschung Ende
mein Herz mir verhieß,
wo des Trug's geahnter
Wahn zerrinne:
dort dir zu trinken
ew'ge Minne,
mit mir – dich im Verein
wollt' ich dem Tode weih'n.«

Folgt Tristan aber diesem Anruf, bleibt er der einstigen Liebe treu, so verrät er den König wie den Freund. Eine erschütternde Verszeile faßt diese unlösliche Verstrickung zusammen. Auch Melot hat, aus geheimer Liebe zu Isolde, den Freund Tristan an den König verraten. Verrat also am Verräter. Am Ende des zweiten Aktes stehend, fassen die Sätze das tragische Geschehen noch einmal zusammen:

»Dein Blick, Isolde,
blendet' auch ihn:
aus Eifer verriet
mich der Freund
dem König, den ich verriet.«

Der geistesgeschichtliche Standort ist unverkennbar. Im *Tristan* hat Wagners Züricher Beschäftigung mit den Dramen Calderóns ihre Wirkung getan. Nicht zufällig hatte Wagner im Januar 1858 an Liszt geschrieben:»Nächst Dir und Calderón hat mich dieser Tage ein Blick in den mitgenommen fertigen ersten Akt des ›Tristan‹ wunderbar erhoben.« Der Calderón gehörte aber unmittelbar zum Tristan-Thema. Liebe und Verrat nämlich sind hier so eng und unentrinnbar ineinander gefügt wie Liebe und Ehre. Sehr schön gelingt es Wagner, den Ehrbegriff Tristans aus der adligen und spanischen Umwelt des 17. Jahrhunderts zu lösen und als dramatisches Motiv zu verwenden, ohne daß doch die adligen Normen dabei verbürgerlicht würden.

Darum auch macht der Liebestrank nur sichtbar, was ohnehin vorhanden war. Er schafft nicht den tragischen Konflikt, sondern hilft nur, ihn zur Erscheinung zu zwingen. Die Verstrickung aber von Ehre und Liebe erlaubt keine Lösung, höchstens Vergessen. In Tristans Sühnelied ist dies alles gesagt:

»Tristans Ehre –
höchste Treu':
Tristans Elend –
kühnster Trotz.
Trug des Herzens;
Traum der Ahnung:
ew'ger Trauer
einz'ger Trost,
Vergessens güt'ger Trank!
Dich trink' ich sonder Wank.«

Zu Calderón aber gesellt sich Schopenhauer. Der Liebestod Tristans und Isoldens ist nicht als handgreifliche Apotheose zu verstehen, wie einst die Vereinigung des Holländers mit Senta. Tristans Wort vom *Vergessen* meint es anders. Das Versinken in Bewußtlosigkeit, das die Vereinigung der Liebenden eben dadurch herbeiführt, daß die Einzelung aufhört, die Individualität, enthält viel von Schopenhauers Weltverneinung. Tristans und Isoldens Liebestod ist von gleicher Art wie die *Götterdämmerung*: Absage an den Weltwillen. Hier hat Wagner ein romantisches Motiv E.T.A. Hoffmanns wieder aufgenommen und mit der gleichfalls romantischen Philosophie Schopenhauers amalgamiert. Ebenso wie die Liebe des Kapellmeisters Kreisler und der Julia auf alle irdische Vollziehung verzichtet hatte, dadurch gleichsam einem Postulat der Künstlerliebe folgend, ist Tristans und Isoldens Liebesdämmerung auch nur in der nächtigen Welt ewigen Vergessens möglich. Der *Tristan* wird zur letzten und höchsten Gipfelung deutscher Romantik.

In Aufbau und Dramaturgie dagegen strebt er nach höchster klassischer Abrundung. Dichtung und Musik sind weit entfernt von allem Spiel der Romantik mit dem Fragmentarischen, dem bloß Angedeuteten. Drei streng gebaute Akte. Zuerst steht Isolde im Mittelpunkt; spät erst tritt der Herr Tristan vor sie hin. Der dritte Akt ist Tristans. Der Mittelakt gehört dem liebenden Paar: Tristan *und*

Isolde. Die Rahmenakte stehen im Zeichen des Tages. Einsamkeit und *öder Tag* sind hier gleichbedeutend. Der Mittelakt als Vereinigung der Liebenden gehört der Nacht, die Vergessen, Nichtmehrsein, Erfüllung und Tod in einem bedeutet. Als der Tag anbricht, beginnt für das Liebespaar die neue Einsamkeit.

Die Dramaturgie arbeitet mit dem klassischen Dreieck französischer Dramentradition, die übrigens in der Dreieckskomödie des französischen Ehebruch-Schwankes ihre Fortsetzung findet. Isolde, Marke, Tristan. Hinzu treten die Vertrauten, die »confidents« des französischen klassizistischen Dramas. Die Frau Brangäne zur Frau Isolde, Kurwenal zu Tristan. Melot ist lediglich auslösender Faktor. Er ist aber mit den Hauptgestalten verbunden: durch Treue und seinen Verrat mit dem König; durch Liebe, Eifersucht und Verrat mit Isolde; durch Freundestreue und Verrat mit Tristan. Nicht bloß in der geistigen Substanz, sondern auch im künstlerischen Aufbau erweist sich der Tristan als echtes Werk romanischer (französischer und spanischer) Tradition des 17. Jahrhunderts. Dieser künstlerischen Einheit von Form und Gehalt opfert Wagner sogar eine Grundidee des ursprünglichen *Tristan*-Planes: die Konfrontierung *Tristans mit Parzival*. Im dritten Akt sollte der umherirrende Gralssucher Parzival am Krankenbett Tristans erscheinen. Tristan bot sich dabei als Vorform des Amfortas. Es war nicht bloß die Eigenkraft des Parzivalstoffes, die Wagner schließlich veranlaßte, den künftigen Gralskönig von der Tristanwelt zu scheiden. Der Kontrast Tristans und Parzivals hätte einen Rückfall in die Motive und Thematik der früheren Wagnerdramen bedeutet. Plötzlich hätten, als jungdeutsche Variante, törige Reinheit und schuldbeladene Sinnlichkeit einen Gegensatz gebildet: gleichsam als männliches Gegensatz-Paar zu Venus und Elisabeth. Dadurch aber wurde die Grundsubstanz des *Tristan* gefährdet; mit ihr die Reinheit der dichterischen und musikalischen Architektur.

Auch die *Tristan*-Musik bildet eine einzigartige Mischung des Klassischen und des Romantischen. Sie ist kühn und folgerichtig zugleich. Die Zeitgenossen und noch die literarischen Neuromantiker zu Beginn unseres Jahrhunderts empfanden das Werk als höchste Steigerung romantischer Gefühlskunst. Die neue Musikforschung dagegen hat mit Recht die konstruktive Kraft Wagners und die klassische Genauigkeit der Proportionen hervorgehoben. Die Umsetzung seelischer und handlungsmäßiger Vorgänge im musikalischen Ausdruck ist immer wieder ergreifend. Als Beispiel mag der Warngesang

Brangänes dienen, der im zweiten *Tristan*-Akt dem Liebestodgesang
zu kontrastieren hat. Der Gesang der Liebenden schwingt sich in
As-dur auf, in immer kühneren Sprüngen aufsteigend, um unisono
auf dem hohen As bei dem Worte *Liebe* zu gipfeln. Brangänes Ruf:
»Habet acht! Schon weicht dem Tag die Nacht!« steht in G-dur.
Die Gegenüberstellung des As-dur zum G-dur verbindet sich mit
der langsam, aber nachdrücklich niederdrängenden musikalischen Bewegung im Orchester: die Liebenden, Tristan und Isolde, sollen
gleichsam auf die Erde, in den Tagesbereich zurückgezogen werden.
Mit einfachsten musikalischen Mitteln ist eine vollkommene Übereinstimmung aus Wort und Ton, Drama und Musik erreicht.

Ein anderes Wunder solcher Art ist der Tod Tristans: das von
den Celli getragene Motiv *Tristans Blick* aus dem Vorspiel, noch
einmal vom Orchester pianissimo intoniert, mit Tristans Vorhaltno-
ten »Isolde« verbunden, um dann im dreifachen piano auf der verminderten Septime das Brechen des Tristan-Blickes anzudeuten. Das un-
begleitete Lied des Steuermanns beim ersten Akt-Beginn weist zurück
auf den Steuermann im *Holländer,* den Hirten im *Tannhäuser.* Kühler
aber, herber ist das Volkslied geworden. Auch die *Alte Weise* des
Hirten zu Beginn des dritten Aktes, vom Englischhorn geblasen,
steht in Wagners Werk vergleichslos da; diese aller Symmetrie spot-
tende Rhythmik und rätselhaft neue Melodik ist vielen großen Musikern des 20. Jahrhunderts zum Vorbild geworden.

Das Vorspiel zum *Tristan* hat Wagner später gleichsam nacherzählen wollen:

»Der Musiker, der dieses Thema sich für die Einleitung seines
Liebesdramas wählte, konnte, da er sich hier ganz im eigensten,
unbeschränktesten Elemente der Musik fühlte, nur dafür besorgt
sein, wie er sich beschränkte, da Erschöpfung des Themas unmöglich
ist. So ließ er denn nur einmal, aber im langgegliederten Zuge, das
unersättliche Verlangen anschwellen, von dem schüchternsten Bekenntnis, der zartesten Hingezogenheit an, durch banges Seufzen,
Hoffen und Zagen, Klagen und Wünschen, Wonnen und Qualen,
bis zum mächtigsten Andrang, zur gewaltsamsten Mühe, den Durchbruch zu finden, der dem grenzenlos begehrlichen Herzen den Weg
in das Meer unendlicher Liebeswonne eröffne. Umsonst! Ohnmächtig
sinkt das Herz zurück, um in Sehnsucht zu verschmachten, in Sehnsucht ohne Erreichen, da jedes Erreichen nur wieder neues Sehnen
ist –, bis im letzten Ermatten dem brechenden Blicke die Ahnung

des Erreichens höchster Wonne aufdämmert. Es ist die Wonne des Sterbens, des Nichtmehrseins, der letzten Erlösung in jenes wundervolle Reich, von dem wir am fernsten abirren, wenn wir mit stürmischester Gewalt darin einzudringen uns mühen. Nennen wir es Tod? Oder ist es die nächtige Wunderwelt, aus der, wie die Sage uns meldet, ein Efeu und eine Rebe in inniger Umschlingung einst auf Tristans und Isoldes Grabe emporwuchsen?«

Es ist eine Musik des Kreislaufs, der Unentrinnbarkeit. Wagner hatte diese geschlossene Form schon im *Lohengrin*-Vorspiel angewandt. Der Gral schwebte herab, senkte sich auf die Erde, um wieder zu verschwinden. Die Chromatik des *Tristan*-Vorspiels drängt gleichfalls einer Gefühlserfüllung zu, die aber nur als erfüllter Augenblick möglich ist, um sogleich wieder zurückzusinken, kraftlos zu werden, als bloßes Sehnen zu enden. Diese Musik bleibt unentrinnbar, der Liebestod bedeutet kein Überspielen der tragischen Lösung, und der ausgehaltene letzte H-dur-Akkord meint Untergang, nicht Übergang.

DER SÄNGER UND DER KÖNIG

Am 17. August 1858 hatte Wagner das Häuschen auf dem grünen Hügel verlassen. Die kurze Zeit der Geborgenheit war zu Ende. Es folgten neue Jahre der Rastlosigkeit und der Wanderschaft. Am späten Mittag des 4. Mai 1864 erschien er zu einer ersten Audienz in München vor König Ludwig II. von Bayern. Die Zwischenzeit zwischen diesen beiden Daten ist abermals reich an Plänen und Entwürfen: die *Tristan*-Musik entsteht in Venedig und Luzern, in Paris werden die Blätter der *Meistersinger*-Dichtung aufeinandergelegt. Kurz vor dem endgültigen finanziellen Zusammenbruch, dem der erstaunliche Umschlag durch königliche Gunst auf dem Fuße folgt, hat Wagner als künstlerisches, noch ungenutztes Besitztum aufzuweisen: eine *Tristan*-Partitur, die offenbar in ihren Anforderungen alle Aufführungsmöglichkeiten übersteigt; zwei abgeschlossene Partituren des *Rheingold* und der *Walküre;* zwei Akte *Siegfried,* dazu Dichtung und wichtigste Kompositionselemente der *Meistersinger von Nürnberg.* Dies alles scheint vorerst »für die Schublade« geschrieben zu sein. Gleichzeitig wächst der Ruhm seiner früheren Kompositionen. Auch der Erfolg des Dirigenten Wagner hat die Form eines Weltruhms angenommen. Man sah und hörte ihn in London und Paris, in St. Petersburg, Moskau, Prag oder Wien.

Dennoch sind es Jahre der Unrast, der Gereiztheit, körperlichen und seelischen Verfalls. Wagners Arbeit hat keinen Mittelpunkt, sein Leben ebensowenig. Auch sein Weltbild wurde inzwischen durch allzu viele Bildungselemente angereichert, so daß es gleichfalls mittelpunktlos wirkt. Der ehemalige Schüler des Jungen Deutschland, Proudhons, Feuerbachs, der sich noch zu Beginn der 5oer Jahre entschieden dagegen gewehrt hatte, die Gralssymbolik im *Lohengrin* mit christlichen Gedankengängen in Verbindung zu bringen, fühlt sich zusehends stärker von religiösen Vorstellungen gepackt. Nach wie vor entbehren sie einer eindeutig christlichen Sinngebung: der Katholizismus Calderóns wird durch Schopenhauers Erbschaft, den

Buddhismus, insgeheim aufgewogen. Dadurch entsteht ein eklektisches Weltbild aus Weltveränderung und Entsagung, Aktivismus und Transzendenz.

Auch der gesellige und gesellschaftliche Umkreis Richard Wagners wirkt verändert. In Zürich hatten die wohlhabenden Patrizier, die Künstler und Professoren den Rahmen seiner Geselligkeit gebildet. Jetzt findet sich der einstige Revolutionär und Freund Bakunins immer stärker im Umgang mit Monarchen und Hofkreisen der verschiedensten Art. In Paris hatte es im März 1861 sehr spannende Kabalen zwischen dem kaiserlichen Hof Napoleons III. und der legitimistischen Aristokratie aus Anlaß einer *Tannhäuser*-Aufführung gegeben. Die Fürstin Pauline Metternich, Gattin des österreichischen Botschafters und Schwiegertochter jenes Mannes, den die Revolution von 1848 davongejagt hatte, war Wagners Protektorin. Louis Bonaparte und Kaiserin Eugénie hatten die *Tannhäuser*-Aufführung gewünscht und gefordert, die nun, nach 164 Proben, in Anwesenheit der wichtigsten Wagner-Freunde und mit dem inzwischen neu erstandenen Wagner-Tenor Albert Niemann in der Titelrolle, von den Aristokraten des Jockeyclubs niedergepfiffen wurde. Bei der ersten Aufführung am 13. März 1861 wurde gelacht: an den Pilgern entzündete sich immer von neuem die Heiterkeit des französischen Publikums. Noch aber fehlten die Herren vom Jockeyclub. Die erschienen erst bei der zweiten Aufführung, wo die Rom-Erzählung durch Pfeifkonzerte unterbrochen wurde. Am dritten und letzten *Tannhäuser*-Abend siegten die Jockeys, die sich, alle mit silbernen Pfeifchen ausgerüstet, die Ehre gegeben hatten. Wagner war zu Hause geblieben, zog aber das Werk zurück. Trotzdem ergab das eine Mischung aus Sieg und Niederlage. Ein großer Teil der öffentlichen Meinung, der kaiserliche Hof voran, hatte sich für Wagner erklärt. Es war kein vernichtender künstlerischer Durchfall, sondern ein Theaterstreit, wie ihn Frankreich seit einem Jahrhundert immer wieder gekannt hatte: als Kampf der Opernfreunde zwischen Gluck und Piccinni, als Schauspielstreit der Klassizisten und französischen Romantiker um Victor Hugo und seinen »Hernani«. Sieg aber oder Niederlage: nach Abzug aller Ausgaben behielt Wagner 750 Franken für die künstlerische Arbeit eines Jahres.

Die Rastlosigkeit blieb, allein das Exil ging nun zu Ende. Deutsche Fürsten fanden sich zusammen, um Richard Wagner die Rückkehr nach Deutschland zu ermöglichen. Die »Prinzessin-Regen-

tin von Preußen«, Augusta von Sachsen-Weimar, intervenierte anläß-
lich einer Zusammenkunft deutscher Fürsten mit Napoleon III. zugunsten des »gewandelten Revolutionärs«. König Johann von Sachsen verwehrte zwar die Rückkehr Wagners in sein Land, verzichtete
aber auf ein Veto gegen den Aufenthalt des Schuldigen in einem
anderen deutschen Bundesland. Wagner erhielt einen preußischen
Paß und konnte zurückkehren. In Wien sah er zum erstenmal seinen
Lohengrin auf der Bühne. Er wurde stürmisch gefeiert und dankte
aus der Loge mit einer kleinen Ansprache. Auch in Weimar, das
er zum erstenmal seit den Tagen der Flucht wiedersah, empfingen
Liszt und die Künstlerfreunde den Heimgekehrten mit großer Begeisterung. Die Jahre 1862 und 1863 sind abermals Wanderjahre. Wagner arbeitet in Paris an den *Meistersingern,* fühlt sich immer stärker
nach Wien gezogen, wo die Aussichten für eine Uraufführung des
Tristan am günstigsten zu sein scheinen. Im Frühjahr 1862 wird
ihm auch die sächsische Amnestie zuteil. Er reist nach Leipzig und
nach Dresden. Von Minna war er eigentlich seit der Züricher Zeit
getrennt, doch hatte es stets Besuche und vorübergehende Gemein-
samkeiten gegeben. Die Ehe allerdings war zerstört. Nun kommt
es in Dresden zu einer letzten Begegnung.

Der Rhein bei Mainz vermag den Wanderer vorübergehend zu
bannen. Allerdings ist es nicht so sehr die Welt des *Rheingold,* die
ihn fesselt, als die Verbindung mit dem Verleger Schott, der *Meistersinger* und *Nibelungenring* in Verlag nehmen und viel Geld dafür zahlen
will. Auch eine neue Mathilde findet sich, während die Arbeit an
den *Meistersingern* weitergeht: Mathilde Maier erweist sich eben jetzt,
wo es musikalisch erwünscht ist, als inspirierend für die Gestalt des
Evchen. Mathilde Maier, damals neunundzwanzigjährig, stammte aus
Mainz. Sie war die Tochter eines hessischen Notars, ihre Familie
lebte in Alzey. Richard Wagner lernte sie im Hause Schott kennen.
Es erwächst daraus eine Freundschaft, die in einem umfangreichen
Briefwechsel widergespiegelt wird. Wagner spricht sie gelegentlich
als »Evchen« an: Mathilde Wesendonk war für ihn zugleich Isolde
und Elisabeth! Als er später in München seßhaft wird, möchte er
Mathilde Maier als Leiterin seines Hausstandes gewinnen, was sie
aber ablehnt: was wohl auch damals schon durch Cosima von Bülow
vereitelt wurde.

Ein Brief Wagners an sie vom 4. Januar 1863 ist überaus auf-
schlußreich:

»Mir fehlt eine Heimat: – nicht die örtliche, sondern die persönliche. Nächsten Mai werde ich 50 Jahr. Ich kann nicht heiraten, solange meine Frau lebt: von ihr mich jetzt noch zu scheiden, bei dem Zustand ihrer Gesundheit (einer Herzerweiterung im höchsten Stadium), wo ihr Leben mit einem leichten Stoß zu enden ist, kann ich diesen möglichen Todesstoß ihr nicht geben. Sie wird andererseits alles ertragen, wenn ihr der rechtliche Anschein bleibt. Sieh! an diesem Verhältnisse, dieser Lage der Dinge gehe ich zu Grunde! Mir fehlt ein weibliches Wesen, das sich entschlösse trotz allem u. jedem mir das zu sein, was unter so jämmerlichen Umständen ein Weib mir sein kann, und – muß, sage ich, wenn ich ferner gedeihen soll. Nun verblendet mich vielleicht die Selbstüberschätzung, wenn ich mich so weit überhebe, daß ich annehme, ein Weib, das sich entschlösse, sich mir selbst unter so mißlichen Umständen zu weihen, träte hierdurch aus allen Beziehungen zu menschlichen Verhältnissen, die auf das Dasein und das Wirken eines Menschen, wie ich, gar keine vernünftige Anwendung finden.«

Das Werben bleibt ohne Erfolg. Vielleicht war es auch gar nicht sehr ernst gemeint: mehr Wahnmonolog als Werbegesang. In Wien scheint zum erstenmal eine Verwirklichung des *Tristan* möglich zu werden. Der Tenor Ander soll die als ungeheuerlich empfundene Partie übernehmen. Wagner läßt sich in der österreichischen Hauptstadt nieder. Konzertreisen in Rußland brachten gewaltigen Erfolg und einen Reinertrag von 7000 Talern. Nun wird in Wien ein neuer Hausstand aufgebaut, allerdings ohne Hausfrau. Wagner hat ein Hausmädchen und ein Dienerehepaar. Der Tapezierer muß Orgien in Samt und Seide liefern: »Ich erwarte von Ihnen noch folgende Arbeiten: 1. die zwei braunen Lehnstühle für das Musikzimmer, 2. die Ecke hinter das Kanapee, 3. die neu zu überziehenden zwei Lehnstühle für das grüne Eckzimmer (violette Seide), 4. den violett samtenen hohen Lehnstuhl, 5. den rot samtenen großen Polstersessel für die Schlafstube, 6. den großen Spiegel, 7. die violett Samttepiche und die Mahagonikommode und den Pfeilerschrank, 8. die sämtlichen Gardinen für das grüne Zimmer nebst Aufmachen der vorhandenen weißen Gardinen daselbst.« Am Ende stehen künstlerische Enttäuschung und finanzieller Zusammenbruch. Der *Tristan* wird als unaufführbar nach zahllosen Proben abgesetzt. Wagner kann sich vor Schulden nicht mehr retten. In Österreich besteht noch die Einrichtung der Schuldhaft, die nun droht. Er verkauft den Diamantring einer russischen Großfürstin, muß auch den Érard-Flügel opfern, schließlich in größter Hast alles im Stich lassen. Am 23. März 1864 trifft der flüchtige Bankrotteur in München ein und reist dann weiter in die Schweiz zu Frau Eliza Wille. Dort bleibt er in den nächsten Wochen. Es ist abermals ein Asyl. An Dr. Standhartner schreibt er am 12. April 1864:

»Was soll ich noch schreiben? Mir ist elend zu Mute. Ich weiß nur, daß ich heute über 1 Jahr das Geld für meine Schulden haben werde: davon, ob für jetzt meine Angelegenheiten so geordnet werden können, daß ich den Mut u. die Lust erhalte, noch etwas für mein Leben überhaupt zu tun, hängt vorläufig alles ab. – Weiter kann ich nichts sagen. –

An Meistersinger –!! gar nicht zu denken. Nie! Nie! –«

Auch bei Eliza Wille aber kann er nicht mehr bleiben. Franz Wille, der bei Wagners Ankunft in der Türkei geweilt hatte, kehrt zurück: eine Wesendonk-Konstellation scheint sich anzubahnen. In Wien ist alles verkauft und versteigert worden. Wechsel gingen zu Protest. Dies hier ist nicht nur die Lage eines gescheiterten Revolutionärs; sie ähnelt dem Zustand eines verfolgten Verbrechers. Schott und Wesendonks bieten ein bißchen Geld. Richard Wagner trifft am 29. April 1864 im Hotel Marquardt in Stuttgart ein. Ein Freund und Verehrer, den er herbeizitiert, soll bei Cannstatt einen Unterschlupf gewähren. Dann kommt die berühmte, immer wieder durch Historiker und Romanciers beschriebene Wendung, die Wagner auf den Schlußseiten seiner Autobiographie berichtet hat:

»Stets auf Übles mich vorbereitend, verbrachte ich eine unruhige Nacht, nach welcher ich andren Tags Herrn Pfistermeister, Kabinetts-Sekretär S. M. des Königs von Bayern, in meinem Zimmer empfing. Dieser äußerte mir zunächst seine große Freude darüber, mich nach allem vergeblichen Aufsuchen in Wien, endlich sogar in Mariafeld am Züricher See, durch glückliche Weisungen geleitet, hier angetroffen zu haben. Er überbrachte mir ein Billet des jungen Königs von Bayern, zugleich mit einem Porträt sowie einem Ring als Geschenk desselben. Mit wenigen, aber bis in das Herz meines Lebens dringenden Zeilen, bekannte mir der junge Monarch seine große Zuneigung für meine Kunst und seinen festen Willen, mich für immer als Freund an seiner Seite jeder Unbill des Schicksals zu entziehen. Zugleich meldete mir Herr Pfistermeister, daß er beauftragt sei, mich sofort dem Könige nach München zuzuführen, und erbat sich von mir

die Erlaubnis, seinem Herrn telegraphisch meine Ankunft für morgen
melden zu dürfen.«

Wagners Erinnerung ist übrigens nicht ganz zuverlässig: ein
Handschreiben König Ludwigs wurde offenbar damals in Stuttgart
nicht überreicht. Der erste Brief des Königs an Wagner wurde nach
der Begegnung geschrieben; er trägt das Datum des 5. Mai 1864.
Noch von Stuttgart aus richtete der so jählings Erhöhte und Erwählte
einen ersten Brief an den bayrischen König:

»Teurer huldvoller König!

Diese Tränen himmlischster Rührung sende ich Ihnen, um Ihnen
zu sagen, daß nun die Wunder der Poesie wie eine göttliche Wirklichkeit in mein armes, liebebedürftiges Leben getreten sind! – Und
dieses Leben, sein letztes Dichten und Tönen gehört nun Ihnen,
mein gnadenreicher junger König: verfügen Sie darüber als über
Ihr Eigentum! Im höchsten Entzücken, treu und wahr

Ihr

Stuttgart.   Untertan
3. Mai 1864.   Richard Wagner«

Die Zeit Wehwalts war zu Ende. Richard Wagner hatte gesiegt.
Das Lohengrin-Wunder war eingetreten. Ein Wunder. War es das
wirklich?

Mit dem Szenenauftritt des jungen Königs, des Ritters in lichter
Waffen Scheine, schließt Richard Wagner den Bericht *Mein Leben*
ab. Er durfte getrost sein. Der letzte Satz der Autobiographie sollte
Wahrheit bleiben:»Nie jedoch hat unter dem Schutze meines erhabenen Freundes die Last des gemeinsten Lebensdruckes mich wieder
berühren sollen.« Auch diese Autobiographie schließt, wie»Dichtung
und Wahrheit«, mit der Berufung des Sängers durch den Fürsten.
Goethe begab sich nach Weimar unter Egmont-Gedanken über die
Dämonie des Schicksals. Der sechsundzwanzigjährige Goethe reiste
ins Ungewisse. Der deutsche Fürst aber, der von nun an als Wagnerianer wirken sollte, war für Richard Wagner der ersehnte Hafen, überhaupt: das Ersehnte.

Um Fürsten und Fürstenhilfe kreiste Wagners Denken seit gerau-
mer Zeit. Fast genau vier Wochen vor der ersten Zusammenkunft
mit König Ludwig hatte er – noch vom Landgut der Willes aus

– an Mathilde Maier geschrieben:»Die Nacht träumte ich (im Fieber), Friedrich der Große hätte mich zu Voltaire an seinen Hof berufen. (Ich hatte in seinem Tagebuch gelesen.) So geht es mir mit meinem heimlichen Ehrgeize!« Zwei Jahre vorher (1862), im Vorwort zur *Nibelungen*-Dichtung, waren der Öffentlichkeit zwei Möglichkeiten angedeutet worden, wie man die endgültige Komposition und spätere zyklische Aufführung der Tetralogie finanzieren könne. Der eine Weg:»Eine Vereinigung kunstliebender vermögender Männer und Frauen.« Wagner scheint aber, durch Erfahrungen mit Patriziern und bürgerlichen Mäzenen belehrt, nicht stark darauf zu bauen. Der andere Weg:»Sehr leicht fiele es dagegen einem deutschen Fürsten, der hierfür keinen neuen Satz aus seinem Budget zu beschaffen, sondern einfach nur denjenigen zu verwenden hätte, welchen er bisher zur Unterhaltung des schlechtesten öffentlichen Kunstinstitutes, seines, den Musiksinn der Deutschen so tief bloßstellenden und verderbenden Operntheaters bestimmt... Wird dieser Fürst sich finden? – ›Im Anfang war die Tat.‹«

Der Ruf wurde gehört. Der junge Kronprinz Ludwig von Bayern, seit langem ein Verehrer der Wagnerwerke und Wagnerschriften, hatte das Vorwort gelesen und beherzigt. Jetzt war er, seit dem 10. März 1864, König von Bayern. Er antwortete der faustischen Forderung.

Als Richard Wagner, den am 4. Mai nur noch wenige Wochen von der Vollendung des 51. Lebensjahres trennen, vor König Ludwig tritt, findet er einen hochgewachsenen, neunzehnjährigen Jüngling von ungewöhnlicher Schönheit. Der Briefwechsel, der nun anhebt, besitzt, verläßt man sich auf den Wortlaut, bei beiden die Gefühlsintensität der *Tristan*-Partitur. Ludwigs Briefanreden»Glühend Geliebter! Himmlischer Freund!« Wagners Antwort: *Lieber, Treuer, Einziger!* Noch auf dem Höhepunkt der Münchener Wagner-Krise zeichnet der König:»In *ewiger* Liebe und Treue bis in den Tod Ihr Ludwig.« Richard Wagner signiert:»Ewig getreu und eigen oder Treu und liebend.«

Allein die ewige Treue wird vom Sänger und vom König nur allzu oft beschworen. Der Höhenlage des Briefstils entspricht längst nicht mehr eine höchste Intensität freundschaftlicher Empfindungen. Das Bündnis des Künstlers und Monarchen beruhte von Anfang an auf einem Mißverständnis. Vornehm und königlich bewies sich Ludwig vor allem in den späteren Jahrzehnten bis zu Wagners Tode:

er hielt sich an die Träume seiner Jugend und die einstmals ausgesand-
te Königsbotschaft. Wagner bedeutete ihm mehr als bloße Jünglings-
sehnsucht; er hielt zu dem Erwählten, obwohl er erkannt hatte, daß
zwischen den Kunstschöpfungen, die er liebte, und dem Schöpfer,
den er nicht zu lieben vermochte, ein durchaus unromantischer Zwiespalt bestand.

Wie sich der bayrische Prinz den verehrten Künstler geliebter
Kunstwerke eigentlich vorgestellt hatte, kann man nicht wissen. Vermutlich hatte er, allen Tatsachen zum Trotz, den *Lohengrin*-Schöpfer
als Lohengrin erwartet. Der Genuß der frühen Wagnerwerke verstand sich als Flucht aus der Alltagswirklichkeit: nun findet er einen
geschäftigen, lebensvollen, eifrig organisierenden und sogar politisierenden Künstlerfreund. Wagner muß erkennen: dieser *sehr junge* König will und versteht eigentlich gar nicht die Musik, sondern das
szenische Traumbild. Beim Suchen nach einem Lohengrin-Darsteller
offenbart sich der Zwiespalt. Ludwig sucht das Ideal männlicher
Schönheit, Wagner hält Ausblick nach einem idealen, verständnisvol-
len, gestaltungskräftigen jugendlichen Heldentenor.

Wagner wird von königlichen Gaben überhäuft. Alle Schulden
können bezahlt werden, das Privatbudget des Königs steht zu Dien-
sten, in der Brienner Straße 21 wird ein geräumiges Haus bezogen.
Vorher hatte der König seinem Freund und Günstling ein Landhaus
am Starnberger See, unweit des königlichen Schlosses Berg, eingeräumt. Wagner entwarf ein weitgespanntes *Programm für den König*,
das als künstlerischer Neunjahresplan auftrat. Für das Jahr 1865 waren die Premieren des *Tristan* und der *Meistersinger* (die noch unvollen-
det dalagen) vorgesehen. 1867–1868 reservierte Wagner für eine *Groß-
Aufführung des gesamten »Ring des Nibelungen«*. Das Programm schloß:
1871–1872 Parzival. 1873 Mein glücklicher Tod.

Dreifache Konflikte verbanden sich bald schon mit Wagners Leben und Wirken in München. Die erste Schwierigkeit lag in der
allzu großen Verschiedenheit von Protektor und Günstling. Ludwig
war zum schwärmenden Verehrer geschaffen, nicht zum männlichen
Beschützer. Wagner hatte zwar aufgehört, ein Demokrat und Sozialist
zu sein; vom Fürsten erhoffte er sich die Hilfe bei der Verwirklichung
seiner Pläne; allein er war selbst ein Monarch, doch kein Monarchist.

Für die bayrische Umwelt des Königs und die öffentliche Meinung
dagegen war er der Revolutionär von 1849, der Barrikadenkämpfer
geblieben. Das ergab eine zweite Ursache der Spannung. Der Sekretär

von Pfistermeister war zwar als Königsbote in Stuttgart erschienen,
allein er war ganz und gar kein Wagnerianer, sondern ein katholischer
Bayer und königstreuer Aristokrat. Wagner war für ihn, für das
Kabinett und für die Presse einfach der fragwürdige Ausländer, der
Protestant, der einstige Flüchtling und Revolutionär, der Schöpfer
unverständlicher und anspruchsvoller Kunstwerke, der Verschwen-
der öffentlicher Gelder.

Es kam hinzu, daß der Wagnerkreis und auch der König den
künstlerischen Projekten zu einer Zeit nachgingen, die im geschichtlichen Bereich unter ganz anderen Zeichen stand. Neue Formen deutscher Einigung wurden sichtbar. Der deutsche Krieg gegen Däne-
mark bildete ein Vorspiel; der Entscheidungskampf um die Hegemonie in Deutschland stellte immer deutlicher die Großmächte Preußen
und Österreich gegeneinander. Bayern war an Österreich gebunden
und daher scharf antipreußisch. Richard Wagner aber hatte sich Hans
von Bülow als Vorspieler des Königs und Hofkapellmeister aus Berlin
geholt, der – Berliner, Junker und Heine-Verehrer in einem – kaum
eine Gelegenheit vorübergehen ließ, bayrische Gefühle zu verletzen.
Übrigens war Bülow ein begeisterter Bismarck-Vertreter: später in
Tribschen brach er, bei der Nachricht vom preußischen Sieg bei
Königgrätz, mit Wagner und Cosima in Hochrufe auf Bismarck und
das Bekenntnis »Austria est delenda!« aus.

Der Wagnerkreis schien sich somit, von München aus gesehen,
zwischen König und Volk, auch zwischen Monarch und Regierung
zu stellen. Noch lebte der Großvater des Königs, Ludwig I., der
um der Tänzerin Lola Montez willen dem Thron entsagen mußte.
In Münchener Kreisen wird Richard Wagner bald »Lolus« genannt.

Überdies ist Wagner seiner ganzen Natur nach ein Mann der
Ganzheiten. Er will nicht nur die Vollendung seiner Werke, deren
mustergültige Aufführung, ein eigenes Theater, das Ludwig nach
den Plänen Gottfried Sempers, den man nach München holt (abermals
ein Revolutionär!), an der Isar errichten soll. Auch von der politischen Sphäre gedenkt er nicht zu lassen. In neuen Formen geht
es ihm nach wie vor um die Kunst und die Revolution. Allerdings
sind seine neuen Schriften, die zwischen 1865 und 1867 entstehen,
gleichsam als »Fürstenspiegel« gedacht. Schon die Studie *Über Staat
und Religion* aus der ersten Münchener Zeit (1864) ist für Ludwig II.
bestimmt und wendet sich ausdrücklich an ihn. Erst recht sind die
späteren Aufsätze *Deutsche Kunst und deutsche Politik* von 1867, wenn-

gleich sie in Fortsetzungen in der Presse erscheinen, unverkennbar an Ludwig II. als eigentlichen Adressaten gerichtet.

Geändert also hat sich der Adressat und mit ihm das Verhältnis des Schreibenden zur Umwelt. Richard Wagner ist sich dieser geistigen Wendung durchaus bewußt, wenn er auch mit dem Anspruch auftritt, in allen früheren Gedankengängen »eigentlich« schon das Wesentliche seiner heutigen Auffassungen mitgesagt zu haben. So jedenfalls bemüht er sich zu Beginn der Studie *Über Staat und Religion* die Lage darzustellen. Es ist das gleiche Bestreben, das ihn genau zehn Jahre früher, 1854, bei Entdeckung Schopenhauers, den Fall so darstellen ließ, als sei er von jeher, sich selber unbewußt, bereits Schopenhauerianer gewesen. Dennoch klaffen unüberwindliche Widersprüche zwischen dem einstigen Materialisten und revolutionären Demokraten Wagner und dem nunmehrigen Essayisten, der – nach seinen eigenen Worten – dem Könige eine »so ungemeine, wiederholt als fast übermenschlich bezeichnete Stellung« zuerkennt und seinen Gedankengang in folgender These gipfeln läßt: »Die bezeichnete Eigenschaft der wahrhaften Religiosität, welche sich, aus dem angegebenen tiefen Grunde, nicht durch Disput, sondern einzig durch das tätige Beispiel kundgibt, wird, wenn sie dem König innewohnt, zur einzigen, dem Staate wie der Religion vorteilhaften Offenbarung, durch welche diese mit jenem in Beziehung tritt.« Das sind wohlbekannte Töne seit Novalis, seit der romantischen gegenrevolutionären Staatstheorie, seit Friedrich Wilhelm IV. von Preußen und den monarchisch-staatskirchlichen Theorien eines Friedrich Julius Stahl.

Wesentlich erfreulicher stellen sich die Aufsätze *Deutsche Kunst und deutsche Politik* dar. Auch hier gibt es mancherlei Elemente der »Zurücknahme«. Dennoch enthalten diese Aufsätze eine Fülle durchaus richtiger und berechtigter Kritik an der Kunstfeindlichkeit des Bürgertums und der planmäßigen Verfälschung und Preisgabe großer deutscher Kulturwerte durch die Profitgesellschaft. Richard Wagner erweist sich abermals als Erbe und Hüter der großen deutschen Dichtung und Musik, Beethovens und Webers, Schillers und Goethes. In ergreifenden Worten kämpft er gegen den Verfall des künstlerischen Geschmacks, gegen die Degradierung der größten deutschen Kunstschöpfungen zum Zweck eines billigen »Amüsements«. Wagner mag im einzelnen ungerecht sein gegen Rossinis Oper »Tell« oder Gounods opernhaften »Faust«: dennoch trifft er als scharfsinniger Gesellschaftskritiker ein wesentliches Element des Kulturverfalls, wenn

er zeigt, daß das deutsche bürgerliche Publikum nur noch bereit
sei, Schillers »Tell« oder Goethes »Faust« in einer solchen »melodiö-
sen« Veroperung zu akzeptieren. Erweist sich der Kulturkritiker als
überaus hellsichtig, wo es gilt, Symptome des geistigen Verfalls aufzu-
zeigen, so regiert wiederum chaotische Unklarheit in Wagners Darstellung der angeblichen Verfallsursachen und seinem Projekt zur
kulturellen Erneuerung. Gerade infolge seiner Unklarheit aber ist
dieser Teil seiner Gedankenführung bei jenem deutschen Bürgertum
»populär« geworden, dem Richard Wagner den Prozeß machen möchte. Bis zum Überdruß wiederholt wurde die Formulierung: Deutsch
sein heiße, »die Sache, die man treibt, um ihrer selbst und der Freude
an ihr willen treiben.« Eine neue und enge Verbindung von Schule
und Religion wird gefordert. Dann jedoch macht sich plötzlich der
Anhänger von Stirner und Bakunin von neuem bemerkbar: Wagner
erweist sich wiederum als ein Gegner des Staates und möchte den
König gegen den Staat ausspielen, was auf die Identität von Staat
und König, also auf das absolutistische Prinzip Ludwigs XIV. hinaus-
läuft.

So stark vermag Wagner noch von Tribschen aus auf Ludwig
zu wirken, daß er ihn veranlaßt, im Herbst 1867 an Stelle der amt-
lichen »Bayrischen Zeitung« aus königlicher Schatulle eine offiziöse
»Süddeutsche Presse« zu finanzieren. Auch den Redakteur findet
Wagner. Es ist Julius Fröbel, Neffe des berühmten Pädagogen, Professor für Mineralogie, später Mitglied der äußersten Linken in der
Frankfurter Paulskirche. Mit Robert Blum in Wien zum Tode verurteilt, aber begnadigt, nach Amerika emigriert und nun als Schriftsteller und Publizist nach München zurückgekehrt. Auch hier hat Wagner, hört man auf die öffentliche Meinung, bewußt an die Kumpanei
der Achtundvierziger angeknüpft. In Fröbels »Süddeutscher Presse«
beginnt die Aufsatzfolge über *Deutsche Kunst und Politik*. Aber bereits
am 19. Dezember 1867 verbietet Ludwig selbst die weitere Publikation der »selbstmörderischen« Artikelserie Richard Wagners.

Konflikt also zwischen Sänger und König, verursacht durch Altersunterschied und Charakter, Konflikte zwischen Wagner und Bayern. Zum dritten dann die unklaren oder auch überaus klaren Beziehungen zwischen Richard Wagner, Cosima von Bülow und Hans
von Bülow. Wagner wollte keinen Münchener Hausstand ohne Hausherrin. Mathilde Maier war dem Ruf nicht gefolgt. Dann ließ Wagner
die Bülows von Berlin nach München berufen. Zuerst kam Cosima

mit den Kindern und zog zu Wagner an den Starnberger See. Hans
von Bülow folgte später nach. In ihrem Tagebuch hat Cosima später
den 28. November 1863 als den Tag bezeichnet,»an dem wir uns
fanden und verbanden«. Das war noch in Berlin, wo Wagner die
Bülows besucht hatte. Am 29. Juni 1864 erschien Cosima in Wagners
Landhaus am Starnberger See. Am 1. Oktober schrieb Wagner ein
Gedicht in Stanzen mit der Überschrift *An Dich!* Die letzten beiden
Strophen lauteten:

> »›Ich bin geliebt‹ – blinkt mir der Stern hernieder –
> die Braut, der nie sich winden soll der Kranz! –
> ›Ich liebe‹ – glüht der Sonne Strahl darwieder –
> der Bräutigam, der nie Dich führt zum Tanz! –
> Und dumpfer Wolken mächtiges Gefieder
> umlagert stumm des Sternes milden Glanz:
> es senkt sich, – doch die Sonne steht und strahlet,
> bis im Gewölk die eig'ne Glut sie malet.
>
> Welch' neue Welt ist's, die sich dort gestaltet?
> Es wich der Tag, doch dämmert nicht die Nacht.
> Fühlst du die sel'ge Glut, die nie erkaltet,
> erschaue dort das Werk auch ihrer Macht:
> was tief im Inn'ren heilig brünstig waltet,
> ergießt sich dort als Abendwonnepracht.
> Folgt ihr ein Tag, dann ohne Hehl und Fehlen
> soll meiner Sonne sich Dein Stern vermählen.«

Auch hier zeigte sich für Wagner die Befriedung langjährigen Wähnens. Die Tochter Franz Liszts, Gattin Hans von Bülows, des Schülers und Freundes, trat an seine Seite. Weitaus stärkere Verstrickung
von Liebe, Treue und Verrat als einstmals auf dem grünen Hügel.
Franz Liszt, der Freund, wurde plötzlich in eine ganz neue Rolle
gedrängt; Hans von Bülow, der als junger Mensch vor zwei Jahrzehnten, während der *Lohengrin*-Zeit, als schwärmerischer Jünger zu Wagner gekommen war, sollte die Rolle König Markes spielen. Widrige
Prozesse, die Jahrzehnte später um Ebenbürtigkeit und Erbschaft
geführt wurden, lassen ahnen, daß Bülow schon zu Beginn der Münchener Zeit die Wahrheit erfuhr. Dennoch blieb er dem Werk und
seinem Schöpfer treu. Sein Name ist mit der Uraufführung des *Tristan*

in München (10. Juni 1865) ebenso verbunden, wie drei Jahre später mit der *Meistersinger*-Premiere. Allein Bülows Ehe war zerbrochen. Da zudem Minna Wagner im Januar 1866 gestorben war, drängte die Lage nach Scheidung der Ehe Bülow und nach einer Legalisierung der Beziehungen zwischen Cosima und Richard Wagner. In München aber waren damit für den König fast unlösbare Schwierigkeiten entstanden. Gesellschaftsklatsch; Verdächtigungen, denen König Ludwig in einem – veröffentlichten – Brief an Hans von Bülow entgegentritt, um Cosimas Ehre zu schützen; tiefe Enttäuschung des Königs, als er erfahren muß, daß man ihn veranlaßt hat, Unwahres zu verkünden. Intrigen der wahnerfüllten Sängerin Malwina Schnorr von Carolsfeld, die den jähen Tod ihres Gatten, des ersten Tristan-Darstellers, wenige Wochen nach der *Tristan*-Premiere nicht verwinden kann, mit Spiritisten Umgang hat und nunmehr Werbebriefe an den König und an Wagner richtet. Dies alles ist unerfreulich, aber wohl unvermeidbar. Von Schuld hier zu sprechen ist sinnlos. Die Normen Münchens und Richard Wagners ließen keine Übereinstimmung zu. Wagners Verhalten mußte das kirchliche wie das bürgerliche Sittengesetz verletzen; mit seiner Kunst stand er noch mitten im Kampf; den Legitimisten wie den Achtundvierzigern mußte er ein Ärgernis sein. Er selbst aber war – im Leben! – der Schüler der Jungdeutschen, Stirners, Bakunins geblieben. Er hatte die Gestalt Siegfrieds, Brechers aller Verträge, geschaffen und schien entschlossen, um seines Werkes willen auch selbst alle Verträge, Bindungen der Dankbarkeit, der Freundschaft, des Vertrauens zu verletzen. Als er daher auf Geheiß des Königs, den Regierung und öffentliche Meinung dazu zwingen, im Dezember 1865 die bayrische Hauptstadt verlassen muß, fühlt er sich insgeheim erleichtert. Finanziell weiß er sich nach wie vor gesichert. Cosima gehört zu ihm. Am Ostermontag 1866, neun Jahre nach dem Asyl auf dem grünen Hügel, beziehen Richard Wagner und Cosima von Bülow eine Villa in Tribschen bei Luzern, auf einer Halbinsel des Vierwaldstätter Sees. Hier wurden die *Meistersinger von Nürnberg* vollendet.

Schon bei ihrer Uraufführung im Hoftheater zu München am 21. Juni 1868 wurden die *Meistersinger von Nürnberg* zum großen Erfolg. Ein Sturm der Begeisterung empfing Wagner, nachdem sich der Vorhang über dem Festwiesenbild gesenkt hatte. Der Erfolg ist den *Meistersingern* treu geblieben. Die Berliner Premiere am 1. April 1870 zwar hatte einen eklatanten Mißerfolg. Das königlich-preußische Publikum mit König Wilhelm I. war bereits während des Vorspiels recht unruhig; der zweite Aktschluß machte auch im Parkett »viel Lärm auf der Gasse«. Der dritte Akt wurde etwas glimpflicher behandelt. Die Kritiker sprachen von »Humbug« oder erklärten: »Eine grauenvolle Katzenmusik, wie sie erzielt wird, wenn sämtliche Leiermänner Berlins in den Renzschen Circus gesperrt werden und jeder eine andere Walze dreht.« Der Welterfolg war aber dadurch nicht aufzuhalten. Übrigens auch in Berlin nicht, wo die nächsten Aufführungen – also bei Fehlen eines organisierten Kreises von Wagnergegnern – immer freundlicher aufgenommen wurden.

Die *Meistersinger* sind Wagners eigentliches Bühnenweihfestspiel geworden. Sie gelten als Festoper des gesamten Repertoires, denn das Element des Festes und des Festlichen ist hier eigentlicher Gegenstand von Dichtung und Musik. Mehr noch: die *Meistersinger* wirken als musikalische Festivitas (das Vorspiel zum ersten Akt ist zur Fest-Ouvertüre schlechthin geworden), weil ein Musikfest – im engeren wie im weiteren Sinne – Handlung und musikalische Umsetzung bestimmt. Dennoch hätte dies Element des Musikfestlichen, das die *Meistersinger* in eminentem Maße in die Nähe Goethes und seiner Auffassung von der Oper als Fest rückt, nicht genügt. Ein anderes kam hinzu: in Wagners Leben und künstlerischer Entwicklung mußte die Möglichkeit für eine Kunst solcher musikalischer Festlichkeit sichtbar werden.

Die *Meistersinger* waren schon 1845 als Projekt aufgetaucht; die Handlung wurde skizziert und durch eine erste Fixierung der Schlußworte von Hans Sachs mit ihrer wesentlichen Sinngebung verbunden. Damals stand das Bekenntnis zur heiligen deutschen Kunst auch nach Zerfall des Heiligen Römischen Reiches in enger Verbindung zum *Lohengrin*-Thema. Die *Meistersinger* aber mußten hinter dem *Lohengrin* zurücktreten. Eine ironisch-heitere Auseinandersetzung zwischen Künstler und Gesellschaft schien Wagner um 1845 nicht möglich zu sein. In seiner *Mitteilung an meine Freunde* von 1851 empfand er es – rückblickend – sogar als eine Art von Feigheit, daran gedacht zu haben, das tragische *Tannhäuser*-Thema auch einmal mit den Mitteln eines heiteren Satyrspiels behandeln zu wollen. Er meinte:»Ich muß diesen Versuch jetzt selbst als die letzte Äußerung des genußsüchtigen Verlangens betrachten, das mit seiner Umgebung der Trivialität sich aussöhnen wollte und dem ich im ›Tannhäuser‹ bereits mit schmerzlicher Energie mich entwunden hatte.« Der Versuch einer Aussöhnung mit der künstlerischen und gesellschaftlichen »Trivialität« mußte scheitern: Lohengrins Musik der Einsamkeit drängte sich vor.

Wenn sechzehn Jahre später das *Meistersinger*-Projekt dennoch wieder hervortreten konnte, so geschah das zu einer Zeit, die zunächst für den Künstler wenig Anlaß bot, heiterer und innerlich gefestigter das Thema des Konflikts zwischen Genie und Publikum abzuhandeln. Vollendet zwar wurde die Partitur in Tribschen als Werk eines trotz aller noch zu bestehenden Einzelkämpfe dennoch bereits siegreichen Künstlers. Die Ausführung der Dichtung aber und die Erfindung der musikalischen Kernstücke gehört durchaus in eine sehr schwere Periode dieses Lebens. In einem Briefe vom 14. Februar 1862 (Sammlung Burrell) schreibt Wagner an Minna:

»Die Zeit wird kommen, wo man, beim Überblicke eines Lebens, wie des meinigen, mit später Scham einsehen wird, wie gedankenlos man mich fortgesetzt der Unruhe, der Unsicherheit preisgibt, und welch ein Wunder es ist, daß ich unter solchen Umständen solche Werke, namentlich auch wie mein jetziges geschaffen habe. Doch, so lange es währt, denkt jeder nur an sich, und hält, was ihm etwa unangenehmes passiert, für die Hauptsache.«

Das Werk, woran er damals arbeitete, sind eben die *Meistersinger*. Der übrige Inhalt des Briefes stellt die endgültige Trennung von Minna dar. Sie hat ihn auch als Scheidebrief betrachtet und nicht beantwortet. Die Ehe war endgültig zerbrochen. Die Geldsorgen waren geblieben; heimatlos war Wagner ebenfalls, wenngleich er inzwischen amnestiert worden war und nach Deutschland zurückkehren konnte. Nichts schien darauf hinzudeuten, daß diesmal die Vollendung einer Gedankenkonzeption möglich wäre, die der seßhafte, wohlbestallte, wenngleich unzufriedene sächsische Kapellmeister Wagner im Jahre 1845 von sich weggewiesen hatte.

Allein ein sonderbarer Kontrapunkt von Leben und Werk machte jetzt möglich, was damals fragmentarisch geblieben war. Im Gegenteil: die aktuelle Not und Sorge der Zeit von 1861/62 erwies sich nunmehr in einem höheren Betrachte als »fruchtbarer Augenblick«. Wahrscheinlich war der Mißerfolg des *Tannhäuser* in Paris für den Impuls zu den *Meistersingern* ebenso notwendig, wie die Pariser Hungerjahre 1839–1842, verbunden mit dem Erlebnis der Thüringer Landschaft, bei der Heimkehr nach Deutschland den eigentlichen Impuls für den *Tannhäuser* ausgelöst hatten.

Auch in ihrer vollendeten Gestalt nämlich sind die *Meistersinger von Nürnberg* als Gegenstück zum *Tannhäuser* zu verstehen. Allerdings nicht in der Form eines *heiteren Satyrspieles,* sondern als Weiterschöpfung und Gegenschöpfung. Wieder geht es um Oper und Drama, außerdeutsche und deutsche Kunst, Wagnergegner und Wagnerianer. Die Nürnberg-Vision zwar hat Wagner an der Pegnitz selbst empfangen: beim Anblick dieser wohlerhaltenen Freien Reichsstadt mit der unverwechselbaren Silhouette. Dennoch ergab dieses reale Nürnberg-Erlebnis nur die Bildform für eine geistige Antithese, die ihrerseits – nicht zufällig – außerhalb von Deutschland formuliert und schließlich auch gestaltet worden war.

In der Autobiographie *Mein Leben* schildert Wagner, wobei noch nachträglich das Ressentiment gegen die Wesendonks zu spüren ist, wie er in Venedig, im November 1861, wenige Monate also nach dem *Tannhäuser*-Skandal, den wichtigen neuen Werkentschluß gefaßt hatte.

»Um mich zu erheitern, luden mich Wesendonks zu einem Rendezvous in Venedig ein, wohin sie sich soeben für einen Vergnügungs-Ausflug aufmachten. Gott weiß, was mir im Sinne liegen mochte, als ich auf das Ungefähre hin im grauen November mich wirklich auf der Eisenbahn zunächst nach Triest, und von da mit dem Dampfschiff, welches mir wiederum sehr schlecht bekam, nach Venedig aufmachte, und im Hotel ›Danieli‹ mein Kämmerchen bezog. Meine Freunde, welche ich in sehr glücklichen Beziehungen antraf, schwelgten im Genuß der Gemälde und schienen es darauf abgesehen

zu haben, durch meine Teilnahme am gleichen Genuß mir die Grillen
zu vertreiben. Von meiner Lage in Wien schienen sie nichts begreifen
zu wollen, wie ich denn überhaupt nach dem schlimmen Ausfalle
der, mit so glorreichen Hoffnungen betrachteten Pariser Unternehmung, bei den meisten meiner Freunde ein still resigniertes Aufgeben
fernerer Hoffnungen auf meine Erfolge immer mehr kennen zu lernen
hatte…

Ich beschloß die Ausführung der ›Meistersinger‹.«

Sonderbare Konstellation: die Sterbestadt Richard Wagners an
der Lagune verband sich nicht bloß dem *Tristan,* sondern auch den
Meistersingern. Das Erlebnis von südlicher Welt, katholischem Bereich, italienischer Kunst lockte in Wagner die geistigen Gegenwelten
hervor: deutsche Poesie, nördliches Gelände, Geist einer Freien
Reichsstadt, Lutherchoral. Daß es sich hier nicht um ein zufälliges
Zusammentreffen, sondern um bewußte geistige Gegenschöpfung
eines deutschen Künstlers handelte, erklärt Wagner sehr ausdrücklich
an anderer Stelle der Autobiographie:

»Der Grund der fast heiteren Behaglichkeit, mit welcher ich meine
so widerwärtige Lage in Paris mir diesmal sogar zu einer freundlichen
Erinnerung für spätere Zeiten gestalten konnte, lag allerdings darin,
daß ich jetzt täglich mein Gedicht der ›Meistersinger‹ in massenhaften
Reimen anschwellen lassen konnte. Wie hätte es mich nicht mit humo-
ristischer Laune erfüllen müssen, von dem Fenster des dritten Stockes
meines Hotels aus den ungeheuren Verkehr auf den Quais und
über die zahlreichen Brücken, mit der Aussicht auf die Tuilerien,
das Louvre, bis nach dem Hotel de Ville hinab, an mir vorbeistreifen
zu sehen, sobald ich, über die wunderlichen Verse und Sprüche meiner Nürnberger ›Meistersinger‹ sinnend, den Blick vom Papier erhob…

So fuhr ich denn im Verlaufe des Monats Januar fort, das Gedicht
meiner Meistersinger, in genau dreißig Tagen, zu vollenden. Die
Melodie zu dem Bruchstücke aus ›Sachs'‹ Gedicht auf die Reformation, mit welchem ich im letzten Akte das Volk seinen geliebten
Meister begrüßen lasse, fiel mir, auf dem Wege zur ›Taverne Anglaise‹
die Galerien des ›Palais Royal‹ durchschreitend ein…«

Es mutet fast unglaublich an, gehört aber durchaus zur eigentlichen Substanz des Werkes, wenn man dadurch erfährt, daß die Volksszenen der *Meistersinger* in der Pariser Umwelt entstanden, daß der
Choral, womit das Volk auf der Festwiese den Dichter der »Witten-

bergisch Nachtigall« in seinen eigenen Versen begrüßt, an jener Stelle des Palais Royal einfiel, wo sich am 14. Juli 1789 die Aufständischen zum Sturm auf die Bastille gesammelt hatten. Dennoch hat dieser Kontrast zwischen Umwelt, Eindruck und Gestaltung mit der Sache selbst zu tun. Die *Meistersinger* behandeln abermals Wagners Grunderlebnis eines *Deutschen Musikers in Paris*. Daß der Konflikt im Drama selbst im innerdeutschen Bereich verläuft, indem er Beckmesser, die mißverstehenden Meister, Sachs und Stolzing gegeneinander führt, sollte von der eigentlichen Themenstellung nicht ablenken. Die kreist abermals um Oper und Drama. Wagnerkunst wird mit deutscher Kunst gleichgesetzt. Beckmesser dagegen zielt zunächst einmal auf den Dr. Eduard Hanslick aus Wien, den Freund und Vorkämpfer von Johannes Brahms und leidenschaftlichen Wagner-Gegner. Ihn meint Wagner genau so wie Meyerbeer oder die Pariser Opernkaufleute in seinen Ressentiments über das *Judentum in der Musik*. Man erkennt: haarscharf zieht sich auch durch die so glückliche und im Grunde harmonische Kunst der *Meistersinger* die Verbindung des Nationalen mit dem Nationalistischen, von deutsch-künstlerischer Selbstbehauptung und fremdenfeindlicher Aggressivität. Der späte Thomas Mann, der dem *Tristan* und *Nibelungenring* bis zuletzt zugetan blieb, konnte eigentlich seit 1933 die *Meistersinger* nicht mehr bewundern. An Emil Preetorius schrieb er 1949: »Können Sie Hans Sachsens Theatersinnigkeit noch recht vertragen, die Gans, Evchen traut, den ›Juden im Dorn‹, Beckmesser?« Der Briefschreiber beeilt sich zwar, das Vorspiel zum dritten Akt, Beckmessers Pantomime und die Ständchen-Musik ganz herrlich zu finden; allein die Verdüsterung bleibt. Auch in den *Meistersingern* sind die Bruchstellen deutlich spürbar. Dennoch ist dies kein Werk schreiender großdeutscher Herausforderung. Die Schlußansprache des Hans Sachs ist sogar das Gegenteil davon: Trennung zwischen staatlicher Macht und künstlerischer Größe. Die *Meistersinger von Nürnberg* sind – mit allen Untertönen – ein Werk der Stärkung, nicht der Verwirrung.

Auch dies hängt mit dem Entstehungsprozeß zusammen: allerdings weniger mit dem individuellen als mit dem geschichtlichen Prozeß, der sich vollzog, während Wagner an den *Meistersingern* arbeitete. Konzipiert wurden sie im Kontrast gegen Paris, große Oper, Katholizismus und Südlichkeit. Entstanden sind sie in jenen 60er Jahren des 19. Jahrhunderts, die im Bewußtsein des deutschen Bürgertums den Traum von der deutschen Einheit wirklichkeitsnäher erscheinen ließen. Schon die große Schillerfeier von 1859 hatte im Grunde das Ende der Schopenhauer-Periode im deutschen Geistesleben bedeutet. Die Verzweiflung über 1848 begann zu weichen. Im Sternbild Friedrich Schillers, oft in der biedermännischen und komisch-begeisterten Form der Schillervereine und Sängerkreise, vollzog sich im Volk ein neues Einigungsstreben. Die deutsche Kunst wurde schon im Schillerjahr – ganz wie drei Jahre später bei der Niederschrift der *Meistersinger*-Dichtung – zum integrierenden Moment; die deutsche Einigung vollzog sich im Zeichen der Kunst, trotz aller Zersplitterung im Staatlichen und Politischen. Amnestie und Rückkehr nach Deutschland brachten Richard Wagner mit diesen Strömungen in Verbindung. Sein Deutschtum und Künstlertum wurde davon ergriffen. Ein Künstler wie Hugo von Hofmannsthal, an sich nicht sehr begabt für die politische Erkenntnis, hat das sehr wohl verstanden, wenn er in seinem *Meistersinger*-Brief an Richard Strauss vom 1. Juli 1927 unterstreicht: »Und das nationale Pathos ist das Geschenk eines national erhöhten Zeitmomentes (des fühlbaren *Werdens* der deutschen Einigung).«

Deutsche Einigung: aber »von oben«, durch fürstlichen Zusammenschluß unter preußischer Hegemonie, erhärtet in drei Kriegen von 1864, 1866, 1870/71. Auch dies Element findet sich in den *Meistersingern*. Schon Wagners revolutionäre Rede über das Verhältnis der republikanischen Bestrebungen zum Königtum hatte von einer Revolution »von oben« gesprochen. Das Volk blieb Objekt: im *Rienzi* wie im *Lohengrin*. Alles wiederholte sich nun auf erhöhtem Podest und mit neuer geschichtlicher Aktualität in den *Meistersingern*: deutsches Einigungsstreben, widergespiegelt in Dichtung und Musik; unverkennbar aber das patriarchalische und autoritäre Moment. Das Volk hat auch in den *Meistersingern* nur ein Plebiszit zu vollziehen. Aufgerufen dazu wird es »von oben«. Grundgesetze deutscher Geschichte sind hier aktualisiert. Die Schlußansprache des Hans Sachs ist im Sinne Fichtes eine »Rede an die deutsche Nation«; sie ist von Wagner auch so gemeint. Will es nicht scheinen, als wirke Hans Sachs dabei, durchaus in Fichtes Sinn, als »Zwingherr zur Deutschheit«? Die Größe, aber auch mancher Zug der Zwiespältigkeit in den *Meistersingern* hängt damit zusammen.

Als eigentlich wissenschaftliche Quellen seines Lustspiels hat Wagner nur die Hinweise auf Hans Sachs in der Literaturgeschichte von Gervinus und Wagenseils Chronik »von der Meistersinger hold-

seligen Kunst Anfang, Fortübung, Nutzbarkeiten und Lehrsätzen«
für erwähnenswert gehalten. Alles andere sollte als freie poetische
Erfindung gelten, wie er denn überhaupt – gar nicht mit Unrecht
– den literarischen Eigenwert seines Lustspieltextes sehr hoch an-
schlug. Bei Übersendung der Handschrift an Mathilde Wesendonk
schreibt er ihr am 3. Februar 1862:

»Aber mein Manuskript habe ich Ihnen eingepackt; das geht soeben gleichfalls an Sie ab. Sehen Sie, wie Sie sich da durchschlagen:
es sieht manchmal gräßlich aus, auch Dintenflecke sind drin. Mir
wär's spaßhaft zu sehen, ob Sie überall daraus klug werden.
Manchmal konnte ich vor Lachen, manchmal vor Weinen nicht
weiter arbeiten. Ich empfehle Ihnen Herrn Sixtus Beckmesser. Auch
David wird Ihre Gunst gewinnen.
Lassen Sie sich übrigens nicht irre machen: was drin steht, ist
Alles von mir eigens gefertigt. Nur die 8 Zeilen, mit denen in der
letzten Scene Sachs vom Volke begrüßt wird, sind von Sachs aus
seinem Lied auf Luther. Auch die Namen der Meister-Weisen und
Töne (mit Ausnahme einiger von mir erfundener) sind echt: im
Ganzen wunderts mich, was ich aus den wenigen Notizen machen
konnte.«

Der Altdorfer Professor Wagenseil (1633–1705) erwies sich zum
zweitenmal als nützlich. Am Sängerkrieg auf der Wartburg hatte
er bereits – unmittelbar und durch die Vermittlung Hoffmanns –
mitgearbeitet; jetzt lieferte er die reizvollen Details für die Beschwö-
rung der versunkenen Handwerker- und Sängerwelt. Aber auch
E. T. A. Hoffmann war mit im Bunde: den Einfluß seiner serapiontischen Erzählung von Meister Martin dem Küfner und seinen Gesellen
kann man sehr leicht feststellen. Ein wesentliches Handlungselement
der *Meistersinger* ist bereits bei Hoffmann vorgebildet: daß sich ein
Liebender, um die Hand der Geliebten zu erringen, einem Beruf
zuwendet, der ihm eigentlich widerstrebt. Bei Hoffmann machen
sich der Goldschmiedgeselle Friedrich, der Maler Reinhold und der
Junker Konrad zu Küfnergesellen, um Meister Martins Töchterlein
Rosa freien zu können. Bei Hoffmann aber geht es um das Handwerk,
bei Wagner um die Singekunst: Stolzing muß Meistersinger werden,
will er die Hand der jungen Pognerin erhalten. Denn: »Ein Meistersinger muß er sein: nur wen ihr krönt, den soll sie frei'n.« Wichtiger
ist die Umgestaltung der Hoffmannschen Vorlage dadurch, daß die
Erzählung des Serapionsbruders Sylvester mit einer bürgerlich-hand-

werklichen Hochzeit endet, während Wagners Finale den Bund des
Junkers Stolzing mit der reichen Erbin des Goldschmieds besiegelt.
Dadurch unterscheidet sich Wagner auch von seinen anderen libretti-
stischen Vorlagen: den dramatischen Gedichten »Hans Sachs« und
»Salvator Rosa« von Johann Ludwig Deinhardstein. Der Professor der Ästhetik, Vize-Direktor des Burgtheaters Deinhardstein
(1794–1859), zu dessen Schauspiel um Hans Sachs immerhin Goethe
im Jahre 1828 einen Prolog gedichtet, dessen für die Opernbühne
bearbeiteten Text dann Albert Lortzing im Jahre 1840 komponiert
hatte, war ein Mann Metternichs: er war sogar dessen literarischer
Zensor. Sein Schauspiel endet bereits mit einer Krönung des Hans
Sachs: aber im Angesichte kaiserlicher Majestät. Da Sachs nicht weiß,
wie er danken soll, belehrt ihn der Kaiser Maximilian:

»Wenn das Talent, das ich in dir belohnt',
Du nur zum Schönen und zum Guten übst,
Und nicht vergiss'st, was dir als Bürger ziemt.«

Bei Deinhardstein schließt das Schauspiel – wie könnte es anders
sein! – unter freudigem Jauchzen der Bürger »unter einem Tusch
von Trompeten und Pauken« und mit dem Ruf: »Heil Kaiser Max!
Heil Habsburg, Heil für immer!« Die Ähnlichkeit der Schlußszenen
ist evident. Sie reicht bis in die Regieanmerkungen. Bei Deinhardstein: »Die Bürger schwingen in freudigem Jauchzen Hüte, Müt-
zen und Fahnen.« Bei Wagner: »Während die Lehrbuben jauchzend
in die Hände schlagen und tanzen, schwenkt das Volk begeistert
Hüte und Tücher.« Allein bei Wagner fehlen Kaiser und Habsburg.
Die Schlußzeilen lauten: »Heil Sachs! Hans Sachs! Heil Nürnbergs
teurem Sachs!« Das Untertanenspiel des Zensors Deinhardstein hat
sich in eine Apotheose bürgerlichen Selbstbewußtseins verwandelt.
Aller Vergleich der *Meistersinger* mit ihren Quellen muß dazu führen,
das Neue, Andersartige, Bürgerstolze hervortreten zu lassen. Alle
Abänderungen aber meinen jeweils die geistige Substanz des Lustspiels. Bei Hoffmann verbleibt man im bürgerlichen Bereich; eine
Hochzeit unter Bürgern steht am Ende. Bei Deinhardstein bleibt
die Bürgerwelt gleichfalls »unter sich«: vom Hause Habsburg patriar-
chalisch ermahnt, sich nicht zu überheben und die Adelsschranke
zu respektieren. Bei Wagner muß sich der Junker Stolzing als Meistersinger bewähren. Wie der Junker Rudenz im »Wilhelm Tell«, tritt

er als privilegienloser Bürger unter die Bürger. Die Belehrung, die
er durch Sachs empfängt, besagt das Gegenteil der kaiserlichen Sen-
tenz in Deinhardsteins Lustspiel:

»Nicht Euren Ahnen, noch so wert,
Nicht Eurem Wappen, Speer noch Schwert,
daß Ihr ein Dichter seid,
ein Meister Euch gefreit,
dem dankt Ihr heut' Eu'r höchstes Glück.«

Die ästhetische Antithetik erscheint ebenso gewandelt wie die politische und soziale. Bei Deinhardstein standen Poesie und unpoetisch-
pedantische Formelhaftigkeit gegeneinander. Der Gegenspieler des
Hans Sachs wurde verspottet, aber nicht eigentlich gerichtet. In der
ursprünglichen Konzeption von 1845 war Wagner noch ganz in der
Nähe dieser Auffassung von den zwei Arten der Kunst: der volkshaft-
produktiven und der formelhaft-erstarrten. In der *Mitteilung an meine
Freunde* von 1851 schrieb er:»Ich faßte Hans Sachs als die letzte
Erscheinung des künstlerisch-produktiven Volksgeistes auf und stellte ihn mit dieser Geltung der meistersingerlichen Spießbürgerschaft
entgegen, deren durchaus drolligem tabulatur-poetischem Pedantis-
mus ich in der Figur des Merkers einen ganz persönlichen Ausdruck
gab.« Das wurde nun von Grund auf verändert. Wie Wagner in
wachsendem Maße unfähig wurde, einer anderen zeitgenössischen
Musik gerecht zu werden, mußte es ihm auch unerträglich werden,
die Gegner seiner eigenen Kunstauffassung im Kunstbereich zu dulden – und sei es in der Form von»drolligen Pedanten«. Der Fall
Hanslick kam hinzu: die Wiener Sorgen um eine Aufführung des
Tristan, verbunden mit allen Kabalen und Parteiungen. So entstand
der neue Sixtus Beckmesser. Es geht nicht mehr um produktives
und unproduktives Kunstschaffen. Kunst und dezidierte Nichtkunst
stehen von nun an gegeneinander. Im Falle des dürftigen Hagestolzen
und des prallen Junkers sogar als Gegensatzpaar der Potenz und
Impotenz. Wagners Haß erweist sich als dramaturgisch bedenklich:
Beckmesser ist derartig angelegt, daß es unverständlich bleiben muß,
wie er unter den Meistersingern zu Ansehen kommen, gar das
Merkeramt erringen konnte.

In der Gestaltung des positiven Prinzips geht Wagner gleichfalls
über seine Quellen hinaus. In den Vorlagen sind Sachs und Salvator

Rosa die alleinigen Träger echter Kunst. Wagner holt sich dazu den adligen Freier aus Hoffmanns Erzählung und gewinnt den Gegensatz von Stolzing und Sachs, der sich in doppelter Weise auch als Gegensatz Stolzing-Beckmesser und Sachs-Beckmesser fruchtbar machen läßt. Das hat nicht allein mit der Dramaturgie zu tun. Richard Wagners Identitätsstreben ist diesmal zweigeteilt. Es steht anders als im Falle des Holländers, Tannhäusers, Lohengrins, auch wohl noch Tristans. Diesmal muß er gleichzeitig Stolzing und Sachs aus eigener Substanz nähren. Gegeneinander gestellt, wirken sie wie eine Antithese des jungen und des gereiften Richard Wagner. Es ergibt sich auch eine Wiederholung der Konflikte zwischen Siegmund (Siegfried) und Wotan. Stolzing ist ein wagnerianischer Künstler »an sich«, Sachs ist ein Wagnerianer »an und für sich«: sein Wagnertum ist hier zum Selbstbewußtsein geworden. Darum muß Stolzing erst eine Kunstfertigkeit erringen, die Sachs schon besitzt. Der ästhetischen folgt die soziale Synthese. Stolzing wird ein adliger Bürger. Er lernt überdies, die Ritterkunst des Herrn Walther von der Vogelweide mit strenger Observanz der Meistersingerregeln zu verbinden. Als literarhistorische Behauptung klingt das absurd, aber gemeint ist nicht die Literaturgeschichte, sondern die Musikgeschichte. Auch Stolzings Preislied stellt einen Kompromiß dar: es ist gleichzeitig neu *und* regelhaft, leidenschaftlich und leidgenährt, so wie es Sachs in seiner Unterweisung als Vorbedingung wirklicher Meisterschaft gefordert hatte.

Hans Sachs besitzt beides: jugendliche Kühnheit und Leiderfahrung. Er ist der wahre Künstler im Sinne dieser neuen Wagnerischen Ästhetik. Aber er ist in doppelter Weise bedroht: durch die Möglichkeit künstlerischer Erstarrung (daher seine eifersüchtige Sorge beim ersten Anhören der Stolzing-Kunst) – und durch das Entsagungsgebot. Tristan kann er nicht mehr sein, will aber auch nichts von Herrn Markes Glück. In diesem Lustspiel verbirgt sich abermals die romantische Künstlertragödie, die Einsamkeit Lohengrins, die Liebesentsagung des Kapellmeisters Kreisler...

Auch dieses Entsagungsmotiv gehört zum Goethe-Bereich in den *Meistersingern*. Als Quelle neben Wagenseil und Gervinus, Hoffmann und Deinhardstein muß Goethes Jugendgedicht von »Hans Sachsens poetischer Sendung« genannt werden. Hier fand Wagner das Bild des meditierenden Schuhmachers und Poeten, das sich in die Vision des dritten Aktbeginns verwandelte. Auch die beiden Frauengestalten der himmlischen und der irdischen Liebe hielt Goethe bereit: als Muse des Parnaß und als »holdes Mägdlein«. Das ergab bei Wagner den Aufbau des Preislieds, die Synthese aus Parnaß und Paradies in Walther von Stolzings »Abgesang«. Im Grunde war es wieder das jungdeutsche Thema, das *Tannhäuser*-Motiv von Venus und Elisabeth, allegorisch besungen durch Stolzing, als Entsagung und in halbtragischer Form vorgelebt durch Sachs.

Das Goethesche Element in den *Meistersingern* aber kann noch tiefer erfaßt werden. In jenem Brief an Richard Strauss hat Hofmannsthal auch davon gesprochen: »Das nun gibt dieser Oper ihre unzerstörbare Wirklichkeit: daß sie eine echte, geschlossene Welt wieder lebendig macht, die einmal da war –, nicht wie *Lohengrin* und *Tannhäuser* oder gar der *Ring* (der *Tristan* ist eine Sache für sich) erträumte oder erklügelte Welten, die niemals nirgends waren. Das ist das, so zu sprechen, Homerische an den *Meistersingern,* das, was sie mit ›Hermann und Dorothea‹ in Verwandtschaft setzt und – cum grano salis – auch mit ›Faust I‹ und sicher mit dem ›Götz‹, und was sie so fest und solid und frischbleibend macht.« In der Tat werden hier nur scheinbar überraschende Verbindungslinien gezogen. Die *Meistersinger* sind ein Werk der dichterischen und kompositorischen Meistertechnik, allein sie wirken, mit Schiller zu sprechen, wie ein naives und nicht wie ein sentimentalisches Kunstwerk. Sie vermitteln deutsche bürgerliche Lebenswirklichkeit. Daher die Nachbarschaft zu Goethes großen Schöpfungen.

Dies alles aber war eine einmalige Konstellation. Deutsches 16. Jahrhundert, gespiegelt im »überlebenden« Nürnberger Stadtbild, kontrastiert mit dem 19. Jahrhundert, das Wagner als Verfallsepoche empfand. Die *Meistersinger* sollten als Mahnung wirken. Beckmesser war die impotente, undeutsche Gegenwelt. Er war »nicht der Rechte!«. Die Zeitgenossen Wagners mußten diese Gipfelung seines musikalischen Lustspiels gleichzeitig als nationalen und sozialen Appell empfinden: als Bekenntnis zur deutschen Einheit und als Ruf nach einem bürgerlich-demokratischen Staatswesen, worin die Ritter zu Bürgern wurden. Daß diese Botschaft in München im Sommer 1868, zwei Jahre nach der Niederlage Bayerns gegen Preußen, nach dem Siege des Junkers Bismarck, auch im Politischen richtig verstanden wurde, war unvermeidlich.

Friedrich Nietzsches Analyse des *Meistersinger*-Vorspiels ist immer wieder zitiert worden. Sie steht in dem Buch »Jenseits von Gut und Böse« und eröffnet das Kapitel »Völker und Vaterländer«. Dort heißt es abschließend: »Diese Art Musik drückt am besten aus, was ich von den Deutschen halte: sie sind von vorgestern und von übermorgen –, sie haben noch kein Heute.« Es stimmt aber nicht. Das Gesamtwerk der *Meistersinger,* und ganz besonders das Vorspiel, ist untrennbar verknüpft mit jener Gegenwart, deren Verlauf dem Dichter und Musiker Wagner die Grundkonzeption der *Meistersinger* einprägte. Gerade weil dieses Werk einem unverwechselbaren Heute, einem letzten großen Krafterlebnis des deutschen Bürgertums entsprang, hat es sich seine Leuchtkraft und Lebendigkeit bewahrt. Im doppelten Sinne sind die *Meistersinger* wirkliche Welt: sie geben wirkliches Nürnberg des deutschen sechzehnten Jahrhunderts; und sie spiegeln in der künstlerischen Gesamtkonstellation die deutsche Wirklichkeit nationaler und demokratischer Einigungsbewegung im neunzehnten Jahrhundert wider.

Allein die großen Werke der Weltkunst sind niemals ganz und gar identisch mit dem »Zeitgeist« und Zeitgeschehen. Sie enthalten stets zugleich ein Element des Zukünftigen, eine aus der Gegenwart herausführende Botschaft. Das gilt für den »Götz«, den »Faust«, den »Wilhelm Tell« wie für die *Meistersinger.* Auch hierin wird man Nietzsche nicht beistimmen können. Die *Meistersinger* bedeuten keineswegs ein unverbundenes Nebeneinander deutscher Vergangenheit und Zukunft – ohne Gegenwart. Sie bildeten vielmehr, nach dem Willen ihres Schöpfers, eine Synthese aus deutscher Lebens- und Kunstvergangenheit, deutscher zeitpolitischer Gegenwart der Wagner-Zeit – und deutscher Zukunft. Man muß den Aufbau des *Meistersinger*-Vorspiels, und damit den Aufbau des Gesamtwerkes, richtig verstehen. Es beginnt mit dem Motiv bürgerlicher Meisterschaft, verkörpert in der Gilde der Meistersinger von Nürnberg. Zunächst verläuft das Liebesstreben des Junkers von Stolzing und der reichen Erbin des Goldschmieds Pogner neben der Kunst- und Bürgerwelt der Meistersinger. Die geistige Gestalt des Hans Sachs wird beschworen; in ihm verkörpern sich bürgerliche Meisterschaft, Verständnis für die Jugend, verklärter, dem Kunstwerk zugewandter Eros. Die extremen Gestalten werden miteinander handgemein: Beckmesser als Vertreter zünftlerischer und überalterter Lebens- und Kunstvorstellungen, und Stolzings Jungritterhochmut. Das Volk entscheidet den Kampf, verjagt den Merker und drängt den jungen Ritter in die Gemeinschaft jener Männer, die ihre höchste Erfüllung in Hans Sachs gefunden haben: in einer Synthese aus Werktreue, Werktätigkeit und handwerklich-künstlerischer Meisterschaft. Ein genialer kompositorischer Einfall hat in der Koppelung der drei Themen auf dem Höhepunkt des *Meistersinger*-Vorspiels diese Verbindung des zum bürgerlichen Meister gewordenen Ritters mit einer durch Sachs verkörperten Kunst- und Lebensgesinnung in einzigartiger Weise auch musikalisch ausgedrückt.

Allein die *Meistersinger*-Musik besitzt gleichzeitig noch ganz andere, einigermaßen verwirrende Möglichkeiten. Der Vorgang mit der *Tannhäuser*-Partitur scheint sich wiederholen zu wollen. Damals war die Hymnik des deutschen Künstlers Wolfram trivial geblieben, während die französische Venuswelt einen gleißenden und kühnen Ausdruck empfing. Die Akzente sind diesmal anders verteilt. Das pompöse C-dur und das Marschartige, das immer dort auftritt, wo Meisterschaft und Deutschtum besungen werden sollen, läßt einen Vergleich mit Wolframs Gesängen nicht mehr zu. Allein eine geheime Affinität oder gar Ambivalenz, beruhend auf der Selbstkarikatur, die auch Beckmesser (und Mime), wie Adorno bemerkt hat, für Richard Wagner darstellt, hat dazu geführt, daß eben dieser Beckmesser, der künstlerisch vernichtet werden sollte, eine Musik als Beigabe erhielt, die heute ebenso fasziniert, wie die Klangwelt des Venusbergs. Das beginnt bereits im Vorspiel bei Beckmessers Eintritt im plötzlichen Es-dur, staccato, mit eifrigen und aufgeregten Holzbläsern, im verkürzten Rhythmus des *Meistersinger*-Themas. Sein Lautenständchen in G-dur soll zwar, nach Wagners Berechnung, den Kontrast zur Dreiklangseligkeit des Preisliedes abgeben und in der Nichtübereinstimmung von sprachlichem und musikalischem Akzent die Gegner der Wagnerischen Musikästhetik als absurd hinstellen. Es fällt aber auf, daß die Quartengänge Meister Beckmessers auf mancherlei ernsthafte Kühnheiten der *Tristan*-Partitur hinweisen. Die Verbindung des Prügelthemas, das gleichfalls charakteristischen Quartencharakter hat, mit Beckmessers eigenen Motiven in der Pantomime des dritten Aktes ist ein musikalischer Einfall höchsten Ranges und wirkt heute – sehr gegen Wagners Absicht – als durchaus positiver musikalischer Kontrast zu den allzu breit gesponnenen Preislied-Repetitionen.

In der *Meistersinger*-Partitur findet Wagner überdies eine sehr reizvolle Synthese von einstiger Nummernoper und psychologisierendem Orchester. Die Oper ist reich an Arien, die allerdings sehr geschickt durch den Text als Ansprachen, Monologe, Preislieder glaubhaft ge-

macht werden. Die Tradition der großen Chorfinales ist ebenso beibehalten wie die überlieferte Opernform eines regelrechten Quintetts.
Doch auch die psychologische Tätigkeit des Orchesters ist beibehalten und fortentwickelt. Verfolgt man etwa, um nur ein Beispiel zu
geben, den schmerzvollen Seufzer des Hans Sachs, der im ersten
Akt bei der Stelle *Halt, Meister! Nicht so geeilt!* im Orchester erklingt
(vorgetragen, gleichsam in der Baritonlage, von Holzbläsern und
Streichern, aber ohne Flöten, Oboen und erste Violinen), wie er
dann in ausdrucksvoller Weiterentwicklung in Sachsens Gespräch
mit Eva im zweiten Akt von neuem ertönt, um in der Schusterstube
den Zugang zur inneren Welt des Meisters zu öffnen: so läßt sich
ermessen, welche Einheit aus Einfall und Kunstverstand, gleichsam
aus Stolzing und Sachs, in dieser *Meistersinger*-Partitur geschaffen
wurde.

RICHARD WAGNER IN BAYREUTH

In einem späten Brief (2. Dezember 1880), von Bayreuth aus an den König gerichtet, hat Richard Wagner rückblickend gestanden:»Oh, dieses Glück noch gefunden zu haben! Und sich doch mit einem gerechten Stolze sagen zu dürfen, daß wirklich nichts Geringeres als ein allerholdester König und ein Weib, wie das meinige, es sein mußten, die mich nicht nur dem Leben, sondern der Krönung meines Daseins erhielten!« Er nannte damit die Bedingungen, die es möglich machten, als Sieger aus allen Kämpfen hervorzugehen, alle geplanten Werke zu vollenden und das Datum des »glücklichen Todes«, das er zu Beginn seiner Verbindung mit Ludwig II. in das Jahr 1873 gelegt hatte, sogar noch um ein Jahrzehnt hinauszuschieben.

Dem König von Bayern dankte er materielle Unabhängigkeit, Luxus, Villen und Festspielhaus, möglichst authentische Wiedergabe der Musikdramen. Erst der Sieg aber über Hans von Bülow (Tristan-Verstrickung von Liebe und Freundesverrat), erst das Bündnis von Richard und Cosima Wagner begründete den vollständigen Triumph. Cosima wurde zur Hüterin des Erbes. Bei Wagners Tod war die Festspiel-Idee noch ein Projekt, das untrennbar mit Wagners Person verbunden war: der Festspielhügel schien dazu bestimmt, als Uraufführungstheater der Wagnerwerke zu dienen. Nachdem keine Premieren mehr erwartet werden konnten, schien er seine Funktion eingebüßt zu haben. Die Einrichtung der Bayreuther Festspiele, eigentliche Vollendung aller Wagnergedanken, ist Cosimas Werk.

Cosima Wagner war keine unverstandene Kaufmannsgattin wie Jessie Laussot. Sie war auch nicht eine verwöhnte, spätromantische Patriziersgattin mit deutlichen Zügen einer Ibsen-Heroine wie Mathilde Wesendonk. Die Tochter Franz Liszts mit der Gräfin und Schriftstellerin Marie d'Agoult, Tochter eines ungarischen Musikers und einer französischen emanzipierten Literatin von Talent, gehört in die Reihe der großen Schriftstellerinnen und »Anregerinnen«, die dem europäischen Geistesleben im 19. Jahrhundert besondere Eigenart verliehen haben. Marie d'Agoult, George Sand, die späte Bettina von Arnim, die Engländerin George Eliot haben untereinander bis in den Lebenslauf hinein erstaunlich viel Gemeinsames. Die Gedanken kreisen nicht bloß um Frauenemanzipation, männerähnliches Literatentum, sondern auch um Fragen der Gesellschaftsreform: um Sozialismus, materialistische Philosophie, Religionskritik. Cosima Liszt, in Paris und mit französischer Muttersprache aufgewachsen, hatte von Jugend auf an allen Salongesprächen über politisch-soziale Forderungen, Reformprobleme des Theaters, der Literatur, der Musik teilgenommen. Sie kannte die getrennten Welten beider Eltern, dazu später, nach der Heirat ihrer Schwester Blandine mit dem Politiker Ollivier, auch die besondere Politikerwelt des zweiten Kaiserreichs. Am Weihnachtstag 1837 in Como geboren, hatte sie mit zwanzig Jahren den Pianisten und Dirigenten Hans von Bülow geheiratet: als Katholikin einen adligen Protestanten. Sie fand in Bülow eine eminent nachschöpferische Natur, keinen Schöpfer. Dem ersten Vergleich mit dem Vater, mit Franz Liszt, vermochte er nicht standzuhalten. Dann lernte sie Richard Wagner kennen, und auch hier schien sich ein Vergleich aufzuzwingen, der gegen Bülow ausfiel.

Cosima war empfindsam und hart. Jede *Lohengrin*-Aufführung entlockte ihr von neuem Tränen der Ergriffenheit. Ihre Briefe und Maßnahmen dagegen waren unerbittlich. Der seltsame Titanismus, den so viele bedeutende Gestalten des 19. Jahrhunderts aufweisen, »königliche Kaufleute«, Erfinder oder Entdecker, auch Künstler (bald als Standpunkt des Alles oder Nichts verstanden, bald – in der Industrie – als Standpunkt des »Herrn im Haus«), gehörte auch zum Charakterbild der späteren Cosima Wagner. Ihr ausgeprägter Aristokratismus kam hinzu. Der eigene Enkel, Franz W. Beidler, Sohn der Isolde von Bülow, betonte, Cosima sei von jeher eine Gegnerin der weiblichen Emanzipation gewesen: sozialtheoretisch wenig interessiert; mit betontem Sinn für »Ordnung« und Legalität. »Wenn es wahr ist«, meint der Enkel, »daß die Menschen des XIX. Jahrhunderts sich je nach ihrer Stellung zu den Ideen von 1789 in die zwei großen ideologischen Gruppen der Revolution und der Restauration einteilen lassen, so gehört Cosima Wagner eindeutig in das Lager der Restauration.«

Die Tochter Liszts und der Gräfin d'Agoult hatte die sozialistischen Theorien und Theoretiker, die Atheismuslehren und Arbeiterfreundschaften nur im späten Verfallsstadium kennengelernt. Vormärz und Revolution von 1848 hatten für sie nichts zu bedeuten: als sie anfing zu leben, war in Frankreich die Revolution durch den Staatsstreich Louis Bonapartes, des dritten Napoleon, beendet worden. In Deutschland regierten von neuem die verbündeten Monarchen. Es ist nicht zu bestreiten, daß Cosimas Verbindung mit Richard Wagner wesentlich dazu beigetragen hat, auch im politischen Weltbild des Künstlers jene Elemente des Aristokratismus, des Elite- und Ungleichheitsdenkens immer stärker hervortreten zu lassen. Materialismus und Sozialismus wurden von nun an zurückgedrängt; auch Schopenhauer paßte im Grunde nicht mehr so recht zu Cosimas Aktionsplänen. Das Tor von Tribschen, später von *Wahnfried,* öffnete sich dem Grafen Gobineau und den Gedanken seines »Essai sur l'inégalité des races humaines«, die in einer Apotheose der germanischen Rasse gipfeln.

Durch Cosima und Tribschen kommt von nun an Stetigkeit in Wagners Schaffen. Alle Konflikte in München, mit dem König, den Bayern, mit Hans von Bülow vermögen bei Wagner keine Unterbrechung seiner Arbeit zu erreichen. Erst am 15. Juni 1869 bittet Cosima ihren Gatten, in eine Trennung der Ehe zu willigen und auch die beiden Töchter Hans von Bülows, Daniela und Blandine, der Mutter zu überlassen, was Bülow zwei Tage später zusagt. Wenige Tage vorher, am 6. Juni 1869, war Siegfried Wagner zur Welt gekommen. Damit waren drei Kinder aus der Verbindung von Richard Wagner und Cosima von Bülow entsprungen: Isolde wurde am 10. April 1865, am Tage der ersten Münchener Orchesterprobe zum *Tristan,* geboren; in Tribschen war dann am 17. Februar 1867 die zweite Tochter Eva zur Welt gekommen. In Tribschen unternimmt es Wagner, die Werklücken zu schließen, die liegengebliebenen Fragmente zu vollenden. Während im Sommer 1866 der Krieg zwischen Preußen und Österreich, Nord- und Süddeutschland abläuft, der mit einer Niederlage Bayerns endet, vollendet Wagner die Kompositionsskizze des zweiten *Meistersinger*-Aktes. Im Februar des folgenden Jahres 1867 liegt auch die Skizze des dritten Aktes vor; am 24. Oktober kann Wagner die Vollendung der *Meistersinger*-Partitur melden, die er dem König als Weihnachtsgeschenk überreichen läßt. Die erste Jahreshälfte 1868 steht im Zeichen der *Meistersinger*-Premiere, die am 21. Juni den Sänger in der Königsloge als Triumphator zeigt. Es folgen Reisen in Deutschland. Am 8. November 1868 wird Friedrich Nietzsche im Leipziger Hause des Professors Hermann Brockhaus dem bewunderten Richard Wagner vorgestellt. Am 17. Mai des nächsten Jahres kommt der Professor Nietzsche, nach Basel berufen, zum erstenmal als Gast nach Tribschen. Wagner hat inzwischen die Partitur des zweiten Aktes *Siegfried* vollendet und mit der Komposition des dritten begonnen. Im August liegt auch die *Siegfried*-Partitur vollendet vor, Wagner wendet sich der *Götterdämmerung* zu. Am 19. Juli 1870 bricht der Deutsch-Französische Krieg aus. Wagner arbeitet in Tribschen am ersten Akt der *Götterdämmerung*-Partitur. Die Ehe Cosimas und Bülows ist inzwischen gelöst worden. Am 25. August 1870 werden Wagner und Cosima in der protestantischen Kirche von Luzern getraut. Wagner komponiert – als kleine Einschaltung – das *Siegfried-Idyll,* das am 25. Dezember zu Cosimas Geburtstag unter Wagners Leitung, übrigens auch bei Anwesenheit Friedrich Nietzsches, im Treppenhaus zu Tribschen uraufgeführt wird.

Der 18. Januar 1871 bringt unter Bismarcks Regie die Verkündung des Deutschen Kaiserreichs im Spiegelsaal des Schlosses von Versailles. Richard Wagner vollendet am 15. März die Partitur seines *Kaiser-Marsches.* Die zweite Hälfte des Jahres 1871 gehört dem zweiten Akt *Götterdämmerung.* Dann folgt 1872 die Komposition des dritten Aktes. Am 10. April liegt der dritte Akt als Orchesterskizze vor. Es fehlt, zur Vollendung der gesamten *Ring*-Tetralogie, nur noch die Ausarbeitung der eigentlichen Partitur-Reinschrift dieses letzten Aktes.

Der Aufenthalt in Tribschen hat alle Erfüllungen gebracht: *Meistersinger* und *Nibelungenring* konnten vollendet werden. Vierzehn Tage später, am 24. April 1872, trifft Richard Wagner in Bayreuth ein, um sich für immer dort niederzulassen. Die Grundsteinlegung des Festspielhauses erfolgt am 22. Mai, an Richard Wagners 59. Geburtstage.

Der alte Traum, einstiges Wähnen, nahm jetzt Gestalt an. Schon in Dresden hatte Wagner, erbittert über den Betrieb eines Repertoiretheaters, von einer Bühne ausschließlicher Wagnerkunst geträumt. Am Rhein wollte er später, für ein allgemeines künstlerisches Volksfest, einen Bühnennotbau errichten, die *Nibelungen* dort aufführen lassen, um das Gebäude sogleich wieder abzureißen. Dann kreisten seine und Gottfried Sempers Pläne um ein Festspielhaus in München. Angereizt durch Schönheit und Eigenart des markgräflichen Opernhauses in Bayreuth war er am 16. April 1871 mit Cosima von Nürnberg nach Bayreuth gereist und hatte der Öffentlichkeit wenige Wochen später die Absicht mitgeteilt, im Sommer 1873 die ersten Bayreuther Festspiele mit einer Gesamtaufführung des *Nibelungenrings* zu veranstalten. Jahresende und Beginn des neuen Jahres 1872 gehörten den Bayreuther Plänen. Die städtischen Kollegien unterstützten von Anfang an die Pläne des Musikdramatikers, aber der erste von Wagner ausgewählte Platz für das Festspielhaus erwies sich als unverkäuflich. Darauf beschlossen die Bayreuther Behörden am 2. Januar 1872 die Errichtung des Festspielhauses an der heutigen Stelle. Am 1. Februar erwarb Wagner von den Maurermeistern Ludwig und Karl Stahlmann einen Bauplatz für ein eigenes Wohnhaus zum Preise von 12000 Gulden. Dort entstand die *Villa Wahnfried,* die Wagner am 30. April 1874 beziehen durfte. Die Hoffnungen wurden gekrönt. Aber einstiges Wähnen wurde zugleich begraben.

Das hatte der Deutsch-Französische Krieg von 1870/71 bereits erkennen lassen. Wagners im Januar 1871 geschriebenes Gedicht *An das deutsche Heer vor Paris* ist nicht bloß der Form nach ein schlechtes Gedicht, sondern gleichzeitig ein Aufruf zu schrankenloser Eroberung auf Frankreichs Kosten. Der *Kaiser-Marsch* gilt dem »Kartätschen-Prinzen« von 1849, der im Mai jenes Jahres den preußischen Truppen befohlen hatte, den sächsischen Aufstand niederzuwerfen. Richard Wagner schreibt jetzt eine witzlose, angeblich »in antiker Manier«, also nach dem Vorbild des Aristophanes verfaßte Verhöhnung der Kommunarden im belagerten Paris. Es ist eine fade Offenbachiade, die sich auch über Victor Hugo lustig zu machen sucht. Bemerkenswert bleibt die Kontinuität zu Wagners Grundgedanken über den Gegensatz zwischen deutscher und französischer Kunst: Antithese aus dem *Tannhäuser,* aus den *Meistersingern.* Die Frankreichwelt war damals Venusberg, dann wählte sie sich Beckmesser zum Repräsentanten, nun singt – in Wagners unvertonter Operette – Victor Hugo ein Couplet, mit dem er sich an die deutschen Belagerer wendet:

> »Wir machen euch hier elegant.
> Wer fänd' euren ›Faust‹ appetitlich?
> Gounod erst machte ihn niedlich:
> Don Carlos und Wilhelm Tell,
> denen gerbten wir erst das Fell.
> Was wüßtet ihr von Mignon,
> machten wir nicht dazu Mirliton?

Habt ihr euch den Shakespeare gestammlet,
wir schufen goûtable erst Hamlet!
Doch hattet ihr wirklich Genie,
den Parisern entging dies nie:
Orpheus aus der Unterwelt,
ihn haben wir angestellt.«

Entgleisung eines deutschen Patrioten, der in der Exaltation der Reichsgründung die Grenzen des Geschmacks und der Humanität überschreitet? Doch wohl nicht nur. Das Bayreuther Programm wirkt wie eine Ergänzung jener polemischen Exzesse. Die *Rede zur Grundsteinlegung des Festspielhauses* macht es sichtbar. Sie bedeutet einen völligen Bruch mit Wagners einstigen Plänen zur Realisierung gesellschaftlichen Fortschritts. Das Nationale ist hier dem Nationalistischen eng verwandt; humanen Fortschritt hält Wagner, als Schüler Schopenhauers, weder für möglich noch für wünschenswert. Einzig das Genie bedeute den Fortschritt. Vieles klingt hohl, ist nicht mehr durchlebt und durchlitten, sondern gleichsam selbstgefällig postuliert: »Dies aber ist das Wesen des deutschen Geistes, daß er von innen baut: der ewige Gott lebt in ihm wahrhaftig, ehe er sich auch den Tempel seiner Ehre baut.«

Die Frage eines menschlichen Fortschrittes aber sieht Wagner nunmehr so:

»Alle Welt ist heutzutage in dem festen Glauben an einen immerwährenden, und namentlich in unsrer Zeit äußerst wirksamen, sogenannten Fortschritt, ohne sich eigentlich wohl darüber klar zu sein, wohin denn fortgeschritten werde, und was es überhaupt mit diesem ›Schreiten‹ und diesem ›Fort‹ für eine Bewandtnis habe; wogegen diejenigen, welche der Welt wirklich etwas Neues brachten, nicht darüber befragt wurden, wie sie sich zu dieser fortschreitenden Umgebung, die ihnen nur Hindernisse und Widerstände bereitete, verhielten. Der unverhohlenen Klagen hierüber, ja der tiefen Verzweiflung unsrer allergrößten Geister, in deren Schaffen wirklich der einzige und wahre Fortschritt sich kundgab, wollen wir an diesem Festtage nicht gedenken.«

Es ist das Bayreuther Programm eines Herrschers, nicht eines einstigen Demokraten und Sozialisten. In früheren Briefen an August Röckel, den amnestierten Hochverräter von 1849, hatte Wagner sein Bündnis mit Macht und Monarchen geradezu zornig und rechthaberisch rechtfertigen wollen. Nun wird nichts mehr entschuldigt; jetzt regiert die Bayreuther Idee. Alles dient dem Stiftertum einer neuen Kunstreligion: Niederschrift der Autobiographie, Herausgabe der gesammelten Werke, Begründung der *Bayreuther Blätter,* Patronisierung der Richard-Wagner-Vereine. Unverkennbar ist an all diesen Schöpfungen ein Grundzug des antidemokratischen, elitehaften Lobes der »Ungleichheit«. Kunst und Ungleichheit, Kunst und Religion sind nun die neuen Themen des Theoretikers Wagner. Cosima fördert diese Entwicklung. Die erste Gouvernante im Hause *Wahnfried* hat berichtet, daß Cosima Wert darauf legte, »den Kindern in der Weltgeschichte auch die Habsburger vorzuführen..., damit erstere noch mehr Interesse für das österreichische Kaiserreich zeigen möchten, wenn wir auf österreichischen Boden den Fuß setzen.«

Enthüllung geheimster Absichten Wagners gibt sicherlich auch Friedrich Nietzsches Abhandlung »Richard Wagner in Bayreuth«, die 1875/76 als letztes Stück der »Unzeitgemäßen Betrachtungen« entstand. Es ist noch die essayistische Schöpfung eines Wagnerfreundes und Jüngers. Die Gedankennähe zu Wagners eigenen Schriften ist evident. Nur wird alles bereits durch die Prosaschärfe Nietzsches gefährlich zugespitzt.

»Denn, wenn irgend etwas seine Kunst gegen alle Kunst der neueren Zeiten abhebt, so ist es dies: sie redet nicht mehr die Sprache der Bildung einer Kaste, und kennt überhaupt den Gegensatz von Gebildeten und Ungebildeten nicht mehr... Daß es überhaupt eine Kunst geben könne, so sonnenhaft hell und warm, um ebenso die Niedrigen und Armen im Geiste mit ihrem Strahle zu erleuchten, als den Hochmut der Wissenden zu schmelzen: das mußte erfahren werden und war nicht zu erraten.«

Nietzsche fragt sich aber, wie diese Kunst in der »unheimlichen sozialen Unsicherheit unserer Gegenwart« bestehen möchte und wie man »die Flut der überall unvermeidlich scheinenden Revolution« so eindämmen könnte, daß »mit dem Vielen, was dem Untergange geweiht ist und ihn verdient«, nicht auch diese Wagnerkunst weggeschwemmt werde. Die Antwort gibt er und glaubt sie auch in Wagners Namen geben zu können. Sie besteht in dem, was Thomas Mann später die »machtgeschützte Innerlichkeit« genannt hat: im Bündnis von Sänger und König, symbolisiert durch die Töne des *Kaiser-Marsches.* Nietzsche betont:

»Wer so sich fragt und sorgt, hat an Wagners Sorge Anteil genommen; er wird mit ihm sich getrieben fühlen, nach jenen bestehenden Mächten zu suchen, welche den guten Willen haben, in den Zeiten der Erdbeben und Umstürze die Schutzgeister der edelsten Besitztümer der Menschheit zu sein. Einzig in diesem Sinne fragt Wagner durch seine Schriften bei den Gebildeten an, ob sie sein Vermächtnis, den kostbaren Ring seiner Kunst mit in ihren Schatzhäusern bergen wollen; und selbst das großartige Vertrauen, welches Wagner dem deutschen Geiste auch in seinen politischen Zielen geschenkt hat, scheint mir darin seinen Ursprung zu haben, daß er dem Volke der Reformation jene Kraft, Milde und Tapferkeit zutraut, welche nötig ist, um ›das Meer der Revolution in das Bette des ruhig fließenden Stromes der Menschheit einzudämmen‹: und fast möchte ich meinen, daß er dies und nichts anderes durch die Symbolik seines Kaisermarsches ausdrücken wollte.«

Hier ist in der Tat das Bayreuther Programm gemeint. Nietzsche erkannte jedoch noch nicht, daß auch das religiöse Element dazu gehörte. Der *Parsifal* überraschte ihn. Es gab keinen Anlaß zur Überraschung. *Parsifal* war bereits im *Tannhäuser* angelegt; er führte weiter, was in der *Ring*-Tetralogie, trotz aller formalen Abrundung, unklar und ungelöst geblieben war.

Achtundzwanzig Jahre liegen zwischen Wagners erster Konzeption des Nibelungen-Mythos, die 1848 als *Entwurf zu einem Drama* niedergeschrieben wurde, und der ersten Gesamtaufführung der Tetralogie im Bayreuther Festspielhaus, im Sommer 1876. Nicht nur die Ausmaße des ursprünglich geplanten Werks hatten sich ins Ungeheure verschoben: aus dem ersten Dramenentwurf mit dem Titel *Siegfrieds Tod* entstand ein Zyklus von drei Musikdramen samt einem Vorspiel. Gewandelt hatte sich die Werksubstanz, und auch die Funktion des dramatisierten Mythos wirkte von Grund auf verändert. Dennoch findet sich nach wie vor der Grundkern der ursprünglichen Konzeption im ausgeführten *Nibelungenring*. Die verschiedenen Lebens- und Werkelemente, die im Verlaufe der Jahrzehnte eingefügt wurden, lassen sich unschwer voneinander sondern; die formale Einheit der Leitmotiv-Technik kann die höchst disparaten geistigen Bestandteile nur mühsam zusammenhalten.

Zu Beginn sollte ein Weg aus der Einsamkeit gefunden werden. *Siegfrieds Tod* war nicht als neues Künstlerdrama eines Konfliktes zwischen Genie und Gesellschaft gedacht. Der Nibelungenmythos ist in der ersten Niederschrift sehr stark objektiviert: der Bekenntnischarakter wird viel weniger als künstlerische Selbstaussage denn als weltanschauliche Grundlegung gedacht. Das volkstümliche Musikdrama, aus mythischen Quellen gespeist, sollte den Weg aus der Einsamkeit der Künstlerdramen weisen. Was ursprünglich beabsichtigt war, hat Thomas Mann im Jahre 1937 in seinem Züricher Vortrag über den *Nibelungenring* hervorgehoben: »Man muß sich darüber klar sein, daß ein Werk, wie *Der Ring des Nibelungen,* das Wagner nach dem *Lohengrin* konzipierte, im Grunde gegen die ganze bürgerliche Kultur und Bildung gerichtet und gedichtet ist, wie sie seit der Renaissance herrschend gewesen war, daß es sich in seiner Mischung aus Urtümlichkeit und Zukünftigkeit an eine inexistente Welt klassenloser Volklichkeit wendet.« Der Mythos, der nunmehr an die Stelle

der jungdeutschen Elitevorstellungen oder der Lohengrin-Synthese
aus Sage und Geschichte treten sollte, ist für Wagner, um abermals
Thomas Mann zu zitieren, »die Sprache des noch dichterisch-schöpfe-
rischen *Volkes*«.

Nur schwer gelingt es dem Mythenbildner in seinen Anfängen,
die mythische Welt von allen geschichtlich-konkreten oder märchen-
haften Beigaben zu befreien. Die Neben- und Gegenpläne des Jahres
1848 lassen das erkennen: *Jesus von Nazareth, Barbarossa, Wieland der
Schmied,* dazu Grimms Märchen von Einem, der auszog, das Fürchten
zu lernen. Allein *Jesus von Nazareth* war abermals, betrachtet man
Wagners Entwurf, ein Künstlerdrama mit unverkennbaren Feuer-
bach- und Proudhonzügen. Der Hohenstaufenstoff hätte wieder in
die Geschichtlichkeit der *Lohengrin*-Welt geführt: von Heinrich I. zu
Friedrich I. Das mußte dann Hohenstaufen-Historie in der Nachfolge
Raupachs oder auch Grabbes werden. Der Märchenstoff der Brüder
Grimm ist in die Gestalt des jungen Siegfried eingegangen: aber
nicht im ursprünglichen Märchencharakter, sondern als Moment einer
mythischen Totalität. Mythos fand sich allerdings als Grundlage der
Beschäftigung mit *Wieland dem Schmied*. In der Fassung jedoch, die
ihm Wagner am Schluß des Buches vom *Kunstwerk der Zukunft* gibt,
enthüllt er sich als politischer Mythos und findet sich damit allzu
eng mit der geschichtlichen Welt verbunden. Das mußte abermals
ein *Lohengrin*-Amalgam ergeben.

In den *Nibelungen* sollte der Mythos den Weg zum Volke bahnen.
Das Volk versteht Wagner durchaus unhistorisch, als absoluten Wert,
ewig gleichbleibende Substanz. Darum empfindet er alle geschichtlichen Beifügungen als ungemäß: das Ungeschichtliche und Vorge-
schichtliche allein ist adäquat. Da aber selbst Wagner nicht umhin
kann, das Volk als gesellschaftliche Kategorie aufzufassen (die Lektüre Proudhons hält ihn dazu ebenso an wie der Umgang mit Röckel
und Bakunin), muß der Mythos eine sozial-theoretische Funktion
erhalten. Die *Nibelungen* sind nicht politischer Mythos wie der *Wieland,*
sondern dienen der Errichtung einer sozialen Mythologie.

In Wagners Gedankenwelt von 1848 sind die Nibelungen ein
»dem Schoße der Nacht und des Todes entkeimtes Geschlecht. In
unsteter, rastloser Regsamkeit durchwühlen sie ... die Eingeweide
der Erde: sie glühen, läutern und schmieden die harten Metalle.«
Auf ihnen, den Arbeitenden, lastet schwer der Feudalismus der Riesen, die unproduktiv sind. »Aber die Riesen verstehen nicht, ihre

Macht zu nützen; ihren plumpen Sinnen genügt, die Nibelungen gebunden zu haben.« Die Humanität der Götter ist hier machtlos. »In hoher Tätigkeit ordneten nun die Götter die Welt, banden die Elemente durch weise Gesetze, und widmeten sich der sorgsamsten Pflege des Menschengeschlechts. Ihre Kraft steht über allem. Doch der Friede, durch den sie zur Herrschaft gelangten, gründet sich nicht auf Versöhnung: er ist durch Gewalt und List vollbracht. Die Absicht ihrer höheren Weltordnung ist sittliches Bewußtsein: das Unrecht, das sie verfolgen, haftet aber an ihnen selber. Aus den Tiefen Nibelheims grollt ihnen das Bewußtsein ihrer Schuld entgegen: denn die Knechtschaft der Nibelungen ist nicht zerbrochen; die Herrschaft ist nur Alberich geraubt, und zwar nicht für einen höheren Zweck, sondern unter dem Bauche des müßigen Wurmes liegt nutzlos die Seele, die Freiheit der Nibelungen begraben.«

Daher Wotans Plan, einen »von den Göttern selbst unabhängigen, freien Willen« walten zu lassen, der den Zauber löst. »In dem Menschen ersehen die Götter die Fähigkeit zu solchem freien Willen.«

Der weitere Ablauf des Entwurfs von 1848 entspricht in großen Zügen dem Handlungsablauf der späteren Tetralogie. Der Schluß allerdings sieht ganz anders aus. Brünnhilde gibt zwar, bevor sie im Selbstopfer die Sühne vollzieht, den Rheintöchtern den Ring zurück, aber es erfolgt keine Götterdämmerung. Ihre Sühne befreit die Nibelungen und begründet nunmehr, da die Schuld getilgt ist, Wotans Herrschaft der Humanität. So verkündet es die Prosafassung des Entwurfs, so steht es in Brünnhildes Abschiedsrede in dem ausgeführten Drama *Siegfrieds Tod:*

>»Ihr Nibelungen, vernehmt mein Wort!
>eure Knechtschaft künd' ich auf:
>der den Ring geschmiedet, euch Rührige band, –
>nicht soll er ihn wieder empfah'n, –
>doch frei sei er, wie ihr!
>Denn dieses Gold gebe ich euch,
>weise Schwestern der Wassertiefe!
>Das Feuer, das mich verbrennt,
>rein'ge den Ring vom Fluch:
>ihr löset ihn auf und lauter bewahrt
>das strahlende Gold des Rheins,
>das zum Unheil euch geraubt! –

Nur einer herrsche:
Allvater, Herrlicher du!«

Die Nähe der utopischen Sozialisten ist unverkennbar. Ob Saint-Si-
mon, Fourier oder Proudhon: stets kreisten diese Systeme um den
Gegensatz produktiver und unproduktiver Schichten in der bestehenden Gesellschaft. Wagner bleibt ihr Schüler. Produktiv sind allein
die Nibelungen, doch sind sie zur Selbstherrschaft nicht fähig. Es
gilt, die feudale Zwingherrschaft durch Wotans humane Regierung
zu ersetzen. An eine Diktatur der Nibelungen ist bei Wagner nicht
zu denken. (Nibelungenmythos und Kommunistisches Manifest entstehen gleichzeitig!) In der ursprünglichen Fassung paßt Wagners
Nibelungenkonzept gar nicht schlecht zu seinen patriarchalisch-revo-
lutionären Gedanken über das Verhältnis von Republikanismus und
Königtum.

Der jungdeutschen Gedankenerbschaft wird ihr Teil in den
wiederkehrenden Motiven erotischer Emanzipation: in der Geschwisterliebe Siegmunds und Sieglindes, die allein das Wälsungenge-
schlecht fortführen kann, denn:

»Siegmund nimmt ein Weib, Sieglinde vermählt sich einem Manne
(Hunding); ihrer beiden Ehen bleiben aber unfruchtbar: um einen
echten Wälsung zu erzeugen, begatten sich nun Bruder und Schwester
selbst.«

Auch Siegfried und Brünnhilde sind jungdeutsche Heroen von
unverkennbarer Prägung. Das anarchistische Element fehlt gleichfalls
nicht. Der *freie Wille* in Siegfried, schuldlos und Brecher aller Sitten-
gesetze, dem Wotans Humanität als Schwäche erscheinen muß, bedeutet nichts anderes als den sieghaften und befreienden »Egoismus«
der anarchistischen Lehre.

Dieser Grundmythos erlebt nun alle Wandlungen, die Richard
Wagner seit der Flucht, im Exil, zwischen scheinbarer Sicherheit
und neuer Unsicherheit durchmachen muß. Jedes neue Erlebnis mo-
delliert ein wenig am Grundkonzept. Die großen theoretischen
Schriften der ersten Züricher Emigrationszeit hinterlassen ihre Spuren. Das beginnt mit künstlerischen Überlegungen und führt zu Mo-
difizierungen der Substanz und der Funktion. Indem Wagner über
die Grenzen zwischen epischer und dramatischer Gattung nachsinnt,
wird ihm bewußt, daß in dem Grunddrama *Siegfrieds Tod* zu viele
epische Erzählungen eingefügt werden müßten, wollte man den My-

thos total zur Anschauung bringen. Totalität und Anschauung aber
widersprächen einander: was an gedanklicher Einheit gewonnen würde, störte dafür das unmittelbare Verständnis des musikdramatischen
Geschehens, im Grunde also die ersehnte Volkstümlichkeit. Der Versuch mit einem Doppeldrama – *Der junge Siegfried* und *Siegfrieds Tod*
– wird erwogen und gleichfalls als unzulänglich abgetan. Richard
Wagners berühmter Brief an Franz Liszt vom 20. November 1851,
vom Kurort Albisbrunn nach Weimar gerichtet, entwirft den neuen,
endgültigen Plan der Tetralogie:»Ich mußte daher meinen ganzen
Mythos, nach seiner tiefsten und weitesten Bedeutung, in höchster
künstlerischer Deutlichkeit mitteilen, um vollständig verstanden zu
werden; nichts darf von ihm irgendwie zur Ergänzung durch den
Gedanken, durch die Reflexion übrig bleiben: jedes unbefangene
menschliche Gefühl muß durch seine künstlerischen Wahrnehmungs-
organe das Ganze begreifen können, weil es dann auch erst das
Einzelnste richtig in sich aufnehmen kann.«

Übrigens verbindet sich für Wagner mit dem neuen Entwurf
auch der Gedanke an die besondere szenische Verwirklichung: mit
dem Plan der Tetralogie ersteht der Grundgedanke der Festspiele:

»Die Aufführung meiner Nibelungendramen muß an einem großen Feste stattfinden, welches vielleicht eigens zum Zwecke eben
dieser Aufführung zu veranstalten ist. Sie muß dann in drei aufeinan-
derfolgenden Tagen vor sich gehen, an deren Vorabende das einlei-
tende Vorspiel gegeben wird.«

Die erste Änderung der ursprünglichen Grundgedanken, scheinbar noch als Erweiterung des einstigen Planes betrachtet, in Wirklichkeit jedoch bereits als modifizierender Vorgang zu verstehen, betrifft
Alberich und den Liebesfluch. Nicht zufällig deutet Wagner in jenem
Briefe an Liszt die Notwendigkeit an, den ursprünglichen Raum
des Dramas zu erweitern, um dieses Alberich-Thema augenscheinlich
und sinnfällig zu machen. Im Jahre 1848 mochte der Liebesfluch
noch bloßes Handlungselement sein: von nun an wird er für Wagner
in neuem Sinne auch geistig bedeutsam. Der Weg zur neuen Deutung
des Liebesfluchs führt über die Beschäftigung mit Antigone und
dem Ödipus-Mythos. In dem Buch *Oper und Drama* wird die Beziehung zu Antigone durch Wagners Betrachtungen über das Verhältnis
von Individuum und Staat hergestellt. Anarchistische Gedanken sind
nach wie vor in hohem Maße wirksam. Das Fatum der Griechen
wird »als innere Notwendigkeit betrachtet, aus der sich der Grieche

– weil er sie nicht verstand – in dem willkürlichen politischen Staat zu befreien suchte«. Dies aber sei in der Gegenwart nun *Fatum*: Wagner deutet an, daß der Mensch damaliger Gegenwart sich von seinem Fatum nur durch Negierung des Staates befreien könne. Antigone könne dazu als Vorbild dienen.

»– Antigone sagte den gottseligen Bürgern von Thebe: – ihr habt mir Vater und Mutter verdammt, weil sie unbewußt sich liebten; ihr habt den bewußten Sohnesmörder Laios aber nicht verdammt, und den Bruderfeind Eteokles beschützt: nun verdammt mich, die ich aus reiner Menschenliebe handle –, so ist das Maß eurer Frevel voll! – – Und siehe! – der Liebesfluch Antigones vernichtete den Staat! –« Wagner schließt daraus: erst an der Leiche seines Sohnes sei Kreon, *der personifizierte Staat,* aus einem Herrscher wieder zu einem Menschen geworden. Menschlichkeit – so wird man mit Wagner folgern müssen – könne erst aus dem Untergang aller Staatlichkeit entstehen. »Heilige Antigone! Dich rufe ich nun an! Laß Deine Fahne wehen, daß wir unter ihr vernichten und erlösen! – –«

Antigone sorgte für das Ende, und für das Ende sorgt auch Alberich. Trotzdem ist der Liebesfluch Antigones nicht mit jenem des Nibelungen zu vergleichen. Das Tun der Ödipus-Tochter entspringt, für Wagner, der *reinen Menschenliebe;* sie begeht *Selbstvernichtung aus Sympathie.* Diese Menschenliebe birgt ein Element der Negation: die Selbstliebe, aber auch die besitzstrebende Liebe ist ausgeklammert. Alberich jedoch geht den umgekehrten Weg. Er negiert die menschlichen Sympathiegefühle – dem Besitzwillen zuliebe. Sein Liebesfluch tut alles in einem ab: Eros und Agape. Er wirkt wie eine »Zurücknahme« von Antigones Handlungen. Unter der Fahne der Antigone will Wagner mit den Seinen kämpfen: »daß wir unter ihr vernichten und erlösen«. Vernichtung und Erlösung, das leitet bereits zur *Götterdämmerung* über. Das Buch *Oper und Drama* entsteht in enger geistiger Nachbarschaft mit der Neukonzeption des *Nibelungen*-Mythos in der Züricher Zeit. Vernichtung des Staates durch freitätige, bindungslose Menschenliebe: so wird die Erlösung zunächst verstanden. Das ist noch Bakunin und Feuerbach; es bedeutet im wesentlichen Weiterführung, aber noch nicht Negierung des Konzeptes von 1848.

Unter Schopenhauers Einfluß wird dann die Wendung von der Aktion zur Passion vollzogen. Dem Freunde August Röckel schreibt Wagner am 25. Januar 1854 ins Zuchthaus zu Waldheim und sucht

dabei die neue Sinndeutung des *Nibelungenrings* sichtbar zu machen:
»Wir müssen sterben lernen, und zwar sterben, im vollständigsten
Sinn des Worts, die Furcht vor dem Ende ist die Quelle aller Lieb-
losigkeit, und sie erzeugt sich nur da, wo selbst bereits die Liebe
erbleicht... Wodan schwingt sich bis zu der tragischen Höhe, seinen
Untergang – zu wollen. Dies ist Alles, was wir aus der Geschichte
der Menschheit zu lernen haben: das Notwendige zu wollen und
selbst zu vollbringen.«

Dann folgen sehr merkwürdige Sätze:
»Wodan ist nach dem Abschied von Brünnhilde in Wahrheit nur
noch ein abgeschiedener Geist: seiner höchsten Absicht nach kann
er nur noch g e w ä h r e n lassen, es gehen lassen, wie es geht, nirgends
aber mehr bestimmt eingreifen, deswegen ist er nun auch ›Wanderer‹
geworden: sieh Dir ihn recht an! er gleicht u n s aufs Haar; er ist
die Summe der Intelligenz der Gegenwart, wogegen Siegfried der
von uns gewünschte, gewollte Mensch der Zukunft ist, der aber
nicht durch uns gemacht werden kann, und der sich selbst schaffen ‚
muß durch u n s e r e V e r n i c h t u n g.«

Die erste Zurücknahme: Wotan soll nicht mehr herrschen, wie
in dem Entwurf von 1848, sondern – da er zum bloßen Wanderer
herabsank – den Weg in die Zukunft für den neuen Menschen freigeben. Die zweite Abdankung: nicht mehr vernichten, den Staat zerstö-
ren, um zu erlösen, sondern die Selbstvernichtung suchen, um erlöst
zu werden. Antigones Liebesfluch zerstörte den Staat; die Götterdämmerung aber und die Rückgabe des Rheingolds an die Natur, Vernichtung mithin seiner »Produktivität«, weisen den Weg der Erlösung
vom Liebesfluch. Siegfried jedoch ist, wie in dem gleichen Brief
an Röckel angedeutet wird, der vollkommene Mensch der Zukunft,
weil er das Fürchten nicht gelernt hat und weil er das höchste Bewußtsein besitzt: zu wissen nämlich, daß der Tod besser sei als ein
Leben in Furcht. Darum achte er auch des Ringes nicht, also der
Macht, weil er, wie Wagner meint, »was Besseres zu tun hat«.

Damit aber hört Siegfried auf, ein Revolutionär oder auch nur
ein Befreier durch Tun zu sein. Das Wissen taugt ihnen allen, Wotan,
Siegfried wie Brünnhilde, nur noch dazu, das Ende zu wissen und
zu wollen. Hier wandelt sich die Tragödie zum Passionsspiel. *Parsifal*
ist hier vorbereitet: durch Schopenhauer. Siegfried aber verliert im
gleichen Augenblick die Eigenschaften eines tragischen Helden. Sein
Wissen oder Nichtwissen und sein Handeln, die ihn in Verstrickung

führen und den Mord möglich machen, sind vom Wirken der Vergessens- oder Erinnerungstränke abhängig gemacht. Dadurch wird die Handlung zwar weitergeführt, die tragische Erschütterung aber – anders als im *Tristan* – weit ferngehalten. Siegfried erhält bereits in der *Götterdämmerung* christliche, wenn nicht christushafte Züge. Der Weg spätbürgerlicher Dramatik wurde freigegeben: Stationenstücke der Expressionisten. Hugo von Hofmannsthals Trauerspiel »Der Turm«. Auch dies hat mit Calderón zu tun, mit katholischer Dramatik also. Der Siegfried des Schlußtages in der Tetralogie ist weder Held noch tragisch. Der volkstümliche Mythos von 1848 hat Züge des Mysterienspiels angenommen. Die geistige Einheit des Gesamtwerks wurde dadurch immer fragwürdiger.

Der *Nibelungenring* besitzt in der Tat einen dreifachen Schluß, also keinen. Die frühere Deutung aus *Siegfrieds Tod* wurde aufgehoben. Wotan soll nicht mehr herrschen, die Nibelungen werden nicht aus der Sklaverei befreit. Der erste Schluß der ausgearbeiteten Tetralogie ist bakunistisch, wenn man ihn nach den heute vorliegenden Dokumenten richtig zu deuten weiß: Walhall verbrennt – und Wotan samt allen Göttern. Die vom Fluch des Goldes und der Verträge korrumpierten Herrschenden gehen unter, damit die neue Reinheit der vom Golde befreiten Menschheit entstehen kann, nachdem sogar Siegfried als Opfer des Goldes zugrunde gehen mußte.

Wagner hat aber der Veröffentlichung dieser Schlußszene noch Verse hinzugefügt, die nicht komponiert wurden – und die nun eine zweite Sinngebung und einen zweiten Schluß darstellen. Sie sind feuerbachianisch, wenn Brünnhilde erklärt:

> »Verging wie Hauch
> der Götter Geschlecht,
> lass' ohne Walter
> die Welt ich zurück:
> meines heiligsten Wissens Hort
> weis' ich der Welt nun zu. –
> Nicht Gut, nicht Gold,
> noch göttliche Pracht;
> nicht Haus, nicht Hof,
> noch herrischer Prunk;
> nicht trüber Verträge
> trügender Bund,

nicht heuchelnder Sitte
hartes Gesetz:
selig in Lust und Leid
läßt – die Liebe nur sein. –«

Aber nicht genug damit. Bei der Veröffentlichung des Textes der *Götterdämmerung* gab Richard Wagner noch eine weitere, dritte Versgruppe aus der Schlußrede der Brünnhilde bekannt, die gleichfalls nicht komponiert wurde. Bevor er sie dem Leser mitteilt, schreibt er – gleichsam als Wort des Dichters an den Leser – in Form einer Regieanmerkung die folgenden Zeilen:»Hatte schon mit diesen Strophen der Dichter in sentenziösem Sinne die musikalische Wirkung des Dramas im voraus zu ersetzen versucht, so fühlte er im Verlaufe der langen Unterbrechungen, die ihn von der musikalischen Ausführung seines Gedichtes abhielten, zu einer jener Wirkung noch besser entsprechenden Fassung der letzten Abschiedsstrophe sich bewogen, welche er hier folgend ebenfalls noch mitteilt:»Diese neuen Sinndeutungen finden sich in den folgenden Zeilen:

»Führ' ich nun nicht mehr
nach Walhalls Feste,
wißt ihr, wohin ich fahre?
Aus Wunschheim zieh' ich fort,
Wahnheim flieh' ich auf immer;
des ew'gen Werdens
off'ne Tore
schließ' ich hinter mir zu:
nach dem wunsch- und wahnlos
heiligsten Wahlland,
der Welt-Wanderung Ziel,
von Wiedergeburt erlöst,
zieht nun die Wissende hin.
Alles Ew'gen
sel'ges Ende,
wißt ihr, wie ich's gewann?
Trauernder Liebe
tiefstes Leiden
schloß die Augen mir auf:
enden sah ich die Welt. –«

Das aber ist unverkennbar Schopenhauer! Es hat nichts mehr zu tun mit dem einstigen Protest aus dem Jahre 1848, nicht mehr mit Wagners Deutung des brennenden Walhall, nichts mit der Grundkonzeption des Antikapitalismus. Es mutet an wie bare Verlegenheit, wenn Richard Wagner behauptet, diese letzten Verse seien nicht komponiert worden, da sich ihr Gehalt ohnehin aus dem musikalischen Gehalt des Werkes ableiten lasse. Das ist nicht wahr. Es gilt ebenso wenig für den ursprünglichen Plan wie für das vollendete und durchkomponierte Werk. Drei Schlußfassungen: eine nach Bakunin, eine nach Feuerbach, eine nach Schopenhauer.

Der Übergangscharakter des Riesenwerks läßt sich auch an zahlreichen Einzelheiten beobachten. Alberichs Liebesfluch weist gleichzeitig hinüber zum dritten *Tristan*-Akt wie zum Liebesfluch des Amfortas. Die erotischen Bindungen zwischen dem Wälsungenpaar Siegmund und Sieglinde oder auch zwischen Siegfried und Brünnhilde sind der jungdeutschen Liebesemanzipation nahe verwandt. Allein die Anarchie wird überall – mit Hilfe Schopenhauers und über ihn hinausgehend – ins gesellschaftlich Unverbindliche, sogar Gewünschte zurückgenommen. Adorno hat das immer wieder hervorgehoben: »So mündet die Wagnersche Mythologie in Konformismus.« Oder: »Der romantisch getönte Begriff vom Proletariat, der diesem die ›rettende Tat‹ zuweist, weil es außerhalb des gesellschaftlichen Schuldzusammenhangs stehen soll … dieser romantische Begriff wird ergänzt von der nicht minder romantischen Auffassung von der Regenerationsfähigkeit der Gesellschaft, sofern sie nur zu jenen unverstörten Ursprüngen zurückfindet. Die Regenerationslehre ist schließlich als eine der Herrenkaste im *Parsifal* entfaltet.« Kontinuität und Diskontinuität des Denkens sind in keinem Wagnerwerk so eng benachbart wie im *Ring des Nibelungen*.

Einer Musik höchster Einfälle und außerordentlicher Kunstfertigkeit gelingt viel: sie kann die Widersprüche im Augenblick des Theatererlebnisses überfluten, doch nicht lösen. Wagner kam es auf das epische Orchesterelement im musikalischen Drama an, auf psychologische Ausdeutung der Bühnenhandlung durch die orchestralen Mit- und Zwischenspiele, auf die Verknüpfung des Bühnengeschehens mit seinen Kausalitäten und Traditionen, die das Orchester jeweils beizusteuern hatte. Die Anteilnahme in einer *Ring*-Aufführung unserer Zeit gehört aber unverkennbar den großen lyrischen Episoden, den Natur- und Gefühlsschilderungen ohne psychologisierende

Beigabe. Wasser und Feuer, Gewitter und Sturm, Arbeitsrhythmen
und Waldweben, Liebesgesang und Trauermarsch sind zu Erlebnis-
zentren geworden, weil sie gleichzeitig die musikalischen Höhepunkte
darstellen. Auch das widerspricht im Grunde nicht den Absichten
des Tonsetzers. Die Volkstümlichkeit seines Mythos erblickte Wagner in den Ursprungssituationen des Menschen, die er als Gegensatz
der Natur zur Gesellschaft empfand. Der Freiheitsbegriff im *Ring*
hängt mit der zwecklosen und noch unproduktiven Natur ebenso
zusammen wie mit der anarchischen Sorglosigkeit vor allen Normen
und Verträgen. Wagners Musik ist immer dort großartig, wo sie
solche Usprungssituationen zu schildern hat. In der Autobiographie
beschreibt er den Vorgang im Hotelzimmer zu La Spezia, der im
Halbschlaf den Einfall des Urbeginns der Tetralogie brachte: das
tiefe Es des Ursprungs, das dann in »ruhig heiterer Bewegung« das
B herbeizieht, dann den Dreiklang-Aufstieg Es, G, B, Es, G, hundert-
fünfundzwanzig Takte in flutendem, reinem Es-dur bis zum Aufge-
hen des Vorhangs. Die musikalische Gleichsetzung, die Wagner dabei
als selbstverständlich annimmt, ist eigentlich höchst verblüffend: die
Ursprünglichkeit der Natur wird als »reiner Dreiklang« verstanden.
Eine Spätphase der Musikgeschichte bietet sich als menschliche Ur-
sprungssituation dar. Wagners Frühzeit des Menschen trägt alle Züge
einer gesellschaftlichen Spätzeit.

Vorwärtsdrängende Motive, im Notenbild als Aufwärtsbewegung
sichtbar, werden als Mut, Heldentum, Sorglosigkeit verstanden. De-
pression und Pessimismus, wie in den Motiven der Angst, des Grü-
belns, auch der Götterdämmerung zeigen sich im Notenbild als Ab-
wärtsbewegung.

Die angestrebte Volkstümlichkeit dieser Mythenkunst kommt eigentlich nirgendwo in Volksszenen, also in starken Chorpartien zum
Ausdruck. Die echte Volkstümlichkeit eines Händel-Oratoriums mit
seinen gewaltigen Chorsätzen steht im größten Gegensatz zu Wagners
gewollter Volkstümlichkeit, die nur Götter, Dämonen oder Helden
und Gegenhelden ins Spiel bringt, die »Mannen« dagegen, wie schon
im *Rienzi* und *Lohengrin,* erst recht im *Tristan,* in die Episode chorhaf-
ter Zustimmung gedrängt hat. Das letzte Wort auch dieser Musik
ist, wie im *Tristan,* der Untergang, nicht der Übergang. Das Werk
lebt in schmerzlicher Schönheit des Erinnerns, des Rückblicks. Darum stehen zwei musikalische Höhepunkte der gesamten Tetralogie
in enger Beziehung zueinander: Urbeginn im *Rheingold* und Trauer-

marsch in der *Götterdämmerung*. Dort die höchste Einfachheit und
Reinheit in Sinn und musikalischem Ausdruck; hier die äußerste
Beziehungsfülle als Rückblick auf ein Menschenleben und seine be-
dingenden Faktoren, dargestellt als Musik der äußersten Motivverflechtung und Lebensverstrickung. Das eben hatte Wagner gesucht.
Thomas Mann verstand Siegfrieds Trauermarsch als »ein Beziehungsfest, eine ganze Welt von geistvoll-tiefsinnigen Anspielungen«. Hier
wurde in der Tat »das Drama zum szenischen Epos«. In dieser Musik,
die mit c-moll-Akkorden beginnt und dem chromatischen Kreislauf
des Todesmotivs, um dann alle Lebensmotive Siegfrieds zu vereinen,
vom Liebesgesang der Geschwister-Eltern bis zum Zerbrechen seines
Heldentums, ist nur noch Vergangenheit und Erinnerung. Die Szene
ist Nacht, der Mond bricht durch die Wolken, Heiterkeit und Glück
der Jugend werden erinnert, dann steigen die Rheinnebel auf, sie
verhüllen die Szene. Das Drama ist zu Ende, den epischen Schlußbericht gibt das Orchester. Die musikalische Tragödie findet hier, und
nur hier, ihren Ausdruck: in einer Musik ohne begleitendes, szeni-
sches Geschehen. Der Rest ist Ausklang und Theatereffekt, in Brünnhildes Schlußrede noch einmal als Beziehungsfest der Leitmotive
wiederholt, aber nicht überboten. Auch der Musik gelang es nicht,
die drei Schlüsse der *Ring*-Tetralogie zur Einheit zu zwingen.

Am Ende steht die große Zurücknahme. Mit einer Aufführung von Beethovens 9. Symphonie im markgräflichen Opernhaus war unter Wagners Leitung die Grundsteinlegung des Bayreuther Festspielhauses gefeiert worden. Wagners eigenes Wirken aber im letzten Lebensjahrzehnt offenbart sich immer mehr – um Adrian Leverkühns Wort aus dem »Doktor Faustus« von Thomas Mann zu zitieren – als »Zurücknahme« eben dieser 9. Symphonie. Die Begründung einer Bayreuther Kirche und Wagner-Theologie, die geforderte Anrede als *Meister,* die Gipfelung endlich im *Parsifal,* alles scheint den Weg zu negieren, den Kunst und Philosophie der vergangenen Jahrhunderte gegangen waren: den der Verweltlichung. Die Friedensbitte in der »Missa solemnis« ging auf irdischen Frieden; die 9. Symphonie, Synthese aus Schiller und Beethoven, verstand den Aufruf an Schöpfer und Gott weitgehend symbolisch; Ludwig Feuerbach hatte erklärt (und Wagner war ihm darin gefolgt), die himmlische Familie sei nichts anderes als eine Projizierung irdischer Familienbilder ins Jenseitige.

Das alles wird nun von Wagner zurückgenommen. Die 9. Symphonie damals (1846) in Dresden und nun in Bayreuth – eine Welt geschichtlicher und geistiger Wandlungen liegt dazwischen. Man kann sie an Wagners breiter, aber eigentlich flacher und selbstgefälliger Studie zu Beethovens hundertstem Geburtstag (1870) ablesen. Es fehlt die Erschütterung der musikalischen Essayistik aus Wagners erster Pariser Zeit. Dies hier ist ein Beethoven mit Bismarck-Zügen. Alles ist aktualisiert im Sinne des Deutsch-Französischen Krieges. Die weltbürgerlichen Gedanken Schillers und Beethovens sind ins Nationalistische transponiert: »So feiern wir denn den großen Bahnbrecher in der Wildnis des entarteten Paradieses! Aber feiern wir ihn würdig – und nicht minder würdig als die Siege deutscher Tapferkeit: denn dem Weltbeglücker gehört der Ruhm noch vor dem Welteroberer!«

Der August 1876 bringt die ersten Bayreuther Festspiele und eine massierte Auffahrt fürstlicher Gäste. Wagner sammelt die Getreuen aus den verschiedenen Lebensepochen um sich: die Wesendonks; Mathilde Maier; auch Liszt ist erschienen und bemüht, die seit langem getrübten Beziehungen zu Tochter und Schwiegersohn wenigstens nach außen hin wiederherzustellen. König Ludwig trifft nachts mit dem Hofzug ein und findet sich nach acht Jahren zum erstenmal wieder allein mit Richard Wagner. Er besucht die Festspiele, reist dann aber sogleich wieder ab, um seinem neuen Oberherrn nicht begegnen zu müssen, Wilhelm I., dem deutschen Kaiser, dem Sieger von 1866. Richard Wagner empfängt: den bayrischen König, den deutschen Kaiser, den Kaiser von Brasilien, den König von Württemberg, Fürsten, Honoratioren, Künstler aus aller Welt. Es ist kein Volksfest geworden, wie es einst in Zürich erträumt wurde. Allerdings ist das Werk, das hier aufgeführt wird, die Tetralogie, wohl auch nicht zur Kunst höchster Volkstümlichkeit geschaffen.

Friedrich Nietzsche erkennt das immer deutlicher. Die Freundschaft mit Richard und Cosima Wagner ist eigentlich in Tribschen zurückgeblieben. In Bayreuth gab es bereits Zusammenstöße. Der Philosoph legte das »Triumphlied« von Brahms auf das Notenpult des Flügels im Hause *Wahnfried*. Wagner warf es wütend beiseite: »Händel, Mendelssohn und Schumann in Leder gewickelt!« Du sollst keine anderen Götter haben. Brahms war als Neben-Gott nicht zu dulden: um so weniger, als Hans von Bülow als Dirigent und Verehrer von Wagner zu Brahms übergegangen war. Brahms bedeutete die Gegenkunst, also: Mendelssohn und Schumann, zu denen offenbar auch Händel als Gegenprinzip gerechnet wurde. Dies alles war bereits Kirche und Ritus.

Trotzdem denkt Wagner nicht daran, stilisiertes Olympiertum zu demonstrieren. Er bleibt gleichzeitig menschlich-allzumenschlich. Die Beziehung zwischen ihm und der Französin Judith Gautier bildet einen privaten Kontrapunkt zum Festspielmonat August 1876. Die Tochter Théophile Gautiers, Gattin des Schriftstellers Catulle Mendès, kannte Wagner schon von Tribschen her. Sie war noch jung, mit Cosima befreundet, sehr intelligent und musikalisch, leidenschaftliche Propagandistin der Wagner-Kunst in Frankreich. Nun wurde sie mehr. Die Briefe Wagners an Judith Gautier künden davon. Es ist keine große Liebe. Spiel, Eitelkeit, Genuß; gelegentlich sind es betuliche, fast tätschelnde Altmänner-Briefe. Dies alles hinter Cosimas

Rücken. Abermals die Verflechtung von Liebe, Freundschaft und Verrat. Es fehlen aber die starken *Tristan*-Akzente.

Die Festspiele enden mit einem gewaltigen Defizit. Wiederholungen sind für die nächsten Jahre kaum zu erwarten; es bedarf langwieriger finanzieller Transaktionen, um die Subskribenten und Patrone zu beruhigen. Richard Wagner lebt von nun ab, da seine Gesundheit das nördliche Klima immer weniger verträgt, mit Vorliebe in Italien. Im November 1876 kommt es in der Villa der Malwida von Meysenbug in Sorrent zu einem letzten Beisammensein Wagners und Nietzsches. Wagner sprach von den Gedanken der *Parsifal*-Dichtung, von der Bedeutung, die das christliche Abendmahl von jeher in seinem Empfinden besessen habe, von Reue und Erlösung im christlichen Weltbild. Das war nicht bloß, wie Nietzsche zu erkennen glaubte, eine Wandlung jüngsten Datums, sondern reichte in Wahrheit weit in Wagners Vergangenheit zurück. Die in Tribschen entstandene Selbstbiographie spricht bereits von diesen frühen Abendmahls-Emotionen. Es kommen Momente der inneren Wagner-Welt zur Entfaltung, die stets vorhanden, bloß überdeckt waren, ohne daß Nietzsche sie rechtzeitig erkannte. Wo er den Bruch einer Entwicklung zu erblicken glaubte, in der Parsifal-Theologie, gab es im Grunde die Gipfelung einer bis dahin latenten Entwicklung.

Elisabeth Förster-Nietzsche, deren Zeugnis man mit Vorsicht begegnen sollte, zumal das Ressentiment gegen Cosima nur allzu stark spürbar ist, will einen Ausspruch Wagners von damals überliefert haben:»Die Deutschen wollen jetzt nichts von heidnischen Göttern und Helden hören, die wollen was Christliches sehen.« Das ging auf das Festspiel-Defizit, aber auch auf den »Zeitgeist« von 1876. Die fünf Milliarden Goldfranken französischer Kriegsentschädigung hatten in der Wirtschaft des deutschen Reiches eine gewaltige Gründerkonjunktur hervorgerufen, der jetzt die Krise nachfolgte. Zwanzig Jahre vorher war Schopenhausers Pessimismus zeitgemäß gewesen; jetzt schien sich ein zeitgemäßes Christentum anzukündigen, dem Nietzsche zu widerstehen gedachte, dem aber Wagner in dieser neuen Lebens- und Schaffensphase weit entgegenkam.

Auch zur Entstehung des *Parsifal* gehört die auslösende Vision. Sie reicht zurück bis zum Karfreitag des Jahres 1857. Es war kurz vor dem Einzug in das Asyl auf dem grünen Hügel. Wagner stand vor seinem Häuschen und erblickte die Frühlingslandschaft am Züricher See. Karfreitagmorgen und Blühen der Natur. Hier lag die

Keimzelle des späteren Bühnenweihfestspiels: auch ein musikalischer
Höhepunkt der *Parsifal*-Partitur war damit gegeben. Den Handlungs-
verlauf – noch unter dem Titel *Parzival* – hat Wagner nach seiner
Gewohnheit als epische Erzählung in den letzten Augusttagen des
Jahres 1865 niedergeschrieben. Nachdem die Trennung zwischen Tristan und Parsifal vollzogen, auch das »buddhistische« Dramenprojekt
Die Sieger abgetan war, drängte sich der *Parsifal* immer deutlicher
als noch zu leistendes Abschlußwerk auf. Für Wagner war es selbstverständlich geworden, nach den Bayreuther Aufführungen an diese
letzte Arbeit zu gehen. Am 22. Juli 1877 berichtete er dem König
aus Bad Ems von der Vollendung der Dichtung:

»Ja, ja! Alles ist leidenvoll! Doch Eines erhebt uns immer wieder
aus dem Chaos der täglich, ja stündlich empfangenen Eindrücke der
Gemeinheit und des Widerwärtigen, nämlich: der große, Alles über-
schauende Blick, mit welchem der auserwählte Freund uns Mitleiden
zustrahlt. Da kommen dann die Augenblicke, die eine besondere
Begabung uns zu weihevollen Stunden auszudehnen hilft, welche
wir dann, wiederkehrend, durch ganze Folgen von Tagen festzuhalten
vermögen. Solche Tage waren es, die mir, in der Flucht vor Ekel
und Grauen, die Stimmung eingaben, die Dichtung des ›Parsifal‹
zu verfassen. – Hier liegt sie vor Ihnen! Möge sie Ihnen einiges
Gefallen bereiten, und Sie vielleicht in der Annahme bestärken, daß
es nicht ganz wertlos sei, mich noch einige Jahre meiner Kunst
zu erhalten.

In Demut grüßt unsren hohen Herren mein edles Weib, mein
Haus und Kind! Mit unsterblichem Entzücken blicke ich zu dem
Erhabenen auf, als

Sein
ewiges Eigen
Richard Wagner«

Darauf begann die Komposition. Am Nachmittag des 3. Mai 1879
erhielt der König ein Telegramm, das kurz vorher in Bayreuth aufgegeben worden war:

»Dritter Mai! Holder Mai!
Dir sei mein Lob gespendet!

Winters Herrschaft ist vorbei
und Parsifal vollendet.«

Bedeutet der *Parsifal* einen Bruch in Wagners Lebenstradition? Der
erste Eindruck spricht für eine überwältigende geistige Kontinuität.
Kaum eines der Lebens- und Werkmotive, das sich nicht wiederfände.
Parsifal steht wie Tannhäuser zwischen himmlischer und irdischer
Liebe; er entstrebt der Vermischung mit irdischen Empfindungen
wie Lohengrin. (Daß sich eben dieser Lohengrin der Mythologie,
die Wagner 1845 noch respektierte, als Sohn des Gralskönigs Parzival
zu erkennen gibt, läßt sich schwer mit der späteren Gestalt des Parsifal
vereinbaren.) Parsifal ist außerdem Siegfried; Wagner hat die etymologische Spielerei übernommen und macht aus dem törichten Reinen
»Falparsi« den »reinen Toren Parsifal«. Parsifal ist reiner Tor wie
Siegfried: Gegner der Erörterungen, Fragen, Erklärungen. Reine
Innerlichkeit und reine Tat: das ist die deutsche Mischung, die Wagner für Siegfried wie für Parsifal bereit hält. Amfortas weist zurück
auf Tannhäuser und Tristan. Kundry ist Venus und Elisabeth in
einem, jungdeutsche Huldin und Heilige. Klingsors Liebesfluch weist
hinüber zu Alberich; das Wissen des Gurnemanz gehört zu Wotans
gleichfalls hoffnungslosem und ohnmächtigem Weltwissen.

Auch der Charakter des Mysterienspiels ist im *Nibelungenring* bereits vorgebildet. Die menschliche Welt ist nur noch symbolisch genommen, nicht mehr real; damit entfällt alle Möglichkeit echter Tragik. Die frühen Wagnerwerke seit dem *Holländer* boten den romantischen Kontrast der Menschen- und Geisterwelt. *Tristan* und *Meistersinger* waren allein im Hier und Jetzt, unter Menschen, angesiedelt.
Tragik im *Nibelungenring* gab es überall dort, wo Menschen aneinander
litten, ohne daß Götter und Weltgeist zu lenken vermochten. Wo
Wunder und Göttermacht einsetzten, löste sich die tragische Konstellation auf. Tragisch war Siegmunds Liebe zu Sieglinde, nicht Siegmunds Tod. Im *Parsifal* ist Wagner erschreckend folgerichtig: das
Göttliche allein entscheidet, der Mensch dient in allem Tun und
Irren nur dem vorgefaßten Heilsplan. Damit aber entfällt alle Ergriffenheit vor menschlichem Tun und Leiden; Verehrung soll allein
dem Transzendenten gezollt werden. Das bedeutet die Anrufung
einer außerkünstlerischen Instanz.

Während der Komposition der *Parsifal*-Musik hatte Wagner an
Judith Gautier geschrieben: »Hilf mir … habe mich lieb: dafür wollen

wir aber nicht den protestantischen Himmel abwarten, da es dort
sicher sehr langweilig sein wird…« Eine sonderbare Ideenverknüp-
fung, die damit zusammenhängt, daß der *Parsifal* das Ergebnis einer
Privat-Theologie Richard Wagners darstellt als ein Geflecht aus alt-
persischen, altindischen, christlichen Mysterien, aus jungdeutscher
Sinnlichkeit und Schopenhauers Welterlösungsphilosophie, bewirkt
jedoch, daß dieses Bühnenweihfestspiel, das in seinem Ablauf so
stark katholisierende Züge zeigt, gleichzeitig einer schroffen kalvini-
stischen Prädestination verhaftet bleibt. Alles ist nach einem Heilsplan
vorherbestimmt: die Erlösung der Kundry, des Amfortas, die Entscheidung Parsifals zwischen Sinnenglück und Seelenfrieden. Das
Traumgesicht des Amfortas hat alles vorhergesagt:

> »Durch Mitleid wissend,
> der reine Tor,
> harre sein',
> den ich erkor.«

Parsifals erster Auftritt macht diese untragische Vorherbestimmung
geradezu überdeutlich. Gurnemanz berichtet den vier Knappen von
dem Traumspruch. Die Knappen wiederholen ergriffen und sehr
leise die Verheißung. Sie intonieren dabei das Parsifal-Motiv. Die
Es-dur-Fermate bei dem Worte *Tor* wird lang ausgehalten, dann
folgt *lebhaft und schnell* in B-dur der Eintritt der neuen Szene mit
Schwan, Rittern, Auftritt Parsifals. Soeben noch sprach man vom
unbekannten, aber vorherbestimmten Erlöser, da tritt er bereits auf.
Geschickte Theaterkunst verbindet sich einer Theologie strenger Wil-
lensunfreiheit. Weit stärker noch als im *Nibelungenring* hat sich das
Aktionsspiel der Tragödie, auch des bürgerlichen Trauerspiels, ins
Passionsspiel verwandelt.

Darum auch sind Kundry oder Amfortas nicht wahrhaft tragische
Gestalten. Der Nietzscheaner Kurt Hildebrandt, der bei seinem Meister den bösen Blick für Wagners Schwächen erlernte, sah Kundry
so: »Die hysterische Somnambule, die tierisch grunzende Mißgestalt
– das Weib als Urbild der Sünde.« Von der Erotik der Blumenmädchen meint er: »Gemeinheit, aus begrifflicher Klügelei erfunden, ohne
tierische Säfte, ist unerträglich.« Etwas ist daran. Kundry ist eine
erstaunliche Dramengestalt; Thomas Mann fand sie überaus interes-
sant, was nicht verwundern darf. Dennoch ist sie weit mehr Idee

als Gestalt. Ihr männlicher Partner in Wagners Werk, der fliegende
Holländer, war ein Gespenst mit menschlichen Zügen: die Ursachen
des Fluches traten zurück vor dem Leid durch Umherirren.
Kundrys Passion ist so eng mit der eigentlichen Passionsgeschichte verbunden,
daß nur dort ein tragischer Abglanz auf ihr liegt, wo sie davon
berichtet:»Ich sah – Ihn – Ihn – und – lachte...« Die Musik ist
adäquat: die Stimme stürzt hinab, fast durch zwei Oktaven, vom
hohen H bis hinunter zum Cis. Das Orchester hält die Dissonanz
E, Cis, G, H.

Amfortas ist gleichsam ein Lohengrin nach der wirklichen Vereinigung mit Elsa. Seine Männlichkeit hat über das geistig-geistliche
Amt gesiegt. Das könnte einen tragischen Konflikt ergeben: den
des sündigen Priesters gleichsam. Der obwaltende Heilsplan aber
verhindert die wirkliche Erschütterung. Amfortas muß sündigen,
damit er entsühnt werden kann; alle Entscheidungen sind nur als
Vorzeichen der Bedingungen für Parsifals Auftreten verstanden, und
das ist in seinem Ablauf gleichfalls vorherbestimmt...

Die Uraufführung des *Parsifal* fand am 26. Juli 1882 im Festspielhaus statt. König Ludwig blieb fern. In einem Brief vom 8. Juli
hatte ihn Wagner zwar angefleht, doch zu kommen, hatte auch eine
Sonder-Aufführung angeboten, aber trotz aller untertänigen Wen-
dungen entschieden die Forderung abgelehnt, den *Parsifal* für den
König in München aufführen zu lassen. Der Brief war unterzeichnet:
»der ich gern und inbrünstig wünsche, bald zu sterben als meines
angebeteten Herrn allergetreuester Knecht Richard Wagner.« In
der Sache selbst aber gab er nicht nach. Im November 1880 hatte
er in München für Ludwig das *Parsifal*-Vorspiel dirigiert, die vom
König geforderte Wiederholung dann aber durch den Münchener
Kapellmeister Hermann Levi leiten lassen. Levi holte er sich auch,
allen Gedanken über das *Judentum in der Musik* zum Trotz, als Leiter
der *Parsifal*-Uraufführung nach Bayreuth. Ludwig und Wagner, Sänger und König, hatten sich an jenem November 1880 zum letztenmal
gesehen. Ein Jahr später (1881) wurde die Tetralogie zum erstenmal
außerhalb von Bayreuth in Berlin aufgeführt. Wagner und Cosima
waren zugegen. Kurz darauf traf Cosima mit Hans von Bülow zusammen, um über das Schicksal der beiden ältesten Töchter zu beraten.
Wagner und Bülow waren einander seit der Münchener Uraufführung
der *Meistersinger* nie wieder begegnet. Mit Franz Liszt kam ein Lebenskompromiß zustande; er traf zur *Parsifal*-Aufführung in Bayreuth

ein. Sechzehn Aufführungen fanden statt; der gesellschaftliche Rahmen entsprach den Erfahrungen von 1876. In der letzten Aufführung erschien Wagner, unsichtbar für das Publikum, im mystischen Orchesterabgrund, um den Schlußakt selbst zu leiten. Er war nachher sehr traurig und von Todesahnungen erfüllt. Sein Schlußbericht über *Das Bühnenweihfestspiel in Bayreuth 1882* ist merkwürdig:

»Verdankte ja auch der ›Parsifal‹ selbst nur der Flucht vor derselben (der Welt) seine Entstehung und Ausbildung! Wer kann ein Leben lang mit offenen Sinnen und freiem Herzen in diese Welt des durch Lug, Trug und Heuchelei organisierten und legalisierten Mordes und Raubes blicken, ohne zuzeiten mit schaudervollem Ekel sich von ihr abwenden zu müssen? Wohin trifft dann sein Blick? Gar oft wohl in die Tiefe des Todes. Dem anders Berufenen und hierfür durch das Schicksal Abgesonderten erscheint dann aber wohl das wahrhaftigste Abbild der Welt selbst als Erlösung weissagende Mahnung ihrer innersten Seele. Über diesem wahrtraumhaften Abbilde die wirkliche Welt des Truges selbst vergessen zu dürfen, dünkt dann der Lohn für die leidenvolle Wahrhaftigkeit, mit welcher sie eben als jammervoll von ihm erkannt worden war.«

Der Schlußbericht und auch die Rede an die Künstler hatten mit Hoffnung auf Wiedersehen und Wiederholung im Jahre 1883 geschlossen. Dann trat Wagner seine letzte Fahrt nach Italien an. Im Palazzo Vendramin zu Venedig waren 18 Zimmer des oberen Stockwerkes gemietet worden. Hier entstanden die letzten Schriften. Wagner hatte seit langem darauf verzichtet, nur zu Fragen der Kunst, seiner Kunst, das Wort zu ergreifen. Die Forderung nach allseitiger Geltung, nach widerspruchsloser Annahme seiner Gedanken, hatte ihn eigentlich seit dem Herrschaftsantritt in Bayreuth dazu geführt, zu allen Fragen eine Lehrmeinung zu verkünden. Das konnte nicht ohne geheime Komik abgehen. Die Schrift etwa über *Religion und Kunst* von 1880 enthielt folgendes erstaunliche Dekret:

»Dennoch könnte man, und dies zwar aus starken inneren Gründen, selbst den heutigen Sozialismus als sehr beachtenswert von seiten unsrer staatlichen Gesellschaft ansehen, sobald er mit den drei zuvor in Betracht genommenen Verbindungen der Vegetarianer, der Tierschützer und der Mäßigkeitspfleger, in eine wahrhaftige und innige Vereinigung träte.«

Ein offener Brief an Heinrich von Stein, in Venedig am 31. Januar 1883 unterzeichnet, zeigt Wagner als allzu getreuen Schüler der Ras-

senlehre Gobineaus. Den deutschen Stämmen wird »durch Zurückgehen auf ihre Wurzeln eine Fähigkeit zugesprochen, die der gänzlich
semitisierten sogenannten lateinischen Welt verloren gegangen ist«.
Dies ist die letzte Form der Auseinandersetzung mit den Pariser
Hungerjahren 1839–1842. Auch den Gedanken der Anarchie hat er
beibehalten. Die Skizze einer gesellschaftlichen Zukunft, wie Wagner
sie zwei Wochen vor seinem Tode entwirft, vermag »Staat und Kirche...nur als abschreckende warnende Beispiele« anzuführen. Anarchie verbindet sich mit eigener, wagnerischer Theologie. Bayreuth
gedenkt keine andere Kirche neben sich zu dulden.

Am 13. Januar, einen Monat vor Wagners Tode, verließ Liszt
die Familie Wagner, mit der er bis dahin den Winter verbracht hatte,
um nach Budapest zu fahren. Am Nachmittag des 13. Februar erlag
Richard Wagner einem Herzanfall. Auf seinem Schreibtisch lag ein
unvollendetes Manuskript *Über das Weibliche im Menschlichen;* es war
als Abschluß-Essay zu den Aufsätzen über Religion und Kunst gedacht. Die letzten Sätze, die Wagner schrieb, führten zurück zu seinen
Anfängen, in die Welt jungdeutscher Sinnlichkeit und Frauenemanzipation, zum Liebesverbot: »Gleichwohl geht der Prozeß der Emanzipation des Weibes nur unter ekstatischen Zuckungen vor sich. Liebe
– Tragik.«

Wagners Leiche wurde unter feierlichem Geleit, mit königlichen
Ehren, von Italien nach Deutschland gebracht. An der bayrischen
Grenze empfing der Beauftragte König Ludwigs den Trauerzug,
um die Kränze des Königs zu überreichen. Auch in München wartete
eine riesige Menschenmenge. Der König erschien nicht. Der Leichen-
zug wurde in Bayreuth empfangen und nach *Wahnfried* geleitet, wo
die Kinder den Sarg erwarteten. Cosima nahm an der Beisetzung
nicht teil. Auch Franz Liszt war nicht erschienen. Die ganze Stadt
ehrte ihren Bürger Richard Wagner, aber der Theaterdirektor Angelo
Neumann schrieb doch: »Mir war es, als hätte ein Gott uns verlassen:
und alles, was da in Bayreuth geschah, hätte ebensogut einem wacke-
ren Bürger dieser Stadt gelten können.«

Die Musikentwicklung ging weiter: in Wagners Bahnen und Ge-
genbahnen. In diesem Todesjahr 1883 entstand die 7. Symphonie
Anton Bruckners, des Wagner-Verehrers, die in ihrem langsamen
Satz der Trauer über Wagners Tod in Wagnerklängen Ausdruck
gibt; aber damals beendete auch Brahms seine 3. durchaus wagnerfer-
ne Symphonie. Cosima starb am 1. April 1930 in Bayreuth; sie wurde

im Garten von *Wahnfried* an der Seite des Gatten beigesetzt. Die Welt des 19. Jahrhunderts war längst vergangen. Wagner ist geblieben: das Werk dieses großen Künstlers, aber auch, lange nach Nietzsches Tod, der »Fall Wagner«.

ANMERKUNGEN ZUM WERK RICHARD WAGNERS

NICHT MEHR UND NOCH NICHT IM
»FLIEGENDEN HOLLÄNDER«

Wie aus der Ferne längst vergang'ner Zeiten
Spricht dieses Mädchens Bild zu mir:
Wie ich's geträumt seit bangen Ewigkeiten,
Vor meinen Augen seh' ich's hier.

Scheinbar steht alles schon bei Heinrich Heine. Dessen Fragment
»Aus den Memoiren des Herrn von Schnabelewopski« war 1831 entstanden und drei Jahre später im ersten Band des »Salon« veröffentlicht worden. Heine hat die Geschichte angeblich nicht erfunden,
sondern will bloß die Nacherzählung eines in Holland gesehenen
Theaterstücks geben. Durchaus möglich, daß es sich so verhält. Der
Stoff war damals in der europäischen Literatur gut bekannt und
recht beliebt. Daß Richard Wagner die Handlungsführung von Heine
oder auch von der durch Heine vermittelten Vorlage übernahm,
ist offensichtlich. Dennoch entstand etwas, woran Heine bei seinem
Bericht kaum gedacht haben mochte. Will man den *Fliegenden Hollän-*
der Richard Wagners richtig verstehen, so ist ein Vergleich geboten
zwischen Heines epischer Version und Richard Wagners romantischer
Ballade.

Im siebenten Kapitel der »Memoiren des Herrn von Schnabelewopski« steht zu lesen: »Die Fabel von dem fliegenden Holländer
ist Euch gewiß bekannt. Es ist die Geschichte von dem verwünschten
Schiffe, das nie in den Hafen gelangen kann und jetzt schon seit
undenklicher Zeit auf dem Meere herumfährt. Begegnet es einem
anderen Fahrzeuge, so kommen einige von der unheimlichen Mann-
schaft, in einem Boote, herangefahren und bitten, ein Paket Briefe
gefälligst mitzunehmen. Diese Briefe muß man an den Mastbaum
festnageln, sonst widerfährt dem Schiffe ein Unglück, besonders
wenn keine Bibel an Bord oder kein Hufeisen am Fockmaste befind-
lich ist. Die Briefe sind immer an Menschen adressiert, die man
gar nicht kennt, oder die längst verstorben, so daß zuweilen der
späte Enkel einen Liebesbrief in Empfang nimmt, der an seine Ur-
großmutter gerichtet ist, die schon seit hundert Jahren im Grabe
liegt. Jenes hölzerne Gespenst, jenes grauenhafte Schiff, führt seinen
Namen von seinem Kapitän, einem Holländer, der einst bei allen

Teufeln geschworen, daß er irgendein Vorgebirge, dessen Name mir
entfallen, trotz des heftigsten Sturms, der eben wehte, umschiffen
wolle, und sollte er auch bis zum Jüngsten Tage segeln müssen.
Der Teufel hat ihn beim Wort gefaßt, er muß bis zum Jüngsten
Tage auf dem Meere herumirren, es sei denn, daß er durch die Treue
eines Weibes erlöst werde...

Auf diese Fabel gründet sich das Stück, das ich im Theater zu
Amsterdam gesehen. Es sind wieder sieben Jahre verflossen, der
arme Holländer ist des endlosen Umherirrens müder als jemals, steigt
ans Land, schließt Freundschaft mit einem schottischen Kaufmann,
dem er begegnet, verkauft ihm Diamanten zu spottwohlfeilem Preise,
und wie er hört, daß sein Kunde eine schöne Tochter besitzt, verlangt
er sie zur Gemahlin. Auch dieser Handel wird abgeschlossen. Nun
sehen wir das Haus des Schotten, das Mädchen erwartet den Bräutigam zagen Herzens. Sie schaut oft mit Wehmut nach einem großen
verwitterten Gemälde, welches in der Stube hängt und einen schönen
Mann in spanisch-niederländischer Tracht darstellt; es ist ein altes
Erbstück, und nach der Aussage der Großmutter ist es ein getreues
Konterfei des fliegenden Holländers, wie man ihn vor hundert Jahren
in Schottland gesehen, zur Zeit König Wilhelms von Oranien. Auch
ist mit diesem Gemälde eine überlieferte Warnung verknüpft, daß
die Frauen der Familie sich vor dem Originale hüten sollten. Eben
deshalb hat das Mädchen, von Kind auf, sich die Züge des gefährlichen Mannes ins Herz geprägt. Wenn nun der wirkliche fliegende
Holländer leibhaftig hereintritt, erschrickt das Mädchen, aber nicht
aus Furcht. Auch jener ist betroffen bei dem Anblick des Porträts.
Als man ihm bedeutet, wen es vorstelle, weiß er jedoch jeden Arg-
wohn von sich fernzuhalten, er lacht über den Aberglauben, er spöt-
telt selber über den fliegenden Holländer, den ewigen Juden des
Ozeans, jedoch unwillkürlich in einen wehmütigen Ton übergehend,
schildert er, wie Myn Heer auf der unermeßlichen Wasserwüste die
unerhörtesten Leiden erdulden müsse, wie sein Leib nichts anders
sei als ein Sarg von Fleisch, worin seine Seele sich langweilt, wie
das Leben ihn von sich stößt und auch der Tod ihn abweist: gleich
einer leeren Tonne, die sich die Wellen einander zuwerfen, so werde
der arme Holländer zwischen Tod und Leben hin- und hergeschleu-
dert, keins von beiden wolle ihn behalten; sein Schmerz sei tief
wie das Meer, worauf er herumschwimmt, sein Schiff sei ohne Anker
und sein Herz ohne Hoffnung.

Ich glaube, dieses waren ungefähr die Worte, womit der Bräutigam schließt. Die Braut betrachtet ihn ernsthaft und wirft manchmal Seitenblicke nach seinem Konterfei. Es ist, als ob sie sein Geheimnis erraten habe, und wenn er nachher fragt: Katharina, willst du mir treu sein?, antwortet sie entschlossen: Treu bis in den Tod.«

Der Kapellmeister Wagner hatte Heines Erzählung in Riga gelesen, kurz bevor er mit Minna und dem Neufundländer Robber vor den Gläubigern von dort fliehen mußte. Mit Schmugglerhilfe war man nach Pillau gelangt; von dort sollte ein altes Segelschiff, »Thetis«, die beiden Flüchtlinge, den Riesenhund und sieben Mann Besatzung nach London bringen. Im Skagerrak erfaßte sie ein furchtbarer Sturm, trieb die »Thetis« nach Norwegen, wo sie in einer Bucht Zuflucht fand. Die Matrosen freuten sich der Rettung und sangen ein Seemannslied. Nach all der Aufregung und Angst vermischten sich in Wagners Vision die Bilder, die Klänge, die literarischen Reminiszenzen. Klänge des Matrosenliedes, der Schreckensanblick des wütenden Meeres, Erinnerung an Heines Erzählung vom Gespensterschiff und vom fliegenden Holländer. Der Konflikt aber war in der Tat ganz anders angelegt als bei Heine. Den hatte das Thema des Ahasver auch in der Holländerversion gereizt, weshalb Heine vom »ewigen Juden des Ozeans« sprach. Ahasver übrigens war damals als Gestalt in der europäischen Literatur nicht weniger beliebt als der fliegende Holländer. In Wilhelm Hauffs »Mitteilungen aus den Memoiren des Satans« war er schon in der Mitte der zwanziger Jahre aufgetaucht, also fünf Jahre vor Heines Beschäftigung mit dem »Ahasver des Ozeans«. Richard Wagner dagegen läßt sich in seinem Frühwerk die ahasverische Parallele entgehen: ihn beschäftigt weniger die *Ursache* des Fluches, der auf dem Holländer lastet, als die Tatsache einer menschlichen Gestalt, die gezwungen ist, *zeitlos* zu werden. Heinrich Heine denkt beim fliegenden Holländer an den Ahasver, den Fluch des Judentums, an Erlösung des Einsamen durch »Emanzipation«: durch seine Verbindung mit einem sterblichen, daher zeitgebundenen Menschen der Alltagswelt. Weshalb sich Heine sehr wohl hütet, den Ausgang der Geschichte mitzuteilen. Sein Bericht vom fliegenden Holländer klingt aus im Verlöbnis des seltsamen Bräutigams mit der Tochter des habgierigen Schotten. Da für Heine hinter dieser Geschichte (wie auch hinter seinem anderen großen epischen Fragment, dem »Rabbi von Bacharach«) das Thema der Judenemanzipation steht, kann und will der Erzähler keine Lösung geben. Der

Bericht ist zwar so dramatisch gegliedert, daß sich Wagner im szenischen Aufbau daran genau zu halten vermochte, aber es bleibt bei
einer Erzählung, die auf dem »dramatischen Höhepunkt« plötzlich
abgebrochen wird.

Einen solchen Verzicht auf Lösung des Konflikts konnte es für
Wagner, den Dramatiker und Musikdramatiker, nicht geben. Da ihn
weder Ahasver kümmert, noch das Thema der Judenemanzipation,
muß das Geschehen auf der Bühne schließlich über Tod oder Weiterleben des Holländers dramatisch entscheiden. Bei Heine gab es den
Hintergrund des Fluches und der Fluchursachen. Diese Ursachen
des Fluches treten bei Wagner sehr stark zurück. Seiner romantischen
Oper geht es um die Zeitlosigkeit des Holländers, weit weniger um
Ereignisse, die dazu führten. Wagners Holländer ist kein Ahasver,
für ihn stellt sich die Bindung an eine treue Frau nicht als Problem
der Emanzipation. Die geheime Judenproblematik bei Heine verwandelte sich in eine geheime *Künstlerproblematik,* denn mit dem *Fliegenden
Holländer* beginnt die Reihe verschlüsselter Künstlerdramen Richard
Wagners.

Beim ersten Anblick freilich scheint nicht diese Künstlerproblematik im Vordergrund zu stehen, sondern ein Motiv, das den *Fliegenden
Holländer* eng mit der deutsch-romantischen Kunsttradition verknüpft. Wie stets beinahe in der Handlungsführung romantischer
deutscher Opern bildet auch hier der *Zusammenstoß zwischen Menschenwelt und Geisterwelt* das geistige Zentrum. Mit diesem Grundprinzip
war bereits E.T.A. Hoffmanns Oper »Undine« nach der Erzählung
des Barons Fouqué angelegt worden. »Freischütz« und »Oberon«
hatten den Konflikt abgewandelt; auch Heinrich Marschners Opern
waren der Überlieferung treu geblieben. Zu dieser Tradition aber
gehörte es, daß die Begegnung eines Menschen, der sich liebend
und vertraulich mit der Geisterwelt einließ, tragisch zu enden hatte.
Die Vermischung beider Sphären, der irdischen wie der außerirdischen, vollzog sich als Konstellation von Liebe und Tod.

Diese Problematik aber nimmt abermals die ambivalente Form
einer sonderbaren Vermischung von konservativer Überlieferung und
»heftiger Umkehr« an. Traditionsgebunden war nicht bloß die Konstellation der Menschenwelt mit der Geisterwelt oder die Weltschmerzthematik. In einem viel tieferen Sinne hatte die gesamte Gestalt des Holländers mit der *Vergangenheit* zu tun, mit einer *nicht
mehr* existierenden Wirklichkeit. Das liegt nicht bloß am Fluch, dem

der Holländer unterliegt und der ihn zwingt, »aus der Ferne längst vergang'ner Zeiten« in eine stets neue, für ihn mit Notwendigkeit anachronistische Wirklichkeit eingehen zu müssen. Das Menschenbild einer treuen, vollkommen ergebenen Frau, das er in sich trägt und immer wieder vergeblich sucht, gehört der Vergangenheit an: des Holländers Vorstellungen von Reinheit und bedingungsloser Treue sind verklärte Vergangenheit. Traumbilder der Erinnerung. Man könnte von *Utopie einer Vorzeit* sprechen. Diese Vorstellungswelt der Holländer-Gestalt (und ihres Schöpfers) gehört zur *regressiven Tradition der deutschen Romantik*. Novalis, dem sich alle Menschenge-schicke schließlich als Rückweg »nach Hause« darstellten, Rückkehr ins Kinderland, in die ungebrochene Gemeinschaft eines angeblich noch einheitlichen corpus christianum im Mittelalter; Eichendorffs »gute alte Zeit«. Sonderbar vermischten sich antike Vorstellungen mit romantischen Illusionen eines bilderbuchartig ausstaffierten Mit-telalters. Das Goldene Zeitalter stand – nach Meinung der Alten – am Anfang der Menschengeschichte. Alles Spätere wurde zum Verfall und Zerfall. Der christliche Gedanke vom Sündenfall nahm das Thema auf; Novalis verband ihn in seinem Traktat »Die Christen-heit oder Europa« mit der These, Aufklärung sei eigentlich ein neuer Sündenfall des menschlichen Geistes und müsse wieder zu einer Rück-kehr zu den Ursprüngen, zur wirklichen Heimat führen.

Im Sinne dieser Tradition ist auch das Sehnen des Holländers zu verstehen. Seine Idole und Ideale gehören einer längst vergange-nen Zeit des Nicht-mehr an. Mit ihnen steht er fremd in den jeweils neuen Realitäten, die er zu durchleben hat. Er mißt die neuen Genera-tionen am Maßstab seiner Träume von einst – und glaubt sie verwer-fen zu müssen. In einem noch tieferen und unheimlicheren Sinne hat der Holländer mit der Tradition und Vergangenheit zu tun, denn sein tiefster Wunsch zielt nicht bloß nach einem Menschenideal der Vergangenheit, sondern nach dem Sterben-können, dem »Nicht-mehr-sein«. Der Holländer braucht die Erfüllung seines Ideals einer vollkommen reinen und treuen Frau, um sterben zu dürfen. Die Überlieferung erweist sich hier insgeheim als eine *Tradition zum Tode*. Auch dies Motiv ist deutsch-romantisch. Es verbindet Richard Wag-ners frühe romantische Oper mit Novalis und Hoffmann, weist aber zugleich auch schon hinüber ins Zentrum des romantischen Gipfel-werks *Tristan und Isolde*.

Tradition, Welt des Nicht-mehr, Rückkehr in die verlorene Heimat, die Kinderland und Totenreich in einem bedeutet. Unter all diesen Aspekten ist bereits Wagners *Fliegender Holländer* eine Gipfelung deutsch-romantischer Tradition und Regression. Er hat aber zugleich mit der *Zukunft* zu tun, mit einer echten Utopie des Noch-nicht-Seins. Der Hinweis auf das Werk einer »heftigen Umkehr« ist berechtigt. Repräsentiert die Holländer-Gestalt vor allem die Bindung an das Vergangene, so verkörpert *Senta* die Sehnsucht nach dem Neuen, Unerhörten, nach dem Ausbruch aus der Gegenwart und Umwelt. Senta ist keine Närrin oder Hysterikerin, wie man so oft gesagt und auf der Bühne dargestellt hat. Sie ist ein junger, leidenschaftlicher, sehr einsamer Mensch in einer engen und geistig platten Umwelt. Die Tochter eines bedenkenlosen Geschäftsmannes, verlobt mit einem Mann, den sie nicht liebt, dem sie sich überlegen fühlt, den sie bloß anhörte, um vielleicht einen Ausweg aus der Einsamkeit zu finden. Unbeteiligt am Gesumme und Geplapper der Mädchen sitzt sie in der Spinnstube und wird ärgerlich.

> O, macht dem dummen Lied ein Ende,
> es summt und brummt nur vor dem Ohr!
> Wollt ihr, daß ich mich zu euch wende,
> so sucht 'was Besseres hervor!

Der Holländer, dessen Bild in ihrem Vaterhause hängt, bedeutet für sie weder bloße Phantasie noch bloße Vergangenheit: er ist für sie Wirklichkeit und Gegenwart. Daher kann ihre Ballade in den ekstatischen Ruf ausbrechen:

> Ich sei's, die dich durch ihre Treu' erlöse!
> Mög' Gottes Engel mich dir zeigen!
> Durch mich sollst du das Heil erreichen!

Das ist eine Lebens- und Zukunftsaufgabe. Die große Tat eines Menschen in kleiner Umwelt. Damit aber kam bereits die Tragödie in das Haus des Fischers Daland: noch ehe der Holländer selbst die Schwelle überschritt. Senta versteht ihre Tat zwar als Erlösung, aber als Erlösung des Holländers durch ein Leben in Liebe und Treue. Der Holländer hingegen muß die Erlösung als ein Sterben-können verstehen. Die Gemeinschaft zwischen ihm und Senta ist ungeheuerlich als Verbindung des Nicht-mehr mit dem Noch-nicht, der romantischen Regression des Holländers mit Sentas aus der Bürgerwelt wegstrebender Utopie. Das Terzett Holländer-Senta-Daland in E-Dur das den zweiten Aufzug beschließt, bietet musikalisch scheinbar eine Gemeinsamkeit der musikalischen Linie. Alle drei Stimmen streben im Septimenakkord leidenschaftlich empor: aber die scheinbar gleiche musikalische Bewegung hat, nicht bloß dem Text nach, ganz verschiedene Bedeutung. »Bis in den Tod« heißt es bei Senta; »Hohn, Hölle, dir« in der musikalischen Gegenstimme des Holländers; »Es soll euch nicht gereuen« singt der erfolgreiche Daland, den der gute Abschluß freut. Das dann folgende più stretto und più presto bringt Taumel und leidenschaftliche Entschlossenheit; ein Bündnis zwischen Tod und Leben, todessüchtiger Vergangenheit, geschäftiger Gegenwart und sehnsüchtig erhoffter Zukunft.

Eben dadurch aber erweist sich der *Fliegende Holländer* Richard Wagners als ein Werk jener eigentümlichen gesellschaftlichen Übergangszeit zwischen 1830 und 1848, von der Alfred de Musset in seiner Confession d'un enfant du siècle von 1836 gesagt hatte, das Unbehagen der jungen Menschen jener Epoche liege darin, daß nichts mehr von dem Bestand habe, was ehemals war, aber auch noch nichts von dem, was einmal sein werde. Dieser Zustand einer Übergangszeit zwischen den Revolutionen, zwischen Restauration und Ancien régime, bürgerlicher Revolution und sozialistischer Utopie (von sozialistischer Wissenschaft ganz zu schweigen) bildete die eigentliche gesellschaftliche Grundlage der Weltschmerzthematik. Hier findet sich die Ursache einer gemeinsamen Prägung so verschiedenartiger Künstler wie Büchner und Lermontow, Mickiewicz und Musset. Auch die Senta Richard Wagners ist in Mussets oder Lermontows Sinne eine »Heldin ihrer Zeit«. Gerade die Ambivalenz aber von Tradition und Neugestaltung, Nicht-mehr und Noch-nicht, die Bindung Sentas an den Holländer, der selbst manchen Zug der gleichen Zukunftssehnsucht besitzt, aber vor allem doch durch den Fluch gezeichnet ist, stellt Richard Wagners romantische Oper in den Zusammenhang der großen europäischen Emanzipationsbewegung und offenbart gleichzeitig bereits den Zwiespalt, der Wagners ganzes späteres Werk durchziehen sollte: Regression und Utopie, Lebenskraft und Todessüchtigkeit in unlösbarer Verstrickung.

Nicht mehr und noch nicht. Ein Werk der Tradition und der Umkehr in einem. In Gehalt und Form, Dichtung wie Musik das ehrliche Erzeugnis einer gesellschaftlichen Übergangszeit. Aufbegehren eines Künstlers *und* seiner Gestalten aus der Bürgerwelt des Juste-Milieus, die Wagner voller Entsetzen in Paris erlebt hatte, und die sein Denken und Schaffen von nun an unablässig beschäftigen sollte. Gegen diese Welt stehen Senta und der Holländer gemeinsam, aber es ist eine ungute, tief fragwürdige Gemeinsamkeit als Bündnis der Zukunft mit der Vergangenheit. Versteht man sie recht, so ist mit dieser ersten Wagner-Oper bereits alles gegeben, was Thomas Mann an Wagners fünfzigstem Todestag in jenem Jahr 1933 durch die Formel »Leiden und Größe Richard Wagners« ausdrücken sollte.

TANNHÄUSER UND DIE KÜNSTLICHEN PARADIESE

Tannhäuser bedeutet den Kampf zweier
Prinzipien, die sich das menschliche
Herz als Kampfplatz erwählten:
Kampf zwischen Fleisch und Geist,
Hölle und Himmel, Satan und Gott.
                                    Baudelaire.
Richard Wagner und *Tannhäuser* in
Paris (1861)

Wagners romantische Oper vom Sänger Tannhäuser im Konflikt
zwischen himmlischer und irdischer Liebe, Venushölle und heiliger
Elisabeth, entstand als textliche Verschmelzung zweier ursprünglich
durchaus voneinander unabhängiger Sagenstoffe. Um es mit Wagners
eigenen Worten zu sagen, die erläutern, warum er den ursprünglichen
Titel »Der Venusberg« widerstrebend aufgab und die heutige Überschrift wählte, die Tannhäuser und Sängerkrieg als gleichberechtigt
nebeneinanderstellt: »Ich fügte dem Namen meines Helden ›Tannhäuser‹ die Benennung desjenigen Sagenstoffes hinzu, welchen ich,
ursprünglich der Tannhäuser-Mythe fremd, mit dieser in Verbindung
gebracht hatte, woran leider später der von mir so sehr geschätzte
Sagen-Forscher und Erneuerer Simrock Anstoß nahm.« In der Tat:
Tannhäuserlegende und Wartburgsage sind ganz unabhängig voneinander entstanden. Geographischer Bereich und geistiger Standort
scheinen kaum eine Verbindung möglich zu machen. Wagner war
genötigt, wie er in »Mein Leben« ausführlich berichtet, beim Anblick
der Berglandschaft rings um die Wartburg einen seitlich gelegenen
Bergrücken einfach zum »Hörselberg« zu ernennen. Ganz fremd freilich war das Tannhäuser-Thema dem Thüringer Sagenbereich doch
nicht. Eine sehr alte Fassung der Sage vom Venusberg hatte Ludwig
Bechstein im Jahre 1835 in seiner Sammlung »Sagenschatz des Thüringer Landes« abgedruckt. Trotzdem bestanden Venusberg und
Wartburg ursprünglich in der Sagenwelt nicht als Gegenbereiche.
Auch Ofterdingen aus dem Sängerkrieg und Tannhäuser, der im
Venusberg weilte, waren noch nicht zu einer einzigen Gestalt verschmolzen.

Getrennte Sagenbereiche, getrennte literarische Traditionen. Für jeden der beiden Stoffe – Tannhäuser und Wartburgkrieg – gab es auch eine eigene Genealogie dichterischer Verarbeitungen. Richard Wagner studierte, wie immer in solchen Fällen, sowohl die ursprünglichen Sagenelemente als auch die literarischen Nachgestaltungen seiner Zeitgenossen aus dem 19. Jahrhundert. Das Tannhäuser-Thema war ein Jahr nach Bechsteins Sagenbuch von Heinrich Heine, als gereimtes Reisebild gestaltet, in die Sammlung der »Neuen Gedichte« aufgenommen worden. Heines Gedicht vom Tannhäuser mit dem Untertitel »Eine Legende« erschien zuerst im Jahre 1837 im dritten Band des »Salon«. Dort lernte es Wagner ebenso kennen, wie er bereits im ersten Band des »Salon« von 1835 das Handlungsschema des *Fliegenden Holländers* gefunden hatte.

Eine literarische Vorstufe zur Behandlung des Sängerkrieges fand sich bei E. T. A. Hoffmann. Dessen serapiontische Erzählung vom »Kampf der Sänger« gesellte sich zur Heine-Reminiszenz. Heine, das mittelhochdeutsche Lied vom Wartburgkrieg und die Sage vom Venusberg. Erlebnis der Thüringer Frühlingslandschaft und Weiterführung der Künstlerproblematik aus dem *Fliegenden Holländer* verschmolzen in Wagners Tannhäuser-Text zur neuen geistig-künstlerischen Einheit.

Zwei Themen also mit eigener Tradition und Genealogie. Indem Wagner sie aber zur Einheit zwingt, stellt er sich überdies in eine höchst eigentümliche künstlerische Tradition, die weniger leicht erkennbar ist als die Verbindung von Tannhäusersage und Wartburgtradition. Gemeint ist ein geistiger Zusammenhang, der keineswegs in frühere Jahrhunderte zurückreicht, sondern eine Tradition des 19. Jahrhunderts bedeutet: als Ergebnis einer eigentümlichen geschichtlichen Konstellation, die für die europäische Kunst ganz unabsehbare Folgen haben sollte.

Man nenne sie einmal die *Tradition der künstlichen Paradiese.* Der Schöpfer des »Tannhäuser« wußte genau, was er tat, als er seinem Werk den Titel »Der Venusberg« zu geben gedachte. Erst im Augenblick, da der fertige Klavierauszug versendet werden soll, stellt sich heraus, daß der Kommissionsverleger C. F. Meser in Dresden mit triftigen Gründen auf Änderung des Titels drängt. In Wagners Autobiographie heißt es darüber: »Er behauptete, ich käme nicht unter das Publikum und hörte nicht, wie man über diesen Titel die abscheulichsten Witze machte, welche namentlich von den Lehrern und Schülern der medizinischen Klinik in Dresden, wie er meinte, ausgehen müßten, da sie sich auf eine nur in diesem Bereich geläufigere Obzönität bezögen. Es genügte, eine so widrige Trivialität mir bezeichnet zu hören, um mich zu der gewünschten Änderung zu bewegen.« Die Titeländerung verhinderte nun zwar, daß dumme Witze gemacht werden konnten, aber sie hat zugleich auch für lange Zeit den Blick auf die geheime Grundstruktur des Werkes verstellt. »Der Venusberg«: das war und bleibt der richtige Titel, denn er stellt schon in der Überschrift den Anschluß an die Tradition der künstlichen Paradiese her. Der Venusberg nämlich ist ein künstliches Paradies. Wagners Tannhäuser gehört in die Geschichte der künstlichen Paradiese in Kunst und Literatur des 19. Jahrhunderts.

Der Künstler und Zeitgenosse Richard Wagner war dazu ebenso prädestiniert, die Kunst der »paradis artificiels«, wie Baudelaire das später genannt hat, weiterzuführen, wie er durchaus recht hatte, später von Zürich aus, nach der Schopenhauer-Lektüre, an Liszt zu schreiben, eigentlich sei er von jeher, noch vor aller Kenntnis, ein Schopenhauerianer gewesen. Bereits durch die Wahl bestimmter künstlerischer Vorbilder hatte sich der Musiker und Dramatiker Richard Wagner für die artistische Tradition der künstlichen Paradiese entschieden. Wenn der junge Wagner die Erzählungen *E. T. A. Hoffmanns* verschlang, die Harmonien und Instrumentationskünste von *Hector Berlioz* studierte, so befand er sich bereits in Gesellschaft zweier Künstler, die sich im Hörselberg moderner Artistik auskannten. Das ergab später, als Wagners *Tannhäuser* in der Pariser Oper gegeben wurde, eine seltsame Konstellation und Konfrontierung zweier Meister einer Artistik der künstlichen Paradiese. Wagner war folgerichtig geblieben, und Charles Baudelaire, der vermutlich gar nicht so besonders musikalisch war, erkannte den Meister und das Vorbild, wenn er in einem Brief vom 17. Februar 1860 an Wagner nach Anhören der Tannhäuser-Musik schrieb: »Was ich empfunden habe, ist unbeschreiblich, und wenn Sie geruhen wollen, nicht zu lachen, will ich versuchen, die Empfindung wiederzugeben. Zuerst erschien es mir, daß ich diese Musik kannte, und als ich später nachdachte, begriff ich den Grund dieser Täuschung: es schien mir, daß diese Musik *mein sei,* und ich erkannte sie wieder, wie jeder Mensch die Dinge wiedererkennt, die er zu lieben bestimmt ist.« So schrieb und empfand der Nicht-Musiker Baudelaire; aber der Musiker Berlioz als Kritiker des Wagner-Konzerts äußerte sich wesentlich reservierter, so daß

Baudelaire in seinem Wagner-Buch von 1861 mit vollem Recht rügen konnte, Berlioz habe »viel weniger Wärme der Kritik gezeigt, als man von ihm hätte erwarten können«. Der gleiche Hector Berlioz, dessen »Symphonie fantastique« von 1830, fünfzehn Jahre vor Vollendung des Tannhäuser, mit ihren Ballszenen, Opiumvisionen und Höllenklängen geradezu als Modell aller künstlichen Paradiese angesehen werden darf. Hoffmann dagegen war, wie später Wagner, sich selbst und dem Grundprinzip seines Schaffens treu geblieben. Mehr noch: sein Märchen vom »Goldenen Topf« mit der jähen Aufspaltung der Welt in den poetischen Atlantisbereich und die philiströse Realität eines Lebens in Dresden kann geradezu als erste und traditionsbildende Gestaltung des Themas der künstlichen Paradiese betrachtet werden. Nicht bloß in der Stoff- und Motivwahl ist Richard Wagner als Künstler durch den Berliner Kammergerichtsrat zu sich selbst geführt worden.

Gemeint ist dies: in der Kreation künstlicher Paradiese durch Künstler der Epoche etwa zwischen 1810 und 1860 wird nicht bloß die Grundlage für eine Kunstauffassung gelegt, die bis heute nichts an Bedeutung verlor, sondern auch eine Schaffensweise *preisgegeben,* die aufgehört hatte, künstlerisch produktiv zu sein. Merkwürdiger Fall: Der »Tannhäuser« trägt den Untertitel einer *romantischen* Oper, und den Zeitgenossen der Mitwelt wie zahllosen Nachgeborenen mußte diese Welt aus Märchen und Sage, hoher Liebe und höllischer Wollust als Inbegriff deutscher Romantik erscheinen. Es war deutschromantische Überlieferung, aber doch von weitaus anderer Art, als man sie zu nennen gewohnt ist, wenn man von romantischer Dichtung Eichendorffs und romantischer Weber-Musik spricht. Dies hier war eine neue, artifizielle, einigermaßen unheimliche Art der Romantik. Sie war schon bei Novalis spürbar gewesen, gelegentlich bei Brentano, zur Vollendung geführt von Hoffmann. Baudelaire wußte, warum er sich auf Hoffmann ebenso berief wie auf Wagner oder E. A. Poe. Die Surrealisten des 20. Jahrhunderts irrten sich ebensowenig, wenn sie jene unvertrauten Aspekte der deutschen Romantik, diejenigen nämlich, die mit den künstlichen Paradiesen zu tun haben, in ihre eigene Ästhetik des 20. Jahrhunderts aufnehmen.

Die Grenze zwischen der »eigentlichen« deutschen Romantik und einer romantischen Kunst artifizieller Kunstkreationen (sie läßt sich auch historisch genau situieren) verläuft dort, wo die »Dinge« aufhörten, für den Künstler eine Poesie in sich zu bergen, die man entdecken und besingen kann. Tannhäusers Auftreten im Wartburgsaal drückt diesen Vorgang mit unübertrefflicher Symbolkraft aus. Ein Thema ist gestellt worden, das nach allgemeiner Überzeugung wie kaum irgendein anderes mit Poesie der Dinge zu tun hat: der Liebe Wesen zu ergründen. Wolframs Lied von der hohen Minne ist traditionelle Romantik der reinsten Art. Romantisch war die glückliche Liebe in der Idyllendichtung der deutschen Stürmer und Dränger; romantisch war die unglückliche Liebe bei Werther und vorher bereits bei Rousseau. Romantisch waren Eremitagen und unberührte Landschaften. Überraschungen waren möglich im poetischen Bereich der Dinge. Eichendorff entdeckte den deutschen Wald, Brentano den Rhein, Heine die Nordsee, Lermontow den Kaukasus, in den dreißiger Jahren mußte man bereits die Poesie der Dinge im Exotismus suchen. Die Häßlichkeit des modernen Lebens und der neuen menschlichen Siedlungen schuf einen Kontrast. Hier war »Poesie der Dinge« offensichtlich nicht mehr zu entdecken, weshalb die Künstler mit Vorliebe von neuem den vorbürgerlichen Bereich aufsuchten. Zeitflucht und Stadtflucht in einem. Erst die Expressionisten um 1910 fanden den Mut zu einer Dichtung der fest angeschauten Häßlichkeit.

Hundert Jahre vorher aber, als Hoffmann das Märchen vom »goldenen Topf« schrieb, das den Untertitel »Ein Märchen aus der neuen Zeit« trug, stand es bereits schlecht um die romantische Poesie der Dinge. Der Kontrast zwischen unpoetischer Realität und poetischer Sehnsucht des Künstlers war evident geworden. Wagners Tannhäuser, der ein Künstler ist, Dichter und Musiker in einem, stellt daher in seiner ersten Antwort an Wolfram mitten im Sängerkrieg gegen Wolframs unerschütterliches Festhalten an einer Poesie der hohen Minne die moderne Künstlerthese von der Diskrepanz zwischen subjektivem Sehnen nach dem Ideal und dessen objektiver Unerreichbarkeit. Bei Wolfram: objektive Gegebenheit der poetischen Liebessubstanz. Bei Tannhäuser:

Denn unversiegbar ist der Bronnen,
wie mein Verlangen nie erlischt.
So, daß mein Sehnen ewig brenne,
lab' an dem Quell ich ewig mich.

So hätte auch der Anselmus im Märchen vom »Goldenen Topf« sprechen können: glückliche Liebe ist nur in Atlantis möglich, im Reich der Poesie, jenseits der deutschen Wirklichkeit. Was Tannhäuser verkündet, hatte der Kapellmeister Kreisler in ähnlicher Weise

im »Kater Murr« ausgesprochen. Das Künstlersehnen, das zugleich
Liebessehnsucht bedeutet, war bei Berlioz in der »Phantastischen
Symphonie« als »fixe Idee« komponiert worden: ewige Sehnsucht,
ewig unerfüllt.

Aber diese Subjektivität ist nur Ausdruck einer Übergangsepoche.
Das Subjekt kann nicht immer wieder Kunst bloß aus dem Zustand
unerfüllter Sehnsucht destillieren. Hoffmann hatte es getan. Auch
Heine, wenn er, nach den eigenen Worten, aus den großen Schmerzen
die kleinen Lieder entstehen ließ. Baudelaire beschrieb diesen Zustand
später im großartigen Gedicht vom Albatros. Aber hier konnte man
nicht stehenbleiben. Auch Tannhäuser vermag es nicht, wenn er
den Wolfram und Walther und Biterolf zuzuhören gezwungen ist.
So kommt es zum Preisgesang auf die künstlichen Paradiese, an
die Hölle, an Venus, die Herrscherin über die künstlichen Paradiese.

Wer dich mit Glut in seinen Arm geschlossen,

was Liebe ist, kennt er, nur er allein: –

Armsel'ge, die ihr' Liebe nie genossen,

zieht hin, zieht in den Berg der Venus ein!

Das ist der Höhepunkt im Aufbau des Werks. Mit Tannhäusers
Preislied dringt die Venuswelt in den Wartburgsaal, denn ihr ist
eigentümlich, in jedem Augenblick auf bloßen Anruf hin aufzutauchen, wie es im dritten Akt die Nebelbildung in der Wartburg-Land-
schaft zeigt, die in »rosige Dämmerung« übergeht, um das Erscheinen
der Höllenfürstin anzukündigen.

Auf diesem Höhepunkt der romantischen Oper stehen in Wolfram
und Tannhäuser zwei Antipoden romantischer Dichtung gegeneinander. Ästhetische Antithetik wie später in den *Meistersingern* im Konflikt zwischen Beckmesser und Stolzing, Sachs und Stolzing, Sachs
und Beckmesser. Wolframs Romantik glaubt an der Poesie als einem
»normalen« Lebensbestandteil festhalten zu können. Tannhäuser
preist die romantische Kunst als Kunst jenseits allen Lebens in der
Oberwelt. Wahre Kunst und wahre Liebe sind nur als künstliche
Paradiese möglich. Liebende und Künstler, zieht in den Berg der
Venus ein!

Natürlich kann und darf die romantische Oper nicht mit dem
Sieg der Venus enden. Das ließ der Ausgang der Tannhäuser-Sage
nicht zu. Kirchliche und weltliche Orthodoxien der Wagner-Zeit
hätten diese Lösung nicht zugelassen. Auch das Liebesglück des Ge-
schwisterpaares Siegmund und Sieglinde durfte keinen Bestand ha-

ben. Goethes Faust endete nicht mehr, wie in aller früheren Tradition, mit der Höllenfahrt. Grabbe freilich hatte sechzehn Jahre vor Wagners *Tannhäuser* den Don Juan wie den Faust zur Hölle fahren lassen, ohne selbst die Verdammten am Schluß noch poetisch zu verdammen. Tannhäuser aber wird erlöst, wie Goethes Faust. Durch das Ewig-Weibliche, durch die Heilige, durch Elisabeth. Buchstäblich an der Schwelle zum künstlichen Paradies wird Tannhäuser durch die Gnade von außen und oben gerettet. Der Sieg der Hölle findet nicht statt.

Wirklich nicht? Es gibt den Ablauf des Dramas, es gibt aber auch den Ablauf der *Musik*. Musikalisch siegt bei Wagner der Venusberg. Wenn es um Potenz, Kühnheit, Beharrlichkeit in der Kreation einer Kunst der artistischen Verlockungen geht – und dem Schöpfer des »Tannhäuser« ging es darum –, so trägt die Oper nach wie vor mit Recht den Titel »Der Venusberg«. Schon im *Fliegenden Holländer* waren die musikalischen Bereiche der Daland-Welt und der utopischen Künstlerträume des Holländers und Sentas auch stilistisch scharf aufeinandergeprallt. Was man in der Wagnerliteratur allzu häufig als bloße musikgeschichtliche Wandlung Wagners von der Großen Oper zur eigenen musikalischen Ausdruckswelt verstanden hatte, war in Wirklichkeit bereits als Gegensatz zweier Formen der musikalischen Ästhetik aufgetreten. In der Spinnstube als Gegensatz von Spinnerlied und Senta-Ballade. Im *Tannhäuser* entsteht daraus der musikalische Gegensatz der Wolframwelt und der Tannhäuserwelt. Auch hier hat man den Eindruck, als sei Wagner bisweilen vor der eigenen Kühnheit zurückgewichen: genauso wie beim dramatischen Ablauf, der schließlich doch nicht mit dem Sieg des Venusbergs endete. Ein sonderbarer Reiz nämlich der Tannhäuser-Musik liegt darin, daß der Musiker Wagner ersichtlich bemüht war, *gleichzeitig* Musik traditioneller Romantik *und* Musik der künstlichen Paradiese zu schreiben. Mit allen musikalischen Mitteln soll die Wolframwelt erhöht und auf ihre Rolle als endliche Siegerin vorbereitet werden. Mehr noch: auch die Tannhäusergestalt selbst möchte der Künstler am liebsten doch wieder für den deutsch-romantischen Wolfram-Bereich zurückgewinnen.

Nur äußere Züge hat die Tannhäusergestalt Richard Wagners mit dem schweifenden, irrenden, schließlich zum Heil gelangenden Rittertyp der deutschen romantischen Oper gemein. Er steht aber ebensowenig, wie die Weltschmerzgestalten Grabbes, Immermanns oder Lenaus, in der Tradition des Don Juan: weshalb Baudelaire

an Wagners Tannhäuser besonders zu rühmen weiß, daß er sich
nicht mit der lästigen Menge der erotischen Opfer, den »unzähligen
Elviras«, eingelassen habe. »Wir sehen hier keinen gewöhnlichen
Wüstling, der von einer Schönen zur anderen flattert, sondern den
allgemeinen, universalen Mann, in morganatischer Verbindung mit
dem absoluten Ideal der Wollust, mit der Königin über alle Teufelin-
nen, alle Fauninnen und alle Satyrinnen, die seit dem Tode des Großen Pan unter die Erde verbannt wurden: mit der unzerstörbaren
und unwiderstehlichen Venus.« Tannhäusers Bindung aber an Venus
besitzt religiöse Inbrunst. Auch diese Erkenntnis steht schon bei
Baudelaire, der das Verhalten des Sängers im Venusberg als Übermaß
einer kraftvollen Natur beschreibt, die sich mit aller Kraft dem Bösen
statt dem Guten ergibt und ihre Leidenschaft bis zur Hölle einer
Gegenreligion erhebt. Weil dem so ist, muß der zynische »dissoluto«
Don Juan zur Hölle fahren, während die Höllenreligion Tannhäusers
durch himmlische Gnade und das Liebesopfer der Elisabeth zunichte
gemacht wird. Fortiter peccare. Das Unmaß der Sünde führt eher
zum Heil als der Zynismus des Don Giovanni. Das lehrte bereits
die mittelalterliche Legende vom Gregorius. Auch Tannhäuser im
Venusberg ist eigentlich, mit Thomas Mann zu sprechen, ein »Er-
wählter«. Hier spürt man ein Grundprinzip alles Kunstschaffens der
unechten Paradiese. Schon bei Hoffmann schlug das Hochgefühl eines
Lebens in der Poesie immer wieder in Alltagsmisere um. Der schön-
geistige Kater Murr wurde zum Gegenstück des Kapellmeisters
Kreisler. Bereits der Tannhäuser Heinrich Heines sehnte sich in der
Wollust nach Schmerzen. Wenn die künstlichen Paradiese ihre höchste Beglückung vermitteln, ist der Umschlag nahe.

Text und Musik Richard Wagners geben diesen Augenblick mit
größter Eindringlichkeit. Tannhäuser erwacht zu Füßen der Venus,
»als fahre er aus einem Traume auf«. Seine ersten Worte bedeuten
bereits den Umschlag. Die Grenze ist erreicht, wo das künstliche
Paradies erneute Sehnsucht nach der irdischen Unvollkommenheit
erweckt. Zum erstenmal bei Wagner jene Konstellation, die sich
später als Auftaumeln Parsifals aus der Umarmung Kundrys wiederholen soll. Auch dort tritt die Leidensvision – Amfortas und die
Wunde – mitten im künstlichen Paradies auf, denn natürlich ist die
Welt der Blumenmädchen abermals ein künstliches Paradies der höchsten Vollendung.

»Zu viel! Zu viel! oh, daß ich nun erwachte!« Das Absinken

der musikalischen Linie mit dem charakteristischen Vorhalt weist
Tannhäuser an dieser Stelle bereits als Gefährten des siechen Tristan
aus. Die Stelle könnte im dritten Tristan-Akt stehen. Das Liebeslager
Tannhäusers zu Füßen der Venus ist so weit gar nicht vom Schmerzenslager Tristans entfernt.

In der Religion Tannhäusers und der Ästhetik künstlicher Paradiese wird eine seltsam dualistische Weltsicht spürbar, die durchaus
gnostische Züge besitzt. Gleichzeitigkeit von Religion und Gegenreligion, Himmel und Hölle, Venus und Elisabeth. Die Welten sind
nicht streng voneinander zu scheiden. Die Schmerzensvision dringt
ein im Venusberg, die Venuswelt taucht an der Oberfläche auf und
breitet sich plötzlich zu Füßen der Wartburg aus. Es gehört zu den
genialsten Zügen des *Tannhäuser,* dieses Ineinander, das Wechselspiel
der Welten, bereits in der Ouvertüre gestaltet zu haben.

Die Venuswelt wird bei Wagner als gegendeutscher Bereich verstanden. Der Venusberg ist Hölle, aber er ist gleichzeitig auch eine
Reminiszenz des Komponisten an die schweren Hungerjahre in Paris.
Daß gerade für die Tannhäuser-Aufführung an der Pariser Oper
das Bacchanale seine endgültige Gestalt empfing, war nur folgerichtig. Der Venusberg ist Gegenreligion, die stets bedroht ist durch
Tageslicht, regelmäßige Wiederkehr der Jahreszeiten, denn in der
Hölle steht die Zeit still, durch menschliches Leid und Glück, durch
die *natürliche Unvollkommenheit* alles Menschlichen. Zu dieser Fülle
der Dualismen fügt Wagner überdies noch die geschichtliche Antithe-
se von *Antike und mittelalterlichem Christentum.* Frau Venus ist ein
Geschöpf der antiken Mythologie; in ihrem Bereich gibt es nicht
bloß die Inkarnation von Trieb und Lust, Faune und Satyre und
Bacchantinnen, sondern auch die drei Grazien, die ganz nahe das
Liebeslager der Venus umstehen und dafür sorgen, daß der erotische
Taumel schließlich als maßvolle Schönheit in malerisch-plastischen
Gruppen gebändigt wird. Die Verbindung des Tierischen und des
Göttlichen wird – fast unnötigerweise – durch die Symbolik der
Leda und Europa, von Schwan und Stier, noch unterstrichen.

Höchst merkwürdig ist der musikalische Ausdruck dieses Übergangs vom Trieb zum Maß. »Bei Ausbruch der höchsten Raserei«,
wie Wagner schreibt, muß der Paukenwirbel auf H einen regelrechten
Orgelpunkt markieren, über dem sich Akkorde der Wollust drängen,
die aber unverkennbar schon ein Absinken der Sättigung, eine Ermat-
tung erkennen lassen. Höhepunkte der Leidenschaft versteht Wagner

– auch schon in der Tannhäuserpartitur – als Form der reinen Grund-
akkorde, etwa im punktierten Rhythmus der Dreiklänge von C, F
und G. Der reine Dreiklang als Ausdruck natürlicher Vorgänge ist
von Wagner immer wieder verwendet worden. Das Venusberg-Bac-
chanale bedeutet nicht bloß Auflösung aller Formen, ziellose Ekstase,
sondern ist bei Wagner gleichzeitig streng geformt, antike Gegensätzlichkeit, geprägte Form. Der Venusberg als künstliches Paradies ist
– wie Baudelaire schon beim ersten Anhören der Tannhäusermusik
erkannte – gleichzeitig Leidenschaft und Ordnung. Die Hölle selbst
hat ihre Rechte und Gesetze.

Gestrüpp umgibt sie, diese heroisch-romantische Oper, in lichter Waffen Scheine. Es muß zu denken geben, daß kein Werk des von Zeitgenossen und Nachfahren so ausgiebig verspotteten Richard Wagner in ähnlicher Weise dem Hohn und der Parodie ausgesetzt war, dem Bierulk wie der Ironie. Es gibt berühmt-berüchtigte Umdichtungen der Zitate. Man verpflanzte Lohengrins Frageverbot und die Wechselgespräche im Brautgemach in die Trivialität des Alltagslebens, wo sie in ähnlicher Weise wie Dramenfetzen aus Schiller und Goethe ihr Unwesen treiben. Ähnlich dem »Spät kommt ihr, doch ihr kommt«. Eine der spöttischen Lieblingsanreden Bertolt Brechts lautete: »Mein lieber Schwan«.

Dies alles hat mit dem Werk selbst zu tun, bedeutet eine durchaus nicht unvertraute Geste der Abwehr, die gleichzeitig in solcher Renitenz die geheime Ehrfurcht erkennen läßt. Fluch und Zote gehören zum Bereich des Sakralen. Auch das zur Zote umgedichtete oder handfest trivialisierte Zitat meint insgeheim eine Glaubenshaltung. Berühmt seit jeher die Blasphemien der sehr christlichen Völker. Lohengrin aber gehörte, das hat Wagner gewollt, zum Sakralbereich. Doch dieser Bereich des gleichzeitig Geheiligten und Verruchten (im französischen Begriff des »sacré« sind beide Bedeutungen vereinigt) wird bei Wagner, im *Lohengrin* jedenfalls, nicht als Ebene der christlichen Offenbarung verstanden, sondern säkularisiert. Die Lohengrin-Oper verstand sich, was den Zeitgenossen ungeheuerlich vorkommen mußte, als eine Säkularisierung christlicher Vorstellungen: im Dienste einer ästhetischen Ersatzreligion.

Lohengrin war kein christlicher Heiliger, verlangte aber von der Umwelt eine Reaktion, die nur der sakralen Gestalt zugebilligt werden konnte. Daher der dramatische Konflikt im Werk selbst; darum auch die Fülle der Witzeleien und Banalisierungen. Gestrüpp umgab, seit den Anfängen, diese christliche Heiligenlegende. Dem *Parsifal* ist es später durchaus nicht so ergangen.

Ein Werk des Musiktheaters, das durch Blasphemie nicht weniger gefährdet wurde als durch kritiklose Verehrung. Das Bemühen von Mitwelt und Nachwelt, ein falsches Heilsgeschehen mit Hilfe von handfester Aufklärung zu entzaubern (wobei man im Grunde nicht anders zu Werke ging als Ortrud selbst im Verlauf der Bühnenhandlung), entsprang, seit den Anfängen, der Verwechslung einer singulären Oper, die trotzdem Oper bleibt, mit sakralem Geschehen: mit der Utopie. Dies begann bereits bei König Ludwig II. von Bayern, der sich mit Lohengrin identifizierte, und der ihn sich gleichzeitig als realen Partner ersehnte. Daher das Mißverständnis im Bündnis zwischen dem Komponisten und dem König, als in München der *Lohengrin* als Weihefestspiel der Opernbühne aufgeführt werden sollte. Der König ersehnte sich eine Bühnenerscheinung von männlicher Vollendung. Wagner war auf der Suche nach einem musikalischen und intelligenten jugendlichen Heldentenor.

Wohin die Identifizierung eines Theaterbesuchers mit dem Heilsgeschehen im Lohengrin geführt hat, ist allzu bekannt. Es hat dem Werk Richard Wagners geschadet und der Festspielidee nicht minder. Gestrüpp umwächst diese Oper in A-Dur, in lichter Waffen Scheine.

Vom *Tannhäuser* zum *Lohengrin* führte ein gerader Weg; die zeitliche und geistige Nachbarschaft ist groß. Die Grundgedanken des *Lohengrin* sind im Juli 1845 in Marienbad gleichzeitig mit dem Kernkonzept der »Meistersinger« entworfen worden. Beide Tatsachen sind für das Verständnis notwendig. Der *Lohengrin* führt die Linie des *Tannhäuser* weiter. Lohengrin und Stolzing sind legitime Verwandte des Sängers Tannhäuser. Das Künstlerthema Wagners war im *Tannhäuser* noch zu stark im Sagennebel verborgen geblieben. Die Weiterführung des Konfliktes im geschichtlichen, räumlich wie zeitlich genauer vorstellbaren Bereich schien sich aufzudrängen. Wagnerische und Gegen-Wagnerische Kunst, Tannhäuser und Wolfram: nicht mehr in die Ferne gerückt durch ein sagenhaftes Mittelalter, sondern mit einem authentischen und geschichtlichen Deutschland, mit Nürnberg im 16. Jahrhundert, in Verbindung gebracht. Bereits der erste Marienbader Entwurf der *Meistersinger* vom 16. Juli 1845 gibt neben dem geschichtlichen Aspekt des 16. Jahrhunderts zugleich auch den politischen Aspekt des deutschen 19. Jahrhunderts, des Jahres 1845, mit den einzigen Schlußzeilen:

Zerging' das heil'ge römische Reich in Dunst,
uns bliebe doch die heil'ge deutsche Kunst.

Damit aber steht der Meistersinger-Entwurf unmittelbar neben ge-
schichtlich-politischen Lohengrin-Worten wie:

Was deutsches Land heißt, stelle Kampfesscharen,
dann schmäht wohl niemand mehr das deutsche Reich!

Oder:

Doch, großer König, laß' mich dir weissagen:
dir Reinem ist ein großer Sieg verlieh'n.
Nach Deutschland sollen noch in fernsten Tagen
des Ostens Horden siegreich niemals zieh'n!

Abermals: es kann nicht angehen, solche Sätze nur »im Lichte unserer
Erfahrung« verstehen zu wollen. Sie müssen zunächst aus dem Geist
ihrer Entstehungszeit gedeutet werden. Dann freilich zeigt sich die
Verbindung zu den Meistersingern – wie die Verbindung zum Tannhäuser. Lohengrin ist abermals Tannhäuser, abermals der Künstler,
abermals Richard Wagner. Er ist das Wunder, das Genie, das im
Alltag erscheint. Die Geniegestalten der deutschen Sturm- und
Drang-Bewegung (Götz gehörte dazu und Prometheus und der ursprüngliche Faust) waren Selbsthelfer: sie waren auch als Künstler
zugleich Genies der Tat und der Empörung. Die Romantiker hatten
den Künstler als G e n i e durch den Künstler als W u n d e r in religiöser
Aura ersetzt. Wagner folgt ihnen hier nicht. Im *Lohengrin* ist die
Romantik – darüber möge man sich nicht täuschen – weitgehend
bloßes Requisit, viel weniger Substanz. Der *Tristan* ist weitaus romantischer als der *Lohengrin*. Das Wunder des Grals und der Lohengrin-
Gestalt ist säkularisiert, durchaus noch nicht christlich verstanden.
Den Gral deutet der Schöpfer des Lohengrin anders als der spätere
Meister des *Parsifal*. Wagner läßt darüber in der Mitteilung an die
Freunde gar keinen Zweifel aufkommen. »Auch Lohengrin ist kein
eben nur der christlichen Anschauung entwachsenes, sondern ein
uralt menschliches Gedicht, wie es überhaupt ein gründlicher Irrtum
unserer oberflächlichen Betrachtungsweise ist, wenn wir die spezifisch
christliche Anschauung für irgendwie urschöpferisch in ihren Gestaltungen halten. Keiner der bezeichnendsten und ergreifendsten christlichen Mythen gehört dem christlichen Geiste, wie wir ihn gewöhnlich fassen, ureigentümlich an: er hat sie alle aus den rein menschlichen Anschauungen der Vorzeit überkommen und nur nach seiner
besonderen Eigentümlichkeit gemodelt.«

Einen Lohengrin des authentischen Mittelalters kann Wagner
nicht gebrauchen, denn *nicht* das *christliche* Künstlertum soll Lohen-

grins Tragik und Einsamkeit begründen, sondern bloß das Künstlertum. Lohengrins Tragik beruht auf seiner Einsamkeit. Er ist das Wunder in einer Welt, die (in der Gestalt der Elsa) das Wunder zwar ersehnt, doch auch bemüht ist, es in die Alltagssphäre zu zwingen, eben dadurch aber des Wunderbaren zu entkleiden. Holländer- und Tannhäuser-Motive sind ineinander verschlungen. Wie im *Fliegenden Holländer,* wie in der deutsch-romantischen Tradition gibt es abermals ein Bündnis zwischen Menschenwelt und Geisterwelt, das tragisch zu enden hat. Die Ehe zwischen Lohengrin und Elsa muß ebenso scheitern wie die Verlobung der Senta mit dem Ahasver des Ozeans. Hinzu kommt Tannhäusers Protest gegen Alltag und Kunsttreiben der Umwelt. Der Künstler Tannhäuser ersehnte andere Freuden und Schmerzen als die Wolfram und Walther. Darum ging er in den Venusberg: um ein neues Künstlertum zu erlangen. Lohengrin ist dieser neue Künstler, dieser Wagner oder Wagnerianer. Die Glorie des Gralsrittertums bietet nur jene äußere Form, die das Künstlersymbol annehmen soll, sie ist aber nicht das Symbol. Lohengrin ist das Künstlertum der Ausnahme, das sich nicht in den Alltag zwingen läßt. Das Frageverbot an Elsa drückt diesen Zustand höchst sinnreich aus. Das Genie verlangt fraglose Treue, höchstes Vertrauen, alle Reservate des Außerordentlichen. Der Alltag verlangt Kenntnis von Namen und Art, Einordnung des Wunders in das Übliche. An diesem Konflikt waren bereits E. T. A. Hoffmanns Künstlergestalten zerschellt. Auch der Anselmus in der Erzählung vom »Goldenen Topf« lebte gleichzeitig in Dresden und in Atlantis. Lohengrin aber kann nicht zugleich Gralsritter, Ehegatte und Herzog sein. Der Gral ist Utopie, die sich nicht alltäglich machen läßt. Darum muß der Lohengrin-Konflikt mit Notwendigkeit tragisch enden. Dies um so mehr, als Wagner im Grunde geneigt ist, die Umwelt und den Alltag als das Unnatürliche, das Wunder des Künstlers aber als höhere Natürlichkeit zu betrachten.

Die besondere Tragik zwischen Lohengrin und Elsa, die aus diesem Konflikt entsteht und entstehen muß, hat der Dichter in doppelter Weise begründet. Einmal aus Elsas Schuld: sie hat versucht, das Wunder zur sinnlichen Existenz zu zwingen. Elsa scheitert daran, daß sie dem Wunder Lohengrin gegenüber das »Verlangen nach voller sinnlicher Wirklichkeit« erhoben hat. Allein auch Lohengrin ist eigentlich schuldig. Seine Mission war von Anfang an mit Vollziehung der Ehe und fürstlichem Alltag nicht zu vereinigen. Wenn

er sich trotzdem darauf einließ, so begründete auch er Schuld und
legte die Grundlage für seine Stimmung der Trauer, die ihn »wehmütig« in der Stunde des Abschieds den Schwan erblicken, »mit heftigem
Schmerze« zu Elsa sprechen läßt. Wagner hat auch diese Seite des
Konflikts bedacht und sogar gedichtet. Es gibt einige Textfragmente
zu Lohengrins Schlußworten, die nicht vertont wurden, weil hierdurch die innere Zwiespältigkeit der Lohengrin-Gestalt noch stärker
zum Ausdruck gekommen wäre. In den Fragmenten bekennt der
scheidende Lohengrin:

O Elsa! Was hast du mir angetan?

Als meine Augen dich zuerst ersah'n,
fühlt' ich zu dir in Liebe schnell entbrannt
mein Herz, des Grales keuschem Dienst entwandt.

Nun muß ich ewig Reu und Buße tragen,
weil ich von Gott zu dir mich hingesehnt,
denn, ach, der Sünde muß ich mich verklagen,
daß Weiberlieb' ich göttlich rein gewähnt!

In seltsamster Weise ist hier also das höchstpersönliche Erleben mit
den philosophisch-literarischen Reminiszenzen verwoben: abermals
die Einsamkeit des Künstlers Wagner in seiner sächsischen Umwelt;
die Trivialität von Eheleben und Berufsleben; die Reinheits- und
Unreinheitsgedanken der jungdeutschen Literatur; Feuerbachs Philosophie der Menschenliebe, die das Christliche, ganz wie es Wagner
mit Gral und Lohengrin tut, ins allgemein Menschliche umdeutet.

Die Rittertradition lieh das Handlungsgerüst, nicht die Substanz
des Konflikts. Die nämlich ist politischer Art. Richard Wagner gedachte im Lohengrin ausdrücklich die damalige tagespolitische Auseinandersetzung zwischen »Zeitgeist« und »Reaktion« auf die Bühne
zu bringen. In einem aufschlußreichen Briefe an Franz Liszt vom
30. Januar 1852 hat er sich genauer darüber geäußert. Der Freundschaft Liszts war bekanntlich die Weimarer Uraufführung des Lohengrin am 28. August 1850, also an Goethes Geburtstag, zu danken
gewesen; der exilierte Wagner konnte sie nicht hören. Die Fürstin
Caroline von Sayn-Wittgenstein, Liszts Freundin, hatte an Wagner
geschrieben und von der Darstellung und Darstellerin der Ortrud
gesprochen. Wagner antwortete:»Sehr fesselten mich namentlich ihre
geistvollen Bemerkungen über die Rolle der Ortrud, und der Vergleich, den sie zwischen der Leistung der früheren Darstellerin und
der jetzigen anstellt. Auf welche Seite ich mich neige, wird Deine

verehrte Freundin sogleich erkennen, sobald ich meine Ansicht über diesen Charakter einfach dadurch bezeichne, daß Ortrud ein Weib ist, das – die Liebe nicht kennt. Hiermit ist Alles, und zwar das Furchtbarste, gesagt. Ihr Wesen ist Politik. Ein politischer Mann ist widerlich; ein politisches Weib aber ist grauenhaft: diese Grauenhaftigkeit hatte ich darzustellen.«

Eigenartig berührt ferner, daß Ortruds Ruf nach den heidnischen Göttern von Wagner im *Lohengrin* negativ gedeutet wird, während wenige Jahre später bereits, in den ersten Entwürfen zum Nibelungenring, die germanische Götterwelt anders akzentuiert erscheint. Der Grund liegt im *Lohengrin* aber darin, daß es nur obenhin um Christentum und Heidentum gehen kann. Lohengrin ist kein christlicher Ritter, Ortrud keine Zauberin der Heidengötter. Lohengrin ist das Wunder des einsamen Künstlers in einer ungemäßen Umwelt, Ortrud aber ist die Verkörperung dieser aristokratisch ungemäßen Umwelt, und damit im aktuellen Bereich die eigentliche Gegenspielerin des Gralsritters.

Die eigentümliche Struktur der Lohengrin-Musik hat Franz Liszt in einer Analyse, die Richard Wagners freudige Dankbarkeit erregte, mit folgenden Worten beschrieben:»Die Musik dieser Oper hat als Hauptcharakter eine solche Einheit der Konzeption und des Stils, daß es in derselben keine melodische Phrase und noch viel weniger ein Ensemblestück oder überhaupt irgendeine Stelle gibt, welche getrennt vom Ganzen in ihrer Eigentümlichkeit und in ihrem wahren Sinne verstanden werden kann. Alles verbindet, alles verkettet, alles steigert sich. Alles ist mit dem Gegenstand auf das engste verwachsen und kann nicht von demselben losgelöst werden.«

Simple Verzauberung ist nicht mehr möglich, der noch unsere Väter und Großväter erlegen waren. Wir erleben den Schwan nicht mehr»naiv«, um Schillers berühmte Antithese anklingen zu lassen, sondern»sentimentalisch«, nämlich durch Skepsis und Ironie gebrochen. Wenig ist also damit gewonnen, daß man die Illusion mit einem naturalistischen Schwanrequisit dadurch»verfeinert« oder gar sublimiert, daß man einen grellen Lichtschein präsentiert, hinter dem sich jeder den Schwan vorzugaukeln hat. Einer Illusion und Verzauberung, die so viel Unheil erzeugte, weil diesmal das Unheil von Lohengrin ausging, durchaus nicht von Ortrud, kann nur durch eine entschiedene Anti-Illusion begegnet werden. Ein Schwan, der ausdrücklich als modernes Kunstgebilde verstanden wird, verfremdet

Richard Wagners Utopie durch Theater. Dann wird mit dem Schwan zugleich auch Lohengrin eine Kunstfigur, deren Nam' und Art durch die Gesetze der Kunstfiguren bestimmt ist. Eine durch Theater verfremdete Utopie, der man die Möglichkeit nahm, durch Einfühlung und Verzauberung weiterzuwirken, ist keine mehr. Lohengrin wird abermals zur Kunstfigur einer romantischen Oper. Er tritt an die Seite all seiner Genossen von der Operngattung. Dann steht er abermals, so wie es Wagner gewollt hat, neben dem Holländer und Tannhäuser: seinen Brüdern. Ihm aber wurde die Möglichkeit genommen, aus der Opernwelt gleichsam auszubrechen und Unheil anzurichten in einer Sphäre, für die er nicht geschaffen worden war: im Bereich der Ersatzreligion und der Erlösungsmythen mit politischem Heilscharakter.

Dann erst ist Gerechtigkeit für Lohengrin möglich. Übrig bleibt ein bedeutendes Opernkunstwerk, das weder zu falsch-heroischen Taten aufruft noch die zotenhafte Trivialität verdient, die man ihm zumißt: in Abwehr der utopischen Ansprüche. Erst wenn dies gelingt, wenn das Werk seinen legitimen Wirkungen zurückgegeben und alle Heilsattitüde fortgebannt wurde, ist das Gestrüpp fortgeräumt, das diese heroisch-romantische Utopie nur allzulange umgab.

ORTRUD UND LOHENGRIN

Scheinbar ist Ortrud, die ihr Gemahl Telramund als »Radbods, des Friesenfürsten Sproß« feierlich dem deutschen König Heinrich vorstellt, um anschließend seine Anklage gegen Elsa von Brabant zu spezifizieren, eine gewöhnliche Märchenhexe vom wohlbekannten Typ. Als schaudervolles Gegenspiel zur verfolgten mädchenhaften Unschuld: gleich der bösen Königin aus »Schneewittchen«. Die Antithese des unschuldigen Mädchens und der schuldigen Frau paßt sich allen Kulturen an. Sie war heidnisch und christlich (gehörte dann zur Heiligenlegende), vollzog sich im nördlichen wie südlichen Gelände, so daß auch der Kampf der schuldigen Klytemnästra und der so gefährlich reinen Elektra als Spielart gelten darf. Bürgerliche Aufklärung delektierte sich, bei Richardson und Lessing und Laclos, am Kontrast zwischen bürgerlicher Mädchenwürde und adliger weiblicher Libertinage. Dann steht die Marwood, bei Lessing, gegen die penetrant tugendhafte Miss Sara Sampson.

Deutsche Romantik konnte alles brauchen: die Teufelin und die Heilige; mädchenhafte »Natur« und Künstlichkeit der schuldigen Buhlerin. Heinrich von Kleist arbeitete, und sehr bewußt, fast zynisch, mit den bewährten Rezepten im »Käthchen von Heilbronn«. Man konnte nicht argloser und unbewußter dahinleben als Käthchen, nicht schurkischer und artifizieller als die böse Kunigunde.

Es war bereits Oper vor aller Musik. Der ehrgeizige und schwerkranke *Carl Maria von Weber* versprach sich viel vom Textbuch der Helmine von Chézy, die bereits den dramatischen Versuchen Franz Schuberts zum Verhängnis geworden war. Seine zuerst an der Wiener Oper im Jahre 1823 aufgeführte Oper »Euryanthe« will ein Amalgam herstellen aus dem romantisch-antithetischen Klischee von ritterlicher Treue und höfischem Verrat, aus Reinheit und Verleumdung, Heidenzauber und christlichem Gottvertrauen. Natürlich siegen Unschuld und Treue. Hell sind die Farben und Klangfarben der Reinen (Adolar und Euryanthe), düster jene der Gegenspieler Lysiart und

Eglantine. Wer in einer der – seltenen – Aufführungen von Webers »Euryanthe« sitzt, glaubt sich in die *Lohengrinwelt* versetzt: freilich erklingt eine zwar schöne, aber unvertraute Musik. Daß sich Richard Wagner das dramatisch-dramaturgische Schema der Weber-Oper für seinen *Lohengrin* zunutze gemacht hat, ist unbestritten. Auch hier die Klangfarbensymbolik, die Wagner durch Tonartensymbolik verstärkte: A-Dur der Gralswelt kontrastiert mit der Moll-Entsprechung in fis-Moll von Ortrud und Telramund.

Mehr als zwanzig Jahre jedoch liegen zwischen »Euryanthe« und dem Arbeitsbeginn am *Lohengrin* im Jahre 1845 und in Marienbad, wo Richard Wagner gleichzeitig das Grundkonzept dieser neuen romantischen Oper und das Schema der künftigen *Meistersinger* entwarf. »Euryanthe« hatte unverkennbar mit einer klischeehaft gewordenen und restaurativen Romantik zu tun; *Lohengrin* hingegen ist eine politische Dichtung des Vormärz, demnach das Produkt einer Ära zwischen zwei europäischen Revolutionen (1830 und 1848). Die Deklamationen der Ritter bei Helmine von Chézy sind ebenso markig wie farblos. Des Königs Mahnung jedoch bei Wagner an die Vasallen am Scheldeufer atmet Geist der deutschen Einigung:

Für deutsches Land das deutsche Schwert!

So sei des Reiches Kraft bewährt!

Natürlich ist Wagners politische Prophezeiung im »Lohengrin« die übliche dramatische Voraussage von einem, der später lebt und daher alles weiß. Angespielt wird auf Heinrichs Sieg über die Ungarn an der Unstrut. Gemeint ist jedoch, was Wagner will und wie es die Zeitgenossen verstehen, ein Appell zur deutschen Einigung und zum Widerstand gegen den *Zarismus* als Hauptstütze der restaurativen europäischen Fürstenallianz.

Die Aktualisierung und Politisierung des alten romantischen Märchenschemas offenbart sich jedoch am eindringlichsten an Wagners Operngestalt der Ortrud. Auch sie ist Frau mit der Waffe. Zauberkundig oder vertraut mit geheimen Kräften in der Natur, gleich vielen anderen Wagner-Heroinen: Venus, Isolde, Brünnhilde und Kundry. Ortrud verwandelt – was töten heißt! – durch Zauber. Was tat sie Gottfried an, dem Erben von Brabant und Bruder der Elsa? Auch sie ist Überfrau wie die Gräfin Faustine; der edle Graf von Telramund wird in der nächtlichen Auseinandersetzung von ihr »mit ruhigem Hohn«, schließlich »mit fürchterlichem Hohne« abgetan. Was jedoch bei Ida Hahn-Hahn, vier Jahre vor Wagners Arbeit am *Lohengrin*,

als weiblicher Titanismus dargestellt und gebilligt worden war, wird
bei Wagner durchaus negativ akzentuiert.

Daß er selbst es so verstanden haben wollte, hat Wagner in einem
Brief an *Franz Liszt* vom 30. Januar 1852 ausführlich dargelegt,
kaum zwei Jahre nach der Weimarer Uraufführung des *Lohengrin*
unter der Leitung von Liszt, die Wagner, der Exilierte des Jahres
1849, nicht hatte sehen und hören können. Die Fürstin Caroline
von Sayn-Wittgenstein, die mit Liszt seit seiner Trennung von Marie
d'Agoult in Weimar lebte und eine bemerkenswerte Kennerin der
dramatischen Literatur war, übrigens auch eine Interpretation des
»Faust« schrieb, hatte in einem Brief an Wagner von der Neueinstudierung und Umbesetzung des *Lohengrin,* kaum zwei Jahre nach der
Premiere, gesprochen und dabei Darstellung und Darstellerinnen der
Ortrud analysiert. Wagner antwortet im Brief an Liszt. Er lobt die
»geistvollen Bemerkungen über die Rolle der Ortrud« und schließt
einen wahren brieflichen »Ausbruch« an gegen diese Opernfigur und
gegen die Welt, die sie für ihn, Wagner, repräsentiert. Ortrud sei
ein Weib, das – »die Liebe nicht kennt. Hiermit ist Alles, und zwar
das Furchtbarste, gesagt. Ihr Wesen ist Politik. Ein politischer Mann
ist widerlich; ein politisches Weib aber ist grauenhaft: diese Grauenhaftigkeit hatte ich darzustellen.«

Selbst in der üppigen Korrespondenz Richard Wagners findet
sich nicht eben häufig ein Dokument, das die widerspruchsvolle Ab-
surdität so weit treibt, wie es hier geschieht. Der politische Mann
ist widerlich, das politische Weib grauenhaft. Ekel im einen, Angst
im andren Falle. Daß ein exilierter Revolutionär und Gefährte *Michael
Bakunins* so formuliert, der Verfasser überdies von Werken über die
»Kunst und die Revolution« und das »Kunstwerk der Zukunft«,
das sich schon im Titel zu Ludwig Feuerbachs Philosophie der Zukunft bekannte, braucht nicht eigens erwähnt zu werden.

Wagner glaubt sich durch geschichtliche Beispiele bestätigt: »Wir
kennen in der Geschichte keine grausameren Erscheinungen als politische Frauen.« Wen mag er im Sinn haben? Die englische Elisabeth,
die russische Katharina? Er hält sich an Allgemeinheiten, spezifiziert
jedoch die angebliche Eigentümlichkeit weiblichen Politisierens: es
sei der Substanz nach stets rückgewandt. Ortrud liebe die Vergangenheit, die untergegangenen Geschlechter. Es sei die »entsetzlich wahnsinnige Liebe des Ahnenstolzes«. Der Mann als Reaktionär werde
bloß lächerlich; beim Weibe jedoch verbinde sich reaktionäre Politik

mit einem »mörderischen Fanatismus«. Das sei an Ortrud zu entdek-
ken. »Sie ist eine Reaktionärin, eine nur auf das Alte Bedachte und
deshalb allem Neuen Feindgesinnte, und zwar im wütendsten Sinne
des Wortes: sie möchte die Welt und die Natur ausrotten, nur um
ihren vermoderten Göttern wieder Leben zu schaffen.« Die tiefe
Emotionalität des Briefes ist auffallend. Hier schreibt nicht der ewig
belehrende und werbende, sondern der tief getroffene und fürchtende
Wagner. Er fürchtet Ortrud, und er bewundert sie. Sie sei »furchtbar
großartig«. Auch dies ist Ambivalenz des Fühlens. Mit einem seltsam
ambivalenten Denken in unreinlicher Mixtur verbunden. Denn Ortruds Reaktion richtet sich gegen das Christentum und seine Inkarnation im Gralsritter Lohengrin, den sie für einen Schwächling und
Schwindler hält: ganz wie den Christengott selbst. Andererseits ist
der Feuerbachianer Wagner im *Lohengrin* von allem Glauben an die
überzeitliche Geltung des Christentums weit entfernt. Gebet, Gottes-
urteil, Gralszauber sind bloße romantische Requisiten. Lohengrin
ist kein christlicher Ritter, sondern ein genialisch-einsamer Künstler
in der Bürgerwelt, gleich seinen Vorgängern, dem Ahasver des
Ozeans und dem freischwebenden Künstler Tannhäuser zwischen
Wartburg und Venusberg.

Die Ablehnung der Ortrud als einer politisierenden Frau ist selbst
reaktionär. Eigenartig ferner, daß Ortruds Ruf nach den heidnischen
Göttern negativ gedeutet wird, während Wagner nur wenige Jahre
später darangeht, die von Ortrud aufgerufene germanische Götterwelt als *Chiffre der bürgerlichen Gesellschaft zu interpretieren* und sich
selbst darin als »Wanderer« wiederzuerkennen. Der Widerspruch liegt
darin, daß Lohengrin für Wagner insgeheim kein christlicher Ritter
ist, und Ortrud keine Zauberin der Heidengötter. Lohengrin ist das
Wunder des einsamen Künstlers in einer rationalisierten und skepti-
schen, auch kunstfeindlichen Umwelt. Ortrud verkörpert die Widerstände dieser aristokratischen und auch bürgerlich-rechenhaften Umwelt.

An dieser Stelle wird sichtbar, was Wagner mit Hebbel verbindet,
und was sie trennt. Beide halten das Tun eines »politischen Weibes«,
wobei der Begriff des Politischen weit gefaßt wird, für existentiell
widerspruchsvoll. Das politische Weib ist ihnen die Frau mit der
Waffe. Hebbel glaubt moderner zu sein als der Dramatiker der »Jungfrau« von Orléans«; Wagner dünkt sich moderner als der Beethoven
des »Fidelio«.

Hebbel weiß als Zeitgenosse genau, was Reaktion ist. Dennoch gehört, im Gegensatz zu Wagner, den untergehenden Ordnungen und Ideen seine kaum noch geheime, fast offen einbekannte Sympathie: sogar mit dem Tischlermeister Anton; ganz gewiß mit der Königin *Rhodope,* die in »Gyges und sein Ring«, gleich der Ortrud, unbeirrt an den alten Bräuchen festhält: tötend und sterbend. König Kandaules bekommt Dialektik der Aufklärung zu spüren, da er an den »Schlaf der Welt« zu rühren wagte.

Wagner weiß sich eins mit Lohengrin und Elsa. Freilich ist die Erbin von Brabant für ihn, wie er später in einer »Mitteilung an meine Freunde« erläutert, nur insofern selbst Existenz, als sie bloß Teil eines missionarischen Ich sein darf, als »Gegensatz, der in seiner Natur überhaupt mit enthalten, und nur die notwendig von ihm zu ersehnende *Ergänzung seines männlichen, besonderen Wesens* ist.« Daher kann Elsa nicht weiterleben, als Lohengrin die Rückkehr zum Gral antrat. Ortrud jedoch überlebt. Zwar sinkt sie beim Anblick des jungen Gottfried »mit einem Schrei zusammen«. Aber sie wird sich erholen.

TRISTANS SCHWEIGEN

Ich kehre nun zum »Tristan« zurück,
um an ihm die tiefe Kunst des tönenden
Schweigens für mich zu Dir sprechen zu lassen.
Richard Wagner an Mathilde Wesendonk
Venedig, 12. Oktober 1858.

Die Handlung einer klassischen Tragödie vollzieht sich durch das Wort. In einer kruden Haupt- und Staatsaktion läuft viel äußerliches Geschehen sichtbarlich vor den Betrachtern ab. Das klassische Drama dagegen – so lernte man's bei den Alten – verbannte die eigentlichen Aktionen weitgehend hinter die Bühne und in den Zwischenakt. Dann verkündeten Botenberichte, sobald sich der Vorhang wieder geöffnet hatte, was geschehen war. Spiel und Gegenspiel bestanden in der Auseinandersetzung durch Rede und Wort. Man sprach sich aus, stellte geistige Positionen gegeneinander: Egmont und Alba, Maria und Elisabeth, Natalie und den Kurfürsten im »Prinz von Homburg«. Nicht immer wurde im Gespräch alles durch das Wort offenbart. Es gab Verschweigungen, Kabalen, taktische Scheinargumente, aber der Zuschauer sollte merken, daß dem so war. Außerdem gab es den Monolog, worin sich die Gestalt, jenseits aller Lügen und Verschweigungen, ganz offenbarte. Schon die erste Szene des Königsdramas verkündete im Selbstgespräch, warum Richard Gloucester, dereinst König Richard III., gewillt sei, ein Bösewicht zu werden.

Auch *Tristan und Isolde* ist eine Tragödie. Aber mit dem über die klassische Tradition dadurch hinausstrebenden dramaturgischen Grundeinfall, daß sich hier, mit Ausnahme des großen Zwiegesprächs der Liebenden im zweiten Akt, auf den alles hinstrebt und von dem alles wieder wegführt, keine wirkliche Kommunikation der Gedanken durch das Wort vollziehen kann. Die dramatische Handlung scheint sich in jedem Augenblick der Erörterung durch Rede und Gegenrede zu entziehen. Nur scheinbar stehen Isolde und Brangäne, Tristan und Kurwenal zueinander im klassischen Verhältnis des Helden zu seinem Vertrauten, zum »confident«. In Wahrheit sind Isoldes Dialoge mit Brangäne im ersten Aufzug und zu Beginn des zweiten Aktes, sind weit stärker noch die Worte, die der verwundete Tristan mit

Kurwenal wechselt, als »windschiefes Gespräch« angelegt. Die Partner sind einander sehr fern, und die Rede der Helden geht nicht
dahin, verstanden zu werden. Man spricht aneinander vorbei. Der
Dialog offenbart sich, von Tristan und Isolde her gesehen, als verkleideter Monolog.

Dahin hatte die Opposition der Dramatiker gegen den deutsch-
klassischen Kanon der Dramaturgie schon früh gestrebt. Bei Kleist
war sie zuerst erkennbar geworden. Dann in Büchners »Woyzeck«,
der nahezu vollständig auf solchen windschiefen Gesprächen beruhte.
Das wies hinüber zu Wedekind und späteren Formen der Dramatik
im 20. Jahrhundert. Auch das Musikdrama *Tristan und Isolde* bedeutet
im dramaturgischen Aufbau einen Schritt auf diesem Wege. Die eigentliche Tragik wird immer wieder darin sichtbar, daß die Gestalten
nicht durch das Wort zueinander gelangen können, da alle Gespräche
nebeneinander herlaufen und eine Kommunikation der Seelen nicht
stattfindet. In einem Brief an Mathilde Wesendonk vom 10. April
1859, während Wagner am dritten Akt arbeitet, wird dies für einen
Augenblick offen ausgesprochen. Der Briefschreiber zitiert Kurwenals Worte aus der ersten Szene des dritten Aufzugs, die Tristan
neue Lebenszuversicht geben möchten. »Das wird sehr erschütternd
– wenn nun zumal das alles auf Tristan – gar keinen Eindruck macht,
sondern wie leerer Klang vorüberzieht. Es ist eine ungeheure Tragik!
Alles überwältigend!«

Die Tragik eines Redens, das den Partner nicht mehr erreicht,
»sondern wie leerer Klang vorüberzieht«. Hier wurde – noch vor
allem Musikalischen – eine neue Form des Tragischen gesucht und
gefunden, die sich bewußt gegen alle klassische Überlieferung zu
stellen gewillt war. Isolde spricht sich vor Brangäne aus, so wie
Tristan vor Kurwenal, meint aber nicht die Vertraute, will eigentlich
weder erklären noch irgendein Handeln veranlassen. Sie spricht sich
aus, sich allein. Ein Monologisieren – und eigentlich nicht einmal
das mehr, denn es fehlt alle Bemühung um geistige Wesenserkenntnis.
Isolde schwankt nicht wie Hamlet oder Faust zwischen Sein und
Nichtsein, will nicht abwägen wie Wallenstein, ob sie handeln soll,
bedarf keiner Klärung der Gedanken, denn alles ist für sie nur allzu
klar, gräßlich klar. Ein episches Element wird in diesen Monologen
sichtbar, die sich als Dialog verkleidet hatten. Dies hier ist – bei
Isolde im ersten, bei Tristan im dritten Aufzug – epischer Bericht,
wodurch bei aller Abkehr von der deutsch-klassischen Dramentradi-

tion nun wieder eine erstaunliche Rückkehr zur antiken Tragödie,
zu Sophokles vor allem, erkennbar wurde.

Epischer Bericht statt einer genuin-dramatischen Auseinandersetzung durch die Rede. Das Verschweigen spielt im dramatischen Ablauf der Handlung eine überragende Rolle. Wichtig ist bei den Hauptgestalten, auch bei Marke, weit weniger, was sie aussagen, als was
sie verschweigen. Dies Verschweigen aber hat nichts mit Lüge oder
Verstellung zu tun, es sei denn bei Melot, aber dessen Betrug wird
auf der Szene nicht sichtbar. Da Tristans Rivale endlich erscheint,
ist auch für ihn der Augenblick gekommen, wo das Doppelspiel
von Freund und Verräter zu Ende ging. Was Melot auf der Szene
spricht, enthüllt den wahren, den wirklichen Melot.

Die Tragik entsteht hier nicht durch irgendein intrigenhaftes Doppelspiel, das die wahren Beweggründe und Aktionen einer Gestalt
verschweigt: doch so, daß der Zuschauer klarer sieht als der Gegenspieler auf der Szene. Es ist nicht mehr der Fall des Octavio Piccolo-
mini vor Wallenstein. Ein Verschweigen, wie es Isolde und Tristan
üben, gilt zunächst sogar dem eigentlichen Ich gegenüber. Wäre
das Wort nicht so sehr in Mode gekommen, man könnte bei solchem
Verschweigen auch von einem »Verdrängen« sprechen. Isoldes Haß
auf Tristan beruht auf solchem Verschweigen vor sich selbst. Mit
Tristans Ehre steht es nicht anders. Als sie den Liebestrank in sich
spüren, den sie als Todesbringer getrunken hatten, fällt alles von
ihnen ab. Das Verschweigen voreinander und vor sich selbst ist
zu Ende. »Was träumte mir von Tristans Ehre?« Sie erwidert: »Was
träumte mir von Isoldes Schmach?«

Es liegt nahe, Wagners Tragödie des Schweigens und Verschweigens durch die *Entstehungsgeschichte* erklären zu wollen. Von der »tiefen
Kunst des tönenden Schweigens«, die sich im *Tristan* offenbare, war
bereits von Venedig aus zu Mathilde Wesendonk gesprochen worden.
Man pflegt das Werk herkömmlicherweise mit der Patriziersgattin
in Zürich in Verbindung zu bringen. Daß hier unmittelbare Beziehungen zwischen Leben und Lebensdeutung, Erlebnis und Dichtung
bestehen, ist offensichtlich. Wagner hat später in einem Brief an
Eliza Wille von Mathilde Wesendonk gesagt: »Sie ist und bleibt
meine erste und einzige Liebe!« Neuartiges Empfinden des Künstlers,
bis dahin nur geahnt, aber nicht wirklich empfunden (was der *Tannhäuser*-Partitur zum Nachteil gereichen mußte), verwandelte sich nun
in eine musikalische Emotion ohnegleichen.

Dennoch kann die Identifizierung nicht glücken: Mathilde-Isolde, Wagner-Tristan, Wesendonk-Marke. Gewiß spricht der liebende und entsagende Künstler später von Isolde und meint Mathilde Wesendonk; aber er nennt sie gelegentlich auch Elisabeth. Die Einheit aus Isolde und Elisabeth ist jedoch kaum möglich. Die Wirklichkeit der Vorgänge auf dem grünen Hügel bot dafür überdies keine Grundlage. Richard Wagners Liebe zu Mathilde Wesendonk erwies sich als eine auslösende, freisetzende Kraft. Tristanwelt und Tristanmusik konnten erst dadurch entstehen, allein die Tristanwelt wurde dadurch für Wagner nicht begründet: sie war im wesentlichen bereits innerlich vorgebildet. Was das Erlebnis im norwegischen Fjord für den *Holländer* bedeutet hatte, der Anblick der Wartburg für die Entstehung des *Tannhäuser,* nächtliche Prügelei zu Nürnberg im Jahre 1835 für das künftige zweite Finale der *Meistersinger,* wurde nun durch Mathilde Wesendonk für den *Tristan* geleistet: eine Lebensvision, die sich den bereitliegenden künstlerischen Motiven beigesellte.

Wichtiger war, daß eine innere Beziehung zwischen den Nibelungen-Themen und der Tristan-Konstellation hergestellt werden konnte. Der *Tristan* wurde bekanntlich zur ersten der beiden großen »Einschaltungen« mitten im Entstehungsprozeß der Ring-Tetralogie. Siegfried zog Tristan nach sich, wie dieser wiederum die Gestalt des Parsifal heraufrief. Im späteren »Epilogischen Bericht«, worin Wagner die Entstehungsgeschichte des *Ring* nacherzählte, verglich er das Verhältnis Tristans zu Isolde mit Siegfrieds Beziehung zu Brünnhilde. »Die völlige Gleichheit dieser besteht aber darin, daß Tristan wie Siegfried das ihm nach dem Urgesetze bestimmte Weib, im Zwange einer Täuschung, welche diese seine Tat zu einer unfreien macht, für einen anderen freit, und aus dem hieraus entstehenden Mißverständnisse seinen Untergang findet. Während der Dichter des ›Siegfried‹, den großen Zusammenhang des ganzen ›Nibelungen‹-Mythus vor allem festhaltend, nur den Untergang des Helden durch die Rache des, mit ihm sich aufopfernden Weibes in das Auge fassen konnte, findet der Dichter des ›Tristan‹ seinen Hauptstoff in der Darstellung der Liebesqual, welcher die beiden über ihr Verhältnis aufgeklärten Liebenden bis zu ihrem Tode verfallen sind.« Unmittelbar darauf gibt Wagner das Stichwort für die tiefe Gemeinsamkeit der Ring- und der Tristan-Problematik: »Der Tod durch Liebesnot«.

Dies nämlich steckt hinter allem Verschweigen. Man verschweigt, um weiterleben zu können: im scheinbaren Haß der Isolde, in Tri-

stans trotziger Ehrsucht. Als das Ende alles Verschweigens herangekommen scheint: in der ersten Umarmung, in der Liebesnacht,
kommt es zum Gespräch. Aber nur, weil man den Tod erwartet,
das endgültige Schweigen. *Vom Verschweigen über das scheinbar lösende
Gespräch zum wirklichen Schweigen, das den Tod bedeutet:* dies ist die
große – nun höchst unklassische – dramatische Bewegung, auf der
Wagners Tragödie beruht. Sie findet sich allerdings, wie noch zu
zeigen sein wird, gekoppelt mit einer geheimen, aber unendlich bedeutungsvollen *Gegenbewegung*. Vom Verschweigen zum Todesschwei-
gen, das ist zunächst der Weg. Er führt über das lösende Gespräch,
das eigentlich auch keines ist, sondern bald einen neuen Rückfall
eines jeden der Liebenden in das Monologisieren bedeutet. Höchste
künstlerische Paradoxie: im gleichen Augenblick, da die Möglichkeit
zum Gespräch, zum dramatischen Dialog, gekommen ist, in der Liebesnacht nämlich, erweist sich die Unmöglichkeit selbst *dieser* Kommunikation in *diesem* Augenblick. Tristans Liebe bleibt zunächst einmal Tristans Liebe; dann erst wird sie, heikel und kaum ernsthaft
geglaubt, zu Tristans *und* Isoldes Liebe. Die Gemeinsamkeit der Liebenden, die den Ausbruch aus der früheren Einsamkeit bedeuten
soll, ist nicht nur von außen bedroht: durch Marke, durch Melot.
Sie ist innerlich gefährdet, denn Liebe und Schuld, Glückserfüllung
und Gewissensqual sind allzu eng miteinander verknüpft. Zum ersten
Mal bei Wagner hatte der Titel der Tragödie ein Liebespaar statt
eines einsamen Einzelhelden angezeigt. Nun kommt es auch hier
nicht zu wirklicher Gemeinsamkeit.

Als die eigentliche Rede zwischen den Liebenden beginnen soll,
strebt sie nicht zur Gemeinsamkeit von Ich und Du, sondern zur
Entäußerung des Ich im anderen Ich. Die Repliken der Liebenden
werden austauschbar. Auch die Nacht führt nicht zur Wahrheit, sondern zu einem Vorgang der Selbstentäußerung, der – schon vor
allem Sterben – gleichzeitig den Tod bedeutet und den Gesang. So
also ist in Wirklichkeit Richard Wagners Wort von der »tiefen Kunst
des tönenden Schweigens« zu verstehen.

Der Liebesgesang, weit davon entfernt, das Ende von Tag und
Wahn, Leben und Ehre, Haß und Verschweigen anzukündigen, gibt
beides gleichzeitig: Schweigen und Ton, Tod und Gesang. Man ver-
kennt die Abgründe des Tristan, wenn man vermutet, die romantische
Nachtszenerie habe für die Liebenden eine Erfüllung gebracht, als
Befreiung von allen Konventionen des Tages und der Gesellschaft.

Hier sei, in der Liebesnacht, eine Aufhebung der Selbstentfremdung des Menschen gelungen, ähnlich jener, von der Schillers »Lied an die Freude« spricht, und jener, die Beethoven in der »IX. Symphonie« geben wollte: Zauber der echten, unverbildeten Empfindung menschlicher Sympathiegefühle, die alle Schrecken der »Mode«, also der Konvention, siegreich durchbrechen. Richard Wagner liebte Beethovens letzte Symphonie, aber der Tristan ist *keine* Weiterführung einer Bemühung, die Selbstentfremdung des Menschen in der bürgerlichen Gesellschaft durch Aufklärung und eine sittliche Kunst zu beseitigen.

Daß dem so ist, wird insbesondere an Tristans Schweigen offenbar. Das Schweigethema durchzieht den gesamten Text des Titelhelden. Immer wieder diese Worte: Schweigen und Verschweigen. Den »furchtbar tief geheimnisvollen Grund«, den Marke erfragen will, kann Tristan »nicht sagen«; Markes Fragen erhält bloß die Antwort: »Das kannst du nie erfahren.« Im dritten Aufzug wirkt die stammelnde Auskunft, die der ins Leben zurückgekehrte Tristan seinem Kurwenal geben möchte (diesmal wahrhaft geben möchte, aber nicht zu geben vermag), wie eine schaurige Paraphrase jener »Botenberichte« aus der klassischen Tragödie. Tristan vermag nichts zu berichten. Auch das Wort ist diesmal Leitmotiv. Immer wieder: »Das kann ich dir nicht sagen.«

Tristan kennt Irlands Königin und ihrer Künste Wunderkraft. Der sieche Tantris ging bei ihr in die Lehre. Auch das Schweigen lernte er dort. »Des Schweigens Herrin« – so nennt Tristan die geliebte Feindin bei der ersten Wiederbegegnung im Schiffszelt. In einer für den Tristan-Text so charakteristischen Wendung der Antithetik meint er »düster«, da er erkannt hat, daß es nun zu sterben gilt:

> Des Schweigens Herrin
> heißt mich schweigen:
> faß' ich, was sie verschwieg,
> verschweig' ich, was sie nicht faßt.

Des Schweigens Herrin lehrte das Schweigen. Der bei ihr lernte, glaubt sich jetzt sogar der Herrin in dieser Kunst überlegen, denn er erkannte, was sie verschwieg, wähnt aber, sie wisse nicht, was er vor ihr zu verbergen hat. Er täuscht sich aber. Zwar hatte ihm Isolde die Umstände des Tantris zurückgerufen. »Zu schweigen hatt' ich gelernt«, und das Todesgelöbnis, »das schwur ich schweigend zu halten.« Aber insgeheim wußte auch sie es anders. Isoldes Worte

»Mir erkoren – mir verloren« bedeuten nicht bloß, daß sie Tristan liebt, sondern daß sie sich insgeheim auch von ihm geliebt weiß. »Mir erkoren – mir verloren«: fast ohne Begleitung des Orchesters wird das deklamiert. Es ist natürlich das musikalische Ur-Motiv; bloß die tiefen Streicher begleiten »mit Dämpfer«; aber bei dem »verloren« antwortet bereits das in der Tristan-Partitur so überaus wichtige Englischhorn und verrät das geheime Wissen der Isolde in allem Schweigen und Verschweigen.

Tristans Schweigen ist zunächst eine Antwort auf das Schweigen der Isolde. Daß es mit *Tristans Ehre* eng verbunden sei, wird in der Stunde der Wahrheit, im vermeintlichen Vorhof des Todes, im Angesicht des Todeskelches einbekannt. Tristans Schweigen war erzwungen durch Wahn und Trug des Tages, durch Ehre und Sitte. Da aber die Stunde des Redens gekommen schien, gab es neuen Trug und Wahn. Der öde Tag erwies sich von neuem als mächtig. Isolde ruft es in der Liebesnacht dem Partner ins Bewußtsein:

Doch ach! Dich täuschte
der falsche Trank,
daß dir von neuem
die Nacht versank;
dem einzig am Tode lag,
den gab er wieder dem Tag.

Der Todestrunk war ein Lebenstrank gewesen. Der Tag verlangte seine Rechte. Tristans Ehre und Tristans Schweigen wurden abermals zum Gebot: doch es war nicht mehr der Zustand des Tantris und Tristan vor Einnahme des Liebestranks. Einmal war das Schweigen gebrochen worden. Das blieb unwiderruflich. Die Liebesnacht bedeutet nun eine höhere Möglichkeit des Redens: aber mit dem Ziel der Preisgabe aller Individuation. Das tönende Schweigen des Zwiegesangs soll den nächtlichen Augenblick verewigen. Da aber die gesamte Tristan-Trägödie auf dem Vorgang der *Wiederholung* aufgebaut ist, vollzieht es sich von neuem: »Dem einzig am Tode lag, den gab er wieder dem Tag.« Nicht der Trank bewirkt dies, sondern der öde Tag, der dem Entweichen der Nacht folgen muß und gleichzeitig Entdeckung und neues Verschweigen bedeutet. Was vor sich ging, kann Tristan dem Freund und König nicht sagen. Aber der öde Tag soll zum letzten Mal erschienen sein. Was der Trank durch Brangänes Trug verhindert hatte, soll nun durch Melots Schwert gelingen. Diesmal soll alles Verschweigen zu Ende sein, mit ihm der Tag, der Wahn, Tristans Ehre und Trotz, damit das wirkliche Schweigen des Todes eintreten kann. Abermals Wahn. Die Bewegung – vom Verschweigen unter dem Zwang des Tages und der Sitte zum Schweigen des Todes – wird abermals unterbrochen. Zum zweiten Mal vollzieht sich die für die Liebenden, insbesondere für Tristan, so schreckliche *Gegenbewegung.* Das erste Mal hatte der Todestrank getrogen. Nun versagt auch Melots Schwert. Die *zweite Rückkehr Tristans in die Welt des Tags* muß durchlitten werden. Man sieht: bei aller scheinbar so unklassischen Dramaturgie des Schweigens, bei aller Nachfolge romantischer Nachthymnik des Novalis, ist Richard Wagners Musikdrama in klassischen Proportionen aufgebaut. Das *romantische Element* in diesem Werk wird nicht bloß durch den Genius *Calderóns* beschworen (»Nächst Dir und Calderón hat mich dieser Tage ein Blick in den mitgenommenen fertigen ersten Akt des ›Tristan‹ wunderbar erhoben«, hatte Wagner im Januar 1858 an Liszt geschrieben), hängt auch nicht bloß mit dem Geist der Stadt Venedig zusammen, sondern offenbart sich vor allem im Bau der gewaltigen Seelentragödie.

Tristans Rückkehr ins Leben, in den Bereich der Heimatburg, in die Freundesgemeinschaft Kurwenals gleicht dem antiken Mythos einer Rückkehr aus dem Hades. In sonderbarer Umkehr und Verstrikkung vollzieht sich der Mythos von *Orpheus und Eurydike.* Tristan ist Eurydike, Isolde, die in der Welt des Tages zurückblieb, erzwingt die Rückkehr.

> Mit hell erschloss'nen Augen
> muß ich der Nacht enttauchen, –
>   sie zu suchen,
>   sie zu sehen,
>   sie zu finden,
>   in der einzig
>   zu vergehen,
>   zu entschwinden
> Tristan ist vergönnt.

Um diese schrecklich komplexe Daseinslage auszudrücken, hatte der Musikdramatiker alle musikalischen Mittel der Motivverflechtung aufgeboten, die das mächtige Tristan-Orchester zuließ. Von diesen »gegenseitig fast sich verschlingenden musikalischen Motiven« hatte Wagner in seinem Nachruf auf Ludwig Schnorr von Carolsfeld, den ersten Darsteller des Tristan, gesagt, daß sie »ein zwischen äußerstem

Wahnverlangen und aller entscheidenster Todessehnsucht wechseln-
des Gefühlsleben ausdrücken, wie es bisher in keinem rein symphonischen Satze mit gleicher Kombinationsfülle entworfen werden konnte«. In der Tat: hier endlich ist das Schweigen gebrochen. In diesem
Zwischenreich von Tod und Leben, Sterben und Sehnen, wie es
Tristan in äußerster Verwünschung von sich weist, drängt alles diesmal zur Aussage. Wort und Ton wetteifern miteinander. Der äußerste
Gegenzustand zum »tönenden Schweigen« wurde erreicht, um bis
zu dem verhalten ausklingenden Schlußakkord in H-Dur gültig zu
bleiben. Das Musikdrama endet mit einem Liebestod, der eine Le-
bensaussage bedeutet, in Isoldes Schlußgesang also gleichzeitg eine
Rede und eine Deutung darstellt. Leben, nicht Schweigen. Die Musik
bleibt auch dort formvoll, wo sie scheinbar die Lebensverneinung
und Todessüchtigkeit aussprechen möchte, aber nicht auszusprechen
vermag. Auch Tristans Schweigen ist ein gestaltetes Schweigen durch
Wort und Ton. Es ist Reden und bedeutet – trotz allem – ein Diesseiti-
ges.

Es gibt aber einen Augenblick in diesem unerschöpflichen Werk,
da Tristans Schweigen wirklich an die Grenze des Lebens und damit
aller Kunst gelangt. Auch *Faust* verschwieg nach seiner Rückkehr
von den Müttern, was er dort – im Bereich der Gestaltung und
Umgestaltung – wahrzunehmen vermochte. Die orpheushafte Be-
schwörung der Unterweltsgöttin, Helena freizugeben, hat Goethe
zwar schreiben wollen, aber nicht geschrieben. Auch Richard Wagners Kunst vermag nicht den Zustand des Nichtmehrseins, das Todes-
reich zu benennen, denn alles Benennen setzt Leben voraus. Daher
Tristans Schweigen aus Ohnmacht des Wortes und der Sinne, nicht
aus Ehre und Trotz, wenn er Kurwenal erwidert:

Wo ich erwacht,
weilt' ich nicht;
doch wo ich weilte,
das kann ich dir nicht sagen.
Die Sonne sah ich nicht,
nicht sah ich Land noch Leute:
doch was ich sah?
das kann ich dir nicht sagen.

Hier versagt auch die Musik. Selbst das tönende Schweigen ist nun
zu Ende. Als Tristans Blick mitleidig auf Marke fiel und Tristans
Mund das Verschweigen verkündete, sprach die Musik aus, was Tri-

stan nicht sagen konnte oder wollte. Das Englischhorn (!) intonierte, die Oboe antwortete mit dem Grundmotiv der Liebenden und der Liebe. Hier aber – in Tristans tastendem Ausdrucksversuch vor Kurwenal – vermag auch die Musik nicht zur Aussage vorzudringen. Die Komposition dieser Stelle bedeutet Verlegenheit, ein Ausweichen in bloße Deklamation. Gewiß ist da ein leises, chromatisch absteigendes Motiv, eine Vergrößerung des Grundmotivs, vorgetragen durch Celli und Bässe, leise wird von tiefen Bläsern der f-Moll-Akkord ausgehalten, aber dies hier ist weit entfernt von aller Motivverflechtung und Deutung zwiespältiger Lebensvorgänge. Tristan war jenseits allen Zwiespalts angelangt. Wort und Ton entziehen sich einer Darstellung des Nichtseins und Nichtmehrseins. Diesmal gelangen selbst Faust und Tristan nicht zur Aussage. Denn keine Kunst, sei sie noch so gewaltig, vermag die Grenzen der Menschheit zu überschreiten.

DIE VERGÖTTLICHUNG DER KUNST
IN DEN »MEISTERSINGERN«

»Am Jordan Sankt Johannes stand...«

Die »Meistersinger« beginnen als Choral und enden im sublimierten Marschrhythmus. Scheinbar ist hier alles gegliederte Harmonie, weshalb just eine konventionelle Aufführung der musikalischen Komödie als beglückend empfunden wird. Das Wort apollinisch, von Nietzsche durchaus anders verstanden, seitdem viel mißbraucht, pflegt sich einzustellen. »Der fehlte wohl, wer darauf riet!«, würde Hans Sachs erwidern können. Die *Meistersinger* sind ein tief zwiespältiges, am Rand der Umdüsterung entlangschreitendes Werk: nicht als kokette literarische Anspielung verstand Richard Wagner den Hinweis auf Calderón. Traum als Leben, allein auch Leben als Traum (oder Wahn). Johannisnacht, wie bei Shakespeare im Johannisnachtstraum, wo sich die Grenzen zwischen Alltagsdasein und geheimer Daseinsessenz zu verrücken pflegen.

Im dritten Akt dann ein quälender Frühsommermorgen, wo lauter tief Verstörte miteinander einig werden müssen: Sachs und Stolzing und Eva und Beckmesser, und auch der junge David. Verwirrung der Gefühle allenthalben. Auch der Hinweis auf König Marke darf nicht fehlen, ebensowenig das musikalische Tristanzitat. Barockes und Romantisches im heiklen Gleichgewicht, Tag und Nacht, Ich und Es, Tragödie und Komödie. Wer an Apollon denkt, muß den Fernhintreffenden meinen, den Schinder des Marsyas.

Die scheinbar so heiteren *Meistersinger* sind ein grausames Werk: nicht bloß – worauf Adorno hinwies – in der Art, wie dem Stadtschreiber Beckmesser mitgespielt wird. Bürokratische Exklusivität der singenden Handwerksmeister; Roheit der geprügelten und prügelnden Lehrjungen aus dem Umkreis von Sankt Lorenz und Sankt Sebald; der undankbare und hochmütige Abkömmling fränkischer Raubritter, voller Verachtung für die musischen Pfeffersäcke, man selbst lernte beim echten Mittelalter und dem adligen Walther von der Vogelweide. Sachs und der geschwungene Knieriemen, auch wird beim Lehrbuben am Essen gespart. Der ebenso selbstgefällige wie lokalpatriotische Pogner macht sich die feudal-mäzenatische Märchenformel »Meine Tochter und die Hälfte meines Königreichs« als Bürger zum Modell, wenn er sich – ganz formal – die Veit-Pogner-Stiftung von den Meisterkollegen genehmigen läßt. Darin wird die Tochter Eva wie ein Aktienpaket in die Dotation eingebracht, was Sachs offenbar als Einziger ein bißchen bedenklich findet. Denn daß Eva mit im Stiftungsrat und in der Jury sitzen darf, macht sie bloß in bizarrer Weise gleichzeitig zum Subjekt wie zum Objekt des Streits.

All das klingt wie – banausenhaftes – Parodieren, ist aber bloß ein andeutendes Freilegen der unheimlichen und unterschwelligen Werkelemente. Die scharfe Zeichnung der Charaktere durch Wagner hat zur Folge, daß man den Kunstfiguren nachsinnt: lange nachdem die feudal-bürgerliche Verlobung besiegelt, Sachs gekrönt und der Vorhang gefallen ist. Gebieterisch wollte Wagner die Hörer und Zuschauer zwingen, seine Figuren so nur zu sehen und zu akzeptieren, wie er selbst sie dramaturgisch angelegt hatte. Allein sie sind offenbar auch dem Schöpfer gegenüber zum Widerstand entschlossen, legen Elemente ihres Daseins bloß, die Wagner nicht brauchen konnte. Dadurch jedoch geben sie dem Werk seine endgültige Dimensionen: freigesetzt werden die Sphären des Grausamen und des Wahnhaften, des Nächtlichen im Wachsein. Davon spricht Sachs am Morgen des Johannistages.

Hat keiner Lohn
noch Dank davon:
in Flucht geschlagen
wähnt er zu jagen;
hört nicht sein eigen
Schmerzgekreisch,
wenn er sich wühlt ins eigne Fleisch,
wähnt Lust sich zu erzeigen! –

Der kollektive Wahn ist gemeint, nicht der individuelle Spleen eines Malvolio, des Misanthrope Alceste oder des Sixtus Beckmesser. Ein Erlebnis mit nächtlicher Massenhysterie in Nürnberg hatte, wie Wagner in »Mein Leben« berichtet, als traumatische Erfahrung mitgewirkt beim Entstehungsprozeß der »Meistersinger«; von hier aus wurde das »Nürnberg« dieser Meistersinger konzipiert. Ein bißchen Wollust schwang dabei mit, vorherrschend jedoch, wie schließlich auch im

Verhalten des Hans Sachs, blieb das Grauen vor solcher Sphäre des Wahns. Aufklärung sollte ihn bannen. »Der Flieder war's: – Johannisnacht! – Nun aber kam Johannistag! –« Zu den großartigsten Einfällen Wagners gehört es daher, ausgerechnet die Gesamtheit der vernunftlosen nächtlichen Exzesse *musikalisch* streng gebunden und dadurch – nämlich durch Kunst, also Form! – scheinbar gebändigt zu haben. *Prügeln als Fuge.* Darstellung der äußersten Unvernunft durch die Mittel höchster Rationalität.

Großes, gar Extremes wird der Kunst durch Richard Wagner zugetraut. Daß er das eigene Schaffen meinte, ist ebenso evident wie sekundär bei Erörterung eines ungemein vielschichten Denkprozesses. Daß Wagner sich aufteilte in Stolzing und Sachs, das eigene Einst und Jetzt, so daß auch hier ästhetische Selbstkritik im Spiel war, kann nicht geleugnet werden, erklärt aber nicht besonders viel. Gewiß geht es bei einem Werk, das von einem Musikfest handelt, um die Konflikte zwischen konventioneller und Neuer Musik. Es siegt die zeitgenössische Kunst im Zeichen Richard Wagners. Allein mit Recht wies Ernst Bloch am Ständchen Beckmessers nach, daß die scheinbar anachronistische und auf der Festwiese widerlegte Wort-Ton-Kunst des Merkers unter dem Expressionismus eine Art der Revanche erhielt über den seinerseits herkömmlich gewordenen Wagnerianismus der Epigonen.

Dennoch geht es in den *Meistersingern* um mehr als Musikalisches oder selbst Ästhetisches. Der Aufklärer und einstige Feuerbachianer Wagner betreibt eine *Säkularisation des größten Stils.* Der Weg von der Anrufung des Täufers Johannes am Beginn zur Anrufung des Täufers Hans Sachs am Schluß wird musikalisch wie dramaturgisch mit höchster Genauigkeit und Bewußtheit zurückgelegt. Im Gegensatz zur Technik des *Tristan* und des *Ring,* ambivalente Vorgänge mit Hilfe der Enharmonik und Chromatik auszudrücken, also mit romantischen Rezepten, arbeitet der Komponist diesmal, nach klassischem Vorbild, mit einfachen Tonschritten. Ein *Quartenschritt* wird zur allgegenwärtigen Grundlage einer Riesenpartitur. Wagner hat dabei ein Vorbild, wie ihm nicht entgeht, in Haydns »*Schöpfung«.* Die aufsteigende Quarte bei Haydn war verstanden als Formel einer göttlichen Weltschöpfung. Die absteigende Quarte in den *Meistersingern* muß gedeutet werden als Chiffre für die Ersetzung eines göttlichen Weltschöpfertums durch das weltliche Kunstschöpfertum des genialen Künstlers. Die *Meistersinger* handeln von einer Vergöttlichung

der Kunst, oder von Kunst als einem Surrogat einstiger (und für
Wagner hinfällig gewordener) Religion. Als Moment des geschicht-
lichen Bewußtseins war das weder neu noch bestürzend. Als Schüler
der Junghegelianer und Feuerbachs kannte man sich aus unter den
Zeitgenossen Wagners in Gedankengängen solcher Art. Gottfried
Keller, auch ein Feuerbachianer und gelegentlicher Gesprächspartner
Wagners, hat im »Verlorenen Lachen« boshaft beschrieben, wie es
zugeht, wenn ein protestantischer Pfarrer, der nicht mehr glaubt,
auf der Kanzel ins Belletristische ausweicht und die Bibel durch
Dichterzitate ersetzt. Kunst etablierte sich, je weiter das 19. Jahrhundert sich vollendete, immer mehr als Religionsersatz, nein: als Religion. Weshalb der »integrale Atheismus«, wie Sartre selbstkritisch
erläutert hat, den Heiligen Geist auch in seiner ästhetischen Verkleidung aufspüren und exorzieren mußte.

Wie die Meistersinger-Partitur diesen vermittelten ideologischen
Prozeß mit legitimen musikalischen Mitteln demonstriert, das gehört
zu Wagners erstaunlichsten Resultaten. Am meist ignorierten, oder
bloß in seiner dramaturgischen Funktion für die Exposition der
Handlung beachteten *Beginn des Werkes* läßt sich das demonstrieren.
Der Vorhang öffnet sich nach dem Vorspiel. Gottesdienst in der
Katharinenkirche am Vortage des Johannisfestes. Johannes Baptista
wird angerufen.

> Da zu dir der Heiland kam,
> willig deine Tauf' nahm,
> weihte sich dem Opfertod,
> gab er uns des Heils Gebot:
> daß wir durch sein' Tauf' uns weihn,
> seines Opfers wert zu sein.
> Edler Täufer,
> Christs Vorläufer!
> Nimm uns gnädig an,
> dort am Fluß Jordan!

Schwerfällig und doch inbrünstig wird das vom Volk heruntergesun-
gen. Es ist Reformationszeit, und Sachs hatte die »Wittenbergisch
Nachtigall« poetisch verklärt. Der Quartenschritt abwärts am Beginn;
die Betonung wird dadurch falsch, es passen zusammen nicht Ton
und Wort. Der Merker müßte einschreiten, allein es ist eben jene

Tonfolge, die auch die Welt der Meistersinger zuerst ankündigt:
Reformation und Bürgerkunst gehören zueinander.

Die musikalische Struktur des Johanneschorals wird dann scheinbar als erledigt angesehen, im Verfolg der dramatisch-musikalischen
Turbulenz offensichtlich nicht mehr genutzt, von kleinen Anklängen
abgesehen. Doch kehrt sie plötzlich und ganz unvermutet zurück.
Dritter Akt, Schusterstube. Das Quintett kündigt sich an. Stolzing
ist das Meisterlied gelungen. Eva und Magdalene und David sind
zugegen. Nun fordert Sachs die Verwunderten auf:»Jetzt schnell
zur Taufe! Nehmt euren Stand!« Dann hebt er an mit der Weise
des Täuferchorals:

Ein Kind ward hier geboren:
jetzt sei ihm ein Nam' erkoren.
So ist's nach Meisterweis' und Art,
Wenn eine Meisterweise geschaffen ward,
daß die einen guten Namen trag,
dran Jeder sie erkennen mag.-

Sonderbare Gleichsetzungen und Identifikationen. Die lutherische
Gemeinde in der Katharinenkirche hatte den Täufer als Fürbitter
angerufen. Sachs hingegen geriert sich selbst als Täufer. Getauft
wird ein Kunstwerk. Der Heilige Geist ist ein künstlerischer Genius.
Die Aufnahme ins Christentum durch Taufe wird umgedeutet als
Aufnahme eines Meisterwerks in die Hierarchie der großen Kunstwerke und ihrer Schöpfer. Wer entscheidet, ob es sich um ein neues
Meisterwerk handelt? Ein bereits etablierter Meister. Hans Sachs
fungiert hier in dreifacher Rolle: *als Meister, als Merker, als Täufer.*
Die *Meistersinger von Nürnberg,* die geistlich zu beginnen schienen,
enden weltlich mit der Anrufung des künstlerischen Genius. Was
bleibt, ist Kunst.

Undeutlich geahnt hatte das bereits der Lehrbube David. Sein
Gedichtlein zum Johannistag begann er mit jener *aufsteigenden Quarte,*
die Wagner stets dort an den Anfang stellt, wo nicht der Rechte
oder das Rechte gemeint ist: wenn Kothner zur Zunftberatung einlädt; wenn Beckmesser den Tag erscheinen sieht, der ihm wohl ge-
fall'n tut. Allerdings pflegt sich auch der Anhauch des Neuen in
Kunst und Gesellschaft so anzukündigen: im Fanget an! wie im
Wach auf! David kann dadurch leicht aus der eigenen Lehrbubenlyrik

in den Tonfall der anachronistisch gewordenen Beckmesserweise fallen: der Anfänger singt einen Augenblick wie ein Überalterter. Sachs unterbricht unwillig, der künftige Meistersinger beginnt von neuem nach eigenem Ton. Wieder beginnt es geistlich und endet weltlich:

Am Jordan Sankt Johannes stand,
all Volk der Welt zu taufen;
kam auch ein Weib aus fernem Land,
aus Nürnberg gar gelaufen:
sein Söhnlein trug's zum Uferrand,
empfing da Tauf und Namen;
doch als sie dann sich heimgewandt,
nach Nürnberg wieder kamen,
in deutschem Land gar bald sich fand's
daß wer am Ufer des Jordans
Johannes war genannt,
an der Pegnitz hieß der Hans.

Das kommt einfältig daher, ist aber höchst zweideutig gedacht und gesagt. In David stieg es als Ahnung auf, dumpf, unreflektiert, dennoch unverkennbar: dem Täufling am Jordan hatte Sankt Johannes seinen *eigenen Namen* verliehen. Eine Nachfolge wurde eröffnet. Aus dem Täufer Johannes wurde ein Täufer Hans. Der hat seinen Namenstag zu Sankt Johannis und heißt, wie David, bestürzt gleichsam durch eine Epiphanie, feststellen muß: Hans Sachs. Aus dem Täufer Johannes Baptista wird bei Wagner der Täufer Hans Sachs. Vorläufer und Erfüllung in einem. Was David unbewußt produziert hatte als Einsicht, die Taufszene bestätigt es. Der Schluß der »Meistersinger« verkündigt es als Botschaft: *die Idolatrie der Kunst.* Der Choral des Beginns hatte intentional zu seiner eigenen Aufhebung hinzuleiten. Wenn Hegel in den »Vorlesungen über die Ästhetik« postulierte: »Deshalb ist unsere Gegenwart ihrem allgemeinen Zustande nach der Kunst nicht günstig«, und vermutet hatte, die Kunst bleibe »nach der Seite ihrer höchsten Bestimmung für uns ein Vergangenes«, so wird in den »Meistersingern« umgekehrt die Allnotwendigkeit der Kunst verkündet. Nicht allein als Ablösung von Religion, sondern auch von Macht und Politik. Die sinnloserweise als alldeutsches Auftrumpfen mißverstandene Ansprache des Hans Sachs proklamiert umgekehrt die Abdankung deutscher Staatlichkeit zugunsten der deutschen Kunst und ihrer Meister. Kunst kann für Wagner vieles, nahezu alles ersetzen. »Zerging in Dunst / das heil'ge röm'sche Reich, / uns bliebe gleich / die heil'ge deutsche Kunst!« Das ist durchaus wörtlich zu verstehen. Die *heilige* deutsche Kunst. Wer es bedenkt, wird die *Meistersinger von Nürnberg* als tragisches Werk interpretieren.

Von der Nornenszene her muß alles gesehen werden. Je genauer
man Text und Partitur der Tetralogie studiert, um so deutlicher
wird sichtbar, daß die eigentliche Vorgeschichte in der ersten Szene
des Vorspiels zur *Götterdämmerung* abgehandelt wird: als Vorspiel
zum abendfüllenden Vorspiel vom Rheingold. Wieland Wagner hatte
folglich durchaus recht, wenn er das *Rheingold,* mitsamt dem Treiben
von Riesen und Zwergen und Göttern, aus der Sicht jenes Geschehens interpretierte, wovon die Nornen berichten.

Die Reinheit der Natur wurde früh schon getrübt. Alberichs Frevel am Gold des Rheinstromes mußte als späte und weiter wirkende
Kausalität innerhalb eines bereits durch Frevel verursachten Ablaufs
verstanden werden. Als Alberich die Rheintöchter umbuhlt, dann
der Liebe flucht, um Gold und folglich Macht zu gewinnen, hält
Wotan bereits den verhängnisvollen Speer in der Hand. Den hatte
er aus der Weltesche geschnitzt. Naturfrevel, welcher den Weltenbaum verdorren machte:»In langer Zeiten Lauf / zehrte die Wunde
den Wald; / falb fielen die Blätter, / dürr darbte der Baum, / traurig
versiegte / des Quelles Trank…«

Richard Wagners tiefsinnige Deutung des Vorgangs demonstriert
Zweideutigkeit. Auf den Frevel am Weltenbaum, an Wald und Wasser gründete sich andererseits die Gemeinschaft der Götter und der
Menschen. Der Speer bedeutete Ordnung, Gesetz, Vertrag, damit
mögliche Gesittung. Daß sie in ihr Gegenteil umschlägt, Götter wie
Menschen vernichtet, also tödliche Humanität bedeutet: das ist eigentliches Thema im *Ring des Nibelungen.* Die Unmittelbarkeit der
Natur wurde durch Wotan zerstört. Freiheit und Gesetzlichkeit sollten mit diesem Opfer begründet werden. Eines seiner Augen gab
der Gott zum Preis für diese Tat, die ursächlich werden sollte für
die Götterdämmerung.

Mit dem Speer war Ordnung in die Welt gekommen, und damit
Unordnung: Besitz, Gier, Wettbewerb. Natürliches Leben, wie es

der Mythos naiv voraussetzte, war zu Ende. Von nun an gab es *Alternativen.* Man konnte wählen, und hatte zu wählen. Alberich zwischen dem Trieb und der Macht. Die Riesen zwischen Freia und dem Nibelungenhort. Wotan zwischen Vertragstreue und Verrat. Die bürgerliche Gesellschaft, so war es unverkennbar von Richard Wagner gemeint, trat in Erscheinung. Wotans Speer bedeutete die Welt des Kapitalismus und einer sogenannt freien Konkurrenz.

Hatte man die Nornenszene richtig verstanden, so mußte der Ablauf der Handlung im *Rheingold* perspektivisch anders verstanden werden als bei der naiven Lektüre des Textes und einem ebenso reizgewohnten wie traditionellen Theaterbesuch, wo jedermann von der Spielregel ausgeht, daß die erste Szene eines Stückes auch in Wirklichkeit den Anfang bedeutet und die Grundlage bildet für alle weiteren Bühnenereignisse.

Wie naiv diese Erwartung ist, die das Geschehen der vier Abende bei Richard Wagner etwa so sieht: zuerst war alles gut und unmittelbar, dann kam Alberich und es wurde immer schlechter, sein Fluch gab schließlich der Geschichte den Rest – das zeigt die Parallelität der Ringtetralogie zur *griechischen Tragödie.* Wolfgang Schadewaldt hat wiederholt, in engem Kontakt zu Wieland Wagner, auf die erstaunliche Parallelität zwischen Aischylos und dem *Ring* hingewiesen: nicht ohne Grund, wie man an Wagners zahlreichen Exkursen über das Drama der Griechen während der Entstehungszeit der Ringdichtung feststellen kann.

Die griechische Tragödie aber – berühmtestes Beispiel bleibt Sophokles mit dem Drama vom Tyrannen Ödipus – setzte die prima causa des dramatischen Geschehens als Vorgeschichte. Der eigentliche Szenenablauf war gleichbedeutend mit einer *Analyse,* welche herauszubringen suchte, was damals, bevor sich der Vorhang zum ersten Mal hob, als Bedingung für künftige Handlungen gesetzt worden war.

Heinrich von Kleist bewies mit dem »Zerbrochnen Krug«, daß man auch eine analytische *Komödie* schreiben kann. Das Geschehen in der Gerichtsstube des Dorfrichters Adam will nichts anderes klären als die prima causa des vorhergehenden Abends. Heinrich von Kleist kannte seine griechischen Tragiker.

Auch der »Ring« ist eine *analytische Tragödie.* Wenn der Vorhang aufgeht und die Rheintiefe sichtbar wird, war der Grundfrevel schon geschehen, von dem die Nornen viel später berichten. Damit freilich entstand ein erstaunlicher *Widerspruch zwischen dem dramatischen und dem musikalischen Ablauf.* Das reine Es-Dur des Beginns ist trügerisch. Der Mythos beginnt keineswegs mit jenem tiefen Es. Die Verschmutzung der reinen Tonalitäten, die Wagner sehr bald einführte, hatte schon früher stattgefunden. Auch die Integrität des Rheinstromes mußte leiden am Dorren des Weltenbaumes und dem unaufhaltsamen Versiegen des Weltenquelles. Da die Musik jedoch, wie es Wagner schien, im Gegensatz zum Drama diesen Vorgang nicht vermitteln konnte, entstand schon zu Beginn der vier Abende der Widerspruch zwischen scheinbar ursachenlosem Ablauf in der Musik und einem dramatischen Geschehen, das von Anfang an, bei Alberich, den Göttern wie den Riesen, mit der Hypothek des Lebens in einer Bürgerwelt belastet war.

Aus diesem Widerspruch entspringt folgerichtig ein Grundmotiv der Tetralogie, das abermals ein primäres Konzept des bürgerlichen Lebens bedeutet: *die Ambivalenz des Wissens.* Kaum ein Werk der neueren dramatischen Literatur beschäftigt sich so bohrend und eigensinnig mit der Zweideutigkeit des Wissens, wie der *Ring des Nibelungen.* Wotan begehrt Wissen und steigt hinab zu Erda; den Alberich belehren die Rheintöchter; Wotan berichtet der Walküre von seiner Verstrickung durch Vertragsschulden; der Zwerg Mime glaubt sich geschützt und zur Weltherrschaft berufen durch aufgehäuftes Wissen; die Nornen tauschen Wissen aus, bis das Seil zerreißt und die Wissens- und Wissenschaftsdämmerung da ist, die der Götterdämmerung vorangeht. »Zu End' ewiges Wissen! / Der Welt melden / Weise nichts mehr.«

Die Ambivalenz des Wissens erscheint bei Wagner in doppelter Gestalt: als dramaturgische und als musikalische Sphäre. Es bedeutet weit mehr als eine musikalische Illustrierung der Ausgangssituation im ersten Akt von *Siegfried,* wenn die Musik mit dem Thema des meditierenden und planenden Mime beginnt. Der »weise Zwerg« und feindliche Bruder des Alberich betrachtet Wissen als Hort, und damit als Besitz. Wie Alberich mit Hilfe des goldenen Reifs den Nibelungenhort aufschichten ließ, so kumulierte Mime das Wissen, welches er mit Weisheit verwechselte. Mime ist, in seiner Auffassung vom Wissen, also in seinem Wissenschaftsbegriff, ein Anhänger des Historismus. Das weiß er zwar nicht, aber Richard Wagner weiß es, denn er lebte während der Arbeit an der Tetralogie in jener Ära des bürgerlichen 19. Jahrhunderts, welche auf philosophische

Geschichtsperspektiven im Sinne Hegels verzichtet hatte, um alle Vergangenheit unterschiedslos als erforschenswert und wesentlich zu betrachten. Die Wissenschaft des bürgerlichen Historismus im 19. Jahrhundert war positivisch insofern, als sie nur Tatsachen gelten ließ, deren geschichtlicher Wert kaum mehr in Frage gestellt wurde. Diese Art einer nurmehr registrierenden Betrachtung geschichtlicher Tatsachen war perspektivelos. Die Zukunft war zu fürchten, weil sie – vielleicht – das Ende eines solchen Wissenschaftsbetriebes und der ihn tragenden Gesellschaft indiziert hätte.

An dieser Auffassung von Wissen und Wissenschaft geht Mime schließlich, im zweiten Akt des *Siegfried,* ebenso zugrunde wie an seiner Gier und Mordlust. Die Mittelpunktszene des ersten Aktes, welcher mit einer musikalischen Darstellung dieser sterilen Reflexionen begonnen hatte, ist darum – ironisch und in bösartiger Heiterkeit – eine Befragungsszene zwischen Mime und dem Wanderer, also Wotan. Wie im Märchen hat auch Mime die berühmten drei Wünsche frei. Wotan setzte sein Haupt »der Wissenswette zum Pfande«. Mime wollte nicht darauf eingehen, denn er hatte den Wanderer erkannt. Da er Wissen hortet, wehrt er ab mit den Worten: »Ich weiß mir grade genug«. Das ist die Attitüde bürgerlicher Besitzsicherheit, ganz wie bei Fafner, der liegt und besitzt und weiterschlafen will. Beide aber, Mime wie Fafner, sterben daran.

Als die Neugier bei Mime obsiegt und die Befragung beginnt, handelt der weise Zwerg wie ein allwissender Professor, der den Kandidaten bei der Prüfung hineinlegen möchte. Es sind ausgesucht schwere Fragen. Allen ist jedoch gemeinsam, daß sie etwas vom Partner erfragen, *was der Fragende ohnehin weiß.* So verspielt Mime die große Chance, denn sein Prüfling ist Gebieter von Walhall.

Das wird ihm grausam deutlich gemacht bei der zweiten Runde: als Umkehrung der Rollen von Prüfer und Prüfling. In der ersten Runde war man beim Fragen aufgestiegen von den Zwergen über die Riesen zu den Göttern. Mime erfuhr nichts, was er nicht gewußt hätte, und erhält vom Wanderer die Belehrung: »Was zu wissen dir frommt, / solltest du fragen: / Kunde verbürgte mein Kopf. / Daß du nun nicht weißt, / was dir frommt, / des faß' ich jetzt deines als Pfand.« Nun muß er nach den Regeln der Wette den Gegeneinsatz wagen: das eigene Leben. Scheinbar hält sich Wotan noch im Bereich des Wissens auf, das Mime vertraut ist. Er fragt, ganz wie jener, nach dem Vergangenen, prüft also geschichtliches

Wissen. Zweimal kann Mime sich auszeichnen. Er kennt die Geschichte der Wälsungen ebenso wie die Historie des Schwertes Notung. Doch merkt er nicht, daß mit Beantwortung dieser zweiten
Frage nach dem zerhauenen Schwert die Zeitdimension gewechselt
hat. Bisher war alles Vergangenheit, und der weise Zwerg hatte
das Wissen darüber gehäuft. Nun aber ist Gegenwart eingetreten.
Der Gegenstand der Prüfung – Trümmer des Schwertes Notung
– kann im Prüfungsraum besichtigt werden. Jäh wechselt darum
Wotan abermals die Zeitdimension. Nun soll Mime ein Wissen demonstrieren von dem, was weder war noch ist, sondern sein wird.
Höhepunkt der Ironie: er soll nicht über ferne Zukunft Auskunft
geben, sondern über die nächste. Über den Ablauf der nächsten Stunden. Siegfried wird Notung neu schmieden, weil er das Fürchten
nicht gelernt hat. Richard Wagner schmolz hier zwei Märchenmotive
in eins.

Bei der Frage nach seinem Wissen von der Zukunft versagt Mime,
und hat sein Haupt verpfändet. Wissen erwies sich als zweideutig:
es kann Vergangenheitsforschung bedeuten und Zukunftsforschung.
Damit gehört es zur Dialektik von Tradition und Utopie. Der Zwerg
Mime kennt nur die Tradition, ermangelt aber der Zukunftsperspektive.

Zweideutigkeit des Wissens auch bei Wotan. Er blickt in die
Zukunft und versteht das Ende, für welches Alberich sorgt. Zeigte
sich die Zweideutigkeit des Wissens bei Mime als Kontrast zwischen
Vergangenheit und Zukunft, also zwischen Einst und Dereinst, so
scheitert der Wanderer an der Dialektik zwischen theoretischem Wissen und praktischem Handeln. Er weiß, daß Siegfried, ungebunden
durch Verträge und frei von Furcht, durch den Speer aus der Weltesche nicht gebannt werden kann. Dennoch wagt Wotan als Handeln-
der diesen Versuch: entgegen dem eigenen Wissen. So wird der
Speer zertrümmert, an welchem einst das Schwert Notung zerbrach.
Diesmal erlebt Wotan die Umkehrung: Notung zerschlägt den Stab
des Gesetzes.

Zum dritten Mal offenbart sich die Ambivalenz des Wissens in
der Nornenszene. Entsprechend der Zweideutigkeit von Worten wie
Einst und Dereinst wechseln die Nornen in ihrem Sang und Gespräch
zwischen der Vergangenheits- und Zukunftsperspektive. Auch sie
haben das Wissen gehäuft und können es sich vor- wie nacherzählen.
Allein sie haben auch, im Gegensatz zu Mime, ein Wissen von dem,

was bevorsteht. Ihre Vorstellung davon wechselt folglich ab in zwei – fast – gleichlautenden Zeilen. »Weißt du, was aus ihm ward?« – »Weißt du, was aus ihm wird?« Ihr Wissen ist umfassender als das des Sammlers und Besitzers Mime. Freilich ist ihre Zukunftsvision, so deutet es Wagner, eng verknüpft mit dem Bestand jener Ordnung, die sie spinnen und repräsentieren. Solange sie das Seil werfen und befestigen können, haben sie Kenntnis von dem, was gewesen ist, *und* von dem, was sein wird.

Dann aber reißt das Seil. Die Ordnung bricht zusammen, und das Wissen der Nornen reicht über diese Ordnung nicht hinaus. Nun wird die Götterdämmerung, von Wagner verstanden als Ende der bürgerlichen Gesellschaft, ihren Lauf nehmen. Was jedoch danach kommen wird, das wußte weder die Dreizahl der Nornen noch ihr Schöpfer, der bürgerliche Künstler und unbürgerliche Utopist Richard Wagner. Den Ausklang der Tetralogie bildet daher nicht Reflexion, die aufgebaut wäre auf Wissen, sondern Musik, die zwar nicht eine neue Welt antizipieren oder gar bauen könnte, aber den Untergang der bestehenden zum harmonischen Kunstwerk abzurunden vermag.

SIEGFRIEDS TRAUERMARSCH

»Nach Tisch Gespräch über Siegfried und Brünnhilde, daß ersterer nicht tragisch sei, weil er nicht zum Bewußtsein seiner Lage kommt, ein Schleier ist über ihm, seitdem er Brünnhilde für Gunther geworben, aber alles unbewußt, der Zuschauer erkennt es. Wotan und Brünnhilde sind tragisch.«

So steht es zu lesen in den endlich entzifferten und gedruckten Tagebüchern Cosima Wagners. Sie hat seit dem 1. Januar 1869 von Tag zu Tag den Inhalt der Gespräche mit Richard Wagner und alle Begebenheiten notiert, die sich um den Gatten und »Meister« drehten. Am 4. Juli 1873 lebt man bereits in Bayreuth. Das Haus Wahnfried ist im Bau; am Nachmittag gehen Richard und Cosima hinüber, um den Fortgang der Arbeiten freudig zu besichtigen. Alle Gedanken kreisen um die künftigen Festspiele, die einer ersten Gesamtdarstellung der Tetralogie *Der Ring des Nibelungen* gewidmet sein werden. Noch hat man Illusionen über den Zeitpunkt der Eröffnung des Festspielhauses und damit der Festspiele. Große Schwierigkeiten sind zu erwarten. Dennoch sind Richard und Cosima fasziniert vom Werk, das seit dem 10. April des Vorjahres 1872, als der dritte Akt der *Götterdämmerung* in der Orchesterskizze vorlag, als abgeschlossen gelten kann. Jetzt beginnen, nach der riesenhaften Produktion, die Gedanken über eine mögliche Interpretation des Nibelungen-Werkes.

Nun muß sichtbar werden, wieviel Widersprüche, trotz aller Kunst der Dramaturgie und der leitmotivischen Technik, in einem Werk übriggeblieben sind und hervortreten müssen, das im Jahre 1848 begann und nun erst, noch dazu nach einer langen Unterbrechung der Arbeit, fast 25 Jahre später zum Abschluß gelangte. Jene von Cosima aufgezeichnete Bemerkung Wagners über Siegfried, den untragischen Helden, gehört zu diesen unlösbaren Widersprüchen des großen Werkes. Natürlich hat Wagner recht, wenn man das Werk und seinen dramatischen Verlauf betrachtet, den Kontrast zwischen den tragischen Gestalten Wotan und Brünnhilde einerseits, dem untragischen Siegfried zum anderen hervorzuheben. Tragik ist undenkbar ohne Schuld. Schuld ist undenkbar ohne Bewußtsein und Bewußtheit. Wotan und Brünnhilde sind schuldhaft, und sie haben das Bewußtsein ihrer tragischen Situation. Siegfried dagegen ist – nach Meinung Richard Wagners – an sich schuldlos. Am Schuldlosen jedoch vollzieht sich der Fluch des Nibelungen. Die Tötung Fafners und die Abschlachtung des Mime sind für Wagner keine schuldhaften Aktionen. Sie sind zudem im Wege einer kaufmännischen »Aufrechnung« dadurch legitimiert, daß Fafner den Bruder Fasolt erschlug, während Mime seinerseits dem Knaben Siegfried, wenn er betäubt daliegt, den Kopf abzuschlagen gedenkt. Siegfried wird nicht schuldhaft vor Fafner und Mime; er lernt auch nicht das Fürchten, als er Brünnhilde umarmt.

Erst der Siegfried der *Götterdämmerung* hat das Fürchten gelernt. Als er in die Gesellschaft der Gibichungen eintrat und dort die Regeln der bürgerlichen Gesellschaft zu lernen hatte: Lüge und Verrat, Vergessen und Furcht. Der Vergessenstrank, den Gutrune auf Hagens Geheiß dem jungen und naiven Heros darbringt, ist von vielen Interpreten als oberflächliche Theatralik kritisiert worden. Man unterschied zwischen dem Liebestrank in *Tristan und Isolde,* wo der Trank nur freisetzt, was ohnehin vorhanden war, und dem Vergessenstrank aus der *Götterdämmerung,* wo Held Siegfried – angeblich – mit Hilfe des Tranks manipuliert und in seiner Charaktersubstanz verändert wird.

Das aber stimmt nicht. Siegfried wird in seiner Substanz verändert durch die Umgebung der Gibichungen und ihre Gesellschaft. Der einsame Töter und furchtlose Brautwerber tritt aus seiner Einsamkeit und handelt von nun an nach den Gesetzen der ihn umgebenden neuen Gesellschaft. Siegfried wird bei den Gibichungen im wörtlichsten Sinne sich selbst »entfremdet«. Diesen Vorgang macht der Vergessenstrank sichtbar, er verursacht ihn aber nicht im tieferen Sinne. Darum auch gelangt Siegfried, kurz vor dem Tod, wieder zu sich selbst zurück. Er tritt aus der Entfremdung heraus. Äußerlich wird das durch den Gegentrank bewirkt, doch die eigentliche Aktion entspringt der Todesahnung Siegfrieds und seiner Todesbereitschaft. Vergleichbar wurde auch Fafner, der Wurm, im Sterben abermals zurückverwandelt in den Menschen und Riesen.

Richard Wagner deutet den Vorgang in jenem Gespräch mit Cosima dahin, daß der sich selbst entfremdete Siegfried nicht tragisch sei, weil Entfremdung, ein Handeln wie unter Schleiern, das Bewußtsein von Schuld ausschließt, und damit die Tragik.

Dies alles ist zweifellos richtig. Es kontrastiert jedoch stark mit der Musik, die Richard Wagner dem toten Siegfried geschrieben hat. Nimmt man *beides* ernst: das Urteil des Dramatikers Wagner über den untragischen Helden *und* die tragische Heldenmusik des Musikers Wagner, so entsteht ein fast unlösbarer Widerspruch. Die Musik zum sogenannten Trauermarsch für Siegfried ist gleichzeitig eine Nachtmusik und eine Trauermusik. »Die Nacht ist hereingebrochen«, lautet die Anweisung Wagners. Und dann: »Der Mond bricht durch die Wolken und beleuchtet immer heller den die Berghöhe erreichenden Trauerzug. Aus dem Rhein sind Nebel aufgestiegen und erfüllen allmählich die ganze Bühne...«

Wie ist diese tragische Heldenmusik für einen untragischen Helden zu verstehen? Der Bayreuther Spielleiter vom Jahre 1976, der Franzose Patrice Chéreau, der den Text Richard Wagners sehr genau gelesen hat, mißbilligt Siegfried, und damit auch die Musik des Trauermarsches. Ein tragischer Held, so hat Chéreau bekannt, sei Siegmund als Helfer und Befreier der Unterdrückten, nicht aber Siegfried. Siegmund jedoch habe von Richard Wagner keine Trauermusik erhalten. Allein der Trauermarsch Siegfrieds ist in Wirklichkeit weit mehr als bloß ein Klagelied um Siegfried, den freien und schuldlosschuldigen Helden. Die Musik des Trauermarsches klagt nicht um diesen einen Unersetzlichen, sondern um die gesamte und gehäufte Tragik aller vier Abende: um den Raub des Rheingolds, um Wotans Gier, um das Leid der Wälsungen, um alle Hoffnungen und Entwürfe für eine vom Goldfluch befreite Menschheit.

Thomas Mann hat einmal den Nibelungenring Richard Wagners verglichen mit den großen bürgerlichen Romanen des 19. Jahrhunderts. Auch der *Ring des Nibelungen* sei ein gewaltiger Roman. Ähnliche Gedanken hatte Wagner selbst schon in seinem Buch über »Oper und Drama« entwickelt. Wie der berühmte Roman Balzacs könnte auch die Musik zu Siegfrieds Trauermarsch den Titel tragen: »*Verlorene Illusionen*«.

Nicht um Siegfried wird getrauert, sondern um die gesamte Konstellation und Kausalität, deren Opfer auch dieser untragische Heros geworden ist.

Dies ist kein Trauermarsch der üblichen Art! Man kann ihn nicht mit dem zweiten Satz der »Eroica« von Beethoven oder dem dritten

Satz der Klaviersonate in b-Moll von Chopin vergleichen. Die Unterschiede ergeben sich aus den Anlässen: den geistigen wie den musikalischen Strukturierungen. Beethoven hatte, das ist bekannt, den Revolutionsfeldherrn Napoleon Bonaparte als Adressaten seiner Heldensymphonie designiert. Dem Usurpator und Kaiser der Franzosen entzog er die Ehrung. Allein das musikalische Gebilde bleibt fixiert an die Heere der Französischen Revolution. Der Trauermarsch ehrt die Opfer ihrer Kriege. Gleichzeitig ist der Trauermarsch als Bestandteil einer vierteiligen Symphonie von Beethovenschem Typus mit besonderen musikalischen Funktionen im Sinne absoluter Tonkunst ausgestattet. Er hat Gedanken und Stimmungen des riesenhaften ersten Satzes teils kontrastierend, teils ergänzend, und mit neuen musikalischen Mitteln, weiterzuführen.

Chopins Sonate meint, wie immer in den großen Bekenntnisstükken, den polnischen Unabhängigkeitskampf und die Kämpfer des antirussischen Aufstands von 1830/31. Ihnen ist auch der Trauermarsch gewidmet. Er hat daher seine Funktion innerhalb der Sonate erhalten. Nachher folgt nur noch die sonderbar dahinrasende Einstimmigkeit des Schlußsatzes. Wind, der über Gräber rauscht: so hat Schumann diesen selbst bei Chopin einzigartigen Satz verstanden.

Nichts von alledem in dem Orchesterstück *Siegfrieds Trauermarsch* aus dem Schlußabend der Ringtetralogie. Dies ist keine Klage um Kämpfer der bürgerlichen Befreiung oder der polnischen Unabhängigkeit. Es ist – scheinbar – Klage um einen Opernhelden. Da wäre in der herkömmlichen Opernliteratur das konventionelle, wenngleich kunstvolle *Lamento* am Platz gewesen: von Monteverdi über Glucks Orpheus sogar noch über Wagner hinaus: bis zum ersten Monolog der Elektra bei Richard Strauss mit ihrer Klage um den erschlagenen Vater.

Allein Wagner verstand die Trauermusik, ebenso wie Brünnhildes Schlußgesang, als Höhepunkte einer episch-musikdramatischen Komposition, aus welcher man keinen Teil isolieren dürfe, ohne das Gesamtgebilde zu schädigen – und den isolierten Teil dadurch mißzuverstehen. Weshalb sogar der Versuch, jenen Trauermarsch aus der »Götterdämmerung« getrennt vorzutragen, rein musikalisch stets Unbehagen erzeugen muß.

Dies ist kein eingesprengtes Stück »schöner« und symphonischer Musik, wie etwa – aller Verankerung im dramatischen Geschehen zum Trotz – vielleicht der Einzug in Walhall, das Waldweben oder

der Walkürenritt. Auf jenen Trauermarsch hin war Wagners Nibe-
lungenwerk, seit den ersten Plänen von einem Drama *Siegfrieds Tod*
bis zum Riesengebilde der Tetralogie, insgeheim angelegt worden.
Wagner hat in diesem Trauermarsch eine Musik der höchsten
und gleichsam resümierenden Reflexion geschaffen. Getreu dem eigenen Grundsatz:»Schlagen wir die Kraft der Reflexion nicht gering
an, das bewußtlos produzierte Kunstwerk gehört Perioden an, die
von der unseren fernab liegen; das Kunstwerk der höchsten Bildungs-
periode kann nicht anders als im Bewußtsein produziert werden.«
So mußte diese Musik zum Rückblick auf das Gesamtgeschehen
von vier Abenden werden: Fluch und Hoffnung, das Unglück Siegmunds und Sieglindes, Siegfrieds Glück und Untergang, und mit
ihm das Zerschellen eines reinen und freien Menschen an den Bedingt-
heiten und den Machenschaften.

Da dieser Trauermarsch epische Musik ist, erzählend, folglich
vom Bericht her strukturiert, nicht von der musikalischen Form,
ist es möglich gewesen, das musikalische Geschehen gleichsam durch
das Wort nachzuerzählen. *Thomas Mann* hat es getan. In einem Vortrag über Wagners Ringtetralogie, gehalten am 16. November 1937
in der Universität Zürich, versetzt er sich gleichsam in Wagners
planende Reflexion beim Entwurf jenes Trauermarsches.»Die Sehn-
suchtsfrage des Knaben nach der Mutter; das Heldenmotiv seiner
Sippe, die ein unfreier Gott sich zeugte zu gottlos freier Tat; das
Liebesmotiv seiner geschwisterlichen Eltern, wunderbar heraufge-
führt; das mächtig aus der Scheide fahrende Schwert; die große Fanfa-
renformel seines eigenen Wesens, vor Zeiten als Verkündigung zuerst
aus dem Munde der Walküre vernommen; der Klang seines Hornes,
in ungeheure Rhythmen ausgedehnt; die holde Musik seiner Liebe
zu der einst Erweckten; die alte Klage der Rheintöchter um das
geraubte Gold und das düstere Tonmal für Alberichs Fluch: all diese
erhabenen, gefühlsschweren schicksalvollen Mahnungen würden
unter Erdstößen und Wetterschlägen mit der hochgebahrten Leiche
vorüberziehen.«

Unter Erdstößen und Wetterschlägen. Sie sind als Schicksalsschlä-
ge zu verstehen, als Zertrümmerung aller Hoffnungen und Illusionen.
So viel war erhofft worden, so viel auch verloren. Darf man nicht
sagen, der Trauermarsch Siegfrieds sei eigentlich zu verstehen als
eine *Trauermusik Richard Wagners um Richard Wagner?* Mit Siegfried
sind die Hoffnungen des einstigen Utopisten Wagner dahingegangen.

Im Revolutionsjahr 1848/49 entstand das Werk auf der Grundlage dessen, was später *Götterdämmerung* heißen sollte. Damals plante Richard Wagner noch ein isoliertes Drama um *Siegfrieds Tod*. Seine eigene Lebensgeschichte, die Geschichte seiner Zeit und Zeitgenossen, verschmolzen mit dem Fortgang des Werkes als Tetralogie. Die Trauermusik ist *Rückschau ohne Hoffnung*.

Es spricht manches dafür, daß der eigentliche Abschluß des *Ring des Nibelungen* in diesem sogenannten Trauermarsch gefunden werden muß. Wieland Wagner hat wiederholt geäußert, der eigentliche Abschluß der *Götterdämmerung* mit dem Schlußgesang der Brünnhilde und dem Klang des Erlösungsmotivs sei nur als äußerer Abschluß zu verstehen, nicht aber als Überwindung der tragischen Musik, die um den toten Siegfried klagt und um die verlorenen Illusionen.

Die *Götterdämmerung* klingt aus, als walte hier nach wie vor ein »Prinzip Hoffnung«. Allein dieser Schluß ist auf dem Theater im Grunde kaum darzustellen. Man kann die leere Bühne präsentieren, wie bei Wieland Wagner, und alles der Musik überlassen. Man kann auch irgendeine angeblich neue Menschheit auftreten lassen, die neu beginnt. Die Musik vermag nicht zu sagen, womit hier begonnen werden kann. Richard Wagner schrieb als erster ein »Endspiel« im Sinne der modernen Dramaturgie. Walhall ist untergegangen. Der Ring wurde befreit vom Fluch. Aber eines sollte nicht vergessen werden: die Götterdämmerung endet zwar theatralisch mit vielen Toten, doch der Nibelung lebt. Alberich überlebt.

ANMERKUNGEN ZU »PARSIFAL«

Richard Wagner war bereits hochberühmt, als er, residierend in Bayreuth, den *Parsifal* vollendete und im Festspielhaus aufführen ließ. Dennoch häuften sich die Mißverständnisse beinahe mehr noch als bei Rezeption des *Tristan* und der Tetralogie. Drei Vorwürfe gab es vor allem: Das sei Frömmelei; es sei nicht neu, vielmehr bloßer Aufguß des früher Erreichten und schon Bekannten; die Zumutung überdies, ein Werk zu schaffen, das nirgendwo in der Welt aufgeführt werden dürfte als dort, wo sein Schöpfer residiere, mitten in Deutschland natürlich, passe nur allzu gut zur Hybris des neuen Kaisers und des neu gegründeten Reiches. Dies »Bühnenweihfestspiel« präsentiere sich als Weihefestspiel für das im Kriege siegreiche Deutschtum. Als eine Art von ausführlicher Ergänzung zum *Kaisermarsch* desselben Komponisten Richard Wagner.

Der letzte Einwand kam aus Frankreich und behielt dort offenbar immer noch eine gewisse Virulenz, denn Pierre Boulez nahm ihn ausdrücklich auf, als er im Programmheft der Bayreuther Festspiele von 1970 seine Reflexionen zum *Parsifal* formulierte: »Ich habe unlängst meinen Standpunkt in einer Augenblickslaune so zusammengefaßt: Parsifal sei von Wagner komponiert worden und nicht von Wilhelm II.... Ich meine tatsächlich, daß Wagners musikalische Gesten weder emphatisch noch großsprecherisch sind; es scheint mir, daß die wirkliche Größe sich übertriebener demonstrativer Parodien begibt; es scheint mir auch – da der musikalische Text die Absichten des Komponisten mit aller nur denkbaren Deutlichkeit offenlegt –, daß es zwecklos ist, eine höhere ›Leistung‹ geben zu wollen, weil man zu Strafe in die Karikatur verfällt. Vor allem im Parsifal ist die Romantik etwas Innerliches.«

Der Vorwurf der Frömmelei ist bekanntlich zuerst von Nietzsche erhoben worden: als Absage eines Ketzers, der frühere und weiterwirkende Verehrung im Bänkelgedicht abreagieren möchte. Die Hohnverse des Immoralisten stehen in Nietzsches Buch »Jenseits von Gut

und Böse«: am Ende jenes Abschnitts, der durch eine bedeutende
Analyse des Meistersinger-Vorspiels eingeleitet worden war.

Ist das noch deutsch?
Aus deutschen Herzen kam dies schwüle Kreischen?
Und deutschen Leibs ist dies Sich-selbst-Entfleischen?
Deutsch ist dies Priester-Händespreizen,
Dies weihrauch-düftelnde Sinne-Reizen?
Und deutsch dies Stocken, Stürzen, Taumeln,
Dies ungewisse Bimbambaumeln?
Dies Nonnen-Äugeln, Ave-Glocken-Bimmeln,
Dies ganze falsch verzückte Himmel-Überhimmeln?
– Ist Das noch deutsch? –
Erwägt! Noch steht ihr an der Pforte: –
Denn, was ihr hört, ist Rom –, Rom's Glaube ohne Worte!

Gewiß, das sind schlechte Verse. Wunderlich wirkt außerdem Nietzsches Pochen auf ein Deutschtum, das er sonst gern, zugunsten der
Position eines »guten Europäers«, zu verleugnen liebte. Drollig außerdem die Schlußpointe, die eher an einen politischen Kämpfer
gegen die »Ultramontanen«, wie man damals zu sagen pflegte, also
die Vertreter eines politischen Katholizismus, gemahnt als an den
Verfasser des »Zarathustra«.

Trotzdem konnte Nietzsche in diesem Punkt auf viel Zustimmung
rechnen. Die Jünger des wiedergekehrten Zarathustra wollten es dem
Meister nachtun. Jahrzehnte später weiß der Nietzscheaner Kurt Hil-
debrand von der Gestalt der Kundry folgendes zu berichten: »Die
hysterische Somnambule, die tierisch grunzende Mißgestalt, das Weib
als Urbild der Sünde«. Zur Erotik der Blumenmädchen meint er:
»Gemeinheit, aus begrifflicher Klügelei erfunden, ohne tierische Säfte, ist unerträglich.«

Schließlich der Vorwurf, Parsifal sei, was man im amerikanischen
Filmjargon von heute ein »remake« nennt. Obenhin betrachtet ist
etwas daran. Zumal auch eine Analyse von Text und Musik den
Eindruck nahelegte, hier habe der alternde Wagner mit höchstem
Raffinement und sinkender Inspiration in aller Bewußtheit eine Oper
von Richard Wagner geschrieben. Parsifal steht wie Tannhäuser zwischen himmlischer und irdischer Liebe; er entstrebt der Vermischung
mit irdischen Empfindungen wie Lohengrin. Parsifal ist außerdem

Siegfried; Wagner hat die etymologische Spielerei übernommen und macht aus dem törichten Reinen »Falparsi« den »reinen Toren Parsifal«. Parsifal ist reiner Tor wie Siegfried: Gegner der Erörterungen, Fragen, Erklärungen. Reine Innerlichkeit und reine Tat: das ist deutsche Mischung, die Wagner für Siegfried wie Parsifal bereithält. Amfortas weist zurück auf Tannhäuser und Tristan. Kundry ist Venus und Elisabeth in einem, jungdeutsche Huldin und Heilige. Klingsors Liebesfluch weist hinüber zu Alberich; das Wissen des Gurnemanz gehört zu Wotans gleichfalls hoffnungslosem und ohnmächtigem Weltwissen.

Auch die Musik arbeitet stark mit bewährten Rezepten. Das Vorspiel bemüht sich, die Effekte des Lohengrin-Vorspiels und des Rheingold-Beginns gleichsam zu kombinieren: Gralsstimmung diesmal nicht im Geigenglanz herabschwebend in A-Dur, sondern in As-Dur aus den tiefen Streichern langausgehalten aufsteigend: mit den Rheingold-Akzenten des Urerlebnisses. Die Farbgebung paßt dazu. Die Lohengrin-Violinen galten dem Ritter in lichter Waffen Scheine. Parsifal aber ist der schwarze Ritter mit geschlossenem Visier zwischen Tod und Teufel. Dennoch wäre es verfehlt, die »ewige Wiederkehr« der gleichen Motive, wie das oft geschehen ist, als Erfindungsarmut des späten Wagner zu bezeichnen. Die Umformung und Wiederholung des stets Gleichen hat durchaus mit dem Werk zu tun, in welchem man sie findet: Wiederholung ist hier gleichsam ein liturgisches, statisches, konservierendes Element. Wiederholung bedeutet Belehrung für Unmündige: bis auch der stumpfe Hörer erfaßte, was die Leitmotive bedeuten sollen. Die ehemals angestrebte Volkstümlichkeit wird aus hochmütigen, nicht demütigen Herzen zubereitet.

Dies alles hat Wagner ausdrücklich gewollt. Man soll es merken und erinnern. Das Bühnenweihfestspiel wird mit Hilfe einer Dramaturgie und Ästhetik, die heute durchaus vertraut ist, durch Zitate nämlich, strukturiert. Wagner versteht am Ende seines Lebens und Schaffens seine gesamte Produktion als geistige Einheit, worin der »Parsifal« die Aufgabe erhält, alles frühere Schaffen zusammenzufassen und neu zu deuten.

Durchaus nicht im Sinne eines christlichen Glaubensbekenntnisses. Das hat Nietzsche behauptet und verabscheut, allein er mißverstand den »Parsifal« und verkannte überdies, daß die Beziehungen zwischen dem Siegfried, den Nietzsche bewundert hatte, und dem

reinen Toren Parsifal, den er widerwärtig fand, geschwisterhaft ausgefallen waren. Beide sind Toren aus Nicht-Wissen. Siegfried wird
wissend als Opfer des Fluches, Parsifal durch Mitleid. Allein das
Wissen der beiden ist unmittelbare Lebenserfahrung. Es widersetzte
sich in beiden Fällen der vernünftigen Erörterung. Siegfried lernt
weder etwas durch Mime noch durch Wotan. Das ungeheure Wissen
des Gurnemanz kann dem reinen Toren Parsifal ebensowenig zur
Einsicht verhelfen. *Parsifal* ist ebensowenig ein christliches Kunstwerk wie der *Lohengrin*. Weshalb Richard Wagner ungeduldig wurde,
als die Leute bei der Uraufführung nicht wußten, ob sie klatschen
sollten oder nicht. Der Münchener Hofsekretär Bürkel, ein Freund
und Gönner Wagners, hat Notizen zur Uraufführung von 1882 hinterlassen:»Nach dem ersten Acte war applaudiert und dann aus
Andacht gezischt worden, nach dem zweiten Acte war alles, mißverstandenermaßen, ruhig, so daß Wagner fragte:›Jetzt weiß ich gar
nicht, hat es dem Publikum gefallen oder nicht.‹«

Da war aber etwas anderes. Nicht versiegende Schöpferkraft, auch
nicht ein katholisches Konvertitentum. Doch *eine von Grund auf neue
Dramaturgie,* und auch eine neue musikalische Ästhetik. Was die Zeitgenossen von 1882 für den späten Abgesang eines Zauberers gehalten
hatten, der seine Kunststücke einmal noch in einer Galavorstellung
zusammenfaßt, wird heute, und mit Recht, als Neubeginn verstanden.
Thomas Mann wurde nicht müde, das letzte Werk Richard Wagners
als Übergipfelung sogar von *Tristan und Isolde* zu interpretieren. Die
Gestalt der Kundry hielt er für Wagners größte Bühnenleistung.

Auch die musikalische Innovation des Bühnenweihfestspiels sogar
gegenüber der Musik zum *Ring des Nibelungen* wurde verhältnismäßig
früh verstanden und richtig gedeutet: freilich von einem genialen
Musiker, der kein Wagnerianer war und sein wollte. Im Jahre 1903
schrieb *Claude Debussy* die Rezension zu einer konzertanten Pariser
Aufführung des Bühnenweihfestspiels. Debussy war 1889 in Bayreuth
gewesen und hatte dem musikalischen Parsifal-Erlebnis, bei aller An-
tipathie gegen Wagner, die Treue gehalten. Weshalb er nun die Musik
zum *Parsifal* demonstrativ ausspielt gegen Wagners frühere Werke.
Debussy schreibt:»Im ›Parsifal‹, dem letzten Kraftakt eines Genies,
vor dem man sich verbeugen muß, versuchte Wagner, der Musik
weniger Zwang anzutun; hier atmet sie freier. Da ist nicht mehr
dieses nerventötende, atemlose Keuchen, um der krankhaften Leidenschaft eines Tristan auf der Spur zu bleiben, den tierisch-wilden

Schreien einer Isolde sich anzugleichen; da ist auch nicht mehr der
großsprecherische Kommentar zu den Unmenschlichkeiten Wotans.
Nirgends erreicht die Musik Wagners eine so heitere Schönheit wie
im Vorspiel zum dritten Akt des ›Parsifal‹ und im ganzen ›Karfreitagszauber‹, obgleich sich selbst hier die persönliche Auffassung Wagners
von der menschlichen Natur im Verhalten bestimmter Personen des
Dramas kundtut.« Er schließt folgendermaßen: »Man hört da Orche-
sterklänge, die einmalig sind und ungeahnt, edel und voller Kraft.
Das ist eines der schönsten Klangdenkmäler, die zum unvergäng-
lichen Ruhm der Musik errichtet worden sind.«

Was Debussy an der Musik zur Tetralogie geärgert, am *Parsifal*
jedoch entzückt hatte, war ein von Grund auf verändertes *Verhältnis
Wagners zur Zeit, und damit zur Geschichte.* Der »Ring des Nibelungen«
war ein episches Musikdrama, das man getrost mit den umfassenden
bürgerlichen Romanen des 19. Jahrhunderts konfrontieren durfte:
mit Tolstoi also und Balzac, mit Dickens und Flaubert. Thomas
Mann hat in einem Vortrag über die »Kunst des Romans« ganz
ausdrücklich die Tetralogie Richard Wagners als deutsches Gegenstück zum bürgerlichen Roman der außerdeutschen Literaturen charakterisiert. Es gab in der Tetralogie die psychologische Verknüpfung
der musikalischen Motive, das Widerspiel zwischen dem, was gesagt,
und dem, was vom Orchester gedeutet wird. Trotz aller Stabreime,
Germanenbärte, Riesen und Schwarz-Alben spielte der *Ring des Nibelungen* unverkennbar im bürgerlichen 19. Jahrhundert. Das haben
sich fast alle neuen Interpreten der Tetralogie mit Recht gesagt sein
lassen. Das Riesenwerk präsentiert sich heute, und durchaus im Sinne
des einstigen Revolutionärs Richard Wagner, als sozialkritisches Zeit-
bild mit einer mythologischen Struktur. Es ist zugleich eine konkrete
Utopie.

Das Bühnenweihfestspiel *Parsifal* hingegen negiert die Zeit, und
damit die Geschichte. Das Wort des Gurnemanz zu Parsifal, während
sich, mit Hilfe der berühmten Wandeldekoration, das Fortschreiten
als Weg zum Gral vollzieht, bezeichnet den Vorgang genau. Den
Worten des Parsifal: »Ich schreite kaum, / Doch wähn ich mich
schon weit«, antwortet Gurnemanz: »Du siehst, mein Sohn, / Zum
Raum wird hier die Zeit.« Die Zeit wird zum Raum und hat aufgehört, ein zeitlich nachvollziehbares Geschehen abzubilden. Das Gralsgebiet ist Raum außerhalb der Zeit, man gelangt nur zum Gral,
wenn es einem vorherbestimmt war. Der irrende schwarze Ritter

Parsifal sucht vergebens in aller Welt den Zugang. Plötzlich am
Karfreitagmorgen ist er auf dem Gralsgebiet. Der Abschluß seiner
Irrfahrten vollzieht sich »in einem Nu«. Da gab es kein Vorher.
Am wenigsten hätte sich Friedrich Nietzsche über diese Dramatur-
gie der Zeitlosigkeit entrüsten dürfen, denn just der *Parsifal* hat
Nietzsches Betrachtungen über den Nachteil der Historie beherzigt.
Alles scheint vorherbestimmt in diesem Raum des Gralsbereichs,
an welchem die Zeit keinen Anteil hat. Amfortas hatte die Verheißung
gehört und visionär in sich aufgenommen: »Durch Mitleid wissend,
/ Der reine Tor, / Harre sein, / Den ich erkor!« Die Musik Richard
Wagners macht den Vorgang geradezu aufdringlich verstehbar. Im
Augenblick, da die vier Knappen des ersten Aktes die Verheißung,
die Gurnemanz ihnen mitteilte, selbst intonieren, ertönt die musikalische Ansage, die Parsifal ankündigt. Das Bühnenweihfestspiel ist
nicht mehr ein zeitgeschichtliches Drama wie der Nibelungenring,
sondern ein Mysterienspiel, das mit den Kategorien der Prädestination arbeitet.

Es gehört jedoch zur unchristlichen Struktur des Werkes, daß
Richard Wagner auch in seiner letzten Bühnenschöpfung nicht auf
die gesellschaftliche Verheißung und Zukunftsvision verzichten
mochte. Der Schluß des *Parsifal* schließt nämlich den Kreis durchaus
nicht. Der neue Gralskönig Parsifal wird nicht zum Nachfolger, sondern zum Gegenspieler eines Titurel. Die elitäre und geschlossene
Rittergemeinschaft öffnet sich. Auch der Erlöser bedarf der Erlösung.
Auch Parsifal bedarf der Hoffnung, um die Gralswelt zu erneuern.
Wieland Wagners berühmte Bayreuther Inszenierung des *Parsifal*
vom Jahre 1951 hatte das Werk noch als zeitlose, geschichtslose
Kreisbewegung interpretiert. Friedrich Nietzsche zum Trotz, fast
zum Ärgernis, erschien dieser Parsifal als »ewige Wiederkehr des
Gleichen«. In Wahrheit vollzieht sich zwischen der Gralsszene des
ersten und des dritten Aktes eine große Wandlung. Sie erfaßt den
reinen Toren ebenso wie die Gralswelt; auch Gurnemanz bleibt nicht
unberührt. Parsifal wurde nicht wissend durch Belehrung, sondern
»durch Mitleid«.

Wie sich der Vorgang vollzog, verrät Richard Wagner nicht durch
Rede und Gegenrede. Man muß sich an die Musik halten, die den
dritten Akt einleitet. Sie berichtet von Parsifals Irrfahrt durch die
Zeit, so wie sie einst, im Vorspiel zum dritten Akt des »Tannhäuser«
die Romerzählung vorweggenommen hatte. Es gibt aber kein Gegen-

stück zur Romerzählung im Mysterienspiel vom reinen Toren. In der Zeit und Gesellschaft erwarb sich Parsifal ein neues Wissen. Allein es ist ein Wissen, das verändern kann und verändern soll. Thomas Mann, der sich in Sachen Richard Wagner wie kaum einer auskannte, hat noch gegen Ende seines Lebens, als Rezensent von neu erschlossenen Briefen des Musikdramatikers, gemeint, das Alterswerk »Parsifal« sei vielleicht das Ungewöhnlichste, was Wagner schuf. Er meinte dabei den Text wie die Musik. Vor allem die Gestalt der Kundry hatte es ihm angetan. Sie steht im Grunde vergleichslos in Wagners dramatischer Welt. Erst recht ist sie unvergleichbar mit allem, was um 1880 in der europäischen Literatur geschaffen wurde. Man hat früh an ihr die Züge einer Ibsen-Heroine entdeckt. Allein das Wesentliche wird durch diese historische Reduzierung nicht erfaßt. Kundry soll gleichzeitig die Zeitlosigkeit und die reine Gegenwart verkörpern. Sie ist keine Allegorie, nicht einmal eine Symbolgestalt. Hier gelang Wagner eine Figur, die gleichzeitig in ihrer Präexistenz als Sünderin *und* in einer für verhängnisvolle Momente stets wiederkehrenden erotischen Existenz zu leben hat. Sie ist frech im Dienen, hilfreich ohne Hilfsbereitschaft, verführend ohne Lust. Urbild und Gegenwart in einem.

Am Beispiel der Kundry nämlich – und des Amfortas – läßt sich Wagners dramaturgische und musikalische Arbeit besonders eindrucksvoll demonstrieren. Amfortas ist, obenhin betrachtet, noch einmal der Fliegende Holländer. Wie der verwünschte Seefahrer leidet auch er unter dem Fluch: weiterleben zu müssen, nicht sterben zu dürfen. Freilich war der Holländer ein geistiges Derivat der Weltschmerzepoche zwischen 1830 und 1848: er steht in der Nachbarschaft der bekannten Helden des – weitgehend politisch motivierten – Weltekels: bei Puschkin und Lermontow, bei Musset und Byron, Büchner und Lenau. Er gehört zu all den Todessüchtigen Manfred – Kain – Faust – Don Juan, denen sich die Musiker von Robert Schumann und Berlioz bis zu Liszt und Richard Strauss stets wahlverwandt empfanden.

Amfortas hingegen hat Schopenhauer gelesen und empfindet, auf seinem Schmerzenslager, das Walten der »Welt als Wille« als unerträglich, dem die schroffen Negationen entgegenzusetzen seien: Vorübergehen an der Welt, und Mitleid haben mit allen Geschöpfen. Das Gebet des Amfortas, gerichtet an den toten Vater, verlangt Tod und Sterben als einzige Gnade:

Schon fühl' ich den Tod mich umnachten
und noch einmal soll(t)' ich ins Leben zurück?
Wahnsinnige?
Wer will mich zwingen zu leben?
Könnt ihr doch Tod mir nur geben!

Die Steigerung und Transformation der Motive, gegenüber dem romantischen Jugendwerk Richard Wagners, ist offenbar. Der *Holländer* ist ein enttäuschter Mensch, Einsamer und Außenseiter, sein Drama ist Künstlertragödie. Er möchte noch im Jüngsten Gericht die Gegenbewegung des Abseitigen vollführen: in allgemeiner Auferstehung als Einziger »ins Nichts« zergehen zu dürfen. *Amfortas* leidet an der Wunde, allein die Wunde verkörpert das Leiden am Sein und in der Existenz. Die äußere Verwundung entstand beim höchsten Lebens- und Liebesvollzug. Der König und Gralsritter wurde genarrt vom Weltwillen, dem er sich nicht zu entziehen vermag: ganz wie Kundry und Klingsor. Die Selbstentmannung Klingsors ist ebenso eine – vergebliche – Absage an den lebenschaffenden Weltwillen wie die wollüstige Todessucht der beiden Sünder Kundry und Amfortas. Der Fliegende Holländer litt an einer schlechten Welt; Amfortas leidet daran, in der Welt zu sein und weltgemäß gelebt zu haben.

Von hier erst wird das Ungewöhnliche, durchaus Neue in den dramaturgischen und musikalischen Positionen des *Parsifal* verständlich. Innerhalb einer Welt nach dem Grundkonzept Arthur Schopenhauers liegt Schuld bereits in der Existenz. Dasein an sich ist schuldhaft, so daß ein geheimnisvoller Zusammenhang, verstehbar als dialektische Wechselwirkung, waltet zwischen Heiligkeit und Sünde, Reinheit und Unreinheit, Schuld und Sühne. In einem Prosaentwurf der Dichtung zu Parsifal, den Wagner bereits 1865 für König Ludwig schrieb, sagte er von Kundry: »Wie nur ein Mann sie erlösen kann, sie sich dem Manne daher zu völliger Untertänigkeit zugewiesen fühlt, muß sie wieder ihre Erfahrung von der Schwäche dieser Männer zu einer wunderbaren Bitterkeit stimmen: sie fühlt, daß nur der Mann sie vernichtend erlösen könnte, der der Allgewalt ihrer weiblichen Anmut widerstehen würde. So lockt es sie aus dem tiefsten Grunde der Seele immer wieder, von neuem die Prüfung vorzunehmen; aber hierin mischt sich zugleich ihr Hohn, ihre Verzweiflung, diesem schwachen Geschlechte unterstimmt, zugleich aber ihr wildes Liebessehnen auf verzehrende, furchtbar glühende Weise von neuem immer wieder zu dem ekstatischen Krampfe aufstachelt, durch wel-

chen sie zaubern kann, zugleich aber auch dem Zauber verfällt.«
Im Begleitbrief vom 7. September 1865 führt er die Schuld, streng
protestantisch, also gar nicht so sehr katholisch, wie Nietzsche geglaubt hatte, auf das Paradies zurück, die Schlange und Erbsünde.
Auch Amfortas ist für Wagner, wie dieser Brief erkennen läßt,
ein Gefangener jener Weltsünde, die Leben heißt. »Der Kuß, der
Amfortas der Sünde verfallen läßt, erweckt in Parsifal das volle Bewußtsein jener Sünde, nicht aber als die seinige, sondern als die
des jammervoll Leidenden, dessen Klagen er zuvor nur dumpf empfand, davon ihm nun aber, am eigenen Mitgefühl der Sünde, der
Grund hell aufging. Mit Blitzesschnelle sagte er sich gleichsam: Ach,
das ist das Gift, an welchem jener siecht, dessen Jammer ich bisher
nicht verstand!« – So weiß er mehr als alle anderen, namentlich
auch als die gesamte Gralsritterschaft, welche doch immer nur meinte,
Amfortas klage um der Speerwunde willen! Parsifal blickt nun tiefer.«

In der Sprache der modernen Psychologie würde man Richard
Wagners letzte Schöpfung ein *Gebilde der totalen Ambivalenz* deuten
können. Die Zweideutigkeit entspringt der Existenz schlechthin: für
Schopenhauer und seinen Schüler Richard Wagner. Im *Fliegenden
Holländer* herrschte noch der Dualismus von Liebeswunsch (Senta)
und Todeswunsch (Holländer). Die romantische Dramaturgie des
»Tannhäuser« stand im Zeichen der Dualität zwischen der unheiligen
Venus und der heiligen Elisabeth. Amfortas und Kundry haben diese
Dualitäten überwunden. In ihnen wirkt beides: je nachdem in Rich-
tung der Heiligkeit und gewollten Askese, oder des Lebensvollzugs,
den beide als sündhaft empfinden.

Diesem Grundprinzip der Ambivalenz entspricht, mit ungeheurer
Folgerichtigkeit, die *musikalische Anlage der Partitur*. Der berühmte
»Schrei« der Kundry wird unentwegt abgewandelt: als Ausdruck
der Lust, des Entsetzens, der metaphysischen Angst, der Todeswol-
lust. Dieselbe Ambivalenz im nicht minder denkwürdigen Absturz,
als sich Parsifal aus der Umarmung löst mit dem Schrei: »Amfortas!
Die Wunde.« Mit den chromatisch niederstürzenden Achtelnoten,
die von einer gleichfalls chromatisch aufsteigenden Gegenbewegung
punktierter Achtel begleitet werden. Als Kundry verkündet, wann
und wo der Fluch sie traf, im Lachen während der Passion, stürzt
ihre Stimme beim Bericht über das Lachen, das Leben und Unschuld
in einem war, fast durch zwei Oktaven hinunter. Wenn Klingsor,
erbittert über die Hohnfrage der Kundry: »bist du keusch?«, von

– enttäuschter – Sehnsucht nach dem Heiligen spricht, gibt die Musik
das chromatische Leiden des Amfortas als geheime Interpretation.
Allenthalben die Ambivalenz. Wollust des Lebens als Schuld. Ster-
benssüchtigkeit als Wollust.

Pierre Boulez hat mit Recht erläutert, daß diese Auflösung der
Gegensätze zugleich eine Preisgabe aller Unterscheidungen im Zeitlichen bedeuten muß. Der Satz des Gurnemanz: »Zum Raum wird
hier die Zeit« ist durchaus als Strukturprinzip des Bühnenweihfestspiels zu verstehen. Die früheren Opern Wagners, bis hin zum *Ring,*
wo dieses Prinzip preisgegeben wurde, hielten sich streng an den
Dualismus zwischen Menschenwelt und Geisteswelt, Christentum
und Heidentum, Mythos und Wirklichkeit. Der *Parsifal* hingegen
hat alle – scheinbaren – Gegensätze in eine höhere Einheit gezwungen. Ambivalenz der Psychologie bewirkte eine Dramaturgie der
Dialektik. Das gilt auch, und gerade, für die Musik. Boulez hat
diesen Vorgang genau charakterisiert: »Dieses in beständigem Werden begriffene Material ist wahrscheinlich die persönlichste musikalische Erfindung Wagners – sie legt zum ersten Mal den Akzent auf
die Unbeständigkeit, die Unbestimmtheit; das Material läßt eine deut-
liche Ablehnung der Fixierung erkennen, es verrät eine Abneigung,
die musikalischen Ereignisse zu stabilisieren, solange sich ihre Ent-
wicklungs- und Erneuerungsmöglichkeiten noch nicht erschöpften.«

So kommt es, daß Wagner in diesem Werk, das so neu war
und immer wieder neu entdeckt werden muß, zum ersten Mal eine
Vorahnung des dialektischen Theaters aufscheinen ließ. Ebenso wie ein
Vorscheinen späterer Entdeckungen der Tiefenpsychologie. Es sei
nur erinnert an Kundrys Bericht über die Mutterliebe der Herzeleide
zum Sohne:

Was ihr das Lust und Lachen schuf,
wann sie suchend dann dich ereilt;
wann dann ihr Arm dich wütend umschlang,
ward dir es wohl gar beim Küssen bang?

Nicht nur in der Geschwisterliebe der Wälsungen klang hier ein
Motiv an, das die Anthropologie bis heute beschäftigen sollte. Weshalb es mit der besonderen Struktur des Bühnenweihfestspiels zusammenhängt, daß die Titelgestalt in jeder Aufführung fast als Verlegenheit wirkt, während die Höhepunkte der musikdramatischen Aktionen jenen beiden gehören, Amfortas und Kundry, die von der Wollust des Sterbens berichten, damit aber insgeheim das Leben meinen.

BAYREUTH UND DIE NACHWELT

EIN VORSPIEL VON FRIEDRICH NIETZSCHE

»Damit ein Ereignis Größe habe, muß zweierlei zusammenkommen: der große Sinn derer, die es vollbringen, und der große Sinn derer, die es erleben.« Mit diesem bekenntnishaften Satz beginnt Friedrich Nietzsche seine Schrift über »Richard Wagner in Bayreuth«, die vierte und letzte seiner »Unzeitgemäßen Betrachtungen«. Sie ist gleichsam als Krönung und Übergipfelung der früheren kulturphilosophischen Reflexionen gedacht. Von der Negation war der junge Professor der klassischen Philologie an der Universität Basel ausgegangen, als er im Jahre 1873 eine Polemik gegen die behäbige Bürgerästhetik und Utilitätsphilosophie von David Friedrich Strauss eröffnete. Diese erste einer geplanten Reihe von »unzeitgemäßen«, also einzelgängerischen Arbeiten zur Kulturkritik begann mit der Destruktion. Ihr schloß sich ein Jahr später (1874) die zweite Betrachtung an, die folgenreichste von allen, mit dem Titel »Vom Nutzen und Nachteil der Historie für das Leben«. Vom Nutzen der Historie war kaum darin die Rede, um so mehr von den Gefahren eines einschläfernden Historismus. Das dritte Stück in der Reihe »Schopenhauer als Erzieher« begann als Wendung von der Destruktion zur Konstruktion. Hier schrieb ein Schopenhauerianer, der seiner selbst und seines Meisters nicht mehr ganz sicher schien. Auch war unverkennbar, daß Nietzsche einen Schopenhauer interpretierte, dem die Aufgabe zugefallen sei, als Wegbereiter eines Größeren zu wirken: als Vorläufer und – wohl unwillentlicher – Wegbereiter Richard Wagners.

Von Wagner nämlich handelt das vierte und letzte Stück dieser »Unzeitgemäßen Betrachtungen«. Nietzsche schreibt daran im Jahre 1875. Das Buch erscheint ein Jahr später, Anfang Juli 1876, also wenige Wochen vor Eröffnung der ersten Bayreuther Festspiele. Es ist gleichsam als kulturphilosophische Ouvertüre angelegt und läßt erkennen, daß insgeheim auch alle früheren Stücke dieses anachronistischen Denkers von Wagner gesprochen hatten und von der zivilisatorischen Bedeutung seines Bayreuther Unterfangens.

Richard Wagner selbst scheint ergriffen zu sein, wenn er an Nietzsche schreibt: »Freund! Ihr Buch ist ungeheuer! – Wo haben Sie nur die Erfahrung von mir her?« Allein so ganz ehrlich ist das nicht gemeint, denn Cosima Wagner notiert die verschiedenen Versuche, das Buch des Freundes Professor Nietzsche zu lesen und zu durchdenken. Immer wieder bricht man ab, legt den Band beiseite; schließlich scheint Wagner auf eine genaue Lektüre verzichtet zu haben.

In der Tat ist der Konflikt zwischen Wagner und Nietzsche, liest man genau, hier bereits angelegt. Der unheimlichen Hellsicht, die Wagner dann immer auszeichnete, wenn es ihm ernst war um die Bestimmung seines Verhältnisses zur Welt und zu den anderen, dürfte die Diskrepanz auch bei flüchtigem Lesen kaum entgangen sein zwischen dem, was er selbst sich von den Bayreuther Festspielen des Jahres 1876 erwartete, und dem missionarischen Programm Nietzsches.

Auch Nietzsche spürt insgeheim den Riß zwischen dieser Bayreuther Festivität und seinen Visionen von einer kulturellen Erneuerung Deutschlands und der Welt mit Hilfe jenes Phänomens »Richard Wagner in Bayreuth«. Am 24. Juli war der Baseler Professor in der Festspielstadt eingetroffen, um an den Proben teilzunehmen. Am 1. August schreibt er an die Schwester: »Ich sehne mich weg… Mir graut vor jedem dieser langen Kunstabende… Ich habe es ganz satt.« Vor der ersten Generalprobe flieht er nach Klingenbrunn im Bayerischen Wald und beginnt hier mit einem schon durchaus nicht mehr »wagnerischen« Traktat, nämlich mit der Arbeit an dem Buch »Menschliches, Allzumenschliches. Ein Buch für freie Geister«. Wollte er damals bereits dem Sog entfliehen und sich freimachen? Erst auf Drängen der Schwester Elisabeth kommt er am 12. August zurück in die Festspielstadt: einen Tag vor dem eigentlichen Festspielbeginn.

Richard Wagner scheint nicht gespürt zu haben, was sich vorbereitete. Er hat wohl auch später in Nietzsches Abkehr und Abfall, zusammen mit Cosima, nichts anderes sehen wollen als eine tragische Krankheitsgeschichte des gelehrten Freundes und nützlichen Parteigängers. Daß in Nietzsches vierter und letzter Betrachtung über »Richard Wagner in Bayreuth« *der Kontrast zwischen Wirklichkeit und Möglichkeit des Festspielunternehmens* zum erstenmal und mit ungemein ahnungsvollen Thesen durchdacht und formuliert worden war, ist Wagner kaum in den Sinn gekommen. Zum zweitenmal war Nietzsches

Vision von Bayreuth zusammengeprallt mit der trivialen Pragmatik
eines Unternehmens, das freilich auch für Richard Wagner und seine
Anhänger als kulturpolitische Erneuerung verstanden wurde, im
übrigen aber auch, was Friedrich Nietzsche nicht zu kümmern schien,
ein Finanzunternehmen darstellte, ein Organisationsproblem ganz
ungewohnter Art, nicht zuletzt ein Projekt der Publizität und Propaganda.

Daß Nietzsche diesem Zusammenhang wenig Achtung schenkte,
hatte man bereits am 31. Oktober 1873 feststellen müssen. Damals
war klargeworden, daß das ursprüngliche Projekt, die Festspiele mit
einem Kapital von 300000 Talern dadurch zu finanzieren, daß man
tausend Patronatsscheine an Leute vergab, die bereit waren, ein solches Papier mit 300 Talern zu honorieren, gescheitert war. Am 31.
Oktober 1873 tritt in Bayreuth eine Delegiertenversammlung dieser
finanzkräftigen »Patrone« zusammen. Auf Wunsch Richard Wagners
hatte Nietzsche, um der Versammlung Mut zu machen, einen propa-
gandistischen Mahnruf an die Deutschen entworfen. Die Delegierten
lehnten aber nach kurzer Kenntnisnahme den Text, wie Nietzsche
einem Freund schrieb, »artig, aber bestimmt« ab. Was in der Tat
sollte man anfangen mit solchen Sätzen: »An diese unsere deutsche
Aufgabe in diesem Augenblick zu mahnen, halten wir für unsere
Pflicht, gerade jetzt, wo wir auffordern müssen, mit allen Kräften
eine große Kunsttat des deutschen Genius zu unterstützen... Insbesondere werden die deutschen Universitäten, Akademien und Kunst-
schulen nicht umsonst aufgerufen sein, sich der geforderten Unterstützung gemäß, einzeln oder zusammen, zu erklären: wie ebenfalls
die politischen Vertreter deutscher Wohlfahrt in Reichs- und Landta-
gen einen wichtigen Anlaß haben, zu bedenken, daß das Volk jetzt
mehr wie je der Reinigung und der Weihung durch die erhabenen
Zauber und Schrecken echter deutscher Kunst bedürfe....«

Man konnte damals bereits voraussehen, daß nichts dergleichen
eintreten würde. Weder die Universitäten noch die deutschen Parla-
mente, zu schweigen vom Reichstag des soeben begründeten Deutschen Reiches, kümmerten sich um das ehrgeizige Unterfangen des
umstrittenen Musikdramatikers Richard Wagner irgendwo im Fränkischen. Otto von Bismarck hatte sich zwar bei Richard Wagner freundlich bedankt für die Übersendung des Gedichts »An das deutsche
Heer vor Paris«, auf alle späteren Ersuchen aber um finanzielle Unterstützung der Bayreuther Unternehmung erfolgte Schweigen. Derglei-

chen bedurfte für den Reichskanzler und Fürsten Bismarck durchaus
keiner Antwort.

Zweimal war Nietzsches Idee von Bayreuth mit deutschen Wirklichkeiten zusammengestoßen: als der propagandistische Entwurf gerade von den Patronen des Bayreuther Unternehmens fast verständ-
nislos abgelehnt und wohl auch von Wagner selbst rasch fallengelas-
sen wird; dann beim Erscheinen der Schrift »Richard Wagner in
Bayreuth«, die keinerlei Aufsehen erregt, kaum beachtet, von Richard
Wagner selbst offensichtlich kaum ernsthaft durchdacht wird.

Dennoch gibt es keinen besseren geistigen Ansatzpunkt, das Ereignis der Bayreuther Festspiele, verstanden als gesellschaftliches, politisches und ästhetisches Phänomen, zu interpretieren, als eben Friedrich Nietzsches Schrift aus dem Gründungsjahr der Wagner-Festspie-
le zu Bayreuth.

Richard Wagner in Bayreuth: das ist in der Tat eine Zusammenstellung, die weit mehr meint als die bloße Koppelung eines berühmten Künstlernamens und eines Ortsnamens. Spricht man von Kafka
und Prag, von Dublin und James Joyce, von Thomas Mann und
Lübeck, von Hölderlin in Tübingen, so wird jeweils eine Konstellation der Kulturgeschichte aufgerufen und zitiert. Man erörtert die
Beziehungen eines Künstlerlebens mit einer besonderen Umwelt.
Allein wer an Prag denkt, muß nicht notwendigerweise sogleich
den »Prozeß« von Kafka innerlich mitdenken. Es gibt die irische
Realität der Stadt Dublin, und es gibt das Dublin des »Ulysses«
von Joyce.

Anders steht es im öffentlichen Bewußtsein, und *seit nunmehr einem
Jahrhundert,* mit der Zusammenstellung des Namens Bayreuth und
des Namens eines großen Künstlers. Die Geschichte Bayreuths ist
seitdem zur Wagnergeschichte geworden, zur Festspielgeschichte,
auch zu einer Geschichte von politischen Metastasen des Wagnertums. Glanz und Elend der Familie Wagner und der Festspiele wirk-
ten sich aus als Glanz und Elend dieser oberfränkischen Mittelstadt.
Da ist noch mehr. Richard Wagner in Bayreuth: das ist in der Tat
deutsche Geschichte. Obenhin betrachtet, vielleicht in einem Sinne,
den Nietzsche vor hundert Jahren sicherlich nicht voraussehen oder
gar wünschen konnte. In einem tieferen Verstande jedoch scheint
das Jahrhundert zwischen 1876 und 1976 den Visionen des Philosophen nicht gerade widersprochen zu haben. Bereits jenes Manifest
Nietzsches vom Oktober 1873 hatte für das deutsche Volk die Reini-

gung und Weihung postuliert »durch die erhabenen Zauber und Schrecken echter deutscher Kunst«. In Nietzsches Betrachtung über »Richard Wagner in Bayreuth« wird eine Zukunftsgemeinschaft der Wagnerianer beschworen. Ein Blick in die Zukunft deutet an, was sich ereignen könnte, wenn das Bayreuther Unternehmen als Gesamtkonzept verwirklicht sei. Dann wurde aus der von Nietzsche vorsichtig definierten Gemeinschaft der »Unzeitgemäßen«, welche sich im Jahre 1876 zu Wagner bekannt und in Bayreuth eingefunden hatten, eine Volksgemeinschaft, die sich, dank der Begegnung mit den Musikdramen Richard Wagners, verändert und in einem neuen Sinne »freigemacht« hatte: »Vielleicht wird jenes Geschlecht im ganzen sogar böser erscheinen als das jetzige – denn es wird, im Schlimmen wie im Guten, offener sein; ja es wäre möglich, daß seine Seele, wenn sie einmal in vollem, freiem Klange sich ausspräche, unsere Seelen in ähnlicher Weise erschüttern und erschrecken würde, wie wenn die Stimme irgendeines bisher versteckten bösen Naturgeistes laut geworden wäre. Oder wie klingen diese Sätze an unser Ohr: daß die Leidenschaft besser ist als der Stoizismus und die Heuchelei, daß Ehrlich-sein, selbst im Bösen, besser ist, als sich selber an die Sittlichkeit des Herkommens verlieren, daß der freie Mensch sowohl gut als böse sein kann, daß aber der unfreie Mensch eine Schande der Natur ist.«

Hier spricht bereits der spätere Nietzsche, der sich von Wagner abgewendet hat und von der mitleidsvollen »Sklavenmoral« des *Parsifal*. Freilich ist es zugleich ein folgerichtiges Philosophieren, das den Antagonimus zwischen Wotan und Siegfried *auch in der gesellschaftlichen Wirklichkeit* zu Ende denkt. Hier der Herr der Verträge, der den Verträgen nun Knecht sein muß, Hüter und Garant einer auf Vertragstreue, Rechtshoheit, Treu und Glauben aufgebauten bürgerlichen Gesellschaft. Dort der freie und schöne, instinktvolle und gläubige Naturmensch, der Konflikte mit dem Schwert entscheidet, die Sprache der Vögel versteht, aber nicht die der Furcht und der Lüge, also einer menschlichen Gemeinschaft.

Ein Jahrhundert zwischen 1876 und 1976 hat beides in Deutschland, und damit in der ganzen Welt, modellhaft verwirklicht. Einmal Richard Wagners Konzept einer exklusiven und absolutistischen Bühnenkunst am heiligen Ort in der Form einer reinen und gleichstrebenden Gemeinschaft. Als einer Gemeinschaft im Geist deutscher Kunst, die höher sei als alle anderen Kunstfertigkeiten, und die es zu verteidi-

gen gelte sowohl gegen die üblen Kunstvergnügungen der bürgerlichen Welt wie gegen die Befleckung durch Juden und jüdischen
Geist. Dies alles ist Quintessenz dessen, was sich Richard Wagner
von Bayreuth erhoffte. Es ist verwirklicht worden und bleibt heute
mithin in den Voraussetzungen und Auswirkungen durchaus überschaubar.

Allein auch Friedrich Nietzsches Konzept vom Jahre 1876, das
in vieler Hinsicht den Vorstellungen Richard Wagners widersprach,
ist überschaubar geworden. Der Judenhaß Richard Wagners, einer
Verwundung gleichend, die nicht heilen wollte, hat den Ablauf eines
Jahrhunderts der Bayreuther Festspiele nachhaltig geprägt. Wo Wi-
drigkeiten aufzutreten pflegten und Hemmnisse für das Werk, pflegte
der Meister von Bayreuth das Judentum verantwortlich zu machen.
Gewiß holte er sich den Kapellmeister Hermann Levi aus München
als Dirigenten des *Parsifal*, allein da sprach nicht bloß die Kapellmei-
sterperfektion des jüdischen Musikers für eine solche Berufung, sondern auch die Drohung des Bayerischen Königs, im anderen Falle
das Münchener Orchester nicht freizugeben. In seinen Lebenserinne-
rungen hat der Dirigent Felix von Weingartner, ein Augen- und
Ohrenzeuge der Festspiele von 1882, folgendes ausgesagt: »Hermann
Levi, anfänglich, weil er Jude ist, von Wagner abgelehnt, dirigiert.
König Ludwig hätte dem Münchener Orchester die Mitwirkung versagt, wenn Wagner auf seiner Ablehnung bestanden hätte.« Aber
noch während der *Parsifal*-Proben unter Levi notiert Cosima am
22. Juli 1882 eine Bemerkung des Gatten: »Zu mir machte er die
Bemerkung, er möchte nicht als Orchestermitglied von einem Juden
dirigiert werden.«

Friedrich Nietzsche hat sich mit Entschiedenheit gegen diesen
Antisemitismus innerlich und auch nach außen hin gewehrt. Er hat
mit dem Mann seiner Schwester gebrochen, dem Antisemiten Förster.
Allein auch Nietzsches Bayreuth-Vision von den freien, ehrlichen,
aber bösen Menschen einer wagnerischen deutschen Zukunft konnte
zur Realität werden. Nietzsches Wort vom »gefährlichen Leben« ist
in jenem Jahrhundert der Bayreuther Festspiele sowohl als Maxime
wie als Praxis einbekannt worden. Der deutsche Tonsetzer Adrian
Leverkühn in Thomas Manns Roman »Dr. Faustus«, an dessen Leben,
40 Jahre nach dem Tode Friedrich Nietzsches, demonstriert werden
soll, wie es zugeht, wenn sich Künstler und Kunst dem Teufel der
Unmenschlichkeit verschreiben, trägt einen sonderbaren Namen. Ro-

manischer Vorname und deutscher Familienname. Ein kühnes Leben
aber ist zugleich ein gefährliches Leben. Adrian Leverkühn hat mit
Nietzsche zu tun, und nicht zuletzt mit Nietzsches Gedanken über
die Weltbedeutung der Konstellation »Richard Wagner in Bayreuth«.
Ein Weltereignis ist daraus geworden. Wer eine Zusammenstellung
versucht der Familiengeschichte Wagners, der Festspielgeschichte
und der Kunstgeschichte von 1876 bis zur Gegenwart, schreibt zugleich deutsche Geschichte und Welthistorie.

EINZUG DER GÖTTER IN WAHNFRIED
(Richard Wagner)

Am 30. April 1874 bezog Richard Wagner in Bayreuth sein neuerbautes villenartiges Wohnhaus, dessen Gartenseite dank besonderer königlicher Erlaubnis durch ein Türchen mit dem angrenzenden Hofgarten verbunden werden konnte. Am 25. Mai schreibt der neue Hauseigentümer an den Bayerischen König:»Mein Haus steht nun: dank dem Gnädigen! Ich sollte ihm einen Namen geben und suchte lange: endlich fand ich ihn, und ich lasse ihn jetzt in folgenden Versen eingraben:

›Hier wo mein Wähnen Frieden fand –
Wahnfried
sei dieses Haus von mir benannt!‹«

Wagners Absicht wurde verwirklicht. Der Spruch zieht sich über die dreigegliederte Front des Bayreuther Herrschersitzes:»Wahnfried«, der Hausname, findet sich isoliert über dem Mittelteil, über dem Hauseingang. Als Haus Wahnfried ist die Stätte weltbekannt geworden; sie bedeutete und bedeutet eine kulturpolitische Macht großen Ausmaßes. So war es von Wagner geplant, und so hat er es ausgeführt, wie er alles auszuführen vermochte, was er jemals und ernstlich geplant hatte. Hier, in Haus Wahnfried, errichtete er sich den Herrschersitz: im Garten des Hauses befindet sich sein Grab. Seit 1930 ruht Cosima Wagner neben dem Gatten. Wer Wagners letzte Ruhestätte besuchen will, durchschreitet den Hofgarten und betritt durch das Pförtchen den Garten von Haus Wahnfried. Der Besucher weiß nicht mehr, daß es damals (1874) langer Verhandlungen und eines königlichen Gnadenaktes bedurfte, um den Garten des Königs und des Künstlers miteinander zu verbinden.

Wähnen und Wahn: auf Klang und Inhalt dieser beiden Wörter hatte Richard Wagner das Motto seiner letzten Lebenszeit gestellt. Es sind eigentümliche, zwielichtige und zweigesichtige Wörter. Be-

fragt man das Deutsche Wörterbuch der Brüder Grimm nach der
genauen Wortbedeutung, so werden wir belehrt, daß das Wort Wahn
in der alten wie der neuen deutschen Sprache gleich häufig vor-
kommt, daß sich die Wortbedeutung aber stark veränderte. Wahn
bedeutet »Erwartung, Hoffnung, Verdacht, unsichere Annahme, Ein-
bildung«. Und Wähnen bedeutet »erwarten, hoffen, vermuten und
falsch annehmen«. Wähnen ist also gebräuchlich als Bezeichnung
berechtigter wie unberechtigter Erwartung, als begründete und illu-
sionäre Annahme. Wahn bedeutet Hoffnung und Erwartung, aber
auch trügerische Meinung und Vertrauen auf – Wahngebilde. Nicht
genug mit dieser schillernden Wortbedeutung, so wie sie das Wörterbuch als Ergebnis lebendigen Sprachgebrauchs mitteilt. Auch bei
Richard Wagner selbst, in seinen Schriften und Dichtungen, werden
Wahn und Wähnen sowohl im Sinne der begründeten Hoffnung
und sicheren Erwartung, wie der trügerischen Wahnvorstellung gebraucht. Bei der Benennung des Bayreuther Alterssitzes versteht
Wagner sein einstiges und nunmehr befriedigtes Wähnen als begründete und erfüllte Hoffnung. Als eine Erwartung, der die Erfüllung
zuteil wurde. Allein wir kennen auch den Wahnmonolog des Hans
Sachs aus den *Meistersingern*, der mit den Worten beginnt: »Wahn,
Wahn! Überall Wahn!« Hier ist Wahn verstanden als sinnloses Men-
schenleid, als eine Daseinsqual der Menschen, »in unnütz toller Wut!«
Es ist jener Wahn, den es zu heilen, jene Illusion, die es zu zerstreuen
gilt. So hatte es Wagner diesmal verstanden, wenngleich er seinen
Hans Sachs bloß darauf sinnen läßt, den Wahn zu lenken, nicht
aber zu heilen.

Ein merkwürdiges Motto, das sich für Haus Wahnfried fand.
Hier wurde die Erwartung und Hoffnung eines leidenschaftlichen,
ebenso hartnäckigen wie ichsüchtigen großen Künstlers erfüllt. Hier
wurden Hoffnungen gekrönt. Aber wurden hier nicht auch Illusionen
begraben? Bedeutet das Haus Wahnfried nicht zugleich, vom Erbauer
des Hauses her gesehen, die Aussperrung und Verbannung einstigen
»Wähnens« im Sinne irriger Vorstellungen, phantastischer Annah-
men, gegenstandsloser Illusionen? Man muß es vermuten; denn Richard Wagner war mit der Übersiedlung nach Bayreuth aus dem
Exil zurückgekehrt: zum ersten Male seßhaft geworden. Die Kapell-
meisterjahre in Dresden von 1842 bis 1849 hatten keine wirkliche
Erfüllung seiner Lebenspläne bedeutet; in dem Häuschen auf dem
grünen Hügel bei Zürich, im Garten der Villa Wesendonck, konnte

er nicht bleiben, außerdem war Zürich das Exil; aus München und der von Ludwig II. in der Brienner Straße bereitgestellten Villa war Richard Wagner vertrieben worden; dann besaß er ein Haus in Tribschen bei Luzern, aber bloß ein gemietetes Grundstück – und außerdem war es wieder die Fremde. Hier in Wahnfried erst wurde Richard Wagner in Deutschland seßhaft, hatten sich alle früheren Träume und falschen Hoffnungen aufgelöst und der neuen Wirklichkeit, dem Begriff »Richard Wagner in Bayreuth«, Platz gemacht. Wagner hatte seinen Frieden gemacht, wie er glaubte, mit einstigen Wahnideen und wähnenden, doch eitlen Hoffnungen.

Auch mit denen des Revolutionärs Richard Wagner, des steckbrieflich verfolgten Flüchtlings, der sich selbst meinte, wenn er Siegmund in der *Walküre* zu Hunding sagen ließ:

»Friedmund darf ich nicht heißen;
Frohwalt möcht' ich wohl sein:
Doch Wehwalt muß ich mich nennen.«

Damit war es nun hier, in Bayreuth, zu Ende. Als 1876, zwei Jahre nach Wagners Einzug ins Haus Wahnfried, die ersten Bayreuther Festspiele mit dem *Ring des Nibelungen«* eröffnet werden, spricht Karl Marx in einem Brief an Engels mit unmutigen Worten vom »Staatsmusikanten Wagner«. Ein Urteil liegt in diesen Worten über den einstigen politischen Flüchtling, der nunmehr – wie ein Künstlermonarch – den Deutschen Kaiser Wilhelm I. als prominentesten Besucher seiner Festspiele empfängt: den gleichen Wilhelm von Hohenzollern, der als verhaßter »Kartätschenprinz« im Jahre 1849 die deutsche Revolution niedergeschlagen hatte. Damals, beim Dresdner Mai-Aufstand des Jahres 1849, standen der Revolutionär Richard Wagner und der Prinz Wilhelm von Preußen als Exekutor der Gegenrevolution auf verschiedenen Seiten der Barrikade. Im Jahre 1876 aber ist aus dem Kartätschenprinz der Deutsche Kaiser geworden, und aus dem Flugblattschreiber und Flugblattverteiler Wagner der Gastgeber des Kaisers.

Richard Wagner in Bayreuth: das ist von nun an die Geschichte eines Sieges. Es bedeutet den Höhepunkt im Prozeß einer Verwandlung von Wahn in Wirklichkeit. Vergleichbar ist eine Formel, die Wagner und Bayreuth zusammenschließt, in ihrer historischen Tragweite höchstens mit der Parallelformel »Goethe in Weimar«. Allein

Goethe hat keine Nachfolge begründet oder auch nur begründen wollen. Die letzten Jahrzehnte seines Lebens wurden immer planvoller stilisiert als Gegensatz einer »inkommensurablen« Subjektivität zu einer Außenwelt, die als Welt schlechthin genommen werden mochte, da das Weimar Goethes, wie man am Frauenplan befand, ohnehin eine Welt bedeutete. Weltenbürger und Weimaraner. Richard Wagner hingegen ging stets darauf aus, eine *Nachfolge* zu begründen. Der Goetheaner ist auch seinerseits inkommensurabel: er verharrt auf der eigenen und unverwechselbaren Subjektivität. Der Wagnerianer jedoch integriert sich in aller Bewußtheit einer Gemeinschaft mit Ordenscharakter. Es bedurfte keiner Suche voll bleichen Eifers: der Gral hatte sich auf dem fränkischen Hügelgebirge niedergelassen. Bayreuth war von nun an Gralsgebiet.

Das demokratische Fest

Als Wilhelm I., Deutscher Kaiser und König von Preußen, der einstige Gegenspieler Richard Wagners bei der sächsischen Revolution von 1849, am 13. August 1876 das Festspielhaus betrat, wurde er, wie die Zeitungen berichteten, mit Jubel begrüßt. Er trat vor in der Kaiserloge und verneigte sich vor dieser von Nietzsche propagandistisch beschworenen Gemeinschaft der Unzeitgemäßen. Die Damen hatten sich entzückt zugeflüstert – so kann man es nachlesen –, der damals 79jährige Monarch sei »nach wie vor ein schöner Mann«.

Eine Konfrontation Wilhelms von Preußen und Ludwigs von Bayern, also des Siegers und des Besiegten vom Jahre 1866, fand nicht statt. König Ludwig hatte die Generalproben besucht, um dann eilends nach München und an den Schwansee zurückzukehren.

Fünf Jahre waren vergangen seit der Kaiserproklamation vom 18. Januar 1871 im Schloß zu Versailles. Als Richard Wagner den Deutschen Kaiser begrüßte, trat er ihm nicht als einstiger Ideologe einer Götterdämmerung entgegen, die auch als Fürstendämmerung verstanden werden mußte, sondern als Komponist eines Kaisermarsches. Das neubegründete und als Fürstenbund vereinigte Reich lebte in einer fieberhaften Euphorie des Geldüberflusses. Fünf Milliarden Goldfranken, die diktierte Kriegsentschädigung, die ein besiegtes Frankreich leisten mußte, hatten ihre Zirkulation begonnen. Richard Wagner durfte damit rechnen, daß ein angemessener Anteil abfallen

werde auch für das singuläre Unternehmen einer ersten zyklischen
Aufführung der *Ring*-Tetralogie, zugleich einer Uraufführung des
Siegfried und der *Götterdämmerung*, während Vorspiel und erster Tag
des *Nibelungenrings*, zum Unwillen Wagners, doch auf Geheiß des
Bayernkönigs, in München bereits gespielt worden waren.

Der Deutsche Kaiser soll Wagner, wie dieser sogleich mitteilen
ließ, beglückwünscht haben mit der leise ironischen Anmerkung:
er selbst, der König und Kaiser Wilhelm, habe nicht geglaubt, daß
Wagner es schaffen würde. Nun war auch dieses Wähnen zur Wirklichkeit geworden, um sogleich, nach einem kurzen Augenblick des
beunruhigten Stolzes, von neuer Sorge abgelöst zu werden.

Für die Zeitgenossen des Sommers 1876, erst recht für das Publikum dieser vier Premierenabende, erfüllte sich damals der *exzessivste
Künstlertraum* einer ganzen Epoche. Der säkularisierte Götzendienst
am genialen Künstler gehörte zur Ideologie eines Bürgertums von
freien Unternehmern und liberalen Zwischenträgern der Warenproduktion und des Kapitalmarktes. Richard Wagner mußte ihnen allen
in doppelter Gestalt erscheinen, und zwar als doppelt verehrungswürdig: als singuläres Genie *und* als erfolgreicher Großunternehmer. Daß
es finanziell um die Solidität des Unternehmens nicht gut bestellt
war, wußte jedermann; dafür hatten Richard Wagners politische und
künstlerische Widersacher gesorgt. Allein sogar diese Tatsache schien
das Prestige des Bayreuther Meisters eher zu stärken. In jenen Jahren
des Übergangs von der Gründerkonjunktur zur baldigen Gründerkri-
se war eine solche Affinität von Augenblicksglanz und raschem Wel-
ken durchaus nicht ungewohnt. Freilich hatten sich die Zeitgenossen
in solchen Fällen auch daran gewöhnt, dem Niederfall eines dieser
überhellen Meteore mit Gleichmut und durchaus mitleidslos zuzu-
schauen. Was Richard Wagner sogleich nach Abschluß der ersten
Festspiele und einer ersten Bilanzierung erfahren mußte.

Die Bitterkeit in Wagners Briefen und Aussprüchen etwa zwischen 1876 und 1880 wurzelt im Grunde tiefer als alles frühere Ressentiment des genialen Schöpfers, der sich immer wieder, bis zum Augenblick des Gralswunders, als der Bote König Ludwigs eintrifft, als
Versager erleben mußte. Ein Schuldenberg der ersten Bayreuther
Festspiele läßt Wagner und auch Cosima plötzlich begreifen, daß
man nur scheinbar gesiegt, doch zugleich auch vieles verloren hat.
Cosima muß die Lage früher durchschaut haben als der Bayreuther
Meister. In einem Brief vom 29. Dezember 1875, also im Stadium

der Vorbereitungen für das Eröffnungsfest vom Sommer 1876, steht
der merkwürdige Satz:»Mein Mann hat schon den Gedanken geopfert, ein freies Fest den weniger Bemittelten zu geben, und es werden
alle Plätze verkauft werden.« Hier in der Tat hatte Richard Wagners
Wähnen den Frieden nicht gefunden. Das geplante demokratische
Fest konnte und durfte nicht stattfinden. Was sich vollzog im Augenblick, da der Kaiser die Huldigungen des Amphitheaters entgegen-
nahm, war eine *Zurücknahme* gewesen. Die Wirklichkeit von Bayreuth
konnte durchaus von Richard Wagner, schaute er zurück auf seine
früheren Thesen und Konzepte, als glanzvolle Misere gedeutet werden, als eine Niederlage mit Siegesritual.

Die Zeitgenossen hatten damals viel Wesens davon gemacht, daß
Wagner in offenbar grenzenloser Unbescheidenheit ein Theater für
sich allein beanspruchte, das er mit keinem anderen Tonsetzer zu
teilen gedachte, auch nicht mit den bewunderten Gluck und Beethoven und Weber. In Wirklichkeit war das Konzept dieses Musikdramatikers nur darin ungewöhnlich, daß Wagner die Träume, die viele
große Musiker vor ihm und mit ihm geträumt hatten, so ernst nahm,
daß er ihnen auch im öden Alltag zu folgen beschloß.

Man wird, um die Ursprünge des Festspielgedankens richtig zu
deuten und nicht in unzulänglicher Weise aus der Künstlerpsycholo-
gie Richard Wagners abzuleiten, den *Zustand damaliger Operntheater*
rekonstruieren müssen. Noch in der zweiten Hälfte des 19. Jahrhunderts lebte man in Deutschland in dieser Beziehung mitten im Feudalismus des Rokoko und einer Versailles-Imitation. Es war daher auch
nur scheinbar widerspruchsvoll, wenn König Ludwigs Träume
gleichzeitig erfüllt waren von deutsch-romantischen Mittelaltervisio-
nen *und* einer Imagination der Epoche Ludwigs XIV. Linderhof und
Neuschwanstein gehörten für diese Traumwelt zusammen. Ludwig II. von Bayern empfand sich, gleich den Fürsten des 17. und
18. Jahrhunderts, die sich ein Opernensemble hielten zur höfischen
Ergötzung, wobei die Musikerlakaien bisweilen auch Gluck heißen
mochten oder Mozart, als absolutistischen Auftraggeber. Darin unterschied er sich nicht wesentlich von anderen deutschen Fürsten und
ihrer Hoftheaterpraxis. Ludwig freilich hatte sich stärker mit dieser
neuen Opernkunst und ihrem Schöpfer eingelassen. So mußte er
sich und Wagner eine niemals ganz ehrliche Komödie der Freundschaft vorspielen, die stets gefährdet war durch herrscherliche Aus-
brüche, durch Gebot und Verbot.

Die deutschen Hofopern des 19. Jahrhunderts, ob in Berlin oder
Dresden, München oder Meiningen, denen sich im Zuge allgemeiner
Verbürgerlichung auch Städtische Opern anschlossen, wurden geprägt durch Geschmack und Launen des jeweiligen Hofes, nicht
durch das ästhetische Konzept eines professionellen Operndirektors.
Prädestiniert für das Amt eines Hoftheaterdirektors waren jene Söhne
des Hofadels, die ein bißchen Bildung und einiges an künstlerischer
Sensibilität hatten erkennen lassen. Das Leben eines *Hans von Bülow*
ist bestimmt durch seinen erbitterten und hoffnungslosen Kampf
gegen Schlamperei und Unverstand der adligen Opernchefs. Die Klagen der großen Komponisten des 19. Jahrhunderts über Inkompe-
tenz, Faulheit und Gleichgültigkeit bei der Aufführung von Meister-
werken der Opernkunst sind einhellig. *Richard Wagner bildet hier keineswegs eine Ausnahme.* Da gibt es die satirischen Schilderungen E. T. A.
Hoffmanns über die Art, wie man am Preussischen Hoftheater zu
Berlin die Werke eines Gluck mißhandelt; das Scheitern des Operndirektors Franz Liszt an den Intrigen des Großherzoglichen Hoftheaters
zu Weimar; die sarkastischen Berichte und Wutausbrüche von Hector
Berlioz; die höfischen Intrigen gegen Carl Maria von Weber und
die Berliner Uraufführung des »Freischütz«. Der Pariser Skandal um
Wagners *Tannhäuser* im März 1861 war kein singulärer Vorgang.
Er gehörte zum permanenten Kampf der schöpferischen Musiker
um eine angemessene, nämlich noten- und werkgetreue Interpretation
ihrer Partituren. Es ist kein Zufall, daß beim Rückblick auf die großen
Leistungen der Opernkunst und Orchestermusik im 19. Jahrhundert
die wesentlichsten Impulse von Interpreten ausgingen, die selbst bedeutende Komponisten waren: von Carl Maria von Weber und später
von Richard Wagner in Dresden, von Felix Mendelssohn-Bartholdy
im Leipziger Gewandhaus, von Franz Liszt in Weimar, schließlich
von Gustav Mahler in Wien.

Richard Wagner unterscheidet sich von seinen Zeitgenossen nicht
dadurch, daß er die jammervolle Willkür einer Hoftheaterpraxis denunziert, sondern daß er die Misere folgerichtig durchdenkt und
zu dem Schluß gelangt, daß mit Hilfe der etablierten Opernhäuser
eine sinnvolle Verwirklichung seiner neuen Musikdramatik nicht geleistet werden kann. In einem Brief vom 17. Dezember 1861 an Hans
von Bülow wird das zunächst als negative Folgerung aus Erfahrungen
gezogen. Natürlich schreibt Wagner unter dem Eindruck der »Tannhäuser«-Vorfälle vom März eben dieses Jahres: »Ein Blick auf unsere

Theater hat mir wieder deutlich gezeigt, was einzig Noth thut, wenn meine Kunst irgend Wurzel schlagen soll, und nicht gänzlich mißverstanden als Ephemere verwehen soll. Ich brauche ein Theater, wie ich es einzig selbst herstellen kann. Es ist nicht möglich, daß auf denselben Theatern, in welchen unser Opernunsinn – selbst den Klassischen mit eingerechnet – gegeben wird, und wo Alles, Darstellung, Auffassung und geforderte Wirkung, im Grunde genommen schnurstracks dem zuwiderläuft, was ich für mich und meine Arbeiten fordere, diese zur gleichen Zeit einen wirklichen Boden finden könnten. Stell' mir das Wiener und Berliner Hoftheater zur Disposition, mach' mich zum Herren Alles dessen, was ich brauche: ich kann es mir gar nicht stellen, und – glückte es rasenden Anstrengungen einmal etwas Rechtes zu Stande zu bringen, Alles bräche schnell wieder wie ein Kartenhaus zusammen, sobald morgen wieder der Prophet, oder selbst Zauberflöte, oder gar selbst Fidelio gegeben würde. Ich kann die ›Oper‹ nicht in meiner Nähe dulden, wenn mein Musikdrama gepflanzt werden soll.«

Dies ist zunächst die bloße Verneinung. Das Gegenbild aber kündigt sich in der Negation bereits an. Zwei Jahre später entwirft Wagner die neue ästhetische und bühnenpraktische Vision. Er entwickelt sie im Vorwort zur ersten öffentlichen Ausgabe seiner Nibelungen-Dichtung. Der Text gehört zu Wagners berühmtesten Manifesten. Er schließt, wie bekannt, mit der Frage, ob ein deutscher Fürst sich finden werde, der einen Teil des Jahresbudgets seiner Hoftheater für solche Musteraufführungen von Werken Richard Wagners abzweigen würde. »Wird dieser Fürst sich finden? –« Richard Wagner endet mit der ebenso kühnen wie unphilologischen Bibelübersetzung des Dr. Faust: »Im Anfang war die That.« Diese erste umfassende Entwicklung des Festspielgedankens ist im Jahre 1863 noch beherrscht von der Vision eines *demokratischen Festes*. Der Revolutionär des Jahres 1849 hat zwar das Konzept einer materiellen Umwälzung verworfen und betreibt von nun an, in enger Nachfolge des deutschen Idealismus, die ästhetische Erziehung seiner deutschen Zeitgenossen. Dies deutsche Volk selbst hingegen versteht er als eine demokratische Gemeinschaft, durchaus nicht als eine höfisch-großbürgerlich-großkünstlerische Elite.

Den großen Städten mißtraut Richard Wagner. Er hat seine Erfahrungen in Dresden und Wien und Paris gemacht. Die neue Verstörung in der Residenzstadt München steht ihm noch bevor. Jetzt aber bereits denkt er an »eine der minder großen Städte Deutschlands, günstig gelegen, und zur Aufnahme außerordentlicher Gäste geeignet«. Die zweite wesentliche Bedingung ist ebenso folgerichtig: in dieser mittleren Stadt darf es kein Theater geben.

Es folgen die berühmten und immer wieder zitierten Sätze: »Hier sollte nun ein provisorisches Theater, so einfach wie möglich, vielleicht bloß aus Holz, und nur auf künstlerische Zweckmäßigkeit des Inneren berechnet, aufgerichtet werden; einen Plan hierzu, mit amphitheatralischer Einrichtung für das Publikum, und dem großen Vortheile der Unsichtbarmachung des Orchesters, hatte ich mit einem erfahrenen, geistvollen Architekten in Besprechung gezogen. – Hierher sollten nun, etwa in den ersten Frühlingsmonaten, aus den Personalen der deutschen Operntheater ausgewählte, vorzüglichste dramatische Sänger berufen werden, um, ununterbrochen durch jede andersartige künstlerische Beschäftigung, das von mir verfaßte mehrteilige Bühnenwerk sich einzuüben.«

Richard Wagner war stets ein Meister der konkreten Utopie. Sein Projekt war genau durchdacht. Das demokratische Fest mußte auch durch die Form des Theaterbaus im Ablauf mitbestimmt werden. Die Hoftheater in Deutschland, meist noch aus dem 18. Jahrhundert stammend, präsentierten sich als Logentheater. Im Laufe fortschreitender Verbürgerlichung im 19. Jahrhundert hatte sich ein Theatertyp herausgebildet, dessen Struktur nicht vom Parkett bestimmt wurde, sondern vom ersten oberen Logenring. In der Mitte die obligate Fürstenloge, dann – von der Mitte wegstrebend zu den Seiten des Theaterraumes – die Logen der höfischen Würdenträger, je nach Bedeutung und Adelskarat gegeneinander abgestuft. Der zweite obere Logenring war den Offizieren und – gleichfalls meist adligen – Staatsbeamten der jeweiligen Monarchie reserviert. Im Parkett feierte sich das gehobene Bürgertum als Repräsentanz von Bildung und Besitz. Man schaute hinauf nach der Fürstenloge und freute sich, wenn bisweilen von einem der erlauchten Logeninsassen ein Blick geworfen wurde, durch das Lorgnon oder Monokel oder Opernglas, hinunter ins bürgerliche Parkett.

Richard Wagner kannte und haßte diesen Typ eines Theaterbaus, der den höfisch-bürgerlichen Kompromiß zu stabilisieren schien. Wie er sein eigenes Bayreuther Bühnenunternehmen schroff kontrastieren ließ mit der Bühnenpraxis jener deutschen Hoftheater, so gedachte er auch die architektonische Struktur des Bayreuther Innenraums, nicht minder schroff, als Kontrast zur Architektur der Hofbühnen zu konzipieren.

Die theoretischen Schriften Wagners aus der ersten Exilzeit in Zürich hatten den Rückweg gesucht zur *griechischen Tragödie* und zum Theater der großen Tragiker aus der Blütezeit von Athen. Das Theater der Griechen war ein demokratisches Fest: gefeiert freilich allein von freien Bürgern, unter Ausschluß der Metoeken und natürlich der Sklaven. Gefeiert wurde das Fest im Amphitheater: als Tragödie, Satyrspiel oder auch als aristophanische Komödie. Hier gedachte Richard Wagner anzuknüpfen. Die »amphitheatralische Einrichtung für das Publikum« sollte, wie Wagner schreibt, ohne Unterschied von Rang und Status allen Freunden der Kunst zugänglich sein. Sie alle waren willkommen, denn bereits ihr Besuch in Bayreuth zeugte von der rechten Gesinnung. Nebeneinander hatte man zu sitzen in den langsam ansteigenden Reihen. Kein Blick hinauf oder zurück zu den Logen und ihren auch äußerlich erhöhten Insassen. Auch kein zerstreuter und neugieriger Blick hinab zum Orchester und zum taktierenden Kapellmeister: »Zur Vollendung des Eindrukkes einer solchermaßen vorbereiteten Aufführung würde ich dann noch besonders die Unsichtbarkeit des Orchesters, wie sie durch eine, bei amphitheatralischer Anlage des Zuschauerraumes mögliche, architektonische Täuschung zu bewerkstelligen wäre, von großem Werte halten.« Ein demokratisches Fest mit einem Publikum, das bestehen sollte aus »von näher und ferner her öffentlich Eingeladenen«.

Dies demokratische Fest fand nicht statt im August des Jahres 1876. Die Götter zogen zwar in Wahnfried ein, das Motto des Hauses sprach von gestillter Begierde, wohinter sich freilich neue Lust und Ungeduld Richard Wagners nur mühsam verbarg. Was jedoch auf dem Festspielhügel zustande gekommen war und nun zelebriert werden sollte, unterschied sich weitgehend vom ursprünglichen Konzept. Nicht allein durch die gesellschaftliche Zusammensetzung des Premierenpublikums, das man nicht eben als stellvertretend bezeichnen konnte für demokratische Gleichheit. Ein Amphitheater war entstanden, gewiß, auch den »mystischen Abgrund« hatte sich Wagner ertrotzt; im übrigen aber entsprachen die Besucher dieser ersten Gesamtaufführung der Tetralogie durchaus dem üblichen Bild einer Hoftheaterpremiere.

Der Staatsmusikant

Drei zyklische Aufführungen seiner Tetralogie *Der Ring des Nibelungen*
hat Richard Wagner in jenem August 1876 veranstaltet. Das begann
am 13. August, einem Sonntag, und war am Mittwoch, dem 30. August, wieder zu Ende. Man spielte *Rheingold, Walküre* und *Siegfried*
an drei Tagen hintereinander; nach einem spielfreien Tag folgte dann
die *Götterdämmerung.* Zwischen die Zyklen hatte Wagner drei spielfreie Tage eingeschaltet. Zwölf Aufführungen folglich im Verlauf
von achtzehn Tagen.

Der Kritiker Karl Frenzel hat einen Premierenbericht hinterlassen,
der kulturhistorisch Aufschlüsse gibt über die Wandlung vom demokratischen Fest zum Festunternehmen eines Staatsmusikanten. »Wer
war nun in Bayreuth?«, fragte der Berichterstatter etwas mokant.
Es kommt ihm, ersichtlich keinem Verehrer Richard Wagners und
seines Bayreuther Treibens, darauf an, die leeren Plätze zu markieren.
Gewiß, den Bayerischen König hatte man während der Generalproben besichtigen können, den neuen Deutschen Kaiser an den Premie-
renabenden. Aber: »von unseren großen Staatsmännern und Feldher-
ren war Niemand zugegen.« Also kein Bismarck, kein Roon und
kein Moltke. Nur drei Parlamentarier, die namentlich genannt werden. Nur zwei preußische Diplomaten. Keiner der bürgerlich-freisin-
nigen Abgeordneten war in Bayreuth zu besichtigen, auch waren,
wie Frenzel ziemlich giftig konstatiert, keine Abgeordneten der katholischen Zentrums-Partei erschienen, »die doch so gern die moderne Götterdämmerung – die Revolution – an den roten Wolken des
Himmels abmalen, gerade wie Wagner«. Dieser Frenzel scheint Wagner immer noch, wofür in der Tat der Text der Tetralogie sprechen
kann, als demokratischen Aufrührer zu verstehen, der diesmal jedoch,
als Staatsmusikant, seinen Unterdrückern aufspielt. Allerdings muß
Frenzel dann auch das Fehlen der Sozialdemokraten konstatieren.
Er interpretiert es nicht unzutreffend mit ihrem Protest gegen die
Zulassungsbedingung, die im Erwerb eines Patronatsscheins von
300 Talern oder wenigstens eines »Drittel-Patronatsscheins im Wert
von 300 Reichsmark« zu bestehen hatte. Der Reporter und Kulturkritiker besitzt noch genügend klassische Bildung, um Herrn Wagner
spöttisch daran zu erinnern, daß im antiken Athen »der Bürger umsonst des Aischylos ›Eumeniden‹ und die ›Ritter‹ des Aristophanes
zu hören und zu sehen bekam!« Was heißen sollte: allein der Bau

eines Amphitheaters genügte nicht zur Neubegründung einer antiken demokratischen Kulturtradition.

Immerhin kann der Berichterstatter nicht leugnen, daß viel Adels- und Künstlerglanz strahlte. Die Musiker unter Führung von Franz Liszt. Aber Frenzel vergißt nicht, die Abwesenheit eines Brahms, Anton Rubinstein, Verdi und Gounod zu notieren. Die Bildende Kunst ist glanzvoll repräsentiert, sowohl durch Makart und natürlich Anton von Werner, wie auch durch Lenbach und vor allem durch Adoph von Menzel. Sehr negative Bilanz der Literatur. Den journalistischen Beckmesser scheint es zu freuen. Mit seiner Aufzählung gibt er gleichzeitig einen genauen Querschnitt dessen, was in jener Gründerzeit für literarisch prominent gehalten wurde: Gutzkow und Berthold Auerbach, Gustav Freytag und Viktor von Scheffel, Spielhagen und Emanuel Geibel. Keinen sah man als Gast Richard Wagners in Bayreuth.

Übrigens war auch, was Frenzel nicht bemerkte oder nicht für bemerkenswert hielt, *Peter Tschaikowski* zugegen. Er hat einen ebenso lustigen wie boshaften Bericht verfaßt, fand alles sehr langweilig, begeisterte sich für ein paar musikalische Einzelheiten, referierte aber ausführlich und sehr genußvoll die *organisatorische Misere* dieses Galafestes in einer fränkischen Mittelstadt, die auf dergleichen überhaupt nicht eingerichtet war. Wo wohnt man, wie gelangt man, ohne den Besitz eines eigenen Wagens, in Festkleidung zum Festspielhaus und wieder zurück in die Stadt, wo kann man sich die Zeit vertreiben bis zum Aufführungsbeginn am frühen Nachmittag? Und vor allem: wo erhält man in den von Wagner angeordneten einstündigen Vorstellungspausen etwas zu essen? Glaubt man Tschaikowski, dessen Bericht aber von vielen anderen Reportern bestätigt wird, so fanden damals in Bayreuth wahrhaft homerische Kämpfe statt um Butterbrote und Würstchen.

Neben diesen ›Rittern vom Geist‹ trat die Geburtsaristokratie in den Vordergrund. »Die vielgenannten aristokratischen Damen aus Berlin, Wien und Petersburg, welche die eigentlich bewegende Kraft des Wagnertums bilden, spielten mit Walkürengürteln, mit Augenwinken und Lächeln die Rolle, die ihnen gebührt. Dahinter ihre Kavaliere, die wollend oder nicht wollend der Fahne des Propheten folgen... Dies als Zeichen der Gesellschaft, in der man sich in Bayreuth trotz aller schönen und vornehmen Damen bewegte – und diese Gesellschaft, in der bis auf wenige die großen deutschen Namen fehlten, hatte man die Keckheit, als die Blüte des deutschen Volkes zu bezeichnen!«

Der Kritiker Isidor Kastan berichtete für das »Berliner Tageblatt« über Bayreuth am 16. August 1876. Er ist wohlwollender als Frenzel und hebt weniger die weißen Flecken auf der gesellschaftlichen Landkarte des Publikums hervor, als den Auftritt Wilhelms I.:»Alle Köpfe wenden sich der Fürsten Loge zu. Der Kaiser ist soeben ins Theater getreten. Kaiser Wilhelm in bürgerlicher Kleidung ist uns Berlinern und wohl auch den meisten Deutschen eine gewiß fremdartige Erscheinung. Wir können ihn uns eigentlich gar nicht anders vorstellen als in der Generalsuniform. Wirklich vergingen auch einige Sekunden, ehe die Menge den Kaiser erkannte. Aber mit einem Male brauste ein Beifallssturm, wie ein gewaltiger Orkan, durch den weiten Raum. Hoch Kaiser Wilhelm und nochmals und nochmals – der Jubel schien kein Ende nehmen zu wollen. Der Kaiser trat bis hart an die Logenbrüstung und verneigte sich, freudig lächelnd, nach allen Richtungen gegen die Versammlung. Als gewissenhafter Chronist darf ich anzuführen nicht unterlassen, daß die Gasteiner Quellen unseren Kaiser wirklich verjüngt haben.«

Aschermittwoch

Wie hat der Wähnende selbst sein Fest erlebt? Auch darüber gibt es Zeugnisse in den Notizen Cosimas und den Briefen Richard Wagners. Im Gegensatz zu Glücksgefühlen, bei der Uraufführung von *Tristan und Isolde* und dann der *Meistersinger von Nürnberg* in München und unter der Leitung Hans von Bülows, scheint Wagner bisweilen mit Ungeduld auf *Hans Richters* Stabführung reagiert zu haben. Während der Generalprobe saß er hinter König Ludwig, der befremdet auf Wagners Stöhnen, Zucken und Fluchen einging mit der Frage: ob dem Meister nicht wohl sei? Wagner setzte später brieflich auseinander, er habe während der Aufführung immer wieder ein Gefühl des Ungenügens verspürt: beim Klang des Orchesters wie auch beim Agieren der Sänger und bei der szenischen Verwirklichung. Albert Niemann war ihm lieb als der umkämpfte Pariser Tannhäuser von 1861; aber nun als Siegmund vermochte er die traumatische Erinnerung an Ludwig Schnorr von Carolsfeld, den unvergeßlichen und so früh gestorbenen Tristan von München, nicht zu verdrängen.

Man hatte die besten Künstler versammelt. Der treue Franz Betz aus Berlin, Wagners glanzvoller und erster Hans Sachs, trat auf als Wotan und Wanderer. Amalie Friedrich-Materna ließ sich, als Brünnhilde, damals kaum übertreffen. Doch der große tragische Eindruck eines zyklischen, strukturell einheitlichen musikdramatischen Geschehens stellte sich nicht ein. Hans Richter führte Wagners Anweisungen getreulich durch, blieb aber der Gehilfe. Er war kein selbständiger und kongenialer Partner wie Bülow, an den Wagner, wohl nicht ohne Schuldgefühle, damals immer wieder hatte denken müssen.

Auch konnte ihm nicht die Diskrepanz zwischen diesem Werk und diesem Publikum entgehen. Alles war aufgeboten worden, um eine Gegenschöpfung und Anti-Unternehmung zum konventionellen Hofoperntreiben zu organisieren: Musikdrama anstelle der Oper. Allein die Musikalische Tragödie lief ab vor einem konventionellen Opernpublikum, das sich auch als solches benahm. Immer wieder rügen die Berichterstatter noch in späteren Jahren, daß Amphitheater und mystischer Abgrund, illusionistische Regie und Kunst der Leitmotive nichts ausrichten konnten gegen überlieferte Theatergewohnheiten. Man unterhielt sich halblaut während der Aufführung, da war Fächeln und Blicken und Lorgnettieren, ein übliches Theater im Theater. Zu schweigen vom Beifall während des Spiels und an falschen Stellen. Wieland Wagner hat später etwas ironisch, als es ihm darauf ankam, die applauslose Weihestimmung bei Aufführungen des *Parsifal* zu vertreiben, auf den Wagnerschen Ursprung des Applausverbotes beim Bühnenweihfestspiel hingewiesen. Richard Wagner war durchaus nicht gegen Applaus bei einer Aufführung des *Parsifal*. Was ihn störte und zu Proklamationen veranlaßte, war eine Unterbrechung der Vorstellung durch Kundgebungen von Beifall. Also Applaus nach Absage des reinen Toren an Kundry oder nach dem Karfreitagszauber.

Der Münchener Hofsekretär L. von Bürkel, ein Freund und Gönner Wagners, hat Notizen zur Uraufführung des »Parsifal« von 1882 hinterlassen. »Nach dem ersten Acte war applaudiert und dann aus Andacht gezischt worden, nach dem zweiten Acte war alles (mißverstandenermaßen) ruhig, so daß Wagner fragte: ›Jetzt weiß ich gar nicht, hat es dem Publikum gefallen oder nicht.‹« »Auch habe der Meister erklärt: »Die Verwaltungsräte sind Ochsen, verbieten das Applaudieren, nun weiß ich gar nicht, ob es dem Publikum gefallen hat.« Das Gebot der Bayreuther Verwaltung hingegen mußte als

Reaktion verstanden werden auf das Benehmen des Premierenpublikums vom Jahre 1876.

Hochgefühl und Ungenügen, ein befriedetes Wähnen und zugleich ein tiefer Zweifel an der Solidität und Gültigkeit dessen, was erreicht und vorgeführt worden war. Da war nicht nur bei Richard Wagner der Zwiespalt zwischen der Vision vom demokratischen Fest und einer musikdramatisch drapierten Opernwirklichkeit. Der Bayreuther Meister muß schon während der ersten Festspiele in bitterer Sorge die Einmaligkeit und *Unwiederholbarkeit* des Unternehmens überdacht haben. Man hatte in Wahnfried hofgehalten als ein Fürst des Geistes und der Kunst. Die bayerischen Bürokraten in München registrierten alles voller Mißgunst. Bürkel hat es rückblickend, und zugunsten von Wagner, sehr nüchtern dargestellt:»Wagner, den die ganze finanzielle Gebarung nichts anging, der von der Aufführung nicht nur keinen Gewinn, sondern durch vermehrte Auslagen für ein drei Monate hindurch offenes Haus mit französischem Koch den größten Schaden erlitt, wurde vom Gerichtsvollzieher bedroht. Frau Cosima wollte 40 000 Francs, ihr mütterliches Erbteil, zur Defizitdeckung opfern.« So war es zugegangen. Zwar hatten die Revisoren Heckel und Engelsmann am 24. Juni 1879 das »Hauptbuch über den Bau des Wagnertheaters in Bayreuth, und die Aufführung des Bühnenfestspiels *Der Ring des Nibelungen* mit den Rechnungsbelegen verglichen und richtig befunden«. Man schloß mit einem Cassa-Vorrath von 2060 Reichsmark. Allein dahinter verbarg sich ein *schreckliches Defizit*: 945 000 Mark für Bau und Einrichtung des Festspielhauses. Fast 180 000 Mark hatten die Aufführungen gekostet. Der Finanzierungsplan mit den Partronatsscheinen konnte nicht vollständig durchgeführt werden. Man hatte 724 775,32 Reichsmark eingenommen, dazu noch etwa 250 000 Mark durch Aufführungsrechte und freiwillige Beiträge.

Allein die Königliche Kabinettskasse hatte mehr als 216 000 Mark vorgeschossen, die Hoftheaterintendanz in München dazu noch 100 000 Mark. Dieser Fehlbetrag mußte nun abgezahlt werden. Die Beziehungen zwischen König Ludwig und Wagner waren gespannt; da gemahnte nichts mehr an die Jubelzeit von 1864. Die Notizen Bürkels über die königlichen Diktate und Kabinettsschreiben in Sachen Wagner zwischen 1880 und Wagners Tod lassen keinen Zweifel über die gereizte, oft bösartige Haltung des Königs gegenüber dem jetzigen Meister von Bayreuth. Da heißt es etwa:»Seine Majestät

sind nicht geneigt, viel Geld herzugeben für Herrn R. Wagner und
für dessen Aufenthalt in Italien.« (8. 5. 1880). »Das heurige Unternehmen in Bayreuth darf S.M. dieses Jahr nichts kosten... Es sei an
und für sich schon sehr viel für Herrn R. W. geschehen.« (22. 5.
1882, also während der Vorbereitung zur Aufführung des *Parsifal*).

Zwischendrein immer wieder die gebieterische Forderung des Königs nach Münchener Separatvorstellungen des *Parsifal*, die Wagner
mit immer neuen Einwänden abzuwehren sucht. Der König erpreßt
geradezu Wagner durch das Mittel des Bayerischen Hofopernorche-
sters. Wenn er die Erlaubnis entzieht, daß das Orchester, ohne daß
Wagner dafür zahlen muß, beim *Parsifal* in Bayreuth mitwirkt, geleitet vom Kapellmeister Levi aus München, können die Aufführungen
nicht stattfinden. Es gibt eine Meldung vom 25. Februar 1883 aus
der Umgebung des Königs, also unmittelbar nach Wagners Tod
in Venedig. Darin macht der König geltend, »daß die Wagnerfamilie
schlecht gehaust habe und, statt zu sparen, damit sie später etwas
haben, hätten sie alles vergeudet. S.M. hätte nicht die geringste Lust,
und sei mit der Geschichte nicht einverstanden, das Geld herzugeben.
Der berühmte Liszt sei der Vater der Frau Wagner, und dieser soll
für seine Tochter und deren Kinder sorgen.« (L. Mayr an K. Hesselschwerdt). L. von Bürkel hat auch eine Notiz über die Art und
Weise hinterlassen, wie König Ludwig die Todesnachricht aus Venedig aufnahm. Bürkel hat den Bericht offensichtlich nach einer Mitteilung des königlichen Vertrauten Hesselschwerdt niedergeschrieben:
»Beim Lesen der Depesche rief er: Ah! Tut mir eigentlich leid und
doch nicht. War mir nicht ganz sympathisch. Sprach nur ›den Bürkel
wird das sehr angreifen, der schwärmt für ihn.‹ Hat mir erst jüngst
Schwierigkeiten mit Parsifal gemacht. – Er war ganz gleichgültig,
so daß Hesselschw(erdt) ganz paff (sic) war.«

Richard Wagner hatte sich schon in Tribschen und erst recht
später in Bayreuth kaum mehr Illusionen gemacht über Denk- und
Fühlweise seines Königs. Mit Cosima wurde darüber gesprochen,
daß es natürlich Anlaß gebe zu großer Dankbarkeit; allein jener
Appell vom Jahre 1863 an den tatenwilligen und enthusiastischen
deutschen Fürsten habe kaum mit der Möglichkeit gerechnet, daß
dieser Fürst so schwankenden Geistes und Gemüts sein könnte, wie
Ludwig II. von Bayern.

Das Defizit von 1876 mußte abgezahlt werden. Es gibt eine persönliche Notiz Bürkels, vermutlich vom 10. Januar 1900. Da steht

zu lesen: »Bayreuther Festspielschuld. Familie Wagner zahlt noch immer am Defizit ab. 120 000 Mark sind jetzt getilgt durch jährliche Raten, 100 000 M noch zu bezahlen.«

Der reine Tor

»Aufrichtige Freunde hat Wagner genug, nur an tätigen, aufopferungsbereiten Freunden mangelt es ihm. Sie lassen den Meister möglichst Alles allein tun und begnügen sich damit, am Genusse dessen teilzunehmen, was er mit saurem Schweiße errichtete... Daß die Einsichtigen zu Mächtigen werden, dazu ist keine Hoffnung vorhanden: Bayreuth aber, wo die Kunst bis jetzt am gewaltigsten sich äußern kann, ist ganz der Ort, wo die Mächtigen zu Einsichtigen werden könnten.« Das sind Sätze aus einer Flugschrift mit dem Titel »Staatshilfe für Bayreuth«, die Martin Plüddemann, ein enger Freund und Mitarbeiter Richard Wagners, im April 1877 drucken ließ. Es war das Dokument einer bitteren Enttäuschung, die sich als hoffnungsvolle Zuversicht drapiert hatte. Auch der Verfasser wußte insgeheim, daß keiner der Mächtigen im neuen Deutschen Reich, kein Reichskanzler oder Landesfürst, kein Bankier oder Großgrundbesitzer bereit wäre, den Schuldenberg der Familie Wagner abzutragen, zumal der berühmte Mäzen, König Ludwig, offenbar unzugänglich geblieben war.

In jenen ausgehenden siebziger Jahren muß Wagner die bitterste Verzweiflung gekannt haben. Dies war nicht mehr die übliche und fast wohlvertraute Misere jener ersten Exilzeit in Zürich mit anschließender Nomadenexistenz, sondern ein Rückschlag am Morgen nach dem Triumph: gleichsam eine *Zurücknahme*.

Damals sprach und schrieb Wagner von der Möglichkeit, nicht allein Deutschland, sondern Europa zu verlassen und *in Amerika*, falls die materielle Sicherheit erwirkt werden könnte, in einer ganz neuen Welt und unter neuen Umständen den Rest seines Lebens zuzubringen. Der Staatsmusikant verwandelte sich in solchen Augenblicken blitzschnell wieder in den freiheitsdurstigen und bindungslosen Demokraten, den Freund und Mitstreiter eines Michael Bakunin. Solche Rückfälle waren nicht selten. Noch in der letzten Lebenszeit zu Venedig sprach Wagner, wie im Jahre 1849, vom Niederbren-

nen der Paläste und von Proudhons These, wonach das Eigentum
nichts anderes sei als Diebstahl.

Trost fand das nur scheinbar befriedete Wähnen abermals in der
Arbeit. Während ein Plüddemann zusammen mit den Bayreuther
Patronatsherren, während sich der Bayreuther Bankier Feustel zusam-
men mit wenigen Freunden, die Wagner unter den Bürokraten zu
München besaß, um finanzielle und juristische Lösungen mühten,
vollendete der Bayreuther Meister die Dichtung des *Parsifal*. Auch
zur Entstehung des *Parsifal* gehört die auslösende Vision. Sie reichte
zurück bis zum Karfreitag des Jahres 1857. Es war kurz vor dem
Einzug in das Asyl auf dem grünen Hügel. Wagner stand vor seinem
Häuschen und erblickte die Frühlingslandschaft am Züricher See.
Karfreitagmorgen und Blühen der Natur. Hier lag die Keimzelle
des späteren Bühnenweihfestspiels, auch ein musikalischer Höhepunkt der *Parsifal*-Partitur war damit gegeben. Den Handlungsver-
lauf – noch unter dem Titel Parzival – hatte Wagner nach seiner
Gewohnheit als epische Erzählung in den letzten Augusttagen des
Jahres 1865 niedergeschrieben. Nachdem die Trennung zwischen Tristan und Parsifal vollzogen, auch das »buddhistische« Dramenprojekt
Die Sieger abgetan war, drängte sich der *Parsifal* immer deutlicher
als noch zu leistendes Abschlußwerk auf. Für Wagner war es selbstverständlich, nach den Bayreuther Aufführungen von 1876 an diese
letzte Arbeit zu gehen. Am 22. Juli 1877 berichtete er dem König
aus Bad Ems von der Vollendung der Dichtung:

»Ja, ja! Alles ist leidenvoll! Doch Eines erhebt uns immer wieder
aus dem Chaos der täglich, ja stündlich empfangenen Eindrücke der
Gemeinheit und des Widerwärtigen, nämlich: der große, Alles über-
schauende Blick, mit welchem der auserwählte Freund uns Mitleiden
zustrahlt. Da kommen dann die Augenblicke, die eine besondere
Begabung uns zu weihevollen Stunden auszudehnen hilft, welche
wir dann, wiederkehrend, durch ganze Folgen von Tagen festzuhalten
vermögen. Solche Tage waren es, die mir, in der Flucht vor Ekel
und Grauen, die Stimmung eingaben, die Dichtung des *Parsifal* zu
verfassen. – Hier liegt sie vor Ihnen! Möge sie Ihnen einiges Gefallen
bereiten, und Sie vielleicht in der Annahme bestärken, daß es nicht
ganz wertlos sei, mich noch einige Jahre meiner Kunst zu erhalten.

In Demut grüßt unseren hohen Herren mein edles Weib, mein
Haus und Kind! Mit unsterblichem Entzücken blicke ich zu dem
Erhabenen auf, als

Sein

ewiges Eigen
Richard Wagner«

Am Nachmittag des 3. Mai 1879 erhielt der König ein Telegramm,
das kurz vorher in Bayreuth aufgegeben worden war:

»Dritter Mai! Holder Mai!
Dir sei mein Lob gespendet!
Winters Herrschaft ist vorbei
und Parsifal vollendet.«

Eine große Hilfe wurde, seit 1880, der Protektor L. von Bürkel,
der die Launen des Königs zugunsten von Wagner und Bayreuth
ein bißchen beeinflussen konnte. Cosima schreibt ihm am 20. November 1880:»Es ist meinem Manne ein unendlich wohltuendes Gefühl,
an einer Stelle, wo früher gegen ihn böswilliges Verkennen herrschte,
nun verständiges Verständnis und freundschaftliches Wohlwollen zu
finden, und in diesem Sinne sind für uns die Zeiten sehr viel besser
geworden.« Auch Richard Wagner berichtet Bürkel nun, nachdem
die Uraufführung des *Parsifal* für den Sommer 1882 geplant werden
konnte, in guter Zuversicht. Freilich ist der Brief vom 23. August
1881 optimistisch stilisiert, denn er soll notfalls dem König vorgelegt
werden:»Die Vorbereitungen der nächstjährigen Aufführung des
Parsifal nehmen ihren ruhigen und – wie ich glaube – recht zweckmäßigen Verlauf. Ich nehme an, hierin in nichts im Rückstande zu
sein. Da mir der Besuch meines erhabenen Wohltäters von der ent-
scheidendsten Wichtigkeit ist, ließ ich es mir vor allem daran gelegen
sein, durch einen zweckmäßigen Anbau die Räumlichkeit unseres
Bühnenfestspielhauses hierfür würdig in den Stand zu setzen.«
    Richard Wagner erweist sich bei der Vorbereitung dieser letzten
Premiere abermals als Theaterleiter von großer organisatorischer
Begabung. Die Hauptpartien werden doppelt besetzt, wie er nach
München schreibt,»da ich – um unsern Zweck bedeutender Einnah-
men zu erreichen – auf eine möglichst starke Anzahl von Aufführun-
gen bedacht sein muß.« Der *Parsifal* wurde im Jahre 1882 in der
Tat dann sechzehnmal gespielt. Neben dem Wiener Tenor Hermann
Winkelmann sangen noch Ferdinand Jäger und Heinrich Gudehus.
Es waren auch drei Kundrys zur Stelle: angeführt von Amalie Mater-
na, der Brünnhilde des Jahres 1876.

König Ludwig stellte zwar das Münchener Orchester unter Leitung von Hermann Levi zur Verfügung, war aber nicht zu einem Besuch in Bayreuth zu bewegen. Wagner fühlte sich tief verletzt. Am 1. Oktober 1882 schreibt er abermals an Bürkel:»Mir ist bang und sorgenvoll zumute! Das Fernbleiben meines erhabenen Wohltäters von den Aufführungen des *Parsifal* (leider muß ich verstehen, daß es nicht freiwillig war!)... verstimmt mich in tiefster Seele.« Bürkel hat auch berichtet, wie es während der Premiere zuging. Er durfte in der Pause zwischen dem zweiten und dritten Akt mit den Wagners soupieren:»in einem rot ausgeschlagenen etwas provisorischen Lokal.« Wagner schien gereizt und aggressiv. Nur der Verwaltungsleiter Gross durfte sich blicken lassen. Der dritte Akt begann verspätet, weil Wagner angeblich keine Lust hatte, das Gespräch mit Bürkel abzubrechen. Der Zwiespalt des Publikums, ob es sich benehmen sollte beim Bühnenweihfestspiel wie in einem Theater oder wie in einer Kirche, war evident. Richard Wagner war für das Theater und den Applaus, wenn auch nicht für Szenenapplaus. Die Bayreuther Satelliten wünschten ein andächtiges Schweigen, wie beim Gottesdienst.

Am künstlerischen Erfolg der Premiere war nicht zu zweifeln. Franz Liszt schrieb am 27. Juli 1882 an Hans von Wolzogen, der allgemeine Eindruck sei gewesen,»daß sich über dieses Wunderwerk nichts sagen läßt. Ja, wohl verstummt es die davon tief Ergriffenen: sein weihevoller Pendel schlägt vom Erhabenen bis zum Erhabensten.« Das Urteil von Liszt wurde jedoch, vor allem was die Musik des Bühnenweihfestspiels betraf, auch unter den Getreuen nicht allenthalben geteilt. Es gab zum erstenmal Getuschel über eine»mangelnde Schöpferkraft« des Meisters, und andere Getreue mußten beruhigend protestieren und dementieren. Auch an der Aufführung fand Wagner, im Gegensatz zu seinem hochzufriedenen Brief an König Ludwig vom 8. September 1882, insgeheim viel auszusetzen. Die Szene mit den Blumenmädchen war mißglückt, bisweilen eher komisch. Auch die Skizzen Joukowskys für die Kostüme waren zu flüchtig gewesen; man hatte kaum damit arbeiten können. Felix von Weingartner erinnert sich an die Blumenmädchen:»Ihre Kostüme sind geschmacklos, sogar unbegreiflich geschmacklos. Aber ihr Gesang ist über alles Lob erhaben.«

Diesmal folgte kein Aschermittwoch. Im »Bayreuther Tagblatt« vom 5. September 1882 konnte sich der Schöpfer des *Parsifal* bei

der Bayreuther Bürgerschaft bedanken: »Wir sind durch solche ge-
glückte Mitwirkung auf die Pfade einer schönen Anteilnehmung der
Bayreuther Bürgerschaft auch an dem der Welt vorzuführenden
Kunstwerke selbst geraten, deren förderliche Bedeutung in Erwägung ziehen zu dürfen, mir als ein nicht wertloser Erfolg der erlebten
Festspiele erscheint.« Die Sprache dieses Dankschreibens ist umständlich und gequält. Sie muß der nicht unberechtigten Frage ausweichen,
in welcher Weise eigentlich die Bayreuther Bürgerschaft ihre schöne
Anteilnahme am Bühnenweihfestspiel hatte beweisen dürfen.

Auch die Festspiele des Jahres 1882 hatten in Vorbereitung und
Ablauf nichts vom einst erhofften demokratischen Fest.

Daß Franz Liszt, trotz tiefer Entfremdung von Wagner, zur Aufführung gekommen war, gehörte zu einem Lebenskompromiß, so
wie sich Cosima ein Jahr vorher (1881) auch noch einmal mit Hans
von Bülow getroffen hatte, um über das Schicksal der beiden ältesten
Töchter zu beraten.

Den Schlußakt der letzten Aufführung des *Parsifal* leitete der
Komponist. Hermann Levi hat berichtet, wie Wagner plötzlich im
mystischen Abgrund zum Dirigentenpult hinaufkletterte und ihm
den Taktstock wegnahm. Levi blieb in Reichweite stehen, um notfalls
einspringen zu können, was nicht nötig war. Denn Wagner war
vom ersten Takt an im Bann des eigenen Werkes und verzauberte
auch seine Musiker wie eh und je, wie einst in Dresden. Er war
nachher traurig und von Todesahnung erfüllt.

Richard Wagners Schlußbericht über »Das Bühnenweihfestspiel
in Bayreuth 1882« ist sehr merkwürdig. Da heißt es: »Verdankte
ja auch der *Parsifal* selbst nur der Flucht vor derselben (der Welt)
seine Entstehung und Ausbildung! Wer kann ein Leben lang mit
offenen Sinnen und freiem Herzen in diese Welt des durch Lug,
Trug und Heuchelei organisierten und legalisierten Mordes und Raubes blicken, ohne zuzeiten mit schaudervollem Ekel sich von ihr
abwenden zu müssen? Wohin trifft dann sein Blick? Gar oft wohl
in die Tiefe des Todes. Dem anders Berufenen und hierfür durch
das Schicksal Abgesonderten erscheint dann aber wohl das wahrhaftigste Abbild der Welt selbst als Erlösung weissagende Mahnung
ihrer innersten Seele. Über diesem wahrtraumhaften Abbilde die
wirkliche Welt des Truges selbst vergessen zu dürfen, dünkt dann
der Lohn für die leidenvolle Wahrhaftigkeit, mit welcher sie eben
als jammervoll von ihm erkannt worden war.«

Der Schlußbericht und auch Wagners Rede an die Künstler hatten mit Hoffnung auf Wiedersehen und Wiederholung im Jahre 1883 geschlossen. Dann trat Wagner seine letzte Fahrt nach Italien an. Im Palazzo Vendramin zu Venedig waren 18 Zimmer eines allgemein vermietbaren Seitenflügels bezogen worden. Hier entstanden die letzten Schriften. Wagner hatte seit langem darauf verzichtet, nur zu Fragen der Kunst das Wort zu ergreifen. Die Forderung nach allseitiger Geltung und widerspruchsloser Annahme seiner Gedanken hatte ihn eigentlich seit dem Herrschaftsantritt in Bayreuth dazu geführt, zu allen Fragen eine Lehrmeinung zu verkünden. Das konnte nicht ohne geheime Komik abgehen.

Ein offener Brief an Heinrich von Stein, in Venedig am 31. Januar 1883 unterzeichnet, zeigt Wagner als allzu getreuen Schüler der Rassenlehre Gobineaus. Den deutschen Stämmen wird durch Zurückgehen auf ihre Wurzeln eine Fähigkeit zugesprochen, die der gänzlich semitisierten sogenannten lateinischen Welt verlorengegangen sei. Dies ist die letzte Form der Auseinandersetzung mit den Pariser Hungerjahren 1839–1842. Auch den Gedanken der Anarchie hat Wagner beibehalten. Die Skizze einer gesellschaftlichen Zukunft, wie er sie zwei Wochen vor seinem Tode entwirft, vermag »Staat und Kirche... nur als abschreckende warnende Beispiele« anzuführen. Anarchie verbindet sich mit eigener, wagnerischer Theologie. Bayreuth gedenkt keine andere Kirche neben sich zu dulden.

Am 13. Januar, einen Monat vor Wagners Tode, verließ Liszt die Familie Wagner, mit der er bis dahin den Winter verbracht hatte, um nach Budapest zu fahren. Eine Barkarole Liszts für Klavier, damals entstanden, schildert vorahnend eine Totenfahrt. Am Nachmittag des 13. Februar erlag Richard Wagner einem Herzschlag. Auf seinem Schreibtisch lag ein unvollendetes Manuskript: »Über das Weibliche im Menschlichen«; es war als Abschluß-Essay zu den Aufsätzen über Religion und Kunst gedacht. Die letzten Sätze, die Wagner schrieb, führten zurück zu seinen Anfängen, in die Welt jungdeutscher Sinnlichkeit und Frauenemanzipation, zum »Liebesverbot«: »Gleichwohl geht der Prozeß der Emanzipation des Weibes nur unter ekstatischen Zuckungen vor sich. Liebe – Tragik.«

DIE HERRIN VON BAYREUTH
(Cosima Wagner)

Cosimas Weg zur Tradition

Das Bild hat sich der Nachwelt eingeprägt: Cosima und Richard Wagner. Die junge Frau und der ältere Mann. Cosima im Sessel und aufschauend zu dem Mann, dem Geliebten und dem Meister. Richard Wagner steht vor ihr und schaut hinab. Seine linke Hand hält die ihre; seine rechte Hand stützt er auf die Sessellehne: so wird eine scheue Umarmung gleichsam rituell angedeutet. Das Hohe Paar: so ist es seitdem verstanden worden.

Im »Prinzip Hoffnung« hat *Ernst Bloch* über den Mythos vom »Hohen Paar« nachgedacht. Das Hohe Paar gehört für ihn zur »Utopie der Ehe«, nämlich so: »Die Kategorie ›Hohes Paar‹ wurde bisher wenig beachtet, obwohl sie sogleich nach der mutterrechtlichen Gesellschaft hervorgetreten ist. Bachofen hat sie auffallenderweise umgangen, hat immer nur Weib oder Mann allein auf die jeweilige, entweder mutter- oder vaterrechtliche Höhe gesetzt. Dabei hat das hohe Zwei das eigentümlichste Wunschbild der Ehe entwickelt auch in den Augen ihrer Beschauer, nicht nur der Partner. Weib und Mann werden hier jeder in sich konzentrisch als Bild vorgestellt, das eine anmutig und gewährend-gut, das andere kraftvoll und herrschend-gut; erst die Verbindung aber wird Segen an sich. Sie erscheint als Einheit von Zartheit und Strenge, von Huld und Macht, ja, von Hure und Prophet,...«.

Im Bild vom Hohen Paar Richard und Cosima Wagner wird Legitimität tradiert. Allein das Leben der Cosima Liszt, geschiedener Ehefrau des Freiherrn Hans von Bülow, der späteren Herrin in Tribschen und Bayreuth, bietet sich jahrzehntelang für eine damalige Außenwelt als skandalöses Spektakel einer gehäuften Illegalität und Illegitimität. Cosimas strenger Traditionalismus in Bayreuth, ihre Sehnsucht nach Fortbestand des einmal Erreichten und Geschaffenen macht ahnen, daß die Tochter von Franz Liszt, die Ehefrau Richard

Wagners und Mutter seiner Kinder nur noch einem Gedanken nach-
lebt: dem Rückfall in neue Unordnung zu entgehen.

Cosimas Weg zur Tradition war schwer. Kaum eine Demütigung
ist ihr erspart worden. Die Uneheliche und die Ehebrecherin. Verfüh-
rerin, die einen König belügt und einen Gatten. Als Isolde mochte
sie sich zu Beginn der Liebesbindung an Richard Wagner gesehen
haben: damals in München, während Bülow die Proben leitete, als
ein junger König Marke. Am 10. April 1865 kam Cosimas dritte
Tochter zur Welt, Isolde Josepha Ludowika. Bülow leitete am selben
Tag die erste Orchesterprobe zu *Tristan und Isolde*. Aber dies Kind
Isolde von Bülow war bereits ein Kind Richard Wagners.

Nach dem Tode Richard Wagners und wohl schon in den schweren Jahren seit dem Einzug der Götter in Wahnfried mag sich Cosima,
die das Bühnenweihfestspiel entstehen sah und täglich vom Fortgang
der Arbeit erfuhr, immer stärker mit der Gestalt einer Kundry identi-
fiziert haben. Als Gurnemanz zu Beginn des dritten Aufzugs die
erstarrte Kundry aus dem Todesschlaf erweckt, ist »aus Miene und
Haltung... die Wildheit verschwunden. – Sie starrt lange Gurnemanz
an. Dann erhebt sie sich, ordnet sich Kleidung und Haar und läßt
sich sofort wie eine Magd zur Bedienung an.« Nur ein einziges Wort
wird noch, vor der Erlösung wie nachher, von ihr gesprochen: rauh
und abgebrochen. Das Wort: »Dienen – Dienen«.

Cosima war ein Weihnachtskind, sie kam im Jahre 1837 in Como
zur Welt und ist 92 Jahre alt geworden. Sie war das zweite Kind
aus einer freien Liebesverbindung von Franz Liszt mit der Gräfin
Marie d'Agoult. Zwei Jahre früher wurde ihre Schwester Blandine
in Genf, zwei Jahre nach Cosima der Bruder Daniel in Rom geboren.
Es sind Kinder eines berühmten Virtuosen, der umherzieht: mit
einer um fast sechs Jahre älteren Frau, von der er sich wenige Monate
nach der Geburt des Sohnes Daniel trennt. Liszts Klavierstücke »Les
Années de Pèlerinage« lassen ahnen, daß er diese Virtuosenjahre als
Pilgerschaft vor sich zu deuten suchte. Der für sein Leben wie seine
Kunst so kennzeichnende religiöse Erotismus hatte auch jene Verbindung geprägt, der Cosima entstammte.

Die Tochter war ihrer Mutter entfremdet worden, allein sie hat
auch dem Vater niemals verziehen, daß er sie in der Jugend allein
ließ und es trotzdem später wagen konnte, den Ehebruch an Hans
von Bülow und die Bindung an Wagner zu mißbilligen. Liszt starb
am 31. Juli 1886 während der Bayreuther Festspiele, sechs Tage nach

der ersten Aufführung von *Tristan und Isolde* im Festspielhaus. Die Tochter war nicht zugegen, als er um Mitternacht die Augen schloß. Sie hatte Anweisung gegeben, die Krankheit geheimzuhalten, um nicht den Ablauf der Festspiele zu stören.

Die Biographie Cosimas erinnert in erstaunlicher Weise an den Lebenslauf ihrer Mutter. Marie d'Agoult kam zur Welt am 31. Dezember 1805, kurz nach Napoleons Sieg bei Austerlitz. Sie war das Kind eines französischen Grafen und der Tochter des Frankfurter Bankiers Johann Philipp Bethmann. Die Gräfin d'Agoult, in den Jahren ihrer Verbindung mit Liszt eine enge Freundin der George Sand und Chopins, war gleichfalls Schriftstellerin. Sie wählte sich das Pseudonym Daniel Stern. Unter diesem Schriftstellernamen hat sie später, nachdem Liszt sie verlassen hatte, den Roman dieser Künstlerliebe geschrieben: wobei der männliche Romanheld nicht besonders gut wegkam.

Im Jahre 1844 trennte sich Liszt endgültig von seiner Freundin. Die drei Kinder Blandine, Cosima und Daniel werden von ihm legitimiert; sie leben in Paris und erhalten eine sorgfältige, streng katholische Erziehung. Erst im Oktober 1853 besucht der Vater zum erstenmal nach neun Jahren seine Kinder in Paris. Er ist damals noch Hofkapellmeister in Weimar und lebt dort mit der Fürstin Caroline von Sayn-Wittgenstein, einer Russin, die immer stärkeren Einfluß nimmt auf die Erziehung der Kinder von Marie d'Agoult. Am 10. Oktober 1853 findet in Paris ein »Familienabend« statt. Hier lernt Cosima die Freunde ihres Vaters kennen, seine Mitstreiter um eine Neue Musik: Hector Berlioz und Richard Wagner. An jenem Abend liest Wagner den Schluß der Ring-Dichtung vor, den dritten Akt der *Götterdämmerung*.

Zwei Jahre später wünscht Liszt, daß die Kinder, die in Paris immer noch in Verbindung standen zu ihrer Mutter, nach Deutschland gebracht werden: zuerst nach Weimar, dann nach Berlin. Am 8. September 1855 trifft Cosima mit der Schwester Blandine in Berlin ein. Die Mädchen kommen in Pension zur Baronin Franziska von Bülow, der Mutter des Pianisten und Liszt-Schülers Hans von Bülow. Hans ist Lehrer am Sternschen Konservatorium in Berlin; er wird auch Klavierlehrer von Blandine und Cosima Liszt. Am 18. August 1857 wird Cosima in Gegenwart ihres Vaters in der St. Hedwigskirche zu Berlin mit Bülow getraut. Die Hochzeitsreise führt über Weimar und Genf nach Zürich. Dort übersiedelt man zu Richard und

Minna Wagner in das »Asyl auf dem grünen Hügel«, das Otto Wesendonck dem Komponisten eingeräumt hatte. Hans von Bülow liefert
eine Abschrift der Dichtung von *Tristan und Isolde.* Anschließend
kehren Bülows nach Berlin zurück. Hier freundet sich Cosima mit
dem Schriftsteller Ernst Dohm an, dem späteren Großvater von Katia
Pringsheim, der Frau Thomas Manns. Bei einem neuen Besuch in
Zürich erleben Bülows den Höhepunkt der Krise zwischen Richard
Wagner und Otto Wesendonck. Die Ehe Cosimas mit Hans von
Bülow ist nicht glücklich. Cosima trifft wieder mit ihrer Mutter
zusammen, fährt mit ihr nach Genf, hat dort eine Liebesgeschichte,
die sie, nach eigenem späteren Geständnis, dem Selbstmord nahe-
bringt. Sie kehrt aber zu Bülow zurück.

Das erste Kind, Daniela Senta, wird am 12. Oktober 1860 geboren. Cosimas Geschwister Blandine und Daniel sterben früh. Die
25jährige Cosima ist am Jahresende 1862 allein mit ihrer kleinen
Tochter: elternlos, geschwisterlos, verheiratet mit einem sehr schwierigen, ungemein reizbaren und jähzornigen Mann, aber einem großen
Künstler. Am 20.März 1863 wird eine zweite Tochter Blandine geboren. Hans von Bülow hat große Erfolge als meisterhafter Pianist
und Dirigent vor allem der Werke von Beethoven und einer damals
zeitgenössischen Musik. Er wird im Jahre 1864 zum Ehrendoktor
der Universität Jena promoviert. Als Richard Wagner am 3. Mai
dieses Jahres vom Bayernkönig nach München berufen wird, folgt
ihm Cosima von Bülow wenige Wochen später mit den beiden Töch-
tern an den Starnberger See. Kurz darauf trifft auch Bülow in Starn-
berg ein: »mit zerrütteten Nerven«.

Das Weitere ist bekannt und immer wieder beschrieben worden.
Eine ehebrecherische Verbindung der Baronin von Bülow mit dem
Komponisten Richard Wagner, dem kostspieligen Günstling des jungen Königs, erregt die Gemüter in der katholischen Hauptstadt München. Alle Welt scheint zu wissen, was allein König Marke nicht
ahnen mag. Richard Wagner ist verheiratet, denn Minna Wagner
lebt noch, und Cosima ist die Gattin Hans von Bülows. Das erste
Kind des späteren Hohen Paares kommt am 10. April 1865 in München zur Welt. Genau acht Monate später, am 10. Dezember, muß
Richard Wagner auf Befehl des Königs die bayerische Hauptstadt
verlassen; er reist zunächst nach Genf. Im Jahre 1866 stirbt Minna
Wagner, die nach Dresden zurückgekehrt war. Cosima verläßt am
8. März ihren Mann und kommt mit Daniela zu Wagner nach Genf.

Am 15. April läßt sich Richard Wagner in Tribschen bei Luzern nieder. Am 12. Mai 1866 zieht Cosima mit den drei kleinen Mädchen zu Wagner nach Tribschen. Auch Bülow will nicht weiter in München bleiben; er geht nach Basel, bleibt aber gleichzeitig Königlich-Bayerischer Hofkapellmeister. In dieser Eigenschaft leitet er am 21. Juni 1868 die Münchener Uraufführung der *Meistersinger von Nürnberg*. Die Aufführung wird ein Triumph für den Musikdramatiker, allein die Spannung zwischen Wagner und Bülow während der Proben war qualvoll. Wagner spricht von Bülows »tiefer Feindseligkeit und Entfremdung«.

Am 17. Februar 1867 war Eva Wagner geboren worden, dem Familiennamen nach immer noch Eva Maria von Bülow. Der Schein einer Ehe zwischen Cosima und Hans von Bülow muß der Welt gegenüber nach wie vor aufrechterhalten werden. Im Frühjahr und Frühsommer 1867 wohnt Cosima wieder bei ihrem Mann in München. Zu Weihnachten ist Richard Wagner vorübergehend dort zu Gast. Erst am 14. Oktober 1868, nachdem die Premiere der *Meistersinger* stattgefunden hat, trennen sich Bülows nach einer entscheidenden Aussprache. Am 16. November kommt Cosima mit den vier Kindern endgültig nach Tribschen. Am 17. Mai 1869 erscheint auch der Basler Professor der Klassischen Philologie *Friedrich Nietzsche* zum erstenmal in Tribschen. Kennengelernt hatte er Wagner am 8. November 1868 bei Brockhaus in Leipzig. Nietzsche war im Februar 1869 nach Basel berufen worden. Am 6. Juni wird Siegfried Wagner in Tribschen geboren. Die männliche Erbfolge dieser Dynastie ist nun gesichert. Jetzt erst bittet Cosima um eine Trennung der Ehe, die Bülow bewilligt. Ein Jahr später, am 18. Juli 1870, ist die Ehe Bülow in Berlin gerichtlich geschieden, am 25. August werden Richard und Cosima Wagner in der protestantischen Kirche von Luzern getraut, zehn Tage später erhält Siegfried die Taufe.

Auch hier hatte ein Wähnen den Frieden gefunden. Das illegitime Kind einer Künstlerliebe, die in München wüst beschimpfte Ehebrecherin vermochte Ordnung zu schaffen in ihrem Leben. Nicht ganz indessen. Jahrzehnte später, bereits im neuen 20. Jahrhundert, muß es die Herrin von Bayreuth, die allseits hochverehrte Patriarchin, erleben, daß ihre Tochter Isolde Beidler, geborene von Bülow, das Gericht des Deutschen Reiches anruft, um den Nachweis zu führen, sie sei ein Kind Richard Wagners, nicht Hans von Bülows. Der Sinn der Klage ist evident: Siegfried Wagner ist damals unverheiratet

und kinderlos. Isolde Beidler hat einen Sohn. Sie möchte für ihn
die Bayreuther Thronfolge durchsetzen, kommt damit aber nicht
durch. Am 19. Juli 1914 wird Isoldes Klage gegen ihre Mutter im
sogenannten »Beidler-Prozeß« abgewiesen. Cosima werden diese
Ereignisse weitgehend ferngehalten. Seit 1906 waren bei ihr schwere
Herzanfälle aufgetreten. Den 70. Geburtstag zu Weihnachten 1907
erlebte sie nur mehr »am Rande«, doch in der Welt wird das Ereignis
mit Pomp begangen. Im Jahre 1910 erhält Cosima Wagner aus Anlaß
der Hundertjahrfeier der Friedrich-Wilhelm-Universität zu Berlin die
Ehrendoktorwürde der Philosophischen Fakultät.

Die verlorene Zeit einer Unordnung und Ungesetzlichkeit war
wiedergefunden worden unter den Formen von Recht und Ordnung.
Seit den Kinderjahren hatte Cosima Liszt ihr eigenes Leben führen
müssen, wobei sie stets in Widerspruch geriet zur Gesellschaft wie
zu sich selbst. Aus der Einsamkeit des herumgestoßenen Kindes
hatte sie sich in eine Ehe gerettet, aus welcher sie sich nun abermals
retten mußte. Cosima gehört zu den großen Frauen ihres Jahrhunderts. Wie George Eliot in England, wie George Sand, wie das
Leben der Russin Lou Andreas-Salomé, ist auch das Leben der Cosima Wagner ein Modellfall für Wirklichkeit und Möglichkeit einer
Frau im bürgerlichen 19. Jahrhundert. Daß Cosima Wagner alle
Wirklichkeiten in Möglichkeiten zu verwandeln wußte, macht sie,
jenseits der Legenden und nachträglichen Harmonisierungen, zur
großen Zeitgenossin.

Nach dem finanziellen Mißerfolg der Bayreuther Festspiele von
1876 hält Richard Wagner sein Unternehmen für ephemer und un-
wiederholbar, also gescheitert. Nach dem Erfolg des »Parsifal« von
1882 wagt er zwar nicht an eine Kontinuität, doch aber an eine
stellvertretende Bedeutung seines Festspielgedankens zu glauben.
Dennoch dürfte er insgeheim befürchtet haben, alles werde zu Ende
sein nach dem Tode des Meisters von Bayreuth. Daß es Bayreuther
Festspiele gibt auch im Jubiläumsjahr 1976, ist das Werk Cosima
Wagners, der Umhergestoßenen und Umhergetriebenen, der es gelang, als Hohe Frau in der Konstellation des Hohen Paares auf die
Nachwelt zu kommen. Für Friedrich Nietzsche ist sie Ariadne gewesen. Von Richard Wagner trennte er sich in Haß und Hohn. Cosima
hat er bis in die Augenblicke der Umnachtung hinein bewundert
und geliebt.

Bayreuth als geistige Lebensform

Als der Sohn Richard Wagners während der Bayreuther Festspiele von 1930 plötzlich starb: schwer herzkrank, wie sein Vater, mußte seine Witwe Winifred das Amt einer »Herrin von Bayreuth« übernehmen. Es war unvermeidlich, daß man sie sogleich und zu ihrem Schaden mit der mythischen Figur jener einstigen und prägenden Herrin der Festspiele verglich: mit ihrer Schwiegermutter Cosima. Die Gegner der jungen Frau verfehlten nicht, den Gegensatz scharf zu akzentuieren. Hier Cosima Wagner, die Tochter von Franz Liszt und geniale Gefährtin des Bayreuther Meisters, dort eine junge Engländerin, adoptiert vom Musiker Karl Klindworth, eine junge Frau an der Seite des alternden Siegfried Wagner, die Mutter seiner vier Kinder. Was aber, so rügten nicht allein die anderen Mitglieder der Familie Wagner, vor allem die Schwägerinnen Daniela Thode und Eva Chamberlain, brachte sie mit an musikalischem Handwerk und künstlerischer Erfahrung für die Leitung der Festspiele? Mit den Möglichkeiten einer Cosima durfte diese neue Bayreuther Herrin im mindesten nicht verglichen werden.

Das war nicht allein ungerecht, sondern erinnerte daran, was den damaligen Kritikern längst nicht mehr bewußt war, seit Cosima als Legende auf die Nachwelt kam, daß beim plötzlichen Tode Richard Wagners die gleichen Vorwürfe aufgetaucht waren. Richard Wagner hatte kein Testament hinterlassen. Daß Cosima Wagner die für 1883 geplanten Festspiele nunmehr leiten solle, war für den engsten Kreis der Schüler Richard Wagners keineswegs ausgemacht. Jener Martin Plüddemann beispielsweise, der sich leidenschaftlich um die Deckung des Defizits von 1876 bemühte, schreibt 20 Jahre später (1896), zu einem Zeitpunkt folglich, da es Cosima gelungen war, das vom Meister selbst anerkannte Gesamtwerk Richard Wagners, noch mit Ausnahme des *Fliegenden Holländer*, nunmehr in Bayreuth heimisch zu machen: das Regime der Witwe habe Richard Wagners Ideen und das nationaldeutsche Konzept der Bayreuther Festspiele von Grund auf verfälscht. In einem Brief an Ludwig Schemann, einen der wichtigsten Ideologen der Bayreuther nationalistischen und antisemitischen Doktrin, schreibt Plüddemann (25. Februar 1896): »... Cosimas Geist, fürchte ich, ist schließlich das Grab des wahren Bayreuther Geistes. Den Schlüssel zu diesem Rätsel bildet der lakonische Ausspruch des mit ihr innig befreundeten Josef Ru-

binstein zu mir: Ich halte sie für gänzlich unmusikalisch! – Wagners
Werke können voll aber nur aus dem tiefsten Grunde des deutschen
Gemütes, der deutschen Musik verstanden und wiedergegeben werden... Überall, seit C. wirklich am Ruder, ist die Rede von theatralischen Wirkungen, szenischen Verbesserungen etc., nicht von der
Musik... Gefährlicher ist der Bayreuther Internationalismus, wie er
gerade durch Cosimas echt französisches, jedenfalls vom Wirbel bis
zur Zehe undeutsches Wesen zum Verderben von Bayreuth heraufbe-
schworen wurde!...«
     Die »Fremden« seien nunmehr heimisch geworden in Bayreuth,
so daß sich die wahrhaft Deutschen bedrängt fühlen müßten. Fünf
Jahre früher hatte der österreichische Musiker Friedrich von Hauseg-
ger an einen anderen Bayreuther Erzideologen, nämlich an Hans
von Wolzogen, geschrieben:»Es ist unmöglich, daß ein Weib, und
wäre es noch so begabt... noch so tatkräftig, noch so opferwillig
(alles ist ja vorhanden) – den weiten Gesichtskreis eines Mannes,
wie Wagners, umfassen könnte... Ich wollte, ich irrte mich. Viele,
viele aber... denken wie ich.« (27. Februar 1891).
     Die Erbfolge blieb also niemals unumstritten. Nach der Beerdi-
gung Wagners in Bayreuth waren viele ergebenste Wagnerianer der
Meinung, die Weiterführung der Festspiele müsse bedeutenden Musikern anvertraut werden, am besten einem Duumvirat von Franz Liszt
und Hans von Bülow. Daß diese Möglichkeit unausführbar sein mußte, wurde bald evident. An eine Rückkehr Hans von Bülows nach
Bayreuth, und damit zu Cosima, konnte nicht gedacht werden. Jene
Alternative jedoch, der Cosima sogleich und energisch widersprach,
machte die möglichen *Gegensätze der Konstellationen* sichtbar. Eine
Fortführung des Bayreuther Unternehmens durch Liszt oder Bülow
bedeutete den Primat eines schöpferischen Musikertums. Bayreuth
wurde bei einer solchen Konstellation verstanden als internationales
Experiment einer Neuen Musik, das von nun an weitergeführt werden
mußte durch die nachwachsenden Komponisten aus Wagners Schule:
möglicherweise eines Tages auch von neuen und kühnen Tonsetzern,
die sich im Gegensatz zu einigen Grundprinzipien des Schöpfers
der Tetralogie entwickeln würden. Ernst gemacht hätte man in solchem Falle mit Richard Wagners schöpferischer Unruhe, seiner Uner-
sättlichkeit beim Erproben eines durchaus Ungewohnten.
     Dieser Weg wurde nicht beschritten. Vermutlich waren im Jahre
1883 gar keine Voraussetzungen für eine solche Lösung gegeben.

Liszt und Bülow mußten aus triftigen Gründen ausscheiden. Wer aber hätte damals das Werk Richard Wagners schöpferisch weiterführen können? Der hochbegabte junge Münchener Richard Strauss vom Jahrgang 1864 war zu jener Zeit noch überzeugter »Brahmine«. Mit seinem Vorbild Johannes Brahms lehnte er das Wagnertum ab. Erst eine Begegnung mit Alexander Ritter brachte die Wendung. Cosima Wagner holte sich dann, im Jahre 1894, eben diesen Richard Strauss als Dirigenten des *Tannhäuser* nach Bayreuth. Strauss übernahm die Leitung als Nachfolger Felix Mottls, des ersten Bayreuther Tannhäuser-Dirigenten von 1891. Allein Cosima trennte sehr energisch, wie Strauss selbst berichtet hat, seine hochgeschätzte Dirigentenleistung von ihrer dezidierten Nichtschätzung der eigenen Kompositionen dieses noch jungen Menschen.

Indem gegen die Möglichkeit eines permanenten Festspiels der Neuen Musik in Bayreuth entschieden wurde, traf man gleichzeitig eine *dynastische Entscheidung*. Bayreuth war ein Familienunternehmen des Hauses Wahnfried. Mit dem Tode Wagners im Palazzo Vendramin hatte sich der Schöpfergeist entfernt. Von nun an war bloß noch Dienen möglich: als Wiederholung, Bewahrung, Kodifizierung. Die Bayreuther Festspiele als Kreation eines experimentierenden Genies wurden umgewandelt ins Ritual. Nach dem rätselhaften Wort des Gurnemanz zum reinen Toren Parsifal wurde auch hier die Zeit zum Raum. Die Wagnerzeit wurde im amphitheatralischen Raumgebilde des Festspielhauses von nun an »aufbewahrt«, also durchaus nicht aufgehoben in einem dialektischen Sinne. Dies alles ist Cosimas Werk. Im Gegensatz zu Richard Wagner scheint es ihr durchaus an geistiger Neugier gefehlt zu haben. Sie hatte viel gelernt als junges Mädchen; das hatte Franz Liszt von den bestellten Erzieherinnen gebieterisch verlangt. Sie spielte auch, als Tochter des größten Pianisten jener Zeit, offenbar recht gut Klavier. Allein Siegfried Wagner hat berichtet, daß er zum erstenmal im Todesmonat Richard Wagners, im Februar 1883, im Palazzo Vendramin dem Klavierspiel seiner Mutter lauschen durfte.

Cosimas Leben nach Wagners Tod gehört ganz und gar dem Ritual der ewigen Wiederholung. Die Zeit steht still. Am Todestag Richard Wagners bricht sie das gewaltige Unternehmen der Tagebuchaufzeichnungen endgültig ab. Nun bleibt nichts mehr zu berichten. Sie liest immer wieder, was sie mit Wagner gelesen und besprochen hatte. Dem Schwiegersohn Chamberlain erklärt sie ohne Beschönigung: »Ich versichere Sie, daß die Bücher, die ich gelesen habe, auf einem Brett Raum hätten, und seit manchem Jahr besteht meine Lektüre eigentlich nur im Wiederlesen.« Es ist daher auch historisch falsch und folglich ungerecht im moralischen Verstande, wenn man das Bayreuther Festspielsystem der Cosima Wagner schlechthin gleichsetzt mit der konzentriert reaktionären Ideologie der »Bayreuther Blätter« und mit dem völkisch-judenfeindlichen Treiben Wolzogens, Schemanns oder auch Chamberlains. Plüddemann oder Schemann hatten nicht unrecht, wenn sie die französisch erzogene, unter Juden, Liberalen und Sozialisten aufgewachsene Cosima als insgeheim undeutsch und kosmopolitisch verdächtigten. Vermutlich verstand die Witwe Richard Wagners die Beschäftigung mit der Rassenlehre des Grafen Gobineau, mit den national-deutschen Rhapsodien des Orientalisten Bötticher, der unter dem Pseudonym Paul de Lagarde schrieb, übrigens auch die Förderung der föderalistischen Konzepte eines Constantin Frantz als bloße Pflichtübung, weil sich Wagners geistige Neugier und auch sein antisemitisches Trauma daran entzündet hatten.

Freilich hatte Cosima schon im Jahre 1882 die Anregung gegeben, das Buch des Grafen Gobineau über die Ungleichheit der menschlichen Rassen und die Vorherrschaft der Arier ins Deutsche übersetzen zu lassen. Ludwig Schemann publizierte dann im Jahre 1898 in drei Bänden seine Übersetzung von Gobineaus Versuch über die Ungleichheit der Menschenrassen. Schemann war auch, mit anderen Mitgliedern des »Bayreuther Kreises«, die treibende Kraft bei Gründung einer »Gobineau-Vereinigung«, von der sich Cosima jedoch schon gegen Ende des Jahrhunderts immer stärker zurückzog. Das war nicht allein mit Konkurrenzgefühlen gegenüber einem Kult des französischen Grafen zu erklären. Cosima durfte nicht verkennen, daß die aggressive, antisemitische und nationalistische Deutschtümelei des »Bayreuther Kreises« im Widerspruch stand zum Grundkonzept der Bayreuther Festspiele, damit natürlich auch zu den finanziellen Interessen des Festspielhauses und des Hauses Wahnfried. Bayreuth als geistige Lebensform war mithin im Zeichen Cosima Wagners in doppelter Weise durch innere Widersprüche bedroht. Einmal als Kontrast eines immer noch unerhörten, fortzeugenden und ärgerniserregenden Kunstwerks zu seiner geplanten und schließlich bewirkten Vergötzung. Zweitens als Gegensatz einer Witwe, die sich allerdings auskennt in den Sympathien und Phobien ihres verstorbenen Gatten, ohne alles aus eigenem Denken und Fühlen mitvollziehen zu können, zu jenen Vasallen und Lehnsleuten einer reinen Bayreuther Lehre, die emsig bestrebt waren, die von einem einstigen Revolutionär geschaffenen Kunstwerke als ideologische Waffe der politischen und kulturellen Regression einzusetzen.

Das ergab nicht allein Konflikte zwischen den Bayreuther Ideologen und den Bayreuther Sängern wie Musikanten. Auch unter den Mitwirkenden der Festspiele brachen die Gegensätze auf.

Im Jahre 1888 übernahm Julius Kniese, zur Unterstützung von Heinrich Porges, die Leitung der Bayreuther Chöre, die er bis zum Jahre 1904 von nun an betreuen sollte. Mit ihm kam ein antisemitischer Gegenspieler des *Parsifal*-Dirigenten Hermann Levi nach Bayreuth, der sein erklärtes Ziel darin sah, mit Hilfe des »Bayreuther Kreises« den mißliebigen Juden wegzuekeln. Wie sehr die Ideologie des »Bayreuther Kreises« all jene anzustecken vermag, die sich, als Männer der Wissenschaft, mit den Dokumenten einlassen, beweist das Buch von Winfried Schüler »Der Bayreuther Kreis. Wagnerkult und Kulturreform im Geiste völkischer Weltanschauung« (Münster 1971), wo es, zur Charakterisierung Julius Knieses, in schöner Unbefangenheit heißt, ganz unberührt von aller Geschichtserfahrung: »Zudem war Kniese ein Mann, der in Wahnfried durch sein urwüchsiges deutsch-patriotisches Wesen, durch sein national gefärbtes gläubiges Luthertum und durch seinen rigorosen Antisemitismus sehr zu gefallen wußte.«

Begründung einer Dynastie

Trotz all dieser Widersprüche war die Leitung der Bayreuther Festspiele durch Cosima Wagner überaus erfolgreich. Sie hat das einmalige Unterfangen Richard Wagners, freilich um den Preis der Vergötzung und Ritualisierung, planmäßig institutionalisiert. Nicht allein durch den Entschluß, das Bayreuther Aufführungsprivileg des »Parsifal« durch eine Permanenz dieses Werkes auf dem Bayreuther Spielplan vor der Öffentlichkeit zu rechtfertigen. Auch durch die Absage an eine Minimallösung, die neben dem *Parsifal* nur noch die Tetralogie als Bayreuther Pflichtübung betrachtet hätte. Als Herrin von Bayreuth hat es Cosima wagen können, einen geheimen Wunsch Richard Wagners zu erfüllen, den der Künstler selbst in seiner letzten

Lebenszeit kaum wähnen mochte: den Einzug aller Werke Richard Wagners seit dem *Fliegenden Holländer* ins Festspielhaus. Cosima Wagner ist dabei ungemein klug und geschickt vorgegangen: sie wagte zehn Jahre nach den ersten Festspielen (1886) eine Bayreuther Erstaufführung von *Tristan und Isolde* nach dem Modell der Münchener Uraufführung. Drei Jahre später (1889) gesellten sich die *Meistersinger von Nürnberg* zu *Tristan* und *Parsifal;* 1891 ließ Cosima durch den Spielleiter Anton Fuchs und den bewährten Bühnenbildner Max Brückner eine Neuinszenierung des *Tannhäuser* folgen, die Felix Mottl einstudiert hatte. Die Bayreuther Festspiele von 1892 sind zunächst vorsichtig auf den Bestand des schon Erreichten bedacht; zwei Jahre später (1894) schließt sich der *Lohengrin* an: vorbereitet durch jene Künstlergruppe, die den *Tannhäuser* erarbeitet hatte.

Erst 20 Jahre nach den ersten Festspielen unternimmt die Witwe Richard Wagners und Herrin von Bayreuth zum erstenmal eine Neueinstudierung des *Nibelungenrings*. Das künstlerische Unternehmen, alle vier Werke der Tetralogie einstudieren zu müssen, ist so schwierig und aufwendig, daß kein anderes Werk, nicht einmal der *Parsifal*, in jenem Festspieljahr aufgeführt werden kann. Hans Richter steht wieder am Pult, wie beim Festspiel von 1876. Fünf Aufführungen der Tetralogie finden diesmal statt. Neben Hans Richter erscheint abermals Felix Mottl als Dirigent.

Noch ein dritter, wesentlich jüngerer und weit weniger erfahrener Musiker darf zum erstenmal mit Richter und Mottl alternieren: *Siegfried Wagner*. Ein junger Mann von 27 Jahren, der Sohn, hebt nun den Taktstock an jener Stelle, wo sein Vater den Schlußakt bei der letzten Aufführung des *Parsifal* im Jahre 1882 geleitet hatte.

Cosima hatte all ihre Vorsätze erreicht: eine Institutionalisierung der Festspiele im Dienst von Richard Wagners Gesamtwerk, dazu die Begründung einer Dynastie.

Cosima war sehr empfindsam. Bei jeder Aufführung des *Lohengrin*, das hat sie selbst gestanden, kamen ihr die Tränen. In den Tagebüchern wird oft von einer gemeinsamen Ergriffenheit berichtet, denn auch Richard Wagner liebte bisweilen das genußvolle Weinen.

Cosima war sehr hart. Das Leben war hart mit ihr umgegangen. Sie hat nicht allein eine Dynastie begründet, sondern auch, in anderer Weise als Wagner und trotzdem ihm auch darin ähnlich, das eigene Bild für die Nachwelt monumentalisiert. Eine Frau, die jahrelang in aller Öffentlichkeit geschmäht werden konnte als illegitim und

illegal, stilisierte sich zur würdigen Vertreterin bei Darstellungen
der weiblichen Hauptrolle eines Hohen Paares. Auch die Eigen-
schaftswörter, die man seit dem Ausgang des 19. Jahrhunderts verwendet, wenn die Rede sein soll von der Bayreuther Herrin, sind
entsprechend stilisiert. Höhe, Würde und Adel. Ihr wichtigster Berater in allen Geschäftsdingen, der spätere Geheimrat Adolf von Gross,
bediente sich bisweilen der Briefanrede »Meine Edle«.

Alle Widersprüche waren schließlich einem strengen Stilwillen
geopfert worden. Die Französin Cosima Liszt repräsentierte ein natio-
naldeutsches Kulturideal. Die Rechtsbrecherin korrespondierte mit
Fürsten über Probleme der Tradition. Daß Cosima Liszt nicht bloß
praktischen Sinn besaß und Lebensklugheit, sondern auch Humor,
ist spät erst bekannt geworden. Die Schwiegertochter hat das Bild
einer uralten Frau ahnen lassen, die sich jeweils am Abend heiter
mit dem Nachttrunk aus der Bierflasche zu Bett legte. Der Papagei
kannte das vertraute Geräusch der sich öffnenden Bierflasche und
ahmte es nach. Es ist zu vermuten, daß die in Paris erzogene Tochter
von Liszt nur französischen Wein bei der Mahlzeit gekannt hatte.
Aber der Leipziger Richard Wagner war Biertrinker. In Wahnfried
war »Weihenstephan« ein vertrauter Name.

Die Widersprüche ihrer Natur und Lebensentwicklung hat Cosima nach dem Tode Richard Wagners produktiv gemacht. In den
ersten Tagen, als die Überführung des Sarges nach Deutschland geplant werden mußte, und Cosima sich allein wiederfand in Haus
Wahnfried, hörte man von ihr nur die Worte:»Laßt mir das Grab
und die Trauer, der Weiterverbreitung des Ruhmes mögen sich die
Freunde annehmen. Mein Mann selbst dachte so, mir ist alles
recht...«. Allein schon am 23. Februar 1883 kann Gross nach München berichten, daß Cosima am Gedanken festhalte, die geplanten
Aufführungen des *Parsifal* stattfinden zu lassen. Einen Monat später
ist auch die erbrechtliche Lage geregelt. Von den Kindern wurde
nur Siegfried, neben seiner Mutter, als Miterbe anerkannt. Von nun
an waren Cosima und Siegfried zu gleichen Teilen die Erben des
Festspielhauses, von Haus Wahnfried, aller Kunstwerke und Dokumente, der Urheberrechte.

Spätestens seit dem Sommer 1883 und bei Vorbereitung der Festspiele dieses Jahres hatte Cosima die Regierung übernommen. Die
Schwierigkeiten waren erdrückend. Das Defizit natürlich immer noch
aus dem Jahre 1876. Im März 1883 geht Ludwig II. mit dem Gedan-

ken um, das »Gnadengehalt« für Richard Wagner einzuziehen oder stark zu reduzieren. Er hatte Cosima die Münchener Ereignisse niemals verziehen. Zwei Jahre später (1885) müssen Konflikte mit dem Theatermanager Angelo Neumann ausgetragen werden, dem Richard Wagner die Aufführungsrechte für den Nibelungenring übertragen hatte. Was gut getan war, denn durch die Tourneen Neumanns erst wurde das Riesenwerk außerhalb von Bayreuth bekannt, außerdem erwies es sich als durchaus aufführbar, selbst außerhalb des Festspielhauses. Allein Neumann verstand sich gut auf die Geschäfte, und er besaß Konkurrenten. Im Jahre 1884 tauchen Pläne zur Gründung einer »Richard Wagner Stiftung« auf, die insgeheim auf Entmachtung der Herrin abzielen. Cosima muß sich gegen die Richard-Wagner-Vereine zur Wehr setzen, die ihr, der undeutschen Französin, offensichtlich mißtrauen. Im Januar 1885 schreibt sie sehr kühl an Glasenapp: »Es bedarf keiner neuen Stiftung; der Stipendienfonds ist die bereits bestehende, von dem Meister selbst in das Leben gerufene Richard Wagner Stiftung...«. Dann entwickelt sie im selben Brief ihr Programm der Gründung einer Dynastie: »Sind die Aufführungen durch die Tätigkeit des Allgemeinen Richard-Wagner-Vereins gänzlich unentgeltlich geworden (wie eine derselben es im vorigen Jahre durch eine Spende schon war), ist, wenn auch nur ein Teil der deutschen Jugend gewonnen und belehrt, sind die Sänger durch regelmäßige Aufführungen in dem Stil des neuen Kunstwerkes befestigt, dann wird der Augenblick der erhebenden Vereinigung gekommen sein. Dann – so Gott will – wird es der Sohn des Meisters sein, welcher Vorschläge macht und entgegennimmt...«.

Von Anfang an ist es abgesehen auf eine Entmachtung der Töchter: sowohl der Kinder eines Hans von Bülow wie auch der beiden Töchter (Isolde und Eva) Richard Wagners. Für Cosima gilt, wie für die klassischen Dynastien, das Salische Gesetz der männlichen Erbfolge. Cosimas »*Letzter Wille*« vom 13. August 1913 legt fest:

»1. Zu meinem Nachlaß gehört:
a) der Hälfteanteil des Hauses Wahnfried mit Nebengebäuden und umliegendem Grundbesitz, einschließlich des Inhaltes: an Kunstwerken, Manuskripten, der Bibliothek, sämtlichen Einrichtungsgegenständen, wie überhaupt allen beweglichen Gegenständen.

b) der Hälfteanteil am Bühnenfestspielhaus mit Nebengebäuden,

an der vollständigen Einrichtung dieser Gebäude, überhaupt dem
ganzen Inventar, sowie an dem jeweilig vorhandenen Betriebs-
fonds der Festspiele.

c) der Hälfteanteil am Kapitals- und Barvermögen einschließlich
des von mir in die Ehe eingebrachten Vermögens, sowie an den
Aufführungsliterarischen Rechten.
2. Meinen Sohn Siegfried setze ich zu meinem alleinigen Erben
ein. An den unter 1a und b bezeichneten Gegenständen haben
seine Geschwister keinen Anteil. Von meinem übrigen Vermögen
(1c) hat SW seinen Geschwistern je ein Fünftel zu geben in den
vorhandenen Wertpapieren und Barbeträgen...
4. Zu meinem Testamentsvollstrecker ernenne ich hiermit Herrn
Geheimrat Adolf von Gross dahier, nach dessen Ableben Herrn
Direktor Ernst Beutter...«.

Fünf Jahre später (2. 9. 1918) bestimmt die mehr als Achtzigjähri-
ge in einem Nachtrag zum Testament:»Obgleich somit zu meinem
Nachlaß nur der unter 1c meines Testaments vom 13. 8. 1913 ange-
führte Hälfteanteil am Kapitals- und Barvermögen und Urheberrech-
ten gehört, soll doch nur mein Sohn Siegfried mein Erbe sein und
gilt die Zuwendung von je $1/_5$ Reinnachlasses an seine Geschwister...
nur je als Vermächtnis...«.

Diese Entmachtung der Töchter sollte sich, zum Nachteil der
damals noch lebenden Daniela Thode und Eva Chamberlain, nach
dem Jahre 1930 wiederholen, als Winifred Wagner, nach Siegfrieds
plötzlichem Tode, auch ihrerseits die Haltung Cosimas einnahm und
fortsetzte: als persönliches Regiment des durch Letztwillige Verfügung eingesetzten Festspielleiters. Auch die Anfeindungen, denen
Richard und Cosima Wagners Schwiegertochter damals in Fragen
der Kompetenz ausgesetzt war, erinnerten an die einstige Debatte
um Cosima im Jahre 1883. Jener Julius Kniese jedenfalls, dessen
herzhafter Antisemitismus in Bayreuth gerühmt wurde, und der vor
allem seine Aufgabe in der Beseitigung Hermann Levis sah, schrieb
bereits am 22. April 1883, also noch vor Beginn der ersten Festspiele
nach Wagners Tode:»...Die Festspiele – lassen Sie mich praktisch
reden – haben reüssiert, solange der Meister lebte und persönliche
Anziehungskraft war. Vielleicht geht es in diesem Jahre noch, dann
aber nicht mehr. Das ist auch die Ansicht des Verwaltungsrates.
Und weiter: sollen die Festspiele eine Filiale der Münchner Oper

werden?« Der Hinweis auf die Münchener Oper war natürlich ein abschätziger Blick hinüber zum Juden Levi. Kniese und die anderen ideologischen Gegner und »Wunscherben« von Bayreuth behielten unrecht. Cosima Wagner hat Bayreuth zur Stadt Richard Wagners gemacht. Das ephemere Kulturereignis wurde zur Institution. Hundert Jahre nach dem ersten Ereignis von 1876 muß der Leiter der Bayreuther Festspiele, der Enkel von Richard und Cosima, das Festspielwerk als Beruf betreiben.

Über die Anziehungskraft der von Cosima geleiteten Festspiele gibt es genaue Unterlagen. Im allgemeinen brachten die Aufführungen von nun an Gewinn. Erst die Neuinszenierung der Tetralogie im Jahre 1896 ergab einen Verlust von 105 000 Mark. Das Barvermögen der Familie Wagner betrug, nach Auskunft des Vermögensverwalters Gross, im Jahre 1901 etwa $2^1/_4$ Millionen Mark. Einen schweren finanziellen Verlust und Rückschlag gab es im Jahre 1914, als der Kriegsbeginn am 1. August zum Abbruch der Festspiele führte. Man mußte Eintrittsgelder in Höhe von 360 000 Mark zurückzahlen. Wieder war ein Verlust entstanden, diesmal in Höhe von 150 000 Mark. Außerdem gab es seit 1913 keine Tantiemen mehr aus Wagner-Aufführungen.

Die geschäftliche Seite der Festspiele unter Cosimas Leitung wird in einem Brief von Adolf von Gross an Hans von Wolzogen vom 5. Dezember 1895 sehr nüchtern dargestellt: »Volle Häuser hatten 1882 die beiden ersten *Parsifal*-Aufführungen; das bezog sich aber nur auf den Amphitheaterraum, die Fürstengalerie und die obere waren nicht besetzt. Ganz volles Haus mit teilweise besetzter Galerie kam zum ersten Mal im August 1886 einmal vor bei einer *Parsifal*-Aufführung. Vom Jahre 1888 ab waren fast alle *Parsifal*-Aufführungen total besetzt und immer 30–40 Galerieplätze verkauft.

Volle Häuser so wie 1882 bei der ersten *Parsifal*-Aufführung hatten auch alle übrigen Erst-Aufführungen der übrigen Werke; während im Tristan-Jahr '86 einige *Tristan*-Aufführungen kaum 200 zahlende Besucher zählten, hatte sich dieses Verhältnis immer gebessert, die Meistersinger waren durchgängig besser besucht; im Jahre 1889 waren alle *Parsifal*-Aufführungen übervoll, die Meistersinger und *Tristan* nahezu ganz besetzt. *Tannhäuser* war zum ersten Male schon wesentlich besser als die *Meistersinger* besucht, und beim zweiten Male waren alle Aufführungen nahezu voll. Im Jahre '94 waren zwei *Lohengrin* und ein *Tannhäuser* nicht ganz vollständig besetzt, ... *Lohengrin* sogar mäßig, die übrigen aber ganz. Das Resumé ist, daß Abweisungen bis jetzt nur bei *Parsifal* verschiedene Male erfolgen mußten, die anderen Werke waren schließlich auch sehr gut besucht, aber bis jetzt konnte man jeden noch Zuspätkommenden immer unterbringen. Ich würde das aber nicht weiter verbreiten und nichts darüber schreiben. Wenn der Besuch im nächsten Jahre so gut wird, wie ich es nach den bisherigen Anmeldungen erwarten darf, ist endgültig gewonnen...«.

Die Hoffnung des Schlußsatzes auf den Besuch im nächsten Jahr (1896) erfüllte sich bekanntlich nicht. Eben hier entstand, wie 20 Jahre vorher bei der ersten Aufführung des Nibelungenrings, ein neues Defizit. Die *künstlerische Maxime* Cosima Wagners bei der Leitung des Festspielwerks entsprach der selbstgewählten Kundry-Rolle: »Dienen – Dienen«. Die Begründung der Dynastie bedeutet daher, als Aufführungspraxis verstanden, die möglichst absolute Bewahrung, eigentlich Konservierung. So nimmt die dienende Herrin von Bayreuth den Vorwurf, das experimentelle und kühne Unterfangen Richard Wagners gleichsam zu mumifizieren, nicht ernst. Sie hat recht insoweit, als der Streit um Richard Wagner und seine Kunst weiterhin virulent geblieben war. Konservierung des in den Jahren 1876 und 1882 Erreichten, dann Einbeziehung der übrigen Werke bedeutete nach wie vor den Kampf um eine Stabilisierung des Werkes. Cosima versteht den Vorgang vor allem als Stabilisierung von Richard Wagners Ruhm, allein die Sicherung des Nachruhms bedeutete gleichzeitig die Durchsetzung der ästhetischen Maximen. Die Herrin von Bayreuth kann sich zwar eine Zeitlang noch auf jene Künstler stützen, die mit Wagner hatten arbeiten dürfen. Ihr Werk aber ist auch hier die Begründung einer spezifischen und als musterhaft verstandenen Aufführungstradition. Dirigenten wie Richter und Levi, später sind es Felix Mottl und Karl Muck, wissen genau durch eigene Erinnerung oder durch Unterweisung, wie Wagner das Werk interpretiert haben wollte. Alle Berichte stimmen darin überein, daß auch Cosima, ganz wie der Meister von Bayreuth, die Textverständlichkeit, also die Kunst der kleinen Notenwerte, unablässig gefordert hat. Die Tragödie sollte nicht nur rauschhaft erlebt, sondern als Wort und Sinn genau verstanden werden. Schallplattenaufnahmen aus der Frühzeit der Technik beweisen in der Tat die erstaunliche Deutlichkeit des Vortrags bei einem so berühmten Bayreuther Heldentenor wie Ernst Kraus.

Als sich Cosima Wagner nach den schweren Herzanfällen vom 9. September 1906 von der Leitung der Festspiele zurückziehen muß, ist die Dynastie etabliert. Siegfried Wagner eröffnet am 22. Juli 1908 als Festspielleiter die neue Ära mit einer Neuinszenierung des *Lohengrin*. Am zweiten Weihnachtstag desselben Jahres wird Eva Wagner in Wahnfried mit Houston Stewart Chamberlain getraut. Drei Jahre später (1911) nimmt Hans Richter endgültig seinen Wohnsitz in Bayreuth. Was damals in Tribschen begonnen hatte, als Richter die gerade entstandene Partitur der *Meistersinger von Nürnberg* abschrieb, dann weitergeführt werden konnte bei den ersten Festspielen von 1876 unter Richters Leitung, wurde gleichfalls kanonisiert und institutionalisiert. Nichts freilich erinnerte nunmehr an Wagners Konzept vom »demokratischen Fest«, womit alles begonnen hatte.

DER SOHN
(Siegfried Wagner)

Im Schatten der alten Damen

Siegfried Wagner starb, wie sein Großvater Franz Liszt, während der Bayreuther Festspiele. Es gehört zu den vielen ironischen Versagungen im Leben eines scheinbar so glücklichen und erfolgreichen Menschen, daß er am Erfolg des von ihm neu inszenierten und von Arturo Toscanini dirigierten *Tannhäuser* nicht mehr teilhaben konnte. Ein schwerer Herzanfall traf den 61jährigen am 16. Juli 1930 während der Festspielprobe zur *Götterdämmerung*. Die *Tannhäuser*-Premiere vom 22. fand ohne den Regisseur und Festspielleiter statt. Siegfried starb am 4. August und wurde, während die Festspiele, wie einst im Jahre 1886, beim Tode von Liszt, weitergeführt wurden, am 6. August auf dem Bayreuther Waldfriedhof beigesetzt.

Seine Mutter Cosima hatte er nur um ein paar Monate überlebt. Sie war am 1. April 1930 gestorben: mit 92 Jahren und seit langem ohne das Bewußtsein irgendeiner Wirklichkeit, die um sie her ablief. Siegfried starb ihr nach; sie blieb bis zuletzt die beherrschende Gestalt für sein Leben und Arbeiten. Jener *Tannhäuser* sollte einen Vorgang der Befreiung und Selbstbefreiung darstellen. Sein wiederholter Ausruf: »Kinder, wenn ich euch wieder den Tannhäuser bringe, dann sollt ihr was erleben!« meinte weit mehr als eine Neuinszenierung. Was hier angestrebt und mit Hilfe des italienischen Maestro auch verwirklicht wurde, bedeutete einen Wendepunkt: ein Ausbrechen aus der starren und statischen Aufführungstradition. Als Anschluß an moderne Konzepte des Musiktheaters, die anderswo bereits erprobt und gewagt wurden, und die der Herr von Bayreuth in seinen Festspielen von 1927 und 1928, sowohl bei Inszenierung des *Tristan* wie bei der Auswahl seiner Kapellmeister, weitgehend ignorierte.

Nun sollte man in der Tat ein neues Bayreuth erleben; auch der Plan, die beiden grundverschiedenen und in gleicher Weise »schwierigen« Musiker Toscanini und Furtwängler als künftige Stilmeister für Bayreuth zu gewinnen, ging noch auf Siegfried Wagner zurück. Seine Witwe Winifred, die testamentarisch zur Erbin und Leiterin eingesetzt worden war, handelte folgerichtig beim Ablauf der Festspiele von 1931 und bei Vorbereitung jener Veranstaltungen des Jahres 1933, wo die »Weltgeschichte« sich unliebsam einschaltete. Bayreuth stand im Begriff, beim Tode des Sohnes ein Schauplatz zeitgenössischer, nicht mehr allein museal-pietätvoller Musikdramaturgie und Musizierweise zu werden. Indem der Sohn von Richard und Cosima plötzlich wegstarb, bleibt sein Name retrospektiv verknüpft mit starrem Traditionalismus, mit der Beschäftigung von mittelmäßigen Leitern, die man ausgewählt hat, weil sie ergeben sind und ressentimentgeladen gegenüber der neuen Zeit und neuen Kunst, die man, mit Siegfried Wagner, schlechthin als »Kulturbolschewismus« verfemt. Wozu für den Sohn und Erben die »Salome« und der »Rosenkavalier« ebenso gehörten wie die Leute um Otto Klemperer an der Berliner Krolloper.

Cosima Wagner lehnte es rundweg ab, den Wiener Operndirektor Gustav Mahler ans Pult der Festspiele zu berufen. Siegfried hatte, bei Wiederbeginn der Spiele im Jahre 1924, die Auswahl zwischen Kapellmeistern wie Bruno Walter und Erich Kleiber, Otto Klemperer oder Leo Blech: freilich waren das Juden. Dies Hindernis entfiel bei Fritz Busch, dem Opernchef aus Dresden. Mit ihm wagte man die neuen *Meistersinger* von 1924, aber Busch hielt nur mühsam und mit sich ringend, er hat es in seinen Erinnerungen geschildert, die fünf Aufführungen durch, obwohl sie musikalisch glanzvoll abliefen. Allein der »Geist von Bayreuth«, repräsentiert durch Karl Muck und die anderen »Treuesten der Treuen«, veranlaßte ihn, die Verpflichtung für 1925 wieder rückgängig zu machen und nie mehr in die Wagnerstadt zurückzukehren. Siegfried Wagners erster Versuch, einen bedeutenden Musiker der neuen Generation und Interpretation ins Festspielhaus zu holen, war gescheitert. Muck trat wieder an die Stelle von Busch, und für den neuen *Tristan* des Jahres 1927 ließ man sich den Kapellmeister Karl Elmendorff einfallen.

Bis zu seinem frühen Ende lebte Siegfried Wagner zwischen dem, was er vermutlich und »eigentlich« gewollt hat, und dem Nichtgewollten, dem er jedoch nicht ausdrücklich zu widersprechen wagte. Bei so vielen Stilisierungen, die der Sohn von Richard und Cosima erfuhr und wohl auch betrieb, ist es schwer, die Frage zu beantworten, wer und was er gewesen ist. Ein Interviewer des »Neuen Wiener

Journal« kommt im Jahre 1911 zu folgendem Eindruck: »Aristokratisch mutet auch Siegfried Wagners Zurückhaltung, die große Sorgfalt in allem Äußerlichen an. Er ist soigniert in der Kleidung, gemessen im Wort und verrät sich nirgends.«
Aufgewachsen war er im Schatten der älteren, dann der alternden
Frauen. Die übermächtige Mutter; die um neun Jahre ältere Halb-
schwester Daniela von Bülow, mit dem Kunsthistoriker Henry Thode
in unglücklicher Ehe verbunden; Blandine von Bülow, geboren im
Jahre 1863, als Gräfin Gravina später die Mutter von drei Söhnen,
von denen der älteste, Manfred, ein Lieblingsverwandter wird. Isolde
von Bülow, am 10. April 1865 in München geboren, ist in Wahrheit
bereits ein Kind von Richard und Cosima. Mit ihr fühlte sich der
vier Jahre jüngere Siegfried besonders eng verbunden: bis die Rivali-
tät zwischen Siegfried und seinem Schwager Franz Beidler, dem erfolgreichen Bayreuther Dirigenten, der zudem einen Sohn hat und
damit die »Erbfolge« bedrohen kann, im Jahre 1906 zum Bruch
führt. Schließlich Eva Wagner, am 17. Februar 1867, fast zwei Jahre
vor Siegfried, in Tribschen geboren. Sie wird, vor allem nach ihrer
Heirat mit H. St. Chamberlain, zur Repräsentantin eines statischen
und ein für alle Mal an des »Meisters« einstige Weisungen gebundenen
Bayreuth. Hatte bereits Siegfried in seinen letzten Jahren den unterschwelligen Widerstand Evas und ihrer Anhänger aus dem »Kreise«
erfahren müssen, weil er angeblich das Weihegebaren in eine moderne
Festopernorganisation transformieren wollte, so prallte die Witwe
Winifred sogleich mit den Altbayreuther Nornen zusammen, die nicht
etwa »liberaler« sind, sondern erstarrt, und die nur mit Schaudern
den Gedanken ertragen können, eine Aufführung des »Parsifal« zu
erleben, ohne jene Dekorationen von 1862, worauf »die Augen des
Meisters geweilt hatten...«
Wie sehr Siegfried Wagner unter dieser Frauenwelt gelitten haben
muß, läßt sich nur indirekt, um so deutlicher aber aus den Träumen
seines Werkes als Librettist und als Musiker ableiten. Der Tonsetzer,
der eine Ballade für Bariton und Orchester schreibt über einen »dik-
ken, fetten Pfannkuchen«, der entsetzt beim Anblick alter Weiber
aus der Pfanne springt und sich davonmacht, muß gewußt haben,
was er hier, wenngleich er sich sonst nicht zu »verraten« pflegte,
aus sich entließ.
Sein Biograph Zdenko von Kraft berichtet von frühen dramatischen Plänen und Entwürfen, darunter einem Konzept »Hütet Euch

vor Weibertücken«. Natürlich ist das ein etwas abgewandeltes Zitat aus der »Zauberflöte«, fügt sich aber ins Bild eines vaterlos heranwachsenden Jungen in einer matriarchalischen Gemeinschaft. Siegfrieds Jugend steht im Zeichen der Freundschaften, nicht der Frauenliebe. Es ist nicht zufällig, was auch Winifred Wagner bemerkenswert fand an den künstlerischen Arbeiten ihres Mannes, daß sich zwar der »Bärenhäuter« Hans Kraft, ein junger Soldat in Siegfrieds erster Oper, ein märchenhafter und etwas pöbelhafter Jungsiegfried, schließlich gegen den Teufel durchsetzt, doch mit Hilfe »von oben«, nicht folglich als Zerbrecher des Speeres und der gesellschaftlichen Hierarchien, wie bei Richard Wagner, während die späteren Opernmänner Siegfried Wagners immer nachdrücklicher als passive Helden gezeichnet wurden: als Leidende, Märtyrer, Opfer.

Mit dem englischen Freund Clement Harris, den er beim ersten Versuch, Architektur in Karlsruhe zu studieren, kennenlernt, geht er im Januar 1892 auf eine große Ostasienreise. Bei der Rückkehr empfängt die Londoner Gesellschaft den Sohn Richard Wagners. Am 30. Januar wird nach Bayreuth berichtet: »Oscar Wilde, der hier eine große Celebrität ist, ist wohl ein geistvoller, Paradoxien liebender Causeur... schon etwas posierend, aber sehr unterrichtet... Er lud Clement und mich am Dienstag bei sich ein...« In späteren Jahren hatte Siegfried Wagner nicht Abscheu genug für Wildes Schauspiel »Salome« und für die Oper von Richard Strauss. Eine rastlose Selbsterziehung zum Unauffälligen muß sich hinter der so gemessenen, in den begeisterten, fast immer banalen Familienbriefen abermals stilisierten Außenansicht im Lauf der Jahre, die mehr und mehr zu Jahren von Niederlagen des »Sohnes« wurden, vollzogen haben. Übrigens: Siegfried Wagner war ursprünglich Linkshänder, dirigierte auch als solcher. Bis er sich umzog.

Als im Mai 1913 die Welt den hundertsten Geburtstag Richard Wagners begeht und die »Kreishauptstadt Bayreuth«, wie es in der Urkunde heißt, dem »Sohne des Meisters von Bayreuth,... der das Erbe seines großen Vaters mit Geist und Kraft verwaltet«, die Ehrenbürgerschaft verleiht, als die Walhalla bei Regensburg in Anwesenheit des Prinzregenten, der König Ludwig entmündigen ließ, vom Bayerischen Staat eine Marmorbüste Wagners empfängt, scheint der Sohn den Festspielgedanken, wenigstens soweit er sich seit 1876 manifestierte, durchgesetzt zu haben. In Wirklichkeit beschreiben alle Zeugen, die Siegfried um jene Zeit erlebten, einen Zustand tiefer Verbitterung und Einsamkeit. Da sind äußere Gründe. Der deutsche Reichstag war nicht bereit, das Urheberrecht am *Parsifal* zugunsten von Bayreuth abzuändern. Das Bühnenweihfestspiel ist von nun an eine Oper wie andere auch und kann von allen Opernhäusern aufgeführt werden. Wie ein groteskes Nachspiel muten die Bemühungen von Wahnfried mitten im Zweiten Weltkrieg an, mit Hilfe des Führers und Reichskanzlers eine neue Regelung der Schutzfrist zu erreichen. Mit dem Propagandaminister wird über die Frage verhandelt.

Mehr als die bekannten Achtungserfolge für den Träger eines berühmten Namens hat Siegfried Wagner, der Musikdramatiker, nicht mehr aufzuweisen. Man spielt ihn in Hamburg und Karlsruhe, wo in Muck und Mottl die Bayreuther Dirigentengarde ihre Anteilnahme auch auf den Sohn überträgt. Die Preußische Hofoper in Berlin ignoriert den Musikdramatiker der zweiten Generation; ebenso die von Ernst von Possart, dem Erzfeind Cosimas, geleitete Bayerische Hofoper. Auf die Zumutung, in München zum Wagnerjubiläum eine Festrede jenes Possart anhören zu müssen, reagiert Cosima brieflich mit einem Schopenhauer-Zitat: »Das Leben ist eine Tragödie, die sich wie eine Komödie ausnimmt.«

Redaktion und Komposition des »Märchens vom dicken fetten Pfannkuchen« fallen in den Herbst dieses Vorkriegsjahres 1913. Die mühsame Heiterkeit verbirgt nur oberflächlich einen Überdruß und Daseinsekel. Siegfried Wagner ist im Jubiläumsjahr ein Mann von 44 Jahren. Er ist nicht verheiratet und muß dem Ende der Dynastie entgegensehen, denn Eva Chamberlain wird kinderlos bleiben. Isolde Beidler hat zwar ihren »Prozeß« gegen die eigene Mutter, worin Anerkennung ihrer Abstammung nicht von Bülow, sondern von Wagner gefordert wurde, vor Gericht verloren, allein daß sie, im engeren Sinne, zur Wagnerfamilie gehört, wird just durch den unerbittlichen und durchaus unfairen Kampf ersichtlich, den die Chamberlains gegen sie führen. Isolde Beidlers Sohn Franz Wilhelm, als ein Enkel von Richard und Cosima, wurde 1901 geboren: beim Kriegsausbruch von 1914 war er zwölf Jahre alt.

Dieser Krieg von 1914 bedeutete für die Festspiele, und damit für die Wagners, eine finanzielle Katastrophe. Mit einer Vorstellung des *Parsifal* am 1. August werden die Festspiele abgebrochen. Das Geld für die bereits vorbestellten Karten muß zurückerstattet werden. Siegfried bleibt der Tradition Richard Wagners aus dem Jahre 1870 insoweit treu, als auch er patriotische Musik komponiert: einen »Fah-

nenschwur« nach Worten von Ernst Moritz Arndt, der im Herbst
in der Berliner Philharmonie aufgeführt wird.

Im Sommer 1915 erreicht Siegfried, der sich anschickt, zu seinen
Freunden für einige Zeit nach Berlin zu fahren, ein Brief der Schwester Eva Chamberlain. Fast kann man ihn als Manifest bezeichnen.
»Betrachtungen für die Reise von Deiner bald fünfzigjährigen Schwester«. Es ist ein Dynastenbrief, und er handelt von der Thronfolge.
Die Schreiberin ist geschickt, und sie beherrscht die verhaßte Kunst
einer »intellektualistischen« Psychologie. Sie kennt den jüngeren Bruder und weiß, daß sein Sinnen, wie seine Libretti immer wieder
verraten, nicht loskommt von moralischen Grundantagonismen. Hier
der Ritter Lohengrin in lichter Waffen Scheine, dort die schurkische
und erzböse Ortrud. Ihn selbst ernennt nun Eva zum Lohengrin;
die böse Nachtseite wird, wie sollte es anders sein, durch Isolde
Beidler repräsentiert. Daher die Mahnung: »Mache Loldis (Isoldes)
unheimlich triumphierende Worte: ›Fidi (Siegfried) heiratet ja doch
nicht!‹ nicht zur Wahrheit. Du leistest damit den Schlechten, denen,
die wir als ›undeutsche Teufel‹ bezeichnen, einen zu großen Dienst.«
»Unheimlich triumphierende Worte«. Das klingt wirklich nach
dem *Lohengrin*, aber es handelt sich in der Tat auch, wie beim Streit
um die Herrschaft in Brabant, um Thronfolge. Siegfried muß heiraten. Dann wird der Plan der Undeutschen zuschanden.

Im Juli 1914 war der Pianist, Lisztschüler und Direktor des Klind-
worth-Scharwenka-Konservatoriums in Berlin, Karl Klindworth aus
Hannover, mit seiner 17jährigen Adoptivtochter zu den Generalproben nach Bayreuth gekommen: mit Winifred Williams, einer jungen
früh verwaisten Engländerin.

Im Juni 1915 besucht Siegfried Wagner in Berlin auch die Klind-
worths. Am 6. Juli verlobt er sich mit Winifred; am 22. September
findet in Wahnfried die Trauung statt. Ein Altersunterschied von
28 Jahren zwischen Braut und Bräutigam. Richard Wagner war
24 Jahre älter gewesen als Cosima, aber die junge Frau war, als sie
sich in München mit Wagner verband, um zehn Jahre älter als die
ganz junge Winifred. Cosima von Bülow hatte zwei Töchter. Winifred war »das Kindchen« für Siegfried Wagner und die anderen Bayreuther.

Sie scheint ihn dazu gebracht zu haben, aus dem Schatten der
alten Damen sich zu lösen und von nun an – auch im Familiensinne
des Erbfolgerechts – die Dynastie zu repräsentieren.

Am 5. Januar 1917 kam der älteste Sohn Wieland zur Welt. Eine
Photographie zeigt Cosima mit dem Enkel. Sie scheint abwesend,
wie zumeist seit den schweren Herzanfällen, die sie im Jahre 1906
gezwungen hatten, die Leitung auf den Sohn zu übertragen.
Vier Kinder, geboren zwischen 1917 und 1920, haben die Dynastie
fortsetzen sollen, zwei Söhne: Wieland und Wolfgang, zwei Töchter:
Friedelind, deren Namen an die Friedenssehnsucht von 1918 gemahnt, und Verena. Isolde Beidler war am 7. Februar 1919 in München gestorben.

Die Kunst und die Reaktion

In Zdenko von Krafts Biographie Siegfried Wagners von 1969, die
so »mitgehend« geschrieben ist, daß sie immer noch der Malwida
von Meysenbug vorwirft, sie sei »rassisch instinktlos« gewesen: im
Gegensatz zum überzeugten Antisemiten Siegfried Wagner, wird eine
Charakterisierung des Sohnes durch Ferdinand Pfohl angeführt und
lobend unterstrichen: »An der künstlerischen Erscheinung Siegfried
Wagners fesselt es immer wieder, wie prachtvoll *unmodern* er im Grunde seines Wesens ist.« Das Wort unmodern ist gesperrt gesetzt.
   Man kann es nicht besser sagen. Mit solcher Charakteristik wird
sehr präzis formuliert, was Siegfried Wagner von seinem Vater unterscheidet. Natürlich ist der Sohn, seit seinen Anfängen als Musikdramatiker, ein Wagnerianer. Die Erlösung des Bärenhäuters, der dem
Teufel verfiel, durch die unbeirrte Treue der Bürgermeisterstochter
Luise, ist ausdrücklich der Konstellation des *Fliegenden Holländer*
nachempfunden, will vermutlich von dorther gleichsam noch eine
zusätzliche Dimension anstreben: als ein heiter, mit der obligaten
Hochzeit ausklingendes Nachspiel zur Tragödie zwischen Senta und
dem Holländer. Freilich hätte Richard Wagner, auch beim ungedul-
digsten Zweckdichten, an entscheidender Stelle seines Librettos nicht
Verse zugelassen gleich jenen des Bärenhäuters Hans Kraft: »Leichter
Sinn lockt Teufelslist! Ihr erliegen menschlich ist.«
   Nicht sein Wagnertum geriet dem schöpferischen Künstler Sieg-
fried Wagner zur Gefahr. Das teilte er mit dem jungen Richard
Strauss der Oper »Guntram« ebenso wie mit Pfitzners »Rose vom
Liebesgarten«. Der »Bärenhäuter« als Erstling schien sogar, im Urteil
der Zeitgenossen, eine produktive Weiterführung ins Märchenhafte,

also als Fortsetzung sowohl von Märchenelementen des *Siegfried* wie
der Märchenopern von Siegfrieds Kompositionslehrer Humperdinck.
Es war auch nicht der Gegensatz zwischen dem Genie und dem
für vielerlei in hübscher Weise begabten Sohn. Um die Jahrhundertwende, als Siegfried Wagner auf den Opernbühnen sich durchzusetzen suchte, verzehrten sich zahlreiche mittlere und kleine Talente
am unerreichbaren, weil allmählich unzeitgemäß gewordenen Kunstideal eines Musikdramas aus Historie und Mythos, Märchenwelt und
pessimistischer Philosophie. Der Jugendstil kam diesem Sehnen entgegen: er war zum Teil auch daher zu erklären. Namen wie Felix
Dräseke sind heute vergessen: damals galten sie als Fortsetzer des
Bayreuther Werks. Siegfried Wagner besaß, wie sie alle, ein gutes
Handwerk, melodische Einfälle, Sinn für Klangfarben und aparte
Instrumentationen. Nichts überraschte, doch nichts mußte von vornherein als bare Anmaßung abgetan werden. Der Sohn und Erbe
war zum Symptom eines an Wagner sich verzehrenden Künstlertums
geworden, was er selbst niemals verstanden hat. Die Literatur entdeckte für sich die Konstellation des nachwagnerischen Musikdramatikers als Thema: Beim jungen Friedrich Huch, den Thomas Mann
bewundert und gefördert hat, wird sie im Roman »Enzio« von 1911
noch als Künstlertragödie abgehandelt; im »Kammersänger« von
Frank Wedekind (1899) mit den schneidenden Akzenten der Satire.
Der Unterschied zwischen Richard und Siegfried Wagner liegt,
jenseits aller Dimensionen des Genies, im folgenden: Alle Aktionen,
Manifeste, Einfälle Richard Wagners, von der Absage an alle Artistik
der »Großen Oper« nach dem »Rienzi« bis zur Eröffnung der Bayreuther Festspiele, stehen unter dem Zeichen der *Notwendigkeit.* Jedes
der Werke gehört in eine besondere Konstellation aus Zeitgeschichte
und Künstlerentwicklung. Man begreift beim Rückblick, warum der
Plan der *Meistersinger* um 1845 vor dem *Lohengrin* zurückzutreten
hatte, warum sich ein Drama *Siegfrieds Tod* zur Tetralogie auswuchs.
Auch die weitgediehenen, schließlich aufgegebenen Entwürfe wie
Jesus von Nazareth oder *Wieland der Schmied,* endlich *Die Sieger* hatten
von allem Anbeginn eine Botschaft und Weltaussage zu bedeuten.
Das wurde rasch verstanden in aller Welt. Begeisterte Anhängerschaft
und bitterer Haß waren die Folge. Zumal sich Richard Wagner,
jenseits aller Überlieferungen, jeweils die spezifischen Ausdrucksmit-
tel auszudenken pflegte. Etwa die kühn und folgerichtig erdachten,
so gern belachten und parodierten Stabreime im *Ring.* Wagner wagte

hier eine durchaus moderne »Verfremdung«. Indem er die Bürgerwelt des 19. Jahrhunderts in der Tetralogie mythisierte, schuf er für sich die Notwendigkeit, auch die Sprache jenes 19. Jahrhunderts abzutun und durch ein neues, scheinbar »mythisches« Sprechen zu ersetzen. Siegfried Wagners schöpferische Arbeit hingegen steht im Zeichen der *Unnotwendigkeit*. Das läßt sich nicht allein an der meist wirren Dramaturgie demonstrieren, die offensichtlich weder besondere Neigung verrät, die Hauptgestalten zu charakterisieren, noch zu irgendeiner Aussage zu gelangen. An der Schlußapotheose der Oper »Schwarzschwanenreich« von 1918 wird ein Grundprinzip dieser rein theatralisch arbeitenden Effektdramatik ohne eigentliche Aussage besonders evident. Hulda als Hexe auf dem Scheiterhaufen. Liebhold stürzt hinauf, sie zu retten. Beide stehen in Flammen. Dann folgt die Regieanweisung: »Der Scheiterhaufen ist ganz zusammengebrochen. Man sieht die Gestalten Liebholds und Huldas, unversehrt vom Feuer, umschlungen tot liegen. Die Scheite verwandeln sich in Lilien und umrahmen die Liebenden. Der Pfahl, an dem Hulda gebunden war, gestaltet sich zum Kreuz. Sonnenuntergang. Das Volk kniet nieder.«

Wieder einmal ist der Sohn nicht von der Apotheose des *Fliegenden Holländer* losgekommen. Hier jedoch operiert eine leerlaufende Theatralik, die nichts aussagen will, auch musikalisch allein die Situationen illustriert, nicht aber, wie im *Ring des Nibelungen,* ein episches Gegenelement zum dramatischen Ablauf repräsentiert. Die Vorstellung gar, daß es sich hier um eine im Weltkrieg entstandene Schöpfung handelt, trägt weiter zur Verwirrung bei.

Siegfried Wagner hat sich niemals eingestehen wollen, daß jenseits aller – möglichen und wahrscheinlichen – Widerstände (etwa Possarts in München oder auch des in Berlin residierenden Richard Strauss) die Mißerfolge, die sich als Provinzerfolge mit wohlwollender Resonanz bei einem konservativen und allem »Neuerertum« abholden Publikum nebst adäquater Kritik darstellten, aus der theatralischen Beliebigkeit dieser Opern resultierten. Hier war das einstmals kulturrevolutionäre Künstlertum Richard Wagners museal geworden und sah sich auf ein paar imitierbare Formen reduziert. »Richard Wagner in Bayreuth«, das war ein ideologisches Programm. Siegfried Wagner als Dramatiker: das war Unzeitgemäßheit als Anachronismus.

Richard Wagner hatte sich gierig, nicht immer genau verstehend, den geistigen Ereignissen seiner Zeit ausgesetzt. Freigeisterei des

Jungen Deutschland bereits im *Liebesverbot;* der »wahre Sozialismus«
von Karl Grün und anderen; die Erschütterung durch Ludwig Feuerbach; Bakunin und der Bakunismus; von Feuerbach zu Schopenhauer; die Konfrontation mit dem jungen Nietzsche; schließlich gar
die Rassengedanken des Grafen Gobineau. Ein Künstler, der alle
Wege und Irrwege kennt und begeht.

Siegfried Wagner wirkt durchaus *unneugierig.* Umgeben von wenig
begabten und wirklichkeitsscheuen Wagnerianern wie Hans von Wolzogen, der sich zu Weihnachten 1915 nichts Besseres ausdenken kann,
als in Wahnfried einen Schwank nach Grimms Märchen »Der Jude
im Dorn« vorzutragen (jenem Märchen, das T. W. Adorno als Trauma auch Richard Wagners am Beispiel Beckmessers und Mimes interpretiert hat), mit einem Schwager und Arier-Ideologen wie Chamberlain, auf antisemitische Allergie seit Jugend eingestimmt, scheint er
für sich selbst wie für Bayreuth alle Teilnahme an einer zeitgenössischen Geistes- und Kulturentwicklung abzulehnen. Er ist nicht neugierig, weiß aber nicht, wenn er ablehnt und abspricht, wovon die
Rede ist. »Für gewisse hypermoderne Moden ist Bayreuth nicht da,
das widerspräche dem Stil der Werke, die ja nicht kubistisch-expres-
sionistisch-dadaistisch gedichtet und komponiert sind«, heißt es programmatisch zur Wiedereröffnung der Festspiele im Jahre 1924. Das
ist redensartlich dahergesagt, nimmt sich nicht einmal die Mühe,
jene Strömungen auseinanderhalten zu wollen. Wäre das ernstzuneh-
men, so müßte die »Zauberflöte« unwiderruflich im Stile Schikane-
ders aufgeführt werden. Der Sohn scheint nicht verstanden zu haben,
was der Vater in Dresden vor 1848 an Erneuerung des Musiktheaters
aus dem Denken und Kunstschaffen seiner eigenen Zeit betrieben
hatte.

Auch Siegfried Wagner wird, wie sein Vater, ein *Trauma* nicht
los. Wagner kam, im Denken, im Schaffen und auch in der exzentri-
schen, auf Luxus versessenen Lebensführung niemals weg vom Gedanken an die Hungerjahre eines »Deutschen Musikers in Paris« zu
Beginn der 40er Jahre. Als man bei den Rothschild und Meyerbeer
antichambrieren mußte. Aber das Genie verwandelte Leid in Kreativität, übrigens auch in theoretische Monologe, an die ihr Schreiber
immer nur halb glaubte, wenn sie nicht das eigentliche Werk betrafen.
Siegfried Wagners Choc-Erlebnis läßt sich zeitlich und örtlich genau
fixieren. 24. März 1901 im Hoftheater München. Die zweite Oper
nach dem »Bärenhäuter«, ein »Herzog Wildfang«, endet mit einem

in München noch nicht erlebten Skandal, der erst um 11 Uhr dadurch
abbricht, daß man das Licht herabschraubt. Ausgelöst wurde, nach
allen Berichten, der allgemeine Unmut durch die Aufdringlichkeit
der Wahnfriedgemeinde, einer mondänen guten Gesellschaft, die ihrer
Sache so sicher scheint, daß sie bereits nach dem ersten, vom Publikum leidlich gut hingenommenen Akt einen Riesenerfolg inszenieren
möchte, mit Tücherwedeln und Hervorruf des Dichter-Komponisten,
der sich darauf einläßt. Nun formiert sich, gefördert durch ein wirr-
theatralisches Libretto, die Front der Gegner. Es sind weder, wie
die Bayreuthlegende später raunt, die »Undeutschen« noch die radika-
len »Naturalisten«. Es ist gutbürgerliches Opernpublikum, dem der
»Bärenhäuter« gefallen hatte, das sich aber von der Aristokratie des
Hofes von München und Bayreuth nicht ins Jubilieren drängen läßt.

»Trotz Tücherwedelns und begeisterten Händeklatschens und
Fußtrampelns der Bayreuther Gemeinde, die sich vollständig zur Premiere im Hoftheater eingefunden hatte, wurde Siegfried Wagner nach
allen Regeln der Kunst ausgepfiffen und ausgezischt. Als Dichter
wie als Komponist hat Siegfried Wagner sich als krasser Dilettant
gezeigt.« Das steht in den »Dresdener Neuesten Nachrichten«. Auch
wohlwollende Kritiker, etwa in der »Breslauer Zeitung«, können
nicht mehr konzedieren als: »Einzelnes gelingt sogar sehr nett...«

Unverkennbar allerdings, daß Siegfried Wagner nichts begriff von
dem, was ihm an jenem Abend widerfuhr. Cosima hatte den Skandal
erleben müssen; ein Vergleich mit den Münchener Premieren des
Tristan und der *Meistersinger* hätte sich aufdrängen müssen. Sie ließ
sich darauf nicht ein, glaubte mit dem Sohn und der Bayreuther
Gemeinde, hier habe der Ungeist über echt deutschen Geist gesiegt.
Der Antisemitismus gibt Siegfried Wagner von nun an die Möglichkeit, jeden neuen Mißerfolg – vor allem die Nichtachtung der Kritik
und der Berliner Metropole – auf jüdische Machenschaften zu reduzieren. Wenn eines seiner Konzerte erfolgreich war, so lobt er brieflich
das »echt deutsche« Publikum. Ein Erfolg in Rostock läßt ihn stolz
schreiben, neben dem obligaten Lob der arischen Zuhörer, er sei
»in Mecklenburg nämlich populär!« Vergessen ist offensichtlich, daß
sich *Gustav Mahler* in Wien als Operndirektor und Dirigent erfolgreich für den »Bärenhäuter« eingesetzt hatte.

Ein »unmoderner« Künstler, der schließlich in seinem Denken
und in der unneugierigen Kunstauffassung schlechthin reaktionär
werden muß. Bestärkt wird er darin durch den Rat von Musikern

wie Karl Muck. Man kann sich vor Abscheu nicht lassen über die
»Salome«. Den Mißerfolg des »Rosenkavalier« hält man auf die Dauer
für unvermeidlich. Noch im Jahre 1924, als Siegfried und Winifred
in Amerika das Geld für neue Festspiele aufzutreiben haben und
genötigt sind, besagten »Rosenkavalier« in der Metropolitan Opera
anzuhören (zwei Akte wenigstens), witzelt Siegfried: »Man muß alles
mitmachen, damit man Leute gewinnt.«

Daß er als Musikdramatiker ein Zeitgenosse und Gegenspieler
war von Debussy und Busoni, Ravel und Bartók, de Falla und Janáček, zu schweigen von Schönberg und Berg, scheint den Sohn Richard Wagners kaum bekümmert zu haben. Dies alles wurde nicht
zur Kenntnis genommen und hatte mit Bayreuth offensichtlich nichts
gemein: was sich bis in die Auswahl der Künstler auswirkte, die
man zur Mitwirkung einlud oder verwarf.

Solche Fixierung an eine Vergangenheit, die einstmals kühn und
neu gewesen war und nunmehr ängstlich abgeschirmt werden soll
gegen das Tun all jener nachlebenden Künstler, die ihrerseits kühn
und neuartig das Werk Richard Wagners schöpferisch weiterführen
möchten, muß Folgerungen haben auch im *Politischen*. Es war nicht
allein der »Bayreuther Kreis«, der sich aus Herzensgrund zu allen
»völkischen«, nämlich aufklärungsfeindlichen und gegen-demokrati-
schen Strömungen bekannte, was die ersten Nachkriegsfestspiele von
1924 zum Kampfappell der »Alten Kameraden«, aller Antidemokra-
ten, Sozialistengegner und Militärschwärmer degenerierte. Als man
freilich im Festspielhaus »spontan« das Deutschlandlied sang, rannte
Siegfried Wagner kreidebleich und entsetzt davon. Er fragte sarka-
stisch, ob demnächst auch die »Wacht am Rhein« intoniert werden
müsse. Chamberlains Ideen, ihrerseits nicht eben genau gedacht und
empirisch abgesichert, ließen sich mühelos weiter popularisieren als
»Mythus des 20. Jahrhunderts«. Siegfried Wagner fand alles nach
seinem Herzen und Fühlen. Am 7. Oktober 1923 ist Hitler zu Gast
in Wahnfried und bei Chamberlain. Nur mußte man, im Interesse
der Festspiele und ihrer Rentabilität, nach außen hin ein bißchen
zurückhaltend sein. Man ist für die Leute vom Bürgerbräuputsch
des 9. November 1923, lehnt aber alle Mitgliedschaften ab. Als Hitler
im Jahre 1924 an Siegfried Wagner, den offenbar Gleichgesinnten,
schreibt, wird der Brief sogar vor Winifred geheimgehalten.

Was Siegfried Wagner wirklich denkt, verkündet er, wenige Monate vor den neuen Festspielen von 1924, als er im März dieses

Jahres auf der Rückkehr aus den Vereinigten Staaten in Italien reist,
in Rom vom Duce empfangen wird und nun berichtet: »Alles Wille,
Kraft, fast Brutalität. Fanatisches Auge, aber keine Liebeskraft darin
wie bei Hitler und Ludendorff. Romane und Germane!... Famose
echte Rasse... Es ist schon trostlos, wie Deutschland herabgekommen
ist!«

Die Konstatierung einer »Liebeskraft« bei Erich Ludendorff, den
alle Augenzeugen stets nur als eiskalten Karrieristen des Generalstabs
und als Strategen empfunden hatten, der lebendige Kreaturen bloß
als Menschenmaterial versteht, ist fast unbegreiflich. Wer so denkt
und formuliert, lebt in der Traumwelt seiner Märchen und Schauer-
balladen. Es ist ein Kosmos der kräftigen, geistig unbeschwerten
jungen Männer und der opferbereiten Frauen, die man, wie das Kater-
lieschen in dem vergleichsweise geglückten Musikmärchen »An allem
ist Hütchen schuld«, für schlichten Geistes hält, bis sie tun und
erkennen, was kein Verstand der Verständigen gesehen hatte. Gehäufte Züge der Bösartigkeit bei den Bürger- und Bauerngestalten in
den szenischen Entwürfen Siegfried Wagners.

Welches Deutschland gedachte er mit wem zu erneuern? Für wen schrieb
er, und was wollte er aussagen? Die Fragen lassen sich kaum beantworten. Wie so oft in der deutschen Ideologie des 19. und 20. Jahrhunderts, unverkennbar in Ansätzen auch bei Richard Wagner anzu-
treffen, sinnt man einer vorbürgerlichen Gesellschaft nach mit patriar-
chalischer Autorität, untergeordneter Opferbereitschaft der Frau, einer Aristokratie gleich jener in den Salons von Wahnfried, wo die
Sänger mit den Fürsten konversieren.

Der Festspielleiter

Nichts leichter mithin, als Siegfried Wagners Konzept der Festspiele,
die er zwischen 1908 und 1930 geleistet hat, aus seinen Anschauungen
zur Politik und Gesellschaft, zur Kunst und zum Theater zu deduzie-
ren. Allein die Rechnung geht nicht auf. Zum Charakter des »*Unnot-
wendigen*« in seinem Tun, jener Beliebigkeit in der Wahl seiner Stoffe
und Botschaften, gehört auch eine sonderbare »Aleatorik« in seinen
wirklichen Neigungen. Er will Architekt werden, gibt es dann auf,
geht mit dem Freund auf eine Weltreise und entdeckt dort, daß
ihm deutsche Kunst und Musik, und die Bayreuther Landschaft,

über alles geht. Selbst sein Arbeiten als Musikdramatiker weist etwas
erstaunlich Privates auf: weit mehr Kinderspiel eines kultivierten
Erwachsenen, denn Existenzerfüllung. Gab er dem Ehrgeiz der Mutter und aller »Treuesten der Treuen« darin nach, und hätte er es
auch sein lassen können?

Er war ein recht guter, ruhiger Dirigent, wie alle Kritiker hervor-
heben, doch nicht vergleichbar den Nikisch und Weingartner. Das
stellt ein berufener französischer Kritiker am 2. März 1903 fest, nachdem Siegfried ein Konzert des Lamoureux-Orchesters geleitet hat:
Siebente von Beethoven, *Siegfried-Idyll*, eigene Musik aus jenem unse-
ligen »Herzog Wildfang«. Der Kritiker urteilt über den Komponisten
Siegfried Wagner: »Achtbare Musik, nicht mehr; so etwas wie die
Hausaufgabe eines Schülers, der bei Richard Wagner studiert hat,
aus dem sich aber der Lehrer nicht viel machte.« *Gezeichnet Claude
Debussy*. Und auch das noch wird angemerkt: »Sicher zeugt es von
großer Verehrung, wenn der Sohn das fortführen will, was der Vater
begonnen hat. Nur, ganz so einfach wie die Übernahme eines Strum-
pfladens ist das nicht.«

War Siegfried Wagner aus Leidenschaft ein *Dirigent*? Auch das
ist schwer zu sagen. Daß er sein Handwerk verstand, das er bei
Richter und Muck und Mottl lernen konnte, wurde nie geleugnet.
Seit man ihn, wohl kaum gegen seinen eigenen Wunsch, bereits
1896, also mit 27 Jahren, alternierend mit Hans Richter und Felix
Mottl, in Bayreuth den *Ring* dirigieren ließ und er sich sogleich
im *Rheingold* einen schweren »Schmiß« leistete, so daß dem zuhören-
den Gustav Mahler, wie er an Cosima schrieb, fast das Herz stehen-
blieb, hatte er gut gelernt und vermochte seine Aufgaben am Pult
des Festspielhauses und im Konzert zu erfüllen. Richard Wagner
und Gustav Mahler, auch Richard Strauss waren große Dirigenten
ihrer Zeit, die selbst derjenige lobte, dem ihre Musik ein Greuel
war. Das ist von Siegfried Wagner nie behauptet worden. Wo er
gefiel, kam stets die Prämie des großen Namens mit ins Spiel.

Es scheint nicht, daß sich Siegfried Wagner später ohne Notwendigkeit ans Pult gedrängt hätte, so wie es Richard Wagner beim
Parsifal des Jahres 1882 nicht aushielt, bis er, ungesehen vom Publikum, das eigene Werk wenigstens im Schlußakt hatte leiten dürfen.
Den *Tristan* und die *Meistersinger* hat Siegfried in Bayreuth niemals
dirigiert. In der zweiten Hälfte seiner Arbeit als Leiter der Festspiele,
also zwischen 1924 und 1930, stand er bloß im Jahre 1928, neben

Franz von Hoesslin, als Dirigent des Nibelungenrings auf dem Programmzettel. Auch hier die Un-Notwendigkeit.

Notwendig sind ihm allein wohl das Werk und die Arbeit des *Theatralikers* gewesen. Regie, Bühnenbild, Bewegung, Farbe und szenische Interpretation. Wahrscheinlich waren die scharfen Kritiker, die der Sohn für Feinde hielt, worin die Getreuen beistimmten, viel gerechter in der Beurteilung dessen, was der Sohn Richard Wagners und der Enkel von Franz Liszt sein konnte und nicht zu sein vermochte. Auch wer den »Herzog Wildfang« und den »Bruder Lustig« ablehnte oder sich lieber in Bayreuth eine Aufführung mit Richter und Mottl aussuchte, statt unter Siegfried Wagner: den Inszenierungen, für die er zeichnete, verschloß man sich im allgemeinen nicht. Mit der Inszenierung des *Tannhäuser* unter Toscaninis Leitung, deren Erfolg er nicht mehr genießen durfte, war ihm, nach soviel Umweg und Beliebigkeit, der Anschluß an eine nicht mehr »unmoderne« Form des Musiktheaters gelungen. Die neue Besetzungspolitik, die sich hier ankündigte, schien wegzuführen aus der trotzigen, aber gesinnungsreinen Provinzialität eines Festspielunternehmens, das universal geplant worden war und allzulange unter der Verwechslung von Wagner und Wagner-Vereinen gelitten hatte.

Die zwanziger Jahre erlebten, weitgehend von Berlin ausgehend, eine neue Bemühung um musikalische und szenische Interpretation der Werke von Wagner. Mochte man in Wahnfried angewidert weghören, wenn Jürgen Fehling und Otto Klemperer den *Fliegenden Holländer* neu interpretierten, nicht ohne Kenntnis jenes inkriminierten Expressionismus: eine neue Generation von Sängern war aufgetreten, ausgebildet und inspiriert durch Bruno Walter und Fritz Busch, Erich Kleiber und Otto Klemperer, ohne welche Bayreuth, dem die alten Vertreter der großen Partien wegalterten, nicht weiterarbeiten konnte. Sie aber waren nicht bereit, auf das gewohnte musikalische Niveau ausgerechnet in Bayreuth zu verzichten. Noch weniger ging es an, mit militantem Antisemitismus auf die großen Interpreten mit »unreiner« Abkunft zu verzichten. Richard Wagner hatte die Uraufführung des *Parsifal* dem Kapellmeister Hermann Levi anvertraut. Die letzten Lebensjahre Siegfried Wagners zeigen einen Festspielleiter, der sich mehr und mehr freimacht vom provinziellen Trotz und von den Ratschlägen der Wahnfriedideologen. H. St. Chamberlain starb nach langer Krankheit am 9. Januar 1927. Die Festspielidee, das ließ sich nicht verkennen, war gescheitert, wenn

man die Bayreuther Aufführungen mit irgendeinem »Deutschen Tag«
von Gegnern der Weimarer Republik verwechselte.

Winifred Wagner hat, als sie nach dem plötzlichen Tode ihres
Mannes die Leitung übernahm und die Verhandlungen mit den »Berlinern« begann: mit Furtwängler und dem Berliner Generalintendanten Heinz Tietjen, wozu der in München lebende Bühnenbildner
Emil Preetorius sich gesellen mußte, ein Freund *Thomas Manns,* ausdrücklich betont: damit führe sie Pläne ihres Mannes aus. Das ist
sicher richtig. Es lag auf der Linie sowohl der Berufung von Arturo
Toscanini wie der eigenen Inszenierung des *Tannhäuser* durch den
todgeweihten Siegfried Wagner.

Viele Bilder und Berichte lassen ahnen, daß der Sohn in seinen
letzten Jahren, erfolgreich als Festspielleiter, wenngleich nicht als
Meister aus eigenem Recht, glücklich in seiner Familie, nicht mehr
beschattet von den alternden Frauen, eine neue und freiere Kenntlichkeit zu erreichen vermochte. Das Trauma schien zu weichen. Darüber
ist er gestorben. Wie er sich drei Jahre später verhalten hätte, als
der frühe Wahnfriedbesucher aus den ersten zwanziger Jahren nun
von Berlin aus regierte: es ist müßig, darüber zu spekulieren.

GÖTTERDÄMMERUNG
(Winifred Wagner)

Das Kindchen

Als Siebzehnjährige war Winifred Williams mit ihrem Adoptivvater Karl Klindworth im Juli 1914 nach Bayreuth gekommen. Ein Jahr später hieß sie Frau Wagner. Siegfrieds plötzlicher Tod am 4. August 1930 machte sie, wenige Monate nach dem Sterben Cosima Wagners, zur neuen »Herrin von Bayreuth«. Eine junge, immer noch schöne Frau in den Dreißigern. Das »Gemeinschaftliche Testament«, das Siegfried und Winifred am 8. März 1929 in gültiger Form stipuliert hatten, legte fest: »Frau Winifred Wagner wird Vorerbin des gesamten Nachlasses des Herrn Siegfried Wagner. Als Nacherben werden bestimmt die gemeinsamen Abkömmlinge der Ehegatten Wagner zu gleichen Stammteilen. Die Nacherbfolge tritt ein mit dem Tode oder mit der Wiederverheiratung der Frau Winifred Wagner.« Entschieden wurde außerdem in dieser Letztwilligen Verfügung, was für das weitere Schicksal der Festspiele nach 1945 von Bedeutung werden sollte: »Die Erben erhalten bezüglich des Festspielhauses folgende Auflage: Das Festspielhaus darf nicht veräußert werden. Es soll stets den Zwecken, für die es sein Erbauer bestimmt hat, dienstbar gemacht werden, einzig also der festlichen Aufführung der Werke Richard Wagners.« An dieser Klausel stießen sich von Anfang an mögliche spätere Pläne Wieland Wagners, auch andere Werke des Musiktheaters auf dem Festspielhügel aufführen zu lassen. Winifred Wagner wurde folglich Erbin nur bis zu einer möglichen Wiederverheiratung. Ging sie eine neue Ehe ein, so kam es zur Nacherbfolge, wobei dem Testament zufolge »der jeweils älteste Abkömmling des Herrn Siegfried Wagner« den Vorsitz übernahm. Das war im besonderen Fall der am 5. Januar 1917 geborene Wieland Wagner.

Winifred Wagner hat sich nicht wieder verheiratet. Das Werk von Bayreuth erhielt Vorrang vor allen Bindungen als Frau und auch als Mutter. Nach Siegfried Wagners Tod war sie die juristisch zur Leitung der Festspiele berufene Verwalterin eines großen materiellen und künstlerischen Erbes. Bei den kurz darauf einsetzenden Angriffen – sowohl der ausgeschalteten Familienmitglieder wie eines großen Teils der Öffentlichkeit – konnte sie sich mit Recht darauf berufen, in den letzten Jahren bereits an der Seite ihres kränkelnden Mannes an der Geschäftsführung mitgewirkt zu haben. Eine Mitteilung von Winifred an den Bayreuther Verwaltungsleiter Dr. Knittel vom 12. Juni 1929 weist bereits die charakteristische Diktion ihrer späteren Herrschaftsanweisungen auf. Sie hat genauen Einblick in den Betrieb, delegiert die Verantwortungen, macht sich Gedanken über mögliche Ersparnisse während der Festspielzeit, denkt an eine Revision der laufenden Verträge über die Feuerversicherung.

In diesem Brief bereits findet sich ein zunächst rätselvoller Satz, der ankündigt, was später eintreten sollte: »Die Besitzfragen sind augenblicklich derart kompliziert, daß wir *jetzt* nichts unternehmen können. Später, wenn meine Familie allein dasteht, ist das sehr viel einfacher...«. Geschrieben wurde das noch zu Lebzeiten Siegfried Wagners. Übrigens war auch die Tendenz in diesem ersten Organisationsprogramm Winifred Wagners erkennbar, die beiden in Bayreuth lebenden Schwägerinnen zu entmachten, also Eva Chamberlain-Wagner und Daniela Thode-von Bülow. Bei den Delegationen nämlich bestimmte Frau Winifred, daß Karl Muck, wie billig, die oberste Verantwortung für Fragen des Orchesters haben solle, der berühmte Chorleiter Hugo Rüdel die für das Chorwesen. Frau Thode wird verantwortlich gemacht »für die Schneider, Schneiderinnen, Garderobiers, Friseure, Putzweiber...«.

Für alle Fragen der Verwaltung und wohl auch des Geldwesens war die Witwe Siegfried Wagners gut ausgerüstet. Verstand sie jedoch etwas vom Fach, nämlich von der Kunst Richard Wagners, von vergangenen und neueren Strömungen der Opernkunst, überhaupt von der notwendigen Konfrontation der Werke Richard Wagners mit neuen Generationen der Interpreten und der Hörer? Das ist sehr fraglich. Natürlich war unvermeidlich, daß Winifred nunmehr von all ihren Gegnern mit dem öffentlichen Bild Cosima Wagners verglichen wurde, also mit der berühmten und traditionellen Herrin von Bayreuth. Sowohl Eva Chamberlain wie, ganz unabhängig von ihr, auch Wilhelm Furtwängler erinnerten, als Konflikte auftraten, recht schnöde daran, Frau Winifred Wagner sei doch offenkundig nicht »vom Fach«: im Gegensatz zu Cosima und Siegfried. Vielleicht wurde dabei die Schwiegertochter etwas ungerechterweise ihrer Schwiegermutter aufgeopfert. Ob nämlich Cosima Wagner in der Tat, wenngleich Tochter von Franz Liszt und Gattin Richard Wagners, sehr viel von Musik verstand, natürlich jenseits der bloßen Attitüde eines Kunstgenusses, war unter Eingeweihten immer umstritten. Der Musiker Josef Rubinstein, einer von den jüdischen Musikern, wie Hermann Levi und Karl Tausig, die sich Richard Wagner als Satelliten für sein Sternbild aussuchte, hat unumwunden behauptet, Cosima sei durchaus unmusikalisch. Rubinstein kannte sich aus. Er hatte am 22. Mai 1880, also zum 67. Geburtstag Richard Wagners, in Wahnfried eine Aufführung der Gralsszene aus dem ersten Akt des *Parsifal* am Flügel begleitet: unter Leitung des Komponisten. Im September 1883, also in Wagners Todesjahr, war er in Luzern aus dem Leben geschieden.

Winifred Wagner hatte natürlich bei ihrem Adoptiv- und Pflegevater Karl Klindworth von früh auf die Werke des Bayreuther Meisters kennengelernt. Die spätere Ehe mit Siegfried machte sie mit allen Aufführungs- und Interpretationsproblemen ebenso vertraut wie mit den schöpferischen Nöten des Musikdramatikers Siegfried Wagner. Allein Winifred hatte weder ernsthaft die Musik studiert, noch das Theater. Der ästhetische Kosmos begrenzte sich für sie, entsprechend der empfangenen Lehre, auf das Werk des Meisters, auf die Arbeiten ihres Mannes, vielleicht auf das Schaffen befreundeter Künstler, wie etwa eines Engelbert Humperdinck.

Sie war aufgewachsen in einem Kreis von Gläubigen, und sie hatte an der Seite eines anachronistischen und demonstrativ »unmodernen« Künstlers alle Beschäftigung mit widerstreitenden ästhetischen Konzepten und künstlerischen Schöpfungen der eigenen Zeit von vornherein abgelehnt. Trotzige Deutschtümelei und demonstrative Unzeitgemäßheit waren integrierende Bestandteile jener Lehre, die Winifred hatte durchmachen müssen und wollen. Was die schönen Seelen der treuen Wagnerianer an Bekenntnissen zu offerieren hatten, mag man aus einem Rundschreiben ersehen, das die Leipziger Zentralleitung des Allgemeinen Richard-Wagner-Vereins im Dezember 1927 an die Patrone der »Deutschen Festspielstiftung Bayreuth« gerichtet hatte. Da stand zu lesen: »...Denn wir dürfen uns doch keiner Täuschung darüber hingeben, daß von den Hochzielen, die der Meister von Bayreuth in seinen Schriften dem deutschen Volk vorgezeichnet hat, von der Durchdringung des gesamten Lebens

der Nation mit der heiligen deutschen Kunst bis zu jenem Grade
der Veredelung, in dem Religion und Kunst eins werden, erst sehr
wenig erreicht ist. Fast möchte man an der Erreichbarkeit solcher
Ziele verzweifeln, wenn man heute über 50 deutsche Opernbühnen
ein Werk geben sieht, in dem ein auf weiße Frauen Jagd machender
Neger als Erbe des alten Europas, also auch als Erbe der Kultur
eines Bach, Mozart, Beethoven und RW aufzutreten sich erdreisten
darf! Nur das Vertrauen in den deutschen Geist, das dem Meister
die Errichtung seines Bayreuther Lebenswerkes allen Widerständen
zum Trotz ermöglicht hat, kann uns in der Hoffnung beharren lassen,
daß der geistige ›Untergang des Abendlandes‹ noch nicht gekommen
ist.« Ernst Kreneks Oper »Jonny spielt auf« war gemeint.

Herangewachsen also war Winifred im Kreise ästhetischer Sektie-
rer. Als Künstlerin für das Musiktheater nicht eigentlich ausgebildet.
Bedenklicher blieb, daß sie die Dimensionen und vor allem die Struk-
turprinzipien der Kunst Richard Wagners niemals recht begriffen
hat. In ihren Ausführungen zur Retrospektive Bayreuths und ihres
eigenen Lebens sprach sie abschätzig von einem »Zergliedern« der
Kunstwerke, das erst mit ihrem Sohn Wieland und in der Nachkriegs-
zeit aufgekommen sei. Früher sei man unmittelbarer und wohl unin-
tellektueller vorgegangen. Zu ihrer Zeit nämlich. Hier spricht Ressentiment gegen den ältesten Sohn. Es drückt sich darin aber auch
ein profundes Mißverstehen der Wagnerkunst aus. Friedrich Nietzsche hatte noch zur Zeit, da er den Ruhm Richard Wagners zu
verkünden auszog, von der spezifischen »doppelten Optik« dieser
Kunst gesprochen. Doppelt insofern, als sie gleichzeitig eine Kunst
für den allgemeinen, wenig geläuterten Geschmack und Genuß zu
sein gedachte, *und* eine Kunstschöpfung für die raffinierten Kenner.
Wenn einer, so war der abgefeimte Bühnentechniker, spekulierende
Denker, vom Gesamtkunstwerk träumende Spätromantiker Richard
Wagner ein »Zergliederer«.

Wenn *Wieland Wagner* später in einer bemerkenswerten, um das
Kreuzeszeichen gruppierten, nahezu graphischen Darstellung des
Parsifal die dialektischen Spannungen zwischen den Kunstfiguren
des Bühnenweihfestspiels aufzeichnete, so gab er sich nicht mit einem
müßigen Zergliedern einer nicht analysierbaren künstlerischen Ganzheit ab, sondern legte Beziehungen bloß, die Wagner dem Werk
integrierend mitgegeben hatte. Dies alles scheint Winifred niemals
verstanden zu haben.

Ihre Lehrjahre hatte sie zubringen müssen mit unzeitgemäßer, nämlich hinfällig gewordener Kunstschöpfung, und mit ästhetischen Ressentiments. Die vielleicht nicht sehr musikalische Cosima wuchs auf im Kreise einer geistigen und künstlerischen Avantgarde. Ihr erster Gatte Hans von Bülow war ein durchaus politischer Mensch, und ein Künstler, der mit unfehlbarem Kunstverstand die neuen Begabungen zu entdecken pflegte: nicht bloß den damals verfemten Richard Wagner, sondern sogar den unbekannten jungen Russen Tschaikowski, noch in späten Jahren den bayerischen Debütanten Richard Strauss. Cosima wurde dieser intellektuellen Exaltation bald überdrüssig. Sie suchte Ruhe und Gewißheiten: ausgerechnet an Richard Wagners Seite. Allein das Werk von Bayreuth, das sie nach Richard Wagners Tod fortzusetzen beschloß, war immer noch künstlerisches Neuland. Nichts war hier gesichert oder gar hinfällig geworden. So konnte Cosima noch für den umnachteten Nietzsche ins Sternbild der Ariadne verwandelt werden. Ob sich Winifred Wagner je Gedanken gemacht hat über jene Polarisierung der bürgerlichen Ideologien, die sich in der divergierenden Spätentwicklung Richard Wagners und Friedrich Nietzsches konkretisieren sollte, darf bezweifelt werden.

Als Kindchen war sie geheiratet worden: nicht allein von Siegfried Wagner, sondern von Bayreuth. Sie hatte die Dynastie fortzusetzen. Selbst freilich sollte sie nichts bewirken, so hatten es sich die Schwägerinnen und die Chamberlain-Wolzogen ausgedacht. Winifred Wagner hat solche Erwartungen enttäuscht. Sie wollte bestimmen und bewirken. Das hat sie erreicht. Wobei es ohne Härten, Allianzen und Feindschaften nicht abgehen mochte.

Versuch einer Verweltlichung

Es gibt, datiert vermutlich Ende des Jahres 1930, also im Todesjahr von Siegfried Wagner, Aufzeichnungen über ein Gespräch der Schwägerinnen Eva Chamberlain und Winifred Wagner. Die Witwe H. St. Chamberlains und Tochter Richard Wagners riet ab von dem Plan, eine Art Pressestelle für die Festspiele einzurichten und für das Bayreuther künstlerische Unternehmen regelrecht zu werben. Die Schwester berief sich auf den verstorbenen Bruder, der solche Zumutung stets abgelehnt habe. Man solle die frühere Sitte beibehalten,

»gut Bestrebte und freundlich Gesinnte unter den Zeitungsschreibern im einzelnen Fall entgegenkommend zu berücksichtigen«. Dagegen habe ein »Liebäugeln mit der Presse« keinerlei Aussicht auf Erfolg. Eva Chamberlain zieht eine bittere Bilanz der äußerlich doch glanzvollen Festspiele von 1930 mit den von Toscanini geleiteten Aufführungen des *Tannhäuser* und *Tristan*. Sie sieht das anders: »Bayreuth stand stolz und frei bisher der Presse gegenüber da. Das können wir leider seit dem Sommer 1930 nicht mehr sein.« Was war geschehen? Winifred Wagner scheint rasch verstanden zu haben, womit sie abermals auf Pläne Siegfried Wagners zurückgriff, daß eine Öffnung Bayreuths für das breite Publikum mit der Notwendigkeit verbunden blieb, den Bruch mit dem politischen und ästhetischen Sektierertum der Wagnervereine und alt gewordenen Bayreuther Getreuen zu vollziehen. Es hatte sich jedoch gezeigt, daß die Berufung des Maëstro Toscanini und auch die Neuinszenierung des *Tannhäuser* durch Siegfried Wagner selbst nur denkbar war als Ergebnis eines Entschlusses, den Sakralcharakter des Festspielbetriebs, der ohnehin fadenscheinig war angesichts der finanziellen Miseren und eines stets wieder notwendig werdenden Mäzenatentums, abzubauen und die Festspiele zu *säkularisieren*. Indem Winifred Wagner das weiterzutreiben beschloß, handelte sie offensichtlich im Sinn und Geist ihres verstorbenen Mannes.

Dadurch freilich wurde sogleich der Widerspruch virulent, der Siegfried Wagners spätes Leben zerrissen hatte. Man konnte nicht gleichzeitig der politischen Reaktion anhängen, die Tiraden von der hehren deutschen Kunst, vom jüdischen Kunstzerfall und vom Kulturbolschewismus nachreden – und internationale Festspiele anbieten auch für undeutsche, nichtarische, womöglich gar kulturbolschewistische, jedoch zahlende Besucher. Siegfried Wagner war im entscheidenden Augenblick, da er hier Stellung nehmen mußte, verstorben. Winifred schien verstanden zu haben, daß es nun darauf ankam, nach dem Festspielerfolg von 1930 die Bayreuther Vorstellungen auf die Höhe damaliger Opernkunst zu heben, was unmöglich schien ohne die Mitarbeit bedeutender Bühnenbildner, Regisseure, Dirigenten aus der Reichshauptstadt Berlin.

Bei den ersten Nachkriegsfestspielen des Jahres 1924 war es den alten Bayreuthern noch gelungen, den Meistersinger-Dirigenten Fritz Busch, im Widerspruch zu Plänen Siegfried Wagners, rasch wegzuekeln. Das sollte sich nicht wiederholen. Mit Toscanini hatte man einen großen Dirigenten nach Bayreuth geholt, aber auch einen *Anti-faschisten*. Die Preußische Staatsoper in Berlin unter dem Generalin-tendanten *Heinz Tietjen* betrieb seit Mitte der 20er Jahre eine völlige Erneuerung des klassischen Opernrepertoires. Im Stammhaus Unter den Linden mit Dirigenten wie Erich Kleiber und Leo Blech. Hier war, zum Entsetzen Siegfried Wagners und der Bayreuther, ein Werk aufgeführt worden wie der »Wozzeck« von Alban Berg. Im zweiten Berliner staatlichen Opernhaus, der sogenannten Kroll-Oper, hatte *Otto Klemperer* eine Opernkunst entwickelt, die historisch geworden ist. Dirigenten, Sänger, Bühnenbildner und Spielleiter waren tätig gewesen, die nach dem Jahre 1933 außerhalb von Deutschland, doch in der ganzen Welt die Maßstäbe setzten für das moderne Musikthea-ter. Hier hatte Otto Klemperer zusammen mit Jürgen Fehling einen wild-balladesken, aus expressionistischer Erfahrung gestalteten *Flie-genden Holländer* aufgeführt. Auch ein neuer *Tannhäuser* war noch im Januar 1933 aus solchem Geist entstanden. Nur die Stillegung der Kroll-Oper als Folge der deutschen Wirtschaftskrise hatte verhindert, daß Otto Klemperer in seinem Hause, und im Gegensatz zu Bayreuth, das den Nichtarier ebensowenig berief wie ehemals Gustav Mahler oder später Bruno Walter und Leo Blech, eine für das damalige Kunstverstehen stellvertretende Neuinterpretation des Gesamtwerks von Richard Wagner zu Ende führen durfte. Freilich hatte sich Klem-perer dabei auch, im Gegensatz zu Bayreuth, der philosophischen und ideologiekritischen »Zergliederer« bedient. Wissenschaftlicher Berater der Kroll-Oper, von seinem Freund Otto Klemperer aus-drücklich berufen, war *Ernst Bloch* gewesen.

Im Gesamtverband der Preußischen Staatstheater, doch in offen-kundiger Konkurrenz zur Kroll-Oper und mit konservativer Tö-nung, unternahm *Heinz Tietjen* an der Lindenoper eine Erneuerung des Wagner-Repertoires. Für Berlin wurde ein neuer »Ring des Nibe-lungen« geplant. Heinz Tietjen war ausgebildeter Kapellmeister und ein Opernspielleiter von Können und Geschick. Vor allem hatte er sich in dem Graphiker, Bühnenbildner und Münchener Kunstpro-fessor Emil Preetorius einen Partner geholt, dessen Opernentwürfe in Berlin von Publikum und Kritik begeistert aufgenommen wurden. Der Leiter der Berliner Philharmonischen Konzerte, Wilhelm Furt-wängler, sollte dirigieren.

Winifred Wagner scheint, im Konflikt mit der Bayreuther Opposi-tion, bald begriffen zu haben, daß sie nur in Berlin eine Hilfe finden

könnte, wenn die Arbeit des Jahres 1930 weiterzuführen war. Am
18. Januar 1931, fünf Monate also nach dem Tod Siegfried Wagners,
wird eine Vereinbarung getroffen zwischen Winifred Wagner, Heinz
Tietjen und *Wilhelm Furtwängler,* worin es heißt: »Frau Winifred
Wagner hat als Nachfolger Siegfried Wagners in der künstlerischen
Leitung der Bayreuther Festspiele Heinz Tietjen und in der musikalischen Leitung Wilhelm Furtwängler berufen. Der preußische Kultusminister hat Tietjen seine Ermächtigung zur Annahme der Berufung
erteilt, ebenso hat Furtwängler seine Zusage gegeben. Diese Neuord-
nung wird erst 1933 in Kraft treten, da nach dem Willen Siegfried
Wagners die diesjährigen Festspiele in unveränderter Form stattfinden. Wilhelm Furtwängler hat sich aber freundlicherweise bereit erklärt, schon in diesem Jahre die Leitung von *Tristan und Isolde* zu
übernehmen.«

In der Tat hat Furtwängler im Sommer 1931 den »Tristan« dirigiert: neben Toscanini, der wieder die Aufführung des von ihm
einstudierten *Tannhäuser* leitete und diesmal von Karl Muck auch
die Leitung des *Parsifal* übernommen hatte. Wie bisher überließ man
Karl Elmendorff die Leitung der beiden Zyklen des *Ring.*

Nach außen hin ergab das ein glanzvolles Duumvirat: Arturo
Toscanini und Wilhelm Furtwängler. Allein die Streitereien und hal-
ben Skandale ließen nicht auf sich warten. In einem Rückblick von
D. Bergen vom Jahre 1932 wird über »Bayreuth seit dem Tode Siegfried Wagners« berichtet: »Die Bürokratie gewann die Oberhand;
niemand mehr konnte sich der Empfindung der Entpersönlichung
verschließen.« Denn Winifred sei nicht imstande gewesen, die geistige
Übersicht zu behalten. Beim Gedächtniskonzert für Siegfried Wagner
kam es zum Konflikt. Toscanini, Furtwängler und Elmendorff sollten
sich in die Leitung des Orchesters teilen. Toscanini sagte ab, so
daß Furtwängler mit der 3. Symphonie von Beethoven den großen
Erfolg davontragen konnte, was den italienischen Maëstro nicht mil-
der stimmen mochte. Es war unverkennbar, daß sich dies Nebeneinander nicht fortsetzen ließ. Einer der beiden Meister sollte
geopfert werden. Winifred scheint sich für Toscanini und gegen Furtwängler entschieden zu haben.

Am 21. März 1932 schreibt Wilhelm Furtwängler an Winifred
Wagner: »Entweder wollen Sie Mitarbeiter am Bayreuther Werk –
als solche haben Sie seinerzeit mit mir und Tietjen verhandelt –
oder Sie wollen mehr oder weniger unverantwortliche bloße Berater,

in der Absicht, selbst die Verantwortung – wie gesagt auch über
rein künstlerische Streitfragen – zu übernehmen. – Da diese Anschauung mit der Auffassung, die ich von meiner Aufgabe in Bayreuth habe, nicht übereinstimmt und da mir die Atmosphäre von
Mißtrauen, die aus allen Ihren Äußerungen mir gegenüber bisher
hervorging, nicht die Vorbedingung zu einer gedeihlichen Zusammenarbeit im Interesse des großen Bayreuther Werkes zu sein scheint,
so möchte ich Ihnen unter diesen Umständen anheimgeben, mir mein
Ihnen seinerzeit unter anderen Voraussetzungen und Erwartungen
gegebenes Wort zurückzugeben.« Winifred antwortete am 1. April
1932:»Aus unserer letzten mündlichen Besprechung habe ich erkennen müssen, daß Sie ausschlaggebende Bedenken gegen meine Forderung der letzten Entscheidung auch in künstlerischen Dingen hegen.
Wenn ich mir auch nicht anmaße, für die künstlerische Exekutive
fachmännische Vorbildung zu besitzen, so muß ich doch auf der
geäußerten Forderung beharren, weil der letzte Wille meines Mannes
bestimmt, daß ich mein Amt als Leiterin der Bayreuther Festspiele
nicht nur dem Namen nach führe, sondern mit voller Verantwortung
für den Weiterbestand des Werkes, außerdem darf ich darauf aufmerksam machen, daß ich in 15jähriger engster Zusammenarbeit mit
meinem Mann und unter den Augen von Frau Cosima Wagner wohl-
vertraut und wohlausgerüstet für die Gesamtleitung bin. Wenn ich
mir nach dem Tode meines Mannes in Ihnen und Herrn Tietjen
sofort die Mitarbeiter erwählte, die ich für die Kunstausübung für
die Berufenen hielt, so glaube ich, damit zum Ausdruck gebracht
zu haben, daß ich mir nicht mehr anmaße, als ich selbst zu leisten
imstande bin.«

Furtwänglers Antwort vom 18. Juni bestätigt noch einmal seinen
Auszug aus Bayreuth. Der Briefwechsel wird als Pressematerial veröffentlicht.

Im Jahre 1932, in dieser Endphase der Weimarer Republik, finden
keine Festspiele statt. Traditionsgemäß ein spielfreies Jahr. Man rüste-
te sich für die Festspiele des Jahres 1933. Wilhelm Furtwängler trat
jetzt, nach seiner endgültigen Absage, an die Öffentlichkeit. Im »Han-
noverschen Kurier« vom 29. Juni 1932 erschien ein polemischer Aufsatz »Um die Zukunft von Bayreuth«: »Es wird Frau Winifred gewiß
kein Mensch übel nehmen, daß sie so ist, wie sie ist, und niemand
kann etwas anderes mit Recht von ihr verlangen, aber ausgesprochen
muß es doch werden: Sie ist nicht gut beraten, wenn sie glaubt,

aufgrund der Auslegung des Testaments Eigenschaften beanspruchen zu müssen, die sie nun einmal nicht hat. Ich sage ›Auslegung‹, denn bei Abschluß der ersten Vereinbarung mit Tietjen und mir war dieses Testament ja auch schon da. Das oberste Prinzip, daß nur der mit zu entscheiden hat, der dafür verantwortlich gemacht werden kann, gilt auch für Bayreuth. Über kurz oder lang wird es auch Frau Winifred nicht erspart bleiben, anstatt unverantwortlicher Ratgeber sich verantwortliche Mitarbeiter wählen zu müssen.« Es fehlt auch nicht ein Hinweis des berühmten Dirigenten auf die Laienhaftigkeit der Witwe Siegfried Wagners in allen Fragen der Musik und der musikalischen Interpretation.

Heinz Tietjen scheint damals alles aufgeboten zu haben, den berühmten Toscanini von neuem für Bayreuth zu gewinnen, was ohne Opferung Wilhelm Furtwänglers nicht möglich war, die folglich in Kauf genommen werden mußte. So kommt es zu einem sonderbaren und fast komischen Bündnis zwischen Tietjen und Daniela Thode, also zwischen Alt- und Mittelbayreuth. Durch ihre Ehe mit dem Kunsthistoriker Henry Thode, von dem sie freilich geschieden worden war, besaß Daniela gute Verbindungen zur italienischen Gesellschaft und Künstlerschaft. Sie hatte auf Wunsch ihres Halbbruders Siegfried die Verhandlungen mit Toscanini geführt. Nun sollte sie ihn zurückholen.

Andererseits wiederholen sich Vorwürfe der Schwägerinnen gegen Winifred. Eine Notiz von Eva Chamberlain vom 7. März 1932 rügt den »Geist der Ehrfurchtslosigkeit, Pietätlosigkeit, Traditionslosigkeit in Bühne wie Haus, die Ullstein-Presse etc.«. Tietjens Bemühung um eine Erneuerung der Regie in den Werken des laufenden Repertoires hatte sich nicht durchsetzen können, denn Alexander Spring, ein Günstling Winifreds, zeichnete verantwortlich. Eva Chamberlain spricht in ihrer Notiz von einem »bodenlosen Dilettantismus in der Regie« und hatte wohl nicht unrecht.

Das spielfreie Jahr 1932 vermochte die Herrschaft der neuen Herrin von Bayreuth, der Erbin Siegfried Wagners, nicht zu gefährden. Allein im Konflikt sowohl mit Furtwängler wie mit der eigenen Familie war offenkundig geworden, daß die Leiterin der Festspiele kein eigenes geistiges Konzept besaß, mithin angewiesen war auf attraktive Namen wie Toscanini, und auf Berater wie Tietjen, die ihrerseits gewillt waren, in Bayreuth die künstlerische Leitung in Form praktischer Regiearbeit zu übernehmen. Für das Jahr 1933 war eine Gesamterneuerung der Inszenierung des Nibelungenrings geplant, dazu der *Meistersinger*, beides unter Mitwirkung von Emil Preetorius. Man hoffte, Toscanini für die Leitung der *Meistersinger* und abermals für den *Parsifal* zu gewinnen, den Daniela Thode mit Hilfe einiger Freunde des Hauses in der herkömmlichen Form darbieten sollte. Der 30. Januar jedoch des Jahres 1933 machte all diesen Opernplänen ein Ende. Ein vor kurzem erst eingebürgerter Österreicher aus Braunau wurde vom Reichspräsidenten Paul von Hindenburg zum Kanzler des Deutschen Reiches ernannt.

Festspielhaus und Reichskanzlei

Die wohlbekannte, nahezu weltbekannte Freundschaft der Witwe Siegfried Wagners mit dem neuen Reichskanzler ließ nachträglich, erst recht in der Gegenwart, die Vermutung aufkommen, das deutsche Erwachen, ein Erwachen zu Beginn des Jahres 1933, sei vom Haus Wahnfried mit Entzücken registriert worden. Die Dokumente stellen es anders dar. Winifred Wagner hat seit jenen Jahren, und eigentlich bis in ihr Alter, eine sonderbare Trennung angestrebt. Einerseits die Freundschaft mit diesem Erneuerer Deutschlands, den sie noch von seinen Anfängen her kannte und dem man von Bayreuth aus ins Landsberger Gefängnis einige Liebesgaben geschickt hatte, andererseits das künstlerisch-administrative Gebilde der Bayreuther Festspiele. Sie hatte sich gedacht, daß man begeisterte Nationalsozialistin sein (sie trat im Jahre 1926, weil der gute Freund es gern wollte, seiner Partei bei), gleichzeitig aber auf dem Festspielhügel zusammen mit Tietjen, Preetorius und Toscanini, wenngleich ohne den abtrünnigen Furtwängler, in üblicher Weise die Festspiele begehen könne.

Es war ebenso naiv wie illusionär. Daß Winifred Wagner, die stets die These eines solchen möglichen Dualismus verfochten hat, vor sich selbst an ihre Gedankenkonstruktion glaubte, ist wahrscheinlich. Sie hat sich auch nie durch den entgegengesetzten Ablauf der Ereignisse belehren lassen.

Die Ereignisse des Frühjahrs 1933 seit jener von wohlorganisierten Fackelzügen begleiteten politischen Ernennung des 30. Januar sind bekannt. Reichstagsbrand und Maßnahmen gegen die politischen Parteien der Weimarer Republik; eine Reichstagswahl im März, deren Ergebnis dadurch verfälscht wird, daß die legal gewählten Vertreter

der zur Illegalität verurteilten Kommunistischen Partei ihr Amt als
Abgeordnete nicht wahrnehmen können; Verhaftungen durch die
»Sturmabteilungen« (SA), denen man in aller Eile die Armbinde eines
Polizisten aufstreifte, wodurch eine halbstaatliche Funktion dokumentiert wurde, was man sich gesagt sein ließ. Ein Tag zu Potsdam
in der Garnisonkirche mit Orgelklang und Glockenschall, wo Feld-
marschall und Gefreiter, Reichspräsident und Reichskanzler, einander
vor der Kamera tief in die Augen schauten.

Für den 1. April 1933 wurde vom neuernannten »Reichsminister
für Volksaufklärung und Propaganda«, dem Germanisten und Gun-
dolf-Schüler Dr. Joseph Goebbels, ein Tag des antisemitischen Boy-
kotts anberaumt. Es war eine große Volksbelustigung, als man die
jüdischen Kaufleute zusammentrieb, wegkarrte oder in ihren Läden
sequestrierte, die kein »guter Deutscher« betreten durfte, auch nicht
hätte betreten können, denn die Männer in brauner Uniform bewach-
ten den Eingang.

Am Abend des 31. März hielt Goebbels in Berlin eine seiner
geschicktesten Reden der doppelten Gaukelei: Aufwiegelung und
Abwiegelung in einem. Vor seinem Massen-Meeting zählte er in
geschickter Steigerung alle diejenigen Kräfte der Unterwelt auf, die
sich dem neuen und erwachten Deutschland in den Weg stellten:
die Bolschewisten natürlich mitsamt ihren Kulturbolschewisten; die
untergehenden mammonistischen Parlamentsdemokratien des We-
stens; das jüdische New York. Nun war er beim Thema. Nachdem
das gesunde Volksempfinden nach Kräften angewärmt worden war
und die erwünschte Pogromstimmung nach Taten verlangte, wurde
der Boykott und Juden-Jux des 1. April verkündet. Das war die
befreiende Aufwiegelung. Ihr folgte – noch in derselben Rede –
die Zurücknahme. Es sei vorerst nur an diesen einzigen Tag der
Sanktionen gedacht. Ein Denk- und Strafzettel also. Am 2. April
hingegen werde das deutsche Volk, diszipliniert und erwacht, die
Boykottierten in Ruhe lassen.

Hat man sich damals in der Berliner Wilhelmstraße wirklich vorgestellt, wie eine leidlich an Gesittung und Humanität gewöhnte,
wenngleich seit 1918 mit Geldentwertung, Unstabilität und Arbeitslosigkeit geschlagene Welt diese schaustellerhaften Ereignisse aufnehmen würde? Vieles spricht nach heutiger Kenntnis dafür, daß sich
der neue Reichskanzler und seine wenigen Parteigenossen in der
neuen Reichsregierung, mit Innenminister Frick etwa und dem neuen

Propagandaminister, dazu dem Preußischen Ministerpräsidenten Göring als Chef eines gewaltigen Polizeiapparates, flankiert jedoch von konservativen Vertrauensleuten der Reichswehr und Großindustrie, wie dem Vizekanzler und ehemaligen Krupp-Manager Alfred Hugenberg, im realen Kräftespiel der Innen- und Außenpolitik nur zaghaft zurechtfanden.

An tiefere Reflexionen über das Schicksal der Bayreuther Festspiele und der jungen Freundin im Haus Wahnfried war nicht zu denken. Dort hatte man die Folgen jener politischen »Machtergreifung« deutlich zu spüren bekommen. Nach Furtwängler war nun auch *Arturo Toscanini zurückgetreten.* Am 28. Mai schrieb der italienische Dirigent an Winifred Wagner einen Brief in italienischer Sprache. Graf Gilbert Gravina, Cosimas Enkel und ein Neffe Siegfried Wagners, hat das Schreiben übersetzt. Da hieß es: »Die schmerzlichen Begebenheiten, die meine Gefühle als Mensch und Künstler verletzt haben, haben bis jetzt, entgegen allen meinen Hoffnungen, keine Genugtuung erfahren. Es ist indessen meine Pflicht, heute das Schweigen, das ich mir seit 2 Monaten auferlegt habe, zu brechen und Sie davon zu verständigen, daß um meiner eigenen Ruhe, der Ihrigen und der Aller willen es besser ist, nun nicht mehr an mein Kommen nach Bayreuth zu denken…«

Den Brief übergab Toscaninis Rechtsanwalt im Auftrag seines Mandanten sogleich der Öffentlichkeit. Die Absage wurde natürlich nicht allein in Bayreuth, sondern auch in der Berliner Reichskanzlei als arger Schlag empfunden. Merkwürdigerweise besaß Toscanini im Bayreuther Familienkreis eine treue Verehrerin in Daniela Thode. Sie hatte die Mißstimmung zwischen Winifred und Toscanini vom Jahre 1931 inzwischen beigelegt. Allein Toscanini war in seiner eigenen italienischen Heimat als Antifaschist aufgetreten. Er konnte nicht in einem faschistischen Deutschland ans Pult treten und die obligaten Hymnen auf den Führer und das neue Reich intonieren lassen. Daniela Thode hat 1935 die Hintergründe darzustellen versucht. Nach der Goebbels-Aktion vom 1. April 1933 hatten sich viele jüdische Künstler an den Maëstro gewandt, um seine Solidarität zu erbitten. Winifred muß einen verzweifelten Versuch gemacht haben, denn Daniela Thode weiß zu berichten: »Man hatte dem Reichskanzler gesagt, ein Zuruf von ihm würde den schon sich abwendenden Künstler zu Gunsten Bayreuths umstimmen, und Hitler schrieb ihm in solchem Sinne einen warmen, verehrungsvollen schönen Brief. Toscanini antwortete in äußerster Höflichkeit, mit großer Würde, aber in unerschütterlicher Festigkeit.«

Es gibt, freilich ohne genauere Datierung, eine Notiz von Daniela Thode über ein Gespräch mit Goebbels über die Zukunft Bayreuths. Der Propagandamann hatte dabei die Absage Toscaninis einfach als Resultat jüdisch-amerikanischer Erpressung dargestellt und sich auf Wagners Stellung zur Judenfrage berufen. Daniela Thode wies hin auf die »katastrophale Lage für Bayreuth«. Die in den früheren Jahren meist ausverkauften Festspiele seien bisher erst etwa zur Hälfte durch Vorbestellungen gesichert. »Die Festspiele sind am 1. Juli geldlich am Ende. Zehn- bis fünfzehntausend Karten innerhalb der nächsten acht Tage müßten von den Ländern gekauft sein.« In der Notiz heißt es weiter: »Hitler und Göring haben vor vielen Wochen Frau Wagner in Aussicht gestellt, größere Posten von Karten über Reich und Länder anzukaufen, um sie an Würdige zu verteilen. Minister Schemm hat vor acht Tagen diese Zusage für Bayern bestätigt.« Gerettet!

Gleichzeitig lief natürlich die offizielle Propaganda weiter: ohne Rücksicht auf die Auswirkung für das Festspielhaus und die Festspiele. Ein Artikel aus den »Monatsblättern des Bayreuther Bundes der deutschen Jugend«, den der »Völkische Beobachter« am 1. Februar wohlwollend zitiert, nimmt den Mund gewaltig voll: »Die Feinde des Bayreuther Gedankens und die Widersacher Wagners sind mithin diejenigen Kreise, welche das sittlich Belebende und geistig Aufbauende dumpf ablehnen und sich dagegen wenden... weil sie von der Wiedergeburt Deutschlands keinen Vorteil zu erhoffen haben. Diese Tatsache zeigte sich besonders deutlich, als im Jahre 1924 die durch Weltkrieg und Umsturz 12 Jahre lang geschlossenen Tore des Bayreuther Festspielhauses sich wieder öffneten. Damals gestaltete sich die Aufführung der deutschen Erlösungsspiele zu einer großartigen Kundgebung des neu erwachenden deutschen Geistes. Es war erhebend, als am Schluß der ersten *Meistersinger*-Aufführung die Zuschauer, von Begeisterung ergriffen, sich erhoben, um das Deutschlandlied anzustimmen. Dieses Ereignis wirkte auf die neuen Götter Deutschlands wie der Hornruf Siegfrieds auf jenen Räuber des ›Hortes‹. Es zuckte wie ein Blitzstrahl in das Lager derer, die da wähnten, Deutschland für ewig in ihrer Kralle zu halten... Jawohl, Wagners Werke sind nationale Propaganda. Sie haben die Bestimmung, für den deutschen Geist zu werben. Sie sind nach ihres Schöpfers eigener

Erklärung: ›geschrieben im Vertrauen auf den deutschen Geist‹. Der Festspielhügel soll ein Wallfahrtsort gerade der Deutschen sein…«
Winifred Wagner war offensichtlich durchaus nicht beglückt beim Lesen und Anhören so markiger Schwüre. Es gibt eine sonderbare Geschichtsquelle, die das bestätigt. Briefe ihrer vertrauten Mitarbeiterin *Lieselotte Schmidt* haben sich nämlich erhalten. Fräulein Schmidt war eine ebenso treue Wagnerianerin wie Nationalsozialistin. Jubelnd und trauernd hat sie in den Jahren 1933 bis 1937 den Eltern mitgeteilt, was sich im Festspielhaus und in Wahnfried abspielte. Am 19. Mai 1933 teilt sie mit: »Frau Wagner hat unerfreuliche Tage in Berlin. Die Hetze gegen Bayreuth – die letzten Endes auch nur jüdischen Ursprungs ist – scheut vor keiner Lüge und Gemeinheit zurück.« Eine Woche später geht sie auf Einzelheiten ein: »Die Mächte der Finsternis sind unablässig am Werk, und auch leider mit Erfolg: planmäßig und auch höchst raffiniert wird das unantastbare Bayreuth seiner letzten Stützen beraubt, und das Traurigste ist, daß es so aussieht, als ob man an höchster Stelle nichts davon merken will. Jedenfalls gehen Leute dort aus und ein und haben mitzureden, die weder solcher Ehre würdig sind, noch einen Dunst von Bayreuth haben. Höchste Tragik, daß Bayreuth noch nie so von allen Fronten angegriffen wurde wie im 3. Reich. Wir stehen in eisiger Einsamkeit, von allen guten Geistern verlassen – nur Knittel ist ein treuer Mann und Tietjen, der weiß Gott vielleicht den schwersten Stand hat und ganz unerhört behandelt wird.« Mitte Juni, also bereits während der Proben zu den Festspielen, müssen von Lieselotte Schmidt nun auch Zahlen genannt werden: »Unser voraussichtliches Defizit, das Knittel errechnete, ist leider nackte Wahrheit!… Wir haben jetzt von 21 Aufführungen 12 verkauft; bis wir von der 11. zur 12. kamen, das hat über einen Monat gedauert. Die 40.– Mark-Plätze für die mittleren 3 Meistersinger-Aufführungen sind nun gottseidank auch preisgegeben und auf 30.– gesetzt… Festspielbecher kriegen auf der Bahn gegen Vorweis ihrer Eintrittskarte 33 % Ermäßigung wie bei Sonntagsfahrkarten. Für viele ist das doch eine wesentliche Erleichterung…«

Am 28. Juni vollzieht sich dann das erhoffte Gralswunder. Winifred Wagner fuhr nach Berlin, um ihren Freund und Reichskanzler aufzusuchen. Im Haus Wahnfried ließ er sich von der Bayreuther Herrin und ihren Kindern mit dem Vornamen »Wolf« anreden. »Seit vorgestern sind wir erlöst von unserer größten Sorge: Wolf (Hitler) hat sich unserer Sorge angenommen. Er rief Frau W. nach Berlin, sie flog und innerhalb einer Viertelstunde war uns geholfen – und wie! Es ist so, wie wir immer dachten: er ahnungslos, und in seiner Umgebung Stimmen, die uns vielleicht aus allzumenschlichen Gründen nicht ganz hold gesinnt sind... Bayern stellt 50 000 M zum Ankauf von Karten zur Verfügung und sie haben die anderen Länder aufgefordert, ein Gleiches zu tun. Das ist doch nobel? Das war am Dienstag... und am Mittwoch kam dann der erlösende Anruf Frau W's. Schönstes Einvernehmen wie von je, keinerlei Verstimmung oder irgend etwas Fremdes zwischen ihnen...«

Die Rekonstruktion der Ereignisse macht sichtbar, daß Winifred Wagner zu Beginn des Jahres 1933 im mindesten nicht daran gedacht hatte, entsprechend der allgemeinen und antisemitischen »Gleichschaltung«, die damals in allen deutschen Bereichen organisiert wurde, nun auch eine entsprechende Bayreuther Gleichschaltung zu exekutieren. Da Bayreuth ohnehin das Vermächtnis Richard Wagners als Verpflichtung auf eine nationaldeutsche und judenfeindliche Ideologie verstand, brauchte man keine Kulturbolschewisten und jüdischen Untermenschen aus der Leitung zu entfernen. Während organisierte Stoßtrupps in den großen Opernhäusern die jüdischen Generalmusikdirektoren verjagten, und in der Staatsoper Dresden auch den »rein arischen« Fritz Busch, ehemals Dirigent der *Meistersinger* in Bayreuth, schienen sich solche Reinigungen für die Bayreuther Festspiele 1933 zu erübrigen. Freilich hatte man nach dem Rücktritt Furtwänglers und der Absage Toscaninis nur Karl Elmendorff für zwei Aufführungen des Nibelungenrings und für die Hälfte der acht *Meistersinger*-Aufführungen. Toscanini jedoch hatte ursprünglich zugesagt, sowohl die *Meistersinger von Nürnberg* wie auch den *Parsifal* zu dirigieren. Als zweiter Dirigent der *Meistersinger* sprang Heinz Tietjen ein. Damit aber hatte man, als Kontrast zur Besetzung des Jahres 1931 mit Furtwängler und Toscanini, nur die Herren Elmendorff und Tietjen für das große Nationalspektakel der Bayreuther Festspiele im Jahre 1933 anzubieten.

In dieser Situation kam Tietjen auf den Gedanken, den nunmehr 69jährigen *Richard Strauss* zu veranlassen, anstelle des italienischen Maëstro den *Parsifal* zu dirigieren. Strauss war verwundbar. Sein Sohn verheiratet mit einer Jüdin; sein Librettist Hofmannsthal ein Halbjude; seine neue Oper »Die schweigsame Frau« bemakelt durch ein jüdisches Libretto von Stefan Zweig.

Richard Strauss war kein Neuling in Bayreuth. Als junger Mann hatte er auf Einladung Cosimas im Jahre 1894 dort den »Tannhäuser« dirigiert, dabei die Sängerin der Elisabeth kennengelernt, Pauline de Ahna, bald darauf Frau Pauline Strauss. Cosima hatte ihm scherzend Vorwürfe gemacht: er schreibe doch so gräßliche neue Musik, aber dirigiere den *Tannhäuser* so gut...

Richard Strauss hat zugesagt und im Sommer 1933 den *Parsifal* dirigiert. Einen Brief von Strauss an Stefan Zweig, der ihm deshalb Vorwürfe machte und auch, weil Strauss die Konzerte des verjagten Bruno Walter übernahm, kann man heute nur mit widerwilliger Trauer lesen. Wenn Strauss sich – gewaltig brutal – vor Stefan Zweig rechtfertigt, so unverkennbar aus persönlichem Interesse. Es soll verhindert werden, daß Zweig aus urheberrechtlichen Gründen die »Schweigsame Frau« verbieten läßt. Andererseits muß man sich auch mit den neuen Herren stellen, damit die Opern von Strauss und Hofmannsthal weiter gespielt werden können.

Der Ablauf der Festspiele selbst erfolgt, unter solchen Umständen, durchaus programmatisch. Das Volk erwartet seinen Führer. Winifred waltet als Herrin des Hauses und wird mit Handkuß und der Anrede »Hohe Frau« begrüßt. Das Spielen des Deutschlandliedes und der Parteihymne hatte der Reichskanzler und Wagnerfreund durch offizielle Mitteilung untersagt. In Bayreuth trat er zurück vor Richard Wagner.

Noch während dies alles abläuft, hat Winifred Wagner ihren Entschluß gefaßt. Am 4. August 1933 schreibt sie an *Heinz Tietjen* den folgenden Ernennungsbrief: »Als mir durch Siegfrieds Tod die ungeheure Last der Verantwortung für die Fortführung der Festspiele übertragen wurde, beschäftigte mich Tag und Nacht die eine brennende Frage: ›Wo finde ich den Kapellmeister-Regisseur, der imstande ist, durch restlose Beherrschung der Partitur, der Dichtung und der Inszenierungsabsichten des Meisters die künstlerische Seele Bayreuths zu vertiefen? Wo finde ich den selbstlosen Helfer, um meiner Aufgabe gerecht werden zu können?‹ Sie, mein lieber Herr Tietjen, hatten bereits in jahrzehntelanger künstlerischer Arbeit bewiesen, daß Sie diese allseitige Befähigung zum Werk besitzen, und die erste Fühlungnahme mit Ihnen brachte die beglückende Erkenntnis, daß Sie nicht nur die künstlerischen Qualitäten besitzen, sondern auch die menschliche Größe haben, um sich restlos hinter das Werk zu stellen und ihm zu dienen. Das Werden der diesjährigen Festspiele haben mir bestätigt, daß Sie der Berufene sind. Helfen Sie mir in treuer Zusammenarbeit weiter und führen Sie meinen Sohn Wieland allmählich seiner Lebensaufgabe zu: Der würdige Nachfolger seines Vaters im Dienst am Bayreuther Werk zu sein.«

Dies ist von nun an die Bayreuther Konstellation bis hinein in den neuen Weltkrieg: *Winifred Wagner und Heinz Tietjen.* Eine enge persönliche Bindung, die juristisch vielleicht nicht sanktioniert wird, weil sonst das Gemeinschaftliche Testament von Siegfried und Winifred Wagner eine Veränderung der Herrschaftsverhältnisse erzwänge. Hier freilich liegt die Wurzel zum langsam sich schärfenden Konflikt zwischen dem ältesten Sohn *Wieland* und seiner Mutter: zu schweigen von der auf beiden Seiten haßgesteuerten Relation zwischen Wieland Wagner und Heinz Tietjen.

Die Bayreuther Festspiele 1933 hatten nach außen hin und eine Zeitlang wohl auch innerhalb des Festspielhauses eine Art Familiensolidarität entstehen lassen. Bald aber zeigte es sich, daß keine der früheren Spannungen beigelegt war. Die Schwägerinnen kämpften weiter gegen die Herrin des Festspielhauses, die vom Reichskanzler geschützt wurde. Den politischen Rummel um Führer und Meister ließ man sich gefallen, doch einer künstlerischen Erneuerung der Aufführungspraxis, wie sie von Winifred, Tietjen und Preetorius angestrebt wurde, widersetzte man sich mit Abscheu.

Erschreckendes schien sich vorzubereiten: ein erneuerter »Parsifal« unter Verzicht mithin auf jene uralten und jedem Bayreuth-Besucher seit dem Jahre 1882 vertrauten Dekorationen zum Bühnenweihfestspiel. Im Jahre 1933 war noch die vertraute Dekoration gezeigt worden, irgendwie von Daniela Thode für traditionelle Arrangements genutzt.

Als ruchbar wird, eine Neuinszenierung des *Parsifal* im Jahre 1934, unter Heinz Tietjens Leitung, werde auch in neuen Dekorationen und Kostümen vonstatten gehen, kommt es zu einer großen und letzten Konfrontation von Altbayreuth und dem Bayreuth von Winifred und Tietjen. Die sogenannte *Parsifal-Eingabe* vom September 1933, gerichtet »An die Leitung der Bühnenfestspiele zu Bayreuth«, ist ein sonderbares Dokument. »Die Szenenbilder, *auf denen das Auge des Meisters geruht hat,* sprechen zu unseren Sinnen auch heute noch ihre besondere, unnachahmliche, mit der Weihe des ganzen Werkes unauflöslich verbundene Sprache.« Die Stelle, wo von den Augen des Meisters die Rede ist, ist gesperrt gedruckt im Originaltext. Die Eingabe schließt mit folgendem, gleichsam ultimativen Ersuchen:»Die unterzeichneten alten und jungen Freunde Bayreuths richten daher an die Festspielleitung die dringende Bitte, das Bühnenweihfestspiel *Parsifal* fortan in keiner anderen als der szenischen Urgestalt von 1882 aufzuführen und so zugleich dem Meister von Bayreuth das einzig seiner würdige, weil sein und seiner durchaus einmaligen und unvergleichlichen Kunst Wesen lebendig widerspiegelnde Denkmal zu errichten.« Unterzeichner sind, wie zu erwarten war, Eva Chamberlain und Daniela Thode, dann natürlich Hans von Wolzogen, und ein paar Mitglieder dieser minoritären Fraktion. Unterzeichnet aber hat auch Richard Strauss.

Was man im Sinn hat, ist kein Geheimnis. Man möchte jenen einstigen Beschluß des Deutschen Reichstags rückgängig machen und die Exklusivrechte Bayreuths am *Parsifal* durch Führerbeschluß zurückgewinnen. Darum der sonst eher komische Versuch, die geheiligten Uraltdekorationen zu verteidigen. Der Altgermanist, Wagnerianer und Antisemit Wolfgang Golther spricht alles in seinen Briefen an Eva Chamberlain nüchtern aus. Man erstrebt eine »vertrauliche mündliche Aussprache mit dem Führer«, um »den *Parsifal* für Bayreuth zurückzugewinnen, Tantieme der Theater für den Bayreuther Festspielfonds allen Aufführungen aufzuerlegen, dem Stipendienfonds einen Reichszuschuß zu verschaffen«. Die Konsequenz? »Dann wären die Festspiele im idealen Sinne gesichert, ohne daß man, wie heuer, um eine Rettung durch das Reich in letzter Stunde nachsuchen müßte«.

Das bedeutet natürlich den Hinauswurf von Heinz Tietjen und die Entmachtung von Frau Winifred. Tietjen ist bekanntlich der Intendant der Preußischen Staatsoper in Berlin. Was Golther davon hält, verrät er der Tochter Richard Wagners am 29. Oktober 1933: »Unter Tietjen ist die Staatsoper das Bollwerk des undeutschen Geistes! Und darum ist Tietjen fehl am Ort... Was soll man zu einem Theater sagen, wo nach wie vor Klemperer und Kleiber dirigieren.« Daran übrigens stimmt bloß, daß Erich Kleiber damals, ebenso wie Leo Blech, noch Unter den Linden ans Pult treten konnte. Otto Klemperer hat dort in jener Zeit nicht mehr dirigiert.

Gegen Jahresende 1933 scheinen Winifred und Tietjen einen Kompromiß angestrebt zu haben. Erneuerung des *Parsifal*, wie vorgesehen, aber Unterstützung aller Bemühungen, das letzte Werk Richard Wagners für die Bayreuther Ausschließlichkeit zurückzugewinnen. In der Reichskanzlei ist darüber offenbar verhandelt worden, doch wünscht der Reichskanzler eine Neuinszenierung und Neuausstattung. Damit ist die »Eingabe« gescheitert. Tietjen schreibt triumphierend an Daniela Thode (12. Januar 1934): »Die Entscheidung, daß der Parsifal neuinszeniert wird, hängt mit dem Wagner-Schutzgesetz eng zusammen, das demnächst von der Reichsregierung herausgegeben wird. Diese Entscheidung ist vom Führer selbst gefällt worden, untersteht also nicht der Kritik. Man scheint ihn nicht zu kennen, wenn man glaubt, er ließe sich in seinen Entscheidungen irgendwie beeinflussen.«

Richard Strauss hat nunmehr das Interesse an den sakralen einstigen Dekorationen verloren. Die Änderung des Urheberschutzes hingegen beschäftigt ihn ungemein. Erweiterung der Schutzfrist bedeutet gleichzeitig übrigens eine Anpassung des deutschen Urheberrechts an die internationalen Normen. Natürlich ist der Fall des *Parsifal* zugleich ein Präzedenzfall für eine künftige erweiterte Schutzfrist auch der Werke von Richard Strauss. Strauss hat gute Verbindungen zu den Potentaten der NSDAP, und er läßt sie spielen. Im Dezember unterhält er sich darüber in der Reichskanzlei. In München versucht er den Dr. Hans Frank für sich zu gewinnen. Noch im November korrespondiert er in der Urheberrechtsaffäre mit Joseph Goebbels. Am 16. Dezember 1934 schreibt Strauss auch an Winifred: »Die Minister Goebbels und Frank, die ich von Hamburg aus nochmals brieflich bombardierte, haben geantwortet.« Geplant wird offenbar ein Urhebergesetz mit einer Schutzfrist von 50 Jahren. Das genügt dem Komponisten der »Salome« ganz offensichtlich nicht. Daher seine Frage an Frau Winifred: »Soll ich selbst mich einmal beim Führer anmelden?« Der Einspruch gegen die Neuinszenierung des »Parsifal« bei den Festspielen von 1934 ist offenbar vergessen, denn Strauss hat, neben dem zurückgeholten Dirigenten Franz von Hoesslin, auch 1934 einige Aufführungen dieses neuen *Parsifal* geleitet.

Die Dekorationen durfte jedoch nicht Preetorius entwerfen. Die Kulissen, auf denen Richard Wagners Auge noch geruht hatte, mußten weichen vor den Entwürfen eines Bühnenbildners von hohem Rang, den man jedoch an dieser Stelle am wenigsten erwartet hatte. *Alfred Roller* war Freund und Bühnenbildner von Hugo von Hofmannsthal und Max Reinhardt. Für sie hatte er in Dresden die immer wieder nachgeahmten Bühnenbilder und Kostüme des »Rosenkavalier« geliefert. Wie es zu Rollers Berufung kam, hat Winifred Wagner nachträglich mitgeteilt. Man hatte in der Reichskanzlei über mögliche Bühnenbildner gesprochen und dabei auch Rollers Namen erwähnt. Der Führer und Wagnerianer entschied sich für ihn. Roller war ihm von Wien her wohlbekannt. Als einziger hatte er sich damals, ohne Erfolg, wie man weiß, für ein Studium des Malers und Zeichners Adolf Hitler an der Wiener Kunstakademie eingesetzt. Das war ihm nicht vergessen worden.

Eines wurde immerhin erreicht: diese Festspiele 1934 entbehrten des Skandals wie der tieferen künstlerischen Bedeutung. Die Welt außerhalb des Deutschen Reiches schien sich abgefunden zu haben mit dem, was vorging. Einen Monat vor Festspielbeginn, am 30. Juni, hatte der Führer ein Blutbad anrichten lassen unter seinen treuen Vasallen von gestern. Der Stabschef Ernst Röhm und viele andere galten nun plötzlich als Verräter und Abschaum. Bald darauf begab man sich ins Festspielhaus, um Richard Wagners Botschaft des Mitleids im neuinszenierten *Parsifal* genußvoll aufzunehmen. Hier war niemand durch Mitleid wissend geworden. Freilich suchte man vergebens nach dem reinen Toren.

Über die *finanzielle Bilanz* gibt es die nicht uninteressante Aktennotiz eines Ministerialrats aus dem Reichsministerium für Volksaufklärung und Propaganda. Man hatte danach 11 310 Eintrittskarten von Reichs wegen übernommen: in der normalen Preisklasse von 30 und 15 RM. Darüber hinaus hatte Winifred Wagner selbst und nach eigenem Ermessen, aber auf Reichskosten, noch Eintrittskarten für mehr als 37 000 RM verteilt. »Der Wille des Führers«, notiert der Ministerialrat Dr. Ott, »das Bayreuther Werk unter allen Umständen zu erhalten und daneben den Minderbemittelten den Besuch der Festspiele zu ermöglichen, ist somit ausgeführt worden.« Freilich gibt der Bürokrat zu bedenken, die Festspiele seien bekanntlich »fast ausverkauft« gewesen. Auch habe man durch die Rundfunkübertragung des *Ring* fast 100 000 RM erzielt. Vermutlich sei ein Überschuß zustande gekommen. Man dürfe sich fragen, ob der Staat den vollen Preis für die übernommenen Eintrittskarten erstatten müsse.

Zwar hatten die Staatsjuristen, voran der Preußische Staatsrat und Kronjurist Professor Carl Schmitt, ausführlich begründet, die Erschießung von Röhm und anderen Opfern des 30. Juni ohne Gerichtsverfahren und Urteil sei trotzdem »rechtens« gewesen: aus dem souveränen Recht des Führers. Allein in Geldsachen ist man im Dritten Reich offenbar nicht ganz so großzügig. Weshalb der Mitarbeiter von Joseph Goebbels zur Hauptsache kommt:»Da damit zu rechnen ist, daß der Rechnungshof eine Abrechnung über die hierfür aufgewendeten Reichsmittel fordern wird, und da es nach den allgemeinen Grundsätzen der Reichshaushaltsordnung... notwendig erscheint, daß die Verwaltung der Bayreuther Festspiele einen Nachweis der Einnahmen und Ausgaben vorlegt, war beabsichtigt, daß ein Vertreter des Ministeriums mit Frau Wagner persönlich über die Frage der Form und Notwendigkeit dieses Nachweises sprechen sollte. Die persönliche Fühlungnahme mit Frau Wagner war von Herrn Minister Dr. Goebbels besonders gewünscht, um jedes Mißverständnis von seiten der Frau Wagner zu vermeiden.« Darüber muß ein Telefongespräch mit Bayreuth geführt worden sein, wo schonend mitgeteilt wurde,»daß lediglich an eine summarische Aufstellung gedacht und nicht etwa eine eingehende Buchprüfung... beabsichtigt wäre«. Das Ministerium war also auf der Hut und hatte begriffen, daß auf dem Festspielhügel sehr nachdrücklich nach dem Führerprinzip regiert wurde.

Nach den Festspielen wurde zunächst einmal mit der Fraktion der Altbayreuther um Daniela Thode und Eva Chamberlain abgerechnet. Der sektiererische Altwagnerianer Zinsstag aus Basel, der nach Ende des Zweiten Weltkriegs die damals geführte Korrespondenz publiziert hat, schreibt an Daniela Thode am 8. November 1935, man habe ihm mitteilen lassen, er solle sich »ja nicht unterstehen, wieder deutschen Boden zu betreten«. Er führt die Ausweisungsmaßnahme auf Winifred Wagners Einfluß zurück:»Ihre Position in unmittelbarer Nähe des Kanzlers legt den Begriff einer ›Majestätsbeleidigung‹ nahe.« Dem war ein scharfer Briefwechsel zwischen Winifred und Zinsstag voraufgegangen. Sie bediente sich darin der Formel »Heinz Tietjen oder ich« und stellt fest:»Sie haben absolut kein Recht, für das deutsche Volk und für die übrige Kulturwelt ultimativ Forderungen zu stellen, denn Sie sind lediglich das Sprachrohr einer verschwindend kleinen Gruppe, mir wohlbekannt, die sich bedauerlicherweise von der alten Bayreuther Gemeinde abgespalten hat und auf deren Verständnis und Unterstützung ich bei meiner weiteren Arbeit verzichten lernen mußte.«

Freilich darf man nicht vergessen, daß einer dieser Altbayreuther (P. Pretzsch), übrigens auch ein Unterzeichner jener Parsifal-Eingabe, in einem Brief die Witwe Siegfried Wagners folgendermaßen kennzeichnet:»Sie ist nach meiner Ansicht nur das willenlose... Werkzeug in der Hand des früheren Edelkommunisten Tietjen, der wiederum rassisch verdächtige Mitarbeiter in entscheidende Stellen berufen hat, so Preetorius, Palm und andere.« Kurt Palm war der vorzügliche Entwerfer der Bayreuther Kostüme. Er hat nach dem Kriege jahrelang mit Wieland und Wolfgang Wagner zusammengearbeitet. Übrigens war er auch ein vertrauter Freund und künstlerischer Berater Bertolt Brechts beim Aufbau des »Berliner Ensemble« in Ost-Berlin.

In dieser Atmosphäre der Intrigen und Machtkämpfe zwischen Festspielhaus und Reichskanzlei hat es *Daniela Thode* mit großer Würde abgelehnt, das Spiel mitzuspielen. Ein Brief an Heinz Tietjen vom 18. Januar 1934 ist in der Sprache eines Besiegten abgefaßt. Man hat die Tochter der Cosima von allen offiziellen Veranstaltungen in Haus Wahnfried, ihrem Vaterhaus folglich, ausdrücklich ferngehalten. Dann muß Heinz Tietjen folgendes lesen im Brief der Tochter von Cosima und Hans von Bülow: »Sie glauben, oder nehmen vielmehr an, daß die Anderen es glauben können, zwei Welten stünden sich hier gegeneinander über. *Dem ist so* und zwar geistig, künstlerisch und moralisch. Nennen wir sie die des 19. und 20. Jahrhunderts... Wenn ich aber aus Ihrem Munde höre, daß Wieland zum ›Regieren‹ erzogen würde, so überfällt mich ein wahrer Schrecken. In Bayreuth ist nie ›regiert‹ worden, es ist nur in großer Demut *gedient* worden.«

Künstlerisch hinterließen die Festspiele von 1934 einen flauen Eindruck in jeder Hinsicht. Zur Trauer der Traditionalisten über das Verschwinden der originalen *Parsifal*-Ausstattung gesellte sich allgemeines Mißbehagen über Rollers neue Entwürfe, die in den späteren Jahren zunächst durch Preetorius verändert und bereits im Jahre 1937 durch neue Entwürfe *Wieland Wagners* ersetzt wurden. Ein Domprediger Martin aus Magdeburg hat »Bayreuther Eindrücke« aus dem Jahre 1934 formuliert. Er lobt sich den Wandel gegenüber früheren Zeiten: »Wie anders ist das Publikum geworden als in den früheren Jahren. Es fehlen so viele Gestalten, die von den Bayreuthern wie exotische Vögel angestaunt wurden. Dafür sieht man im Zuschauerraum viele Männer im braunen Rock. Der Führer hat es Bayreuth zu danken gewußt, daß es auch während der dunkelsten Jahre an ihn geglaubt hat. Es ist gewiß ein großer Gedanke des Führers, den Besuch der Festspiele Menschen zu ermöglichen, denen ohne diese Hilfe der Besuch versagt geblieben wäre. Es ist gewiß ein großer Gedanke des Führers, seinen Kämpfern durch das Werk Bayreuth den tiefsten Sinn ihres Kämpfens offenbaren zu lassen.

Über diesem Großen vergißt man die kleinen Schäden, die durch
bessere Vorbereitung der Besucher in späteren Jahren behoben werden können. ... Vielleicht ist der Ring Wagners niemals so wenig
als Genuß und so sehr als Aufgabe und Dienst empfunden worden
wie jetzt im Dritten Reich...«

Die Notwendigkeit dieses Theaterdienstes der braunen Gefolgs-
leute wird ideologisch untermauert mit markigen Sätzen von Alfred
Rosenberg. Aber trotz so viel guter Gesinnung muß der Geistliche
Herr doch einräumen: »Geteilt sind die Meinungen über die neue
Inszenierung des *Parsifal*.« Er hält sich an die Worte des Hans Sachs
aus den *Meistersingern* und möchte das Volk zum Richter aufrufen.
Man sollte die alte und die neue Inszenierung wahlweise nebeneinan-
der spielen...

Das finanzielle Schema, das 1934 erprobt worden war, denn natürlich wurde von Bayreuth aus keinerlei Abzug durch Überschüsse
gewährt, blieb einigermaßen stabil in den Jahren, da Winifred Wagner
die Festspiele leitete. Im Jahre 1935 fanden keine Festspiele statt.
Dadurch entstand ein Verlust von RM 168 000. In den späteren Jahren, bis 1939, konnte im allgemeinen ein Zuschuß der Reichskanzlei
von RM 100 000 gebucht werden. Der Betrag wurde vom Konto
des Reichskanzlers überwiesen. Hinzu kamen Reichsmittel für den
Kartenankauf, für Leistungen der Reichsrundfunkgesellschaft. (Die
Reichsrundfunkgesellschaft hatte zuerst 1931 eine Weltsendung mit
dem von Furtwängler dirigierten *Tristan* veranstaltet.)

Im Kriege wurde noch einmal für das Jahr 1941 der persönliche
Zuschuß des Reichskanzlers gewährt. Im übrigen kam die Organisation »Kraft durch Freude« für einen großen Teil der Kosten auf.
Im Jahre 1942, wo man nur eine Gesamtaufführung des »Ring« und
vier Einzelvorstellungen der *Meistersinger* veranstalten konnte, betrug
der Gesamtzuschuß der Organisation »Kraft durch Freude« insgesamt
RM 1 600 000.

In jenen Jahren ist Heinz Tietjen an der Seite von Winifred Wagner der eigentliche Herr auf dem Festspielhügel. Er leitet die Festspiele im Jahr 1936 der Berliner Olympiade; im Zeichen der Allgemeinen
Wehrpflicht, der Einverleibung Österreichs, dann des Sudetenlandes,
dann der gesamten Tschechoslowakischen Republik in ein nach dem
Führerprinzip befehligtes Großdeutsches Reich.

Im Jahre 1936 kehrt Wilhelm Furtwängler, der nach seinem Eintreten für Paul Hindemith ungnädig behandelt worden war, nach

Bayreuth zurück. Die Inszenierung des *Lohengrin* setzt scheinbar die
Linie fort, die Winifred Wagner im Jahre 1931 mit Hilfe des Triumvi-
rats von Furtwängler, Tietjen und Preetorius angestrebt hatte. Sänge-
rische Leistungen von damals können dank der Schallplatte nachge-
prüft werden. Maria Müller und Franz Völker waren im Zusammenspiel und in der sängerischen Bewältigung der Rollen von Lohengrin
und Elsa kaum zu überbieten. Das dunkle Paar Ortrud und Telramund, Margarete Klose und Jaro Prohaska, stand nicht nach. Dennoch war dies mehr und anderes, als die Aufführung einer Romantischen Oper im Festspielhaus von Bayreuth. Man hörte es anders,
und sollte es anders hören. Man hörte, was König Heinrich seinen
Edlen zu Brabant zu verkünden hatte:

»Nun ist es Zeit, des Reiches Ehr' zu wahren;
ob Ost, ob West, das gelte allen gleich!
Was deutsches Land heißt, stelle Kampfesscharen,
dann schmäht wohl niemand mehr das Deutsche Reich!«

Der Schwanenritter und der Deutsche König waren sich einig. Lohengrin weiß noch kurz vor dem Abschied zu melden:

»Doch, großer König, laß' mich dir weissagen:
Dir Reinem ist ein großer Sieg verliehn.
Nach Deutschland sollen noch in fernsten Tagen
Des Ostens Horden siegreich niemals ziehn!«

Man ließ sich das gesagt sein in der einstigen Königsloge wie auch
in den breiten Reihen des berühmten Amphitheaters.

Jüdische Künstler hatten als Sänger, wenngleich nicht in der
künstlerischen Leitung, auch unter Siegfried Wagner, dann unter
dem Regime von Winifred, nunmehr von Heinz Tietjen, mitwirken
dürfen: der unersetzbare Wotan von Friedrich Schorr, Alexander
Kipnis und Emanuel List in den großen Baßpartien. Frida Leider
war mit einem Juden verheiratet. Allein bald darauf sangen Kipnis
und List in New York; die Liste der Mitwirkenden im neuen Bayreuth
wurde immer deutlicher »arisiert«. Bemerkenswert ist ein Vergleich
der damaligen tragenden Sängerschar, ihrem Herkunftsland nach,
mit einer Zusammensetzung der Festspiele seit 1951. Wie zu Richard
und Cosimas Zeiten konnte Bayreuth immer noch bis 1939 auf die

hervorragenden Wagnersänger der deutschen Staats- und Stadttheater zurückgreifen. Lohengrin und Tristan, Kundry und Sachs: das waren deutsche Sänger, die sich ihrer Muttersprache bedienen durften. Im Gegenteil: das Wagnerrepertoire etwa der Metropolitan Opera in New York, die alle Werke in der Originalsprache vorstellte, wurde damals fast ausschließlich von deutschen Sängern bestritten, die man herüberholte. Ausnahmen gab es in Bayreuth nur 1939 im Falle des italienischen Dirigenten Victor de Sabata, der *Tristan und Isolde* leitete, und seiner Isolde, der Pariser Sopranistin Germaine Lubin, die bereits 1938 auch als Kundry aufgetreten war. Nach 1944 wurde sie in Paris von ihren Landsleuten als Kollaborateurin geächtet.

Das Musiktheater von Tietjen und Preetorius blieb im Kern traditionalistisch. Eine Neudeutung der Werke wurde nicht unternommen. Man hielt sich in der Tat nicht beim »Zergliedern« auf, sondern wollte ein absolut gesetztes Kunstwerk bewahren und geschmackvoll, genußhaft an erlauchter Stätte präsentieren. Psychologische Vertiefung im Zusammenspiel der Sänger wurde angestrebt und auch mit Geschmack und Geschick erreicht. Bewährte Striche konnten übernommen werden. Ein glanzvoller Wagner kam zustande, doch eine Beziehung der Gesamtkunstwerke zur eigenen Außenwelt, die als Vorkriegszeit erkannt werden mußte, ließ sich auf solche Art nicht herstellen. Man spielte ein bißchen mit den Assoziationen: Mime und Alberich als Untermenschen, Beckmesser als der geprellte jüdische Intellektuelle, das deutsche Schwert im *Lohengrin* und die »deutschen Meister« in der Ansprache des Hans Sachs.

Heinz Tietjen war, mit all seinen Begabungen für vielerlei, ein Anpasser und Opportunist. In einer Rede vom 30. Januar 1936, also zum Jahrestag der »Machtergreifung«, berief er sich auf ein Gespräch mit Hitler im Sommer 1930 in Bayreuth. Der habe ihm die Parole gegeben: »Durchhalten«. Das sei nötig gewesen, »da die Musik Richard Wagners bei der früheren Regierung nicht beliebt war«. Die Behauptung ist fast unverständlich bei einem preußischen Generalintendanten, dem die erfolgreichen Wagneraufführungen von Kleiber und Klemperer nicht unbekannt sein konnten und der genau wußte, daß weder die Reichsregierung noch der Preußische Kultusminister der Weimarer Republik, immerhin Adolf Grimme, jemals auf den Gedanken gekommen wären, eine negative Zensur auszuüben. Bei jenem »Betriebsappell« zu Berlin kann der verantwortliche künstlerische Leiter von Bayreuth seiner Gefolgschaft zudem mitteilen, der

Führer habe als Opernbesucher das falsche Spiel der Oboe bemängelt, was dem Dirigenten Richard Strauss leider entgangen war.

Aus solchen Reden und Aktionen Tietjens an der Seite von Winifred Wagner erklärt sich auch der wachsende Widerstand der Brüder Wieland und Wolfgang Wagner. Hier beginnt die Auseinandersetzung vor allem Wieland Wagners mit seiner Mutter und mit Tietjen. Sicher handelte es sich dabei auch um Gefühle und Ressentiments eines Kronprinzen, der von der Thronbesteigung ferngehalten wird. Orest und Hamlet: das mochte wohl auch erinnert werden. Heinz Tietjen als Aegisth und Claudius. Dennoch führt die tiefenpsychologische Betrachtung, die er selbst später oft bis zum Übermaß in Neuinterpretationen von Werken des Musiktheaters eingehen ließ, bei einem so bedeutenden Künstler wie Wieland Wagner nicht besonders weit. Was sich seit Kriegsausbruch 1939 in seinem Verhalten zu Tietjen und damit wohl auch zu seiner Mutter ankündigt, ist wachsende Erbitterung gegen ein unverbindliches Operntheater, das die Werke Richard Wagners in Bayreuth insgeheim nicht mehr ernst nimmt, nicht mehr neu durchdenkt, befragt, also fragwürdig macht. Tietjen demonstriert ein schön gesungenes, gut gespieltes, hübsch ausgestattetes Operntheater, das ebenso glanzvoll und erfolgreich auch völlig andere Werke darbieten könnte.

Die Konfrontation zwischen Heinz Tietjen und Wieland Wagner beginnt schon hier. Bei Tietjen: Vereinnahmung der Schöpfungen Richard Wagners, mit Einschluß des Bühnenweihfestspiels, für ein kulinarisches, kaum aussagekräftiges allgemeines Operntheater. Beim späteren Wieland Wagner: der Versuch, die Erfahrungen und Ergebnisse einer Neuinterpretation der Wagnerkunst schrittweise auch bei Inszenierung anderer Werke des Musiktheaters fruchtbar zu machen. Bei »Carmen« und »Salome«, »Wozzeck« und »Lulu«, bei Verdi wie bei Gluck.

Kriegsfestspiele

Die Festspiele des Jahres 1939 brachten fünf Aufführungen des *Parsifal*, sechsmal den *Tristan* unter Victor de Sabata, fünf Aufführungen des *Fliegenden Holländer* und zweimal, dirigiert von Heinz Tietjen, den *Ring des Nibelungen*. Unmittelbar nach Abschluß der Festspiele, denen er mit gewohnter Hingebung gelauscht hatte, zog der Führer und Reichskanzler in einen Weltkrieg um die Freie Stadt Danzig. Die von Winifred Wagner unerschütterlich festgehaltene Trennung von Festspiel und Außenwelt wurde an diesem Beispiel bis zur Groteske emporstilisiert. Der Freund von Haus Wahnfried teilte seine Zeit zwischen den Aufführungen am Festspielhügel und den Vorbereitungen, die ein Oberbefehlshaber zu treffen hat, der in den Krieg zieht und weiß, daß es ein Weltkrieg werden könnte. Carl J. Burckhardt, damals Hochkommissar des Völkerbunds für den Freistaat Danzig, hat Ende August 1939 auf dem Obersalzberg versucht, das Geschehen zwar nicht aufzuhalten, aber seinem Gesprächspartner in den Folgerungen klarzumachen. Natürlich hörte man nicht zu.

Die Festspiele dieses Jahres waren Vorkriegsspiele. Von Frieden hatte man, mindestens seit dem Jahre 1937, nicht mehr sprechen können. Wie unmöglich es war, die festliche Welt von Bayreuth, jenes Sommerfestes im Juli und August, fernzuhalten von allem, was Alltag sein mochte, Außenwelt, Tristans »öder Tag«, mußte Winifred Wagner damals bereits im eigenen Haus spüren. Der zerreißende Zusammenhang zwischen Hitlerwelt und Wahnfriedwelt wurde in der Folge schwer bezahlt. Wenn sich die spätere Winifred Wagner im hohen Alter wie eine unfreiwillig parodierende »Mutter Courage« ausnimmt, so teilt sie jedenfalls mit Bertolt Brechts berühmter Kunstfigur das Schicksal, daß ihr, wenngleich im übertragenen Sinne, nacheinander die Kinder genommen wurden.

Das begann bereits 1939 und noch im Vorkrieg mit der ältesten Tochter *Friedelind Wagner*. Das zweite Kind aus Winifreds Ehe mit Siegfried Wagner war am 29. März 1918 zur Welt gekommen. Die Friedenssehnsucht in jenem letzten Kriegsjahr hatte die Namengebung bewirkt. Wenn sich im Sommer 1939 die soeben volljährig gewordene älteste Tochter der Winifred nach Luzern begab, wo Arturo Toscanini das Schweizerische Festspielorchester dirigierte und zusammenwirkte mit Künstlern wie Bruno Walter, mit dem jüdischen Pianisten Wladimir Horowitz, seinem Schwiegersohn, und mit dem aus Deutschland emigrierten Geiger Adolf Busch, so handelte die Tochter der Herrin von Bayreuth sowohl demonstrativ wie provokatorisch. Sie trennte sich von der Familie, von Wahnfried, vom Großdeutschen Reich des hohen Protektors. In ihrem Buch über »The Royal Family of Bayreuth« hat Friedelind später die Fakten und Motivationen erläutert. Es war doch nicht so, wie die Mutter sich selbst und der Außenwelt vortrug: daß Friedelind darunter gelitten hätte, beim Herrn der Reichskanzlei von Anfang an die Rolle der Ungeliebten spielen zu müssen. Friedelind besaß, wie sich später zeigen sollte, eine starke affektive Bindung an ihren Vater. Nach seinem Tode (sie war damals zwölf Jahre alt) scheint sie die Affekte auf den Maëstro Toscanini übertragen zu haben, der als Gast des Vaters nach Bayreuth kam, um auch dort zu triumphieren. So hielt sie ihm die Treue nach seinem Absagebrief an Bayreuth im Frühjahr 1933. Vermutlich hat Daniela Thode die Verbindung zwischen Friedelind Wagner und Arturo Toscanini gefördert. In Tribschen am Vierwaldstätter See, wo Siegfried Wagner zur Welt gekommen war, besaß die Familie Wagner immer noch ein Wohnrecht.

Dorthin fuhr Friedelind in diesem letzten Vorkriegssommer. Sie ist dann nicht mehr zurückgekehrt. Winifred hat sie aufgesucht, offensichtlich auf Geheiß der Reichskanzlei, wie Friedelind berichtet, um die Ungebärdige heimzuführen ins Reich. Sie hatte keinen Erfolg. Auch Drohungen aus Berlin mit gewaltsamer Entführung, die bekanntlich sehr ernstgenommen werden mußten, bewirkten nichts.

Friedelind Wagners Leben glich von nun an einer schrecklichen Irrfahrt. Sie hatte dem Krieg und seinen Kriegstreibern entgehen wollen: man holte sie ein. Zwar bekam sie ein Visum nach England, dank der Vermittlung eines Journalisten, der sich davon einige sensationelle Artikel über Schlafzimmergeheimnisse in Haus Wahnfried versprach. Als die Enkelin Richard Wagners die Ansuchen ablehnte, ließ man sie fallen. Plötzlich war sie eine feindliche Ausländerin in Großbritannien und wurde 1940 auf der Isle of Man interniert. Abermals kam Arturo Toscanini zu Hilfe, als er von der Internierung erfuhr. Er dirigierte damals in Argentinien und erwirkte für Friedelind Wagner einen Sängerkontrakt, der sie nach Buenos Aires berief. Man ließ sie hinfahren: in Begleitung eines britischen Polizeisergeanten. Aber Friedelinds Stimme reichte nicht aus für eine Solistenlaufbahn. Toscanini holte sie dann von Buenos Aires nach New York. uspäter gab es im Londoner UUnterhaus eine Debatte über Friedelind Wagner, wobei sich herausstellte, daß Winston Churchill selbst die Genehmigung zur Ausreise des »enemy alien« erteilt hatte. In New York studierte sie an der Columbia University sowohl Sprechtechnik wie Dramaturgie. Ein anderer deutscher Emigrant gab ihr Gesangsstunden. Der Bariton Herbert Janssen, übrigens von durchaus »reiner« Abstammung, hatte noch 1937 in Bayreuth den Heerrufer im *Lohengrin* gesungen. Er war auch als Gunther im *Ring* und als Kothner in den *Meistersingern* aufgetreten. Janssen gehörte zu Heinz Tietjens Berliner Opernmannschaft, war aber emigriert und wirkte nun an der Metropolitan Opera.

Während des Krieges mußte sich die Tochter der Winifred in New York im kriegführenden Amerika als Sekretärin und Marktforscherin durchschlagen. Dagegen gelang ihr bereits im Jahre 1946 ein erster Versuch mit einer eigenen Operntruppe. Sie inszenierte *Tristan und Isolde* und ließ sich dafür die Bühnenbilder von ihrem ältesten Bruder entwerfen, mit dem sie stets die Verbindung aufrechterhalten hatte: von Wieland Wagner. Die enge Verbindung zu Wieland, die sicher verstärkt wurde durch den gemeinsamen Gegensatz zur Mutter, bewirkte 1953 die – vorübergehende – Rückkehr nach Bayreuth.

Natürlich war es unvermeidlich, daß die Emigration der Tochter und Schwester Friedelind in Wahnfried jene Spannungen akzentuierte und verschärfte, die latent seit jener Zeit in der Familie aufgetreten waren, da sich Heinz Tietjen zum realen, wenn auch nicht formalen Leiter der Festspiele aufgeschwungen hatte. Die herrische Gebärde von Frau Winifred, auch ihre Vorzugsstellung in der Reichskanzlei, konnten nicht vergessen machen, daß ihr in allen künstlerischen Fragen die Leitung der Bayreuther Festspiele längst genommen war. Bayreuth im Dritten Reich: das war Heinz Tietjens Werk. Es ist nicht bekannt, daß sich Winifred seinen Wünschen und Anordnungen widersetzt hätte, die schließlich darin gipfelten, daß er auf dem Festspielhügel zugleich sein eigener Regisseur *und Dirigent* zu sein gedachte. Hier aber liegt der Grund für die mindestens seit 1940 nachweisbare scharfe Opposition der beiden Söhne Wieland und Wolfgang gegen den eigentlichen Herrn von Bayreuth.

Der Widerstand der Söhne gegen Heinz Tietjen scheint sich, wie die Dokumente erkennen lassen, durchaus nicht in erster Linie darauf gegründet zu haben, daß der Berliner Generalintendant die Enkel Richard Wagners von aller schöpferischen Mitarbeit weitgehend fernzuhalten suchte, obwohl auch das unzweifelhaft der Fall war. Es ging, in einem tieferen Verstande, um (oder gegen) Tietjens opportunistisches Operntheater. Bayreuth verfiel der Routine. Vergleicht man die solidarischen Bemühungen der Brüder Wieland und Wolfgang Wagner (seit 1951) um eine permanente und in dialektischer Spannung gehaltene Auseinandersetzung mit den scheinbar so bewährten Kunstwerken, so wird ersichtlich, daß die Enkel Richard Wagners dem Hausmeier ihrer Mutter vor allem vorwarfen, das Werk Richard Wagners nicht ernst zu nehmen, nämlich: nicht neu zu durchdenken.

Da sich der Krieg zunächst für die Großdeutschen gut anzulassen scheint, hat auch Heinz Tietjen seine weitschauenden Pläne. Im November 1941 schickt er Wolfgang Wagner mit einem genau umrissenen Auftrag nach Berlin. Er will von oberster Stelle mitgeteilt erhalten, daß an Neubauten in Bayreuth zur Zeit nicht gedacht werden dürfe. Er möchte erfahren, ob es beim Prinzip jener ersten Kriegsfestspiele bleiben werde: nämlich bei Vorstellungen der Organisation »Kraft durch Freude«. Oder ob Neuinszenierungen denkbar sein könnten. Seit den Aufführungen von Siegfried Wagner und Arturo Toscanini war der *Tannhäuser* in Bayreuth nicht mehr aufgeführt worden. Tietjen war genau bekannt, daß Wieland Wagner an einem Inszenierungsplan dieser Romantischen Oper seit langem arbeitete.

Der Herr der Reichskanzlei scheint geantwortet zu haben, es sei das KdF-Prinzip möglichst nicht weiterzuführen. Neuinszenierungen des *Parsifal* und des *Tannhäuser* sollten geplant werden.

Damals aber, im Herbst 1941, waren die Spannungen zwischen den Enkeln Richard Wagners und Heinz Tietjen so offenkundig geworden, daß Tietjen in Form von Memoranden an das »Haus Wahnfried« die Positionen abzustecken genötigt war. In einem solchen Text vom 21. August 1941 muß er konstatieren: »Es ist festzustellen, daß sich die Grundeinstellung der Wahnfriedjugend mir gegenüber im Verlauf der diesjährigen Kriegsfestspiele vollkommen geändert hat.« Man hätte sich früher dahin geeinigt, daß die beiden Wagnersöhne »mit dem gemeinsamen Ziel, daß sie dereinst auf dem Hügel gemeinsam führen sollten«, in getrennten Bereichen ausgebildet werden müßten: Wieland vor allem als Bildender Künstler, Wolfgang als Musiker. Andererseits war Heinz Tietjen genau bekannt, daß Wolfgang Wagner, wie sich später herausstellen sollte, durchaus befähigt war, Bühnenbilder selbst zu entwerfen, ganz so wie Wieland Wagner eine Ausbildung als Dirigent absolviert hatte.

Tietjen scheint aber, wie das Memorandum erkennen läßt, einen Zeitgewinn angestrebt zu haben. Er wollte die Machtübernahme durch die »Wahnfriedjugend« auf den Abschluß des Umbaus in Bayreuth vertagen, weshalb es heißt: »Nach meiner, Wolfgang gegenüber oft geäußerten Meinung sollten dann Frau Wagner und ich von der Leitung des Werkes zurücktreten und die beiden Jungens die

Leitung selbständig und endgültig übernehmen und mit dem neuen Hause selbst auch die neue Ära beginnen.«

Da Tietjen jedoch genau wußte, daß an jenen Umbau in Kriegszeiten nicht zu denken war, offenbarte er in jenem Memorandum indirekt in der Tat seine Entschlossenheit, die Wagnerenkel, die damals immerhin bereits 24 und 22 Jahre alt waren, auf unbestimmte Zeit fernzuhalten.

Wieland Wagner scheint sehr heftig gegen diesen Plan aufgetreten zu sein. Er teilt in der Öffentlichkeit mit, offensichtlich mit dem Wunsch, daß die Kunde weitergetragen werde:»er wolle die Sache hier genau so aufziehen, wie es sein Vater gehabt habe«. Und:»Tietjen lasse die Jungens in Bayreuth nichts lernen und nicht hochkommen...«.

Gegen Jahresende 1941 – das Deutsche Reich steht bereits im Winterkrieg mit der Sowjetunion und hat sich den erhofften spektakulären Einzug in Moskau versagen müssen – schreibt Wieland am 3. Dezember 1941 in schroffer Form an seine Mutter:»Von dir erhielt ich...im Einverständnis mit Heinz (Tietjen) den Auftrag, die Tannhäuserbühnenbilder zu übernehmen. Da der Tannhäuser mir wie kein anderes Werk seit 12 Jahren am Herzen liegt und mir damit endlich die Gelegenheit gegeben worden wäre, in der Sparte in Bayreuth mitzuarbeiten, in der ich bayreuthreif zu sein glaube, sofern Herr Preetorius dies ist, war ich mit Freuden dazu bereit... Entscheidend für meinen endgültigen Entschluß, den Auftrag nicht annehmen zu können, war für mich die Mitteilung... am 21. Nov. 1941, daß bereits 60 000.– RM für den Bau der Preetorius'schen Bühnenbilder von der Festspielleitung ausgegeben worden sind... Weder du noch ich können die Verantwortung übernehmen, daß diese riesige Summe sinn- und zwecklos ausgegeben wird, nachdem jahrzehntelang jeder Pfennig gespart werden mußte...«

Die beiden Söhne Winifred Wagners hatten Tietjen, wie sie später oft mitteilten, unter sich und im Familienkreis mit dem Spitznamen »Der Schwarzalbe« bedacht. Heinz Tietjen folglich als Alberich und durchaus nicht als Jungsiegfried. In der Tat lassen Tietjens scheinbare Zugeständnisse an die Wahnfriedjugend bei gleichzeitiger Etablierung von vollendeten Tatsachen ungefähr ahnen, was mit jenem Spitznamen gemeint sein mochte.

Kurz vor Weihnachten (21. 12. 1941) erläßt Tietjen ein weiteres Memorandum zur Klärung der Lage. Drei Wege scheinen sich anzu-

bahnen:»... Weg I: Die Beziehung zwischen... Wahnfried und mir
werden sofort abgebrochen; ich lege mein Amt mit sofortiger Wirkung nieder... Aus Gründen der Loyalität teile ich mit, daß ich
in einer Rechtfertigungsschrift an den Führer alles vom Beobach-
tungsjahr 1931 bis einschließlich aller jüngsten Ereignisse in histori-
scher Treue... niedergelegt habe; da mir, bis das Haus Wahnfried
seinerseits Meldung gemacht hat, oder kurz danach etwas zustoßen
kann, befindet sich die Rechtfertigungsschrift im versiegelten Kouvert in Händen einer Persönlichkeit, die sichere Gewähr bietet, daß
dem Führer dieses Kouvert persönlich überreicht wird. Weg II: Wieland W. kommt zu einer Aussprache nach Berlin... Ich lege Wielands
ausführliches Beweis- und Überführungsmaterial vor... und es
kommt zu einem friedlichen Auseinandergehen; damit meine ich,
daß ich nicht offiziell mein Amt niederlege, sondern daß ich es auf
mich nehme, wenn es soweit ist, daß nächste Festspiele vorbereitet
werden müssen, unter dem aller Welt plausiblen Grund, Wahnfried
zu bitten, mich »vorübergehend« (streng intern natürlich endgültig)
zu beurlauben... Weg III: Trotzdem mir durch die Ereignisse in
diesem Sommer die wichtigste Eigenschaft genommen wurde, die
der künstlerische Führer in Bayreuth haben muß, nämlich die Besessenheit, und an ihre Stelle eine tiefe Verbitterung getreten ist, ...
bin ich bereit, die letzten noch vorhandenen physischen Reserven
dazu zu verwenden...und...hoffentlich die Basis zu neuer Besessenheit zu schaffen. Und damit erkläre ich mich bereit zur Versöhnung...
Es wird aber dann unter alles...der endgültige dicke Strich gezogen
und...auch zu Dritten nichts anderes mehr geäußert, als daß das
Haus Wahnfried und ich in vollster und letzter Übereinstimmung
dem Werk gegenüber und in persönlichen Angelegenheiten zueinander stehen...«

Von den beiden Brüdern scheint Wolfgang Wagner damals eher
zu einer Versöhnung und einem zeitweiligen Kompromiß bereit gewesen zu sein als der ältere Bruder Wieland. Freilich war Wieland
stärker betroffen, denn er hatte früher bereits Bühnenbildentwürfe
geliefert und gedachte die szenische Erneuerung der Werke seines
Großvaters in anderer Weise anzulegen als Emil Preetorius. Auch
scheint er sich von der musikalischen Leitung der Werke andere
Vorstellungen als Heinz Tietjen gemacht zu haben.

Daß der Krieg gewonnen wird, ist aber noch zu Beginn des
Jahres 1942 offenbar keinem der beiden Brüder irgendwie zweifelhaft.

Man berät die »Friedensfestspiele« und hofft sogar, wie ein Brief Wolfgangs an seine Mutter (29. 1. 1942) erkennen läßt, auf solche Festspiele des Friedens bereits für das laufende Jahr 1942.

Es gibt einen nicht abgeschickten Briefentwurf Wielands an Wolfgang vom April 1942, wo Pläne des Reichsführers mitgeteilt werden, zunächst einmal zwei Jahre Friedensfestspiele mit *Meistersinger, Ring* und *Parsifal* anzusetzen. Dann könne das Festspielhaus vollkommen umgebaut und mit einem neuen *Tannhäuser* eröffnet werden.

Wieland Wagner weigert sich in diesem Briefentwurf, weiter als Gehilfe Tietjens tätig zu sein. Er formuliert sehr scharf, schickt das Schreiben dann aber nicht ab. »Im großen gesehen hielt ich es für verantwortungslos, nur aus dem Grunde, weil Mama und Heinz (Tietjen) der Ansicht sind, daß es außer ihm in ganz Europa keinen Ring-Dirigenten gibt und er selbstverständlich nach all den Zwischenfällen außerstande ist, in Bayreuth wieder den Ring zu dirigieren, diesen einfach stillschweigend bis nach dem Umbau, der damals noch in nebelhafter Ferne lag, wegfallen zu lassen. Wie ich in Bayreuth hörte, habe man ihn mir überlassen wollen – ich könne ihn ja dann neu machen!...«

Inzwischen läuft der Zweite Weltkrieg in eine Richtung, die den Direktiven der Reichskanzlei und allen geplanten Friedensfestspielen stracks zuwiderläuft. Die Vereinigten Staaten stehen im Krieg. Stalingrad und El Alamein. Nacht für Nacht die Luftangriffe auf Deutschland. Am 20. Juli 1944 erfolgt das Attentat auf den obersten Kriegsherrn. Der Freund der Winifred Wagner und kunstsinnige Wagnerianer gibt den Befehl, die Attentäter an Fleischerhaken aufzuknüpfen und ihren Todeskampf zu filmen. Er schaut sich darauf den Film an.

Dies alles muß rekapituliert werden, um den Aberwitz eines Briefes von Heinz Tietjen an Winifred Wagner zu ermessen, der eine Woche vor Weihnachten (am 17. 12. 1944) des letzten Kriegsjahres niedergeschrieben wird: »...Du wirst erstaunt sein, daß ich die Frage des Führers, ob im Sommer 1945 in Bayreuth gespielt werden kann, was die künstlerische und technische Durchführung anbelangt, ohne Bedenken mit «Ja» beantworten kann. Es wären dazu nicht mehr Führerbefehle nötig als bisher.«

Der praktische Manager verleugnet sich auch jetzt nicht: kaum fünf Monate vor dem Selbstmord besagten Führers und vor dem deutschen Zusammenbruch. Wieder hat er seine drei Möglichkeiten zur Hand und anzubieten. Er könne sogar Neuinszenierungen wagen, denn es sind »genügend Rohmateriale für Dekorationen und Kostüme vorhanden. Ich bin aber der Meinung, daß man das jetzt moralisch nicht verantworten kann.« Freilich ist Tietjen ein bißchen skeptisch und meint: »Ich erwähne die Möglichkeit nur für den Fall, daß die Lage sich so wesentlich verändert, daß dem Führer doch an irgendwelchen Neuinszenierungen gelegen ist.« Geschrieben im Dezember 1944. Der zweite Weg ist Wiederaufführung der »Meistersinger«. Das Personal stehe zur Verfügung, »ebenso würde ich die Kostüme aus unserem Salzbergwerk in Thüringen zu diesem Zweck herausholen lassen«.

Die dritte Möglichkeit ist, die Werke nur konzertant aufzuführen. Wenn das beschlossen wird, »so kann der Führer hierfür jedes Werk bestimmen, das er wünscht«. Er freilich, Heinz Tietjen, sei ein grundsätzlicher Gegner der Rundfunkübertragung. »Richard Wagner hat Musikdramen geschrieben, die den heißen Atem der lebendigen Gestaltung fordern, und der Rundfunk wird das niemals ersetzen können.«

Umständehalber konnte im Sommer des Jahres 1945 keine der drei Möglichkeiten ausprobiert werden. In Bayreuth befiehlt die amerikanische Militärregierung. Die Witwe Siegfried Wagners muß den Siegfried-Wagner-Bau von Haus Wahnfried, wo sie residiert hatte und wo ihr hoher Gast zu übernachten liebte, der Besatzungsmacht freigeben. Die Beziehungen zwischen der Schwiegertochter Richard Wagners und ihrem Führer und Reichskanzler waren weltbekannt. Winifred mochte zwar protestieren, wie sie später mitgeteilt hat, als die amerikanischen Offiziere das Siegfried-Wagner-Haus als Eigentum Adolf Hitlers betrachteten und beschlagnahmten, aber sie hatte recht dabei nur im formal-juristischen Sinne. Geistiges Eigentum jenes Toten war dies Haus ganz zweifellos.

AUSTREIBUNG UND WEIHE DES HAUSES
(Wieland und Wolfgang Wagner)

Der öde Tag

Als die Zeit herangekommen war, für welche man noch wenig Jahre vorher pompöse Friedensfestspiele in Aussicht genommen hatte, lag die Frankenstadt Bayreuth in Trümmern. Auch auf die Stätte, wo Richard Wagners Wähnen den Frieden gefunden hatte, waren Bomben gefallen. Anlaß zur Trauer, gewiß, aber es war doch der Freund Winifred Wagners, welcher als erster die Vernichtung ganzer Städte, der polnischen Hauptstadt beispielsweise, angeordnet hatte, oder die Bombardierung der Kathedrale von Coventry in England. Die Ausdrücke »ausradieren« und »conventrysieren« gehörten zum Wörterbuch des Unmenschen.

Es war zugegangen wie am Schluß der *Götterdämmerung*. Brand von Walhall als Brand von Wahnfried. Wieland Wagner hat später, in seiner Inszenierung der Tetralogie im Jahre 1965, ein Jahr vor seinem frühen Tode, als letzten Aspekt eine leere Bühne präsentiert. Musik Richard Wagners hatte das letzte Wort, doch schien es sich nicht mehr an Menschenwesen zu wenden. Im Mai des Jahres 1945 hingegen konnte eine neue Zeitrechnung mit einem Jahre Null, wie mancher es sich gewünscht hätte, nicht begonnen werden. Es begann der öde Tag: verstanden nicht als Ekelvision des sterbenswilligen Tristan, sondern als Trümmeralltag all jener, die hatten überleben dürfen.

Was war untergegangen? Mancher schien zu meinen, und es wurde auch häufig niedergeschrieben: im Zusammenbruch des Dritten Reiches habe sich das deutsche Bürgertum, wenn nicht in der Realität, doch in der Ideologie, selbst zugrundegerichtet. Folgt man solchen Erwägungen, so bot sich die Kunsttheorie Richard Wagners und seiner Erben als ideales Modell, woran solcher Abstieg demonstriert werden konnte. Mischung aus Aufklärung und Gegenaufklärung im Werk des Meisters. Liebäugeln mit den Rassentheorien des Grafen

Gobineau; der elitäre Salon von Cosima Wagner; ihr Briefwechsel mit Fürsten und Geistesfürsten. Siegfried Wagners entschieden rückgewandtes Künstlertum, das neue Strömungen der Kunst nicht einmal zur Kenntnis nehmen wollte. Bürgerlicher Nationalismus und bürgerliche Lebensangst vor den »Vielzuvielen«: den Nibelungen vor allem, die man niederhalten muß, damit sie materiale Werte schaffen. Friedrich Nietzsches Wort vom »Gefährlichen Leben« hatte man gierig aufgeschnappt im Palazzo Venezia und in der Berliner Reichskanzlei. Der Wagnerianer als Führer und Reichskanzler glaubte das Wunschbild des Jungsiegfried verstanden zu haben. Des kühnen Selbsthelfers, der Verträge bricht und mit dem Schwert auch den Speer aus dem Holz der Weltesche zerhaut: das Sinnbild von Vertrag, Recht, Schutz der Schwachen. Jenes andere Sinnbild also schien sich anzubieten: Wahnfried als Walhall, und die Geschichte der Familie Richard Wagners als Dekadenz des Bürgertums. Gleichsam als »Verfall einer Familie« wie in den »Buddenbrooks« des Wagnerianers Thomas Mann. Übrigens hatte der Untertitel in dem berühmten Roman einen ironischen Doppelsinn. Verfall einer Familie im Sinne einer Degeneration der Macht und Lebenskraft. Sie wurde jedoch kompensiert durch die Gegenbewegung einer höheren Vergeistigung. Hanno Buddenbrook war gleichzeitig ganz lebensuntüchtig und ganz vergeistigt.

Niemand wird behaupten: so habe es sich auch mit Winifred Wagner verhalten und ihren Kindern. Es geht nicht an, wenngleich solche symbolische Zuordnung nach Kriegsende immer wieder versucht wurde, das Verhalten der Hohen Frau im Haus Wahnfried als notwendige Folgerung zu verstehen aus den artistischen Konzepten und ästhetisch-politischen Theorien ihres Schwiegervaters Richard Wagner. Winifred Wagner hat nicht Deutschland repräsentiert in jenen Jahren. In sonderbarer Weise nimmt sich ihr Tun und Unterlassen aus wie das Treiben eines eifrigen *Außenseiters,* der sich gleichschalten möchte. Winifred Wagner war eine Fremde in Deutschland. Sie war Engländerin. Englisch war ihre Muttersprache. Als sie nach Deutschland kam, zu Klindworth, dann nach Bayreuth, dann als Hausherrin nach Wahnfried, hatte sie eine Fülle der Negationen vollziehen müssen. Sie negierte die Muttersprache, England, die eigene Familie, die britische Tradition. Auf Fragen von Journalisten nach Ende des Zweiten Weltkriegs hat sie stets geantwortet, der Krieg gegen England habe ihr nichts bedeutet, sie fühle sich als Deutsche.

Hier wurde ein Assimilationsprozeß vollzogen. Das eifrige Bemühen um Integration innerhalb einer ursprünglich fremden und unvertrauten Welt mag vieles erklären, doch nicht alles. Siegfried Wagner, der Weltmann und geheime Kosmopolit, sehnte sich im Fernen Osten zurück nach Bayreuth. Sein Lebens- und Künstlerschicksal hatte mit deutschen Zuständen zu tun.

Winifred Williams mußte dies alles lernen und in den Willen aufnehmen. Ihr Fall ist ein *Assimilationsfall*. Gar nicht unähnlich dem Problem jüdischer Assimilation an die deutsche Sprache, Geschichte und Zivilisation. Auch das Phänomen deutschnationaler und nationalistischer Juden war nicht unvertraut. Der bittere Spott der Zionisten war nicht unberechtigt, wenn sie den Vertretern einer deutsch-jüdischen Assimilation vorwarfen, es sei nur das brutal antisemitische Programm der braunen Regimenter, was manchen verhindere, den Arm zu heben zum Deutschen Gruß. Man kann noch weiter gehen in der Analyse. Auch der Oberösterreicher aus Braunau, der gescheiterte Künstler und Mann ohne eigentlichen Beruf, war als Außenseiter nach Deutschland gekommen. Deutsches Erwachen wurde verkündigt von einem, der um Einbürgerung nachzusuchen hatte. Wolf und Winifred in Wahnfried: dieser Stabreim bedeutete eine Gemeinschaft der Außenseiter. Dies alles mußte neu überdacht werden im Trümmeralltag des Jahres 1945. Zuordnungen wurden in aller Welt vorgenommen, für sie schien Evidenz zu sprechen: der Zusammenbruch des Dritten Reiches sei als Zusammenbruch des Wagnertums zu interpretieren. Was sich im *Lohengrin* und in den *Meistersingern von Nürnberg* an demonstrativem Deutschtum geäußert hatte, in Wort und Ton, mußte als Programm gedeutet werden, das in zwei Weltkriegen verwirklicht werden sollte, um zweimal zu scheitern. Nun war alles widerlegt. Kein Theaterdirektor, der auf behelfsmäßiger Spielstätte oder im notdürftig restaurierten Bühnenbau die Eröffnung einer Spielzeit plante, wäre auf den Gedanken verfallen, mit einem Werk des Bayreuther Meisters zu eröffnen. Er mußte mit allgemeinem Widerwillen rechnen. Es war nicht mehr an der Zeit, den Verheißungen Lohengrins ans deutsche Schwert oder dem Lob der deutschen Meister, vor allem Richard Wagners natürlich, durch Hans Sachs geduldig zu lauschen. Beethovens »Fidelio« war die Oper der neuen Stunde. Ein Spiel von der Rechtlosigkeit und Tyrannei, allmächtigen Zwingherren und standhaftem Widerstand, von Treue, menschlicher Anständigkeit und dem Sieg des Prinzips Hoffnung, das als Trompeten-

signal verkündet wird. So hat man in jenen Jahren die Befreiungsoper
Ludwig van Beethovens gespielt. Man mußte sie wiedererkennen
als deutsche Gegenwart, die ausgemergelten Gestalten, die nun ans
Sonnenlicht traten. *Aus dem Krieg war eine Generation von Wagnergegnern zurückgekehrt.*
Auch in Deutschland selbst vollzog man die Gleichung Wagner gleich
Wahnfried gleich Staatskunst eines Dritten Reiches. Ein Bürgerlich-
Liberaler wie der erste Präsident der Bundesrepublik Deutschland,
Theodor Heuss, lehnte mit fast verletzender Ironie ab, die im Jahre
1951 wiedereröffneten Bayreuther Festspiele zu besuchen. Da war
kaum einer, der es ihm vorwerfen mochte. Mit dieser Konstellation
hatte jeder zu rechnen, der sich – als Politiker von Amts wegen
oder als Freund der Werke Richard Wagners – Gedanken machte
über das Schicksal des kaum beschädigten und notdürftig wieder
bespielbaren Festspielhauses zu Bayreuth. Winifred Wagner als Fort-
führerin des Festspielunternehmens – das blieb undenkbar. Sie selbst
war ein schwerer Fall für die durch Vereinbarung von vier Besat-
zungsmächten eingerichtete »Spruchkammer«. Formale Zugehörigkeit zu nationalsozialistischen Organisationen mußte auch der jungen
Wahnfriedgeneration vorgehalten werden, nicht weniger den möglichen und fähigen Wagnerdirigenten in Deutschland, einem Herbert
von Karajan etwa oder Franz Konwitschny. Dies war nicht die Stunde
für neue Festspiele.

Man hat damals und auch später viel Wesens davon gemacht,
auch Winifred Wagner hat sich spöttisch dazu geäußert, daß die
amerikanische Besatzungsmacht nun die Festspielbühne bespielte: mit
Werken einer beliebten Truppenunterhaltung. Auch von »Entweihung« ist gesprochen worden. Allein Entweihung setzt Weihe voraus.
War es nicht Richard Wagners Konzept einer weihevollen Kunst,
das später so gräßlich entarten sollte? Die Vergnügungen amerikani-
scher Soldaten auf dem Festspielhügel waren unschuldiger als die
einstigen Weihestunden mit Träumen von deutscher Weltherrschaft.

Alternative Thomas Mann

Alle Überlegungen zur Fortführung der Bayreuther Festspiele sind
in den ersten Jahren nach 1945 davon ausgegangen, daß eine Diskontinuität notwendig geworden sei. Fortführung des Festspielunterneh-

mens durch die überlebenden Mitglieder der Familie Wagner schien sich von selbst zu verbieten.

Es gibt einen Brief des jüngeren Bruders Wolfgang Wagner an den älteren Wieland (5. April 1947), wo es heißt:»Auf jeden Fall ist mir... sehr klar geworden, daß unsere Familie von sich aus nicht mehr in der Lage ist, die Festspiele durchzuführen... Mir persönlich ist das jetzt auch völlig gleichgültig, in welches Verhältnis unsere Familie dann zu dem Haus da oben dadurch etwa zu stehen kommt, da ich, wie ja schon oben erwähnt, unsere Familie für diese Aufgabe unfähig halte...«.

Der Gedanke an eine *öffentlich-rechtliche Stiftung* drängte sich auf. Entweder mit Einbeziehung von Mitgliedern des Hauses Wagner, doch ohne souveräne Entscheidungsmacht, oder ganz ohne Rücksicht auf die Familieninteressen. Dem freilich stand ein juristisches Hindernis entgegen: das»Gemeinschaftliche Testament« von Siegfried und Winifred Wagner. Privatrechtlich blieb Frau Winifred nach wie vor Eigentümerin von Festspielhaus, Wahnfried, Archiv, Kunstwerken. Dieser Rechtszustand hatte früh schon im 20. Jahrhundert heftigen Widerspruch provoziert. Als Siegfried Wagner zu Beginn des Jahres 1914 von der Möglichkeit sprach, das gesamte Bayreuther Werk seiner Familie in eine Stiftung für das deutsche Volk einzubringen, antwortete ihm *Maximilian Harden* sehr scharf:»Aus dem Werk, zu dem Sie nicht im geringsten mitwirken konnten, hatten die Erben Einkünfte, wie niemals und nirgends sie eines Künstlers Lebensleistung erbrachte... Tadelt nicht, richtet nicht; freut Euch des ansehnlichen Familienunternehmens und seiner sauberen Theaterkunstarbeit. Lasset endlich aber von dem Versuch, es in das Zion, die Hochburg, das himmelan ragende Heiligtum deutscher Volkheit umzufälschen, von dessen Zinne der Wille des Meisters spricht... Tatet Ihr nicht, als sei Bayreuth eine öffentliche Institution und deren Wahrung Germaniens wichtigste Kunstpflicht? Krochet Ihr nicht vor Cosima und Cosimas Sohn, als hätten sie Ungeheures gewirkt, nicht nur im engsten den ererbten Hort emsig, durch säuberliche Mitarbeit zum Ganzen zu mehren getrachtet?«

Der Vorschlag Maximilian Hardens ging dahin, Siegfried Wagner möge durch Letztwillige Verfügung alle Bayreuther Werte, vielleicht nicht»dem deutschen Volk« überweisen, weil sich das allzu pompös ausnähme, aber»dem Bundesstaat Bayern, dem die Wagnerei, von Ludwigs Zeit her, in Geld- und Dankesschuld verpflichtet ist und

der die Verwaltung der Gemeinde Bayreuth auftragen könnte«. (Die
Zukunft, Berlin, 27. 6. 1914.)

Da die Stadt Bayreuth durch Entscheidung der Siegermächte der
amerikanischen Besatzungszone zugeschlagen worden war, mußten
sich der Militärgouverneur für Bayern und bald darauf, mit ihm
zusammen, die neuinstallierten und schließlich neugewählten Mitglieder einer Regierung des Freistaates Bayern des Falles annehmen.
Bei solchem Unterfangen tauchte, gefördert durch Vorschläge des
Auslands, der Gedanke auf, der Tradition des Hauses Wagner insofern zu entsprechen, als ein Enkel von Cosima und Richard Wagner,
ein schweizerischer Staatsbürger, mit der Reorganisation betraut
würde.

Dr. Franz W. Beidler war ein Sohn der Isolde von Bülow, einer
Tochter Richard Wagners und Cosimas, und des einstigen Bayreuther
Dirigenten Franz Beidler, der sich nach einem Konflikt mit seinem
Schwager Siegfried zurückgezogen hatte. Beidler war im Jahre 1901
geboren und lebte nach dem Kriege in Zürich als Sekretär des Schweizerischen Schriftsteller-Vereins. Er hatte viel publiziert, auch Arbeiten über seine Großmutter Cosima.

Es gibt einen Entwurf Beidlers vom Jahresende 1946: »Richtlinien
für eine Neugestaltung der Bayreuther Festspiele«. Darin schlägt er
die Errichtung einer Festspielstiftung mit Sitz in Bayreuth vor. »Die
bisherigen Besitzer sind zu enteignen...«. Präsident des Stiftungsrates
solle der Bayreuther Oberbürgermeister werden. Außer ihm erhalten
Sitz und Stimme »je ein Vertreter der Amerikanischen Militärregierung, des Freistaates Bayern sowie der Schweizerischen Eidgenossen-
schaft... Ein Sitz bleibt dem Vertreter eines künftigen deutschen
Bundesstaates vorbehalten. Den Stiftungsrat bilden im übrigen sach-
und kunstverständige Persönlichkeiten... ohne Rücksicht auf ihre
Nationalität, die mit den Grundgedanken der Werke von Richard
Wagner und namentlich mit den kunstpädagogischen und sozialen
Absichten des Schöpfers der Festspiele vertraut sind. Reproduktive
Künstler können dem Stiftungsrat nicht angehören.«

Inwieweit schrulligerweise sogar dieses schweizerische Familien-
mitglied nach wie vor den Grundkonzepten Richard Wagners verhaftet ist, ersieht man aus dem Schlußabsatz dieser Richtlinien: »Der
geistigen Vorbereitung und Sinngebung der Festspiele ist besondere
Aufmerksamkeit zuzuwenden. Dabei ist insbesondere an eine Erneuerung der ›Bayreuther Blätter‹ im wahrhaften Geiste Wagners und

an ihren Ausbau zu einem maßgebenden Organ für die internationale
Volksbildung auf künstlerischem Gebiet zu denken.«

Einige Tage später, bereits im neuen Jahr 1947, am 3. Januar,
macht Beidler auch Personalvorschläge. Er regt an, *Thomas Mann*
zum Ehrenpräsidenten der »Richard-Wagner-Festspiel-Stiftung« zu
berufen. Er selbst möchte als Erster Sekretär fungieren. Auch an
einen Gehirntrust der Fachleute und Berater wird gedacht. Die Liste
kann sich sehen lassen: mit dem berühmten Musikwissenschaftler
und Wagnerforscher Ernest Newman, mit Leo Kestenberg, Hans
Mersmann und Alfred Einstein.

Bemerkenswert ist außerdem, daß Beidler den Beirat des neuen
Bayreuther Unternehmens durch bedeutende zeitgenössische Kompo-
nisten zu bilden gedenkt: Schönberg und Hindemith, Honegger und
Frank Martin, Tiessen und Karl Amadeus Hartmann.

In seinem Begleitbrief an den Bayreuther Oberbürgermeister
O. Meyer begründet Cosimas Enkel die Notwendigkeit, gerade Thomas Mann als Repräsentanten eines neuen Bayreuth zu berufen:
»... Zum Vorschlag von Thomas Mann als Ehrenpräsident wäre zu
sagen, daß ich ihn aus vielen Gründen für unerläßlich halte. Einmal
ist er heute der in der ganzen Welt führende Repräsentant jenes
›anderen Deutschland‹, das wir alle trotz der schmerzlichen gegenteili-
gen Erfahrungen für das wahre halten... Mit Thomas Mann nominell
an der Spitze des Stiftungsrates wird der Welt kundgetan, daß Bayreuth mit seiner üblen Vergangenheit entschlossen und drastisch
bricht und an die wirkliche Wagnertradition anzuknüpfen willens
ist... Er muß heute mit Fug als der erste und tiefste aller Wagnerianer
im positiven Sinne dieses Begriffes bezeichnet werden.«

Wie Thomas Mann selbst das Ansinnen aufnahm, hat er in seinem
Tagebuch über die Entstehung des Romans »Doktor Faustus« genau
erläutert. In Bayreuth war er nur einmal gewesen, im Jahre 1909,
aber von Wagner (und von Nietzsche) kam er ein Leben lang nicht
los. Beidlers Werbebrief ließ alle Wunden von neuem aufbrechen.
Der Tagebuchschreiber bekennt, daß der Brief »mich tagelang proble-
matisch beschäftigte«. Zu vieles war geschehen. Schließlich hatte der
Jubiläumsvortrag über »Leiden und Größe Richard Wagners« vom
Jahre 1933 den unmittelbaren Anlaß abgegeben für eine aufgezwun-
gene Emigration. Am Protest eines Richard Strauss, Hans Pfitzner
und Hans Knappertsbusch gegen jene Wagner-Rede entzündete sich
ein organisierter »Volkszorn« gegen den Autor der »Buddenbrooks«.

»Aus hundert Gründen, geistigen, politischen, materiellen, mußte die ganze Idee mir utopisch, lebensfremd und gefährlich, teils als verfrüht, teils als obsolet, von Zeit und Geschichte überholt erscheinen; ich war nicht imstande, sie ernst zu nehmen. Ernst nahm ich nur die Gedanken, Gefühle, Erinnerungen, die sie mir aufregte…« Immerhin wird Beidler nicht mit einer entschiedenen Absage abgespeist, sondern zaudernd hingehalten, wie Thomas Mann selbst zugibt. Einen Augenblick war er schwankend gewesen, ob man es wagen dürfe, von nun an ein neues Bayreuth zu repräsentieren. Ein Traum schien sich zu erfüllen:»In später Wirklichkeit war mir eine Stellung amtlicher Repräsentanz in dem Mythos meiner Jugend zugedacht.«

Der Traum zerrinnt. Da war auch noch ein anderes. Abermals ein Trauma: mit Namen Emil Preetorius. Ein alter Freund aus den Münchener Tagen. Nun hatte er gemeinsame Sache gemacht mit Führer und Großdeutschem Reich. In Thomas Manns Briefen aus der Kriegszeit wird über solche Aktivitäten gespottet. Die Figur des faschistoiden Ideologen Kridwiss in Thomas Manns »Doktor Faustus« ist, einschließlich des darmstädtischen Dialekts, nach der Natur porträtiert, was der Autor, als eine briefliche Verbindung mit Preetorius wieder hergestellt wird, von Kalifornien aus am 24. April 1948 dem »Betroffenen« schonungsvoll auseinandersetzt. Weniger schonungsvoll urteilt Thomas Mann noch am 7. September 1945 in seinem berühmten Antwortbrief an Walter von Molo, worin er die ultimative Forderung zurückweist, nach Deutschland zurückzukehren. Was er gegen die scheinbar so unpolitischen Mitläufer und Mitmacher unter den Künstlern des Hitlerstaates auf dem Herzen hat, wird hier formuliert:»Zuweilen empörte ich mich gegen die Vorteile, deren Ihr genosset. Ich sah darin eine Verleugnung der Solidarität. Wenn damals die deutsche Intelligenz, alles, was Namen und Weltnamen hatte, Ärzte, Musiker, Lehrer, Schriftsteller, Künstler, sich wie ein Mann gegen die Schande erhoben, den Generalstreik erklärt, manches hätte anders kommen können, als es kam. Der Einzelne, wenn er zufällig kein Jude war, fand sich immer der Frage ausgesetzt: ›Warum eigentlich? Die anderen tun doch mit. Es kann doch so gefährlich nicht sein.‹« Auch Emil Preetorius wird nicht ausgespart, wenngleich der Name nicht fällt. Doch ist er gemeint, wenn es heißt: »Daß eine ehrbare Beschäftigung denkbar war, als für Hitler-Bayreuth Wagner-Dekorationen zu entwerfen – sonderbar, es scheint

dafür an jedem Gefühl zu fehlen. Mit Goebbels'scher Permission
nach Ungarn oder sonst einem deutsch-europäischen Land zu fahren
und mit gescheiten Vorträgen Kulturpropaganda zu machen fürs
Dritte Reich – ich sage nicht, daß es schimpflich war, ich sage nur,
daß ich es nicht verstehe und daß ich Scheu trage vor manchem
Wiedersehen.«

Man konnte also im Ernstfall nicht damit rechnen, daß Thomas
Mann für das Projekt Beidler irgendeine Form des Interesses aufbrin-
gen werde. Sonderbarerweise jedoch taucht Thomas Manns Name
noch in einem anderen Projekt auf, das wenige Monate nach Beidlers
Entwurf formuliert ist und offensichtlich, wie die dort aufgeführten
Namen andeuten, die ersichtlich von Beidlers Zusammenstellung inspiriert sind, eine Kenntnis der Züricher Entwürfe voraussetzt. Am
sonderbarsten an diesem sonderbaren Dokument ist der Name des
Verfassers. *Der Entwurf stammt von Heinz Tietjen.* Oft hatte er katego-
risch und ultimativ erklärt, er werde sich ganz von Bayreuth zurückziehen. Nun macht er Entwürfe für einen Neubeginn. Allerdings
im entscheidenden Gegensatz zu Beidler, der eine Enteignung der
Wagners vorsah, konstatiert Tietjen:»Für den Wiederaufbau der
Festspiele stehe ich auf dem Standpunkt des Begründers, daß die
Festspiele für alle Zeiten ein Familienunternehmen der Familie Wagner darzustellen haben. Der Standpunkt ist der des Rechts, der in
dem Testament Siegfried Wagners aufs neue manifestiert wurde.«
Falls das nicht durchgehen könnte, denkt auch Tietjen an einen internationalen Stiftungsrat als Folge einer Enteignung der Familie mit
dem»Recht des Siegers«. Auch er denkt an Thomas Mann, Newman,
Alfred Einstein, Hindemith, Honegger, Ansermet. Aber er nennt
auch den Namen Bruno Walter, der bei Beidler fehlt. Er nennt Victor
de Sabata, den Bayreuther Dirigenten von 1939. Und er empfiehlt
für den internationalen Bayreuther Beirat – Emil Preetorius.

Noch ein Schlußabsatz.»Die Familie Wagner müßte durch die
jüngere Generation im Stiftungsrat vertreten sein, etwa durch Wolfgang Wagner und den Sohn Isoldes, Franz W. Beidler.« Nicht durch
Wieland Wagner folglich. Das Dokument findet sich im Heinz-Tiet-
jen-Archiv der Berliner Akademie der Künste.

In der jüngeren Wahnfriedgeneration sind die Ansichten widerspruchsvoll. Wolfgang Wagner war offenbar skeptisch in bezug auf
eine Weiterführung des Familienunternehmens, trotz dem Wortlaut
des Testaments seiner Eltern. Wieland Wagner entwirft – vermutlich

schon im Jahre 1946 – den »Plan zur Gründung eines ausländischen
Festspielunternehmens«. Ihm schwebt ein organisiertes Gastspiel-
unternehmen im Ausland vor. »Für den Fall, daß die Familie oder
Familienmitglieder den Betrieb des Festspielhauses in Bayreuth
wieder übernehmen können, wird das neue Auslandsunternehmen
im Einklang mit den Bayreuther Interessen durchgeführt...«.
Wieland ist weder skeptisch noch unentschlossen. Er hat die Jahre
nach Kriegsende fern von Bayreuth zugebracht, am Bodensee. Dort
vollzog sich ein Prozeß geistiger Erneuerung und Neuinformation.
Elemente der damaligen Lektüre sind leicht zu erraten, wenn man
von den bald darauf entstehenden Bayreuth-Inszenierungen ausgeht.
Es ist Beschäftigung sowohl mit der Tiefenpsychologie Sigmund
Freuds wie mit der modernen Symbolforschung im Gefolge von
C. G. Jung. Seine Mutter hat ihn kurzerhand und ziemlich offenherzig
als späten Renegaten am gemeinsamen Führerglauben bezeichnet und
dabei übersehen wollen, daß die schroffen Gegenpositionen der
»Wahnfriedjugend«, wie Tietjen das spöttisch nannte, bereits um 1940
als Abkehr vom offiziellen Bayreuther Dogma verstanden werden
mußte. Wieland war nicht resignativ, sondern entschlossen. Er brannte darauf, seine neuen geistigen Erfahrungen künstlerisch umzusetzen
und fruchtbar zu machen. Natürlich vor allem für eine Neuinterpretation der Werke Richard Wagners, doch nicht weniger für ein grundsätzlich neues Konzept vom Musikalischen Theater: so universaler
Natur, daß es gleichfalls angewandt werden konnte auf »Fidelio«
und auf »Carmen«, auf »Aida« und den »Wozzeck«. Zu den musikalischen Erlebnissen gehörte für Wieland Wagner seit langem auch
das Werk von *Carl Orff*. Damit war ein Ausgangspunkt gegeben,
der die Begründer eines neuen Bayreuther Stils zu jener Urkonstella-
tion zurückführen mußte, die auch Richard Wagners Überlegungen
zu Oper und Theater inspiriert hatte: zur griechischen Tragödie.

Die Vertreibung

Vorerst aber mußte die Vergangenheit »bewältigt« werden, um einen
Ausdruck zu gebrauchen, der damals aufkam. Die alliierten Besieger
des Dritten Reiches hatten am 5. März 1946 ein »Gesetz zur Befreiung
von Nationalsozialismus und Militarismus« erlassen, anwendbar auf
alle deutschen Bewohner des einstigen Reichsgebiets, der nunmehr
vier Besatzungszonen. Deutsche Gerichtsverfahren hatten in Vollzug

des Gesetzes stattzufinden. Vor Spruchkammern mußten sich die einstigen Mitglieder der NSDAP und anderer nationalsozialistischer Organisationen über ihre Tätigkeit zwischen 1933 und 1945 verantworten. Die Spruchkammer entschied über die Einstufung des einzelnen Falles. Fünf Kategorien hatte das Gesetz vorgesehen: Hauptschuldiger, Belasteter (Aktivist), Minderbelasteter, Mitläufer, Nichtbetroffener. Je nach Einstufung wurden Sühnemaßnahmen angeordnet, die sehr hart sein konnten, also Beschlagnahme des Vermögens, Berufsverbot, Zwangsarbeit.

Am 2. Juli 1947 entschied die Spruchkammer II von Bayreuth-Stadt über den Fall von Frau Winifred Wagner, Leiterin der Festspiele Bayreuth, geboren am 23. 6. 1897 in Hastings, wohnhaft zur Zeit Oberwarmensteinach Nr. 32. Die Betroffene wurde nach Art. 4/2 des Gesetzes in die Gruppe II der Belasteten (Aktivisten) eingereiht. Harte Sühnemaßnahmen waren gleichzeitig angeordnet worden: Sonderarbeit für die Allgemeinheit für die Dauer von 450 Tagen; Beschlagnahme von 60 Prozent des Vermögens, Aberkennung der Fähigkeit, das Wahlrecht auszuüben und öffentliche Ämter zu bekleiden, Aberkennung ihrer Rechtsansprüche aus Rente und Pension.

Es wurde Winifred Wagner übrigens auch für die Dauer von fünf Jahren untersagt, »als Lehrerin, Predigerin, Redakteurin, Schriftstellerin oder Rundfunkkommentarin (!) tätig zu sein«. Jahrzehnte später hat die damals »Betroffene« etwas spöttisch dagegen protestiert, daß man ihr nicht einmal erlaubte, als Predigerin zu amtieren.

Damals jedoch, am 2. Juli 1947, stand keinem der Sinn nach solchen Späßen. Eine Photographie zeigt die Mutter mit ihren beiden Söhnen und den beiden Schwiegertöchtern beim Verlassen des Gerichtsgebäudes. Die junge Generation trägt Pokergesichter, aber Winifred Wagner wirkt verstört. Sie scheint nicht recht begriffen zu haben, was ihr vorgeworfen wird. In der Tat ist der Fall widerspruchsvoll. So muß ihn auch die Spruchkammer empfunden haben, wie die Urteilsgründe erkennen lassen. Scheinbar ist alles ganz einfach. Winifred Wagner war bereits im Jahre 1926 der NSDAP beigetreten. Gleichzeitig unstreitig, daß sie für die Partei ihres Freundes und Führers innerhalb der politischen Organisation und auch sonst in der Öffentlichkeit niemals geworben hatte. Gewiß nicht seit 1930, als sie die Leitung der Festspiele übernehmen mußte.

Aber ihr wurde das Goldene Parteiabzeichen verliehen? Freilich, doch erfolgte das, wie glaubhaft nachgewiesen werden konnte, als bürokratischer Akt: wegen der niedrigen Mitgliedsnummer, also als Folge von Zeitvergang.

Blieb jedoch der Vorwurf, »die Nationalsozialistische Gewaltherrschaft gefördert zu haben«. Es blieb auch der Vorwurf, eine »Nutznießerin« des Dritten Reiches gewesen zu sein. Die Spruchkammer kam zur Entscheidung, es habe sich um Förderung der Hitlerpartei und ihres Systems im Falle von Winifred Wagner gehandelt: »Nach Auffassung der Kammer hat Frau Winifred Wagner durch ihre Freundschaft mit Hitler und ihre Mitgliedschaft bei der Partei ab 1926 den NS wesentlich unterstützt und gefördert. Durch ihr Beispiel, das sie als Freundin Hitlers und alte Parteigenossin gegeben hat, muß sie unbedingt als Förderin der NS angesehen werden. Vor allem wirkte ihr Beispiel auf einfache und kleine Leute propagandistisch, obgleich sie persönlich als Parteimitglied keine propagandistische Tätigkeit ausgeübt hat. Die Leute sagten sich, wenn diese Frau der Partei beigetreten und bis zuletzt treu geblieben ist, muß doch die NS-Ideologie richtig sein. Dies trifft insbesondere für Bayreuth zu, das vielleicht gerade durch ihr Beispiel eine Hochburg der NS geworden ist.«.

Das klingt einleuchtend, hält aber gleichfalls, wie später auch die Berufungskammer feststellen mußte, der genaueren Analyse nicht stand. Es handelte sich mithin im wesentlichen um ein Fördern durch Tolerieren. Die Schwiegertochter Richard Wagners und Leiterin der Bayreuther Festspiele, die sich öffentlich zu ihrem Freund und Führer bekannte, ohne im einzelnen in Rede und sonstiger Aktion für das Dritte Reich einzutreten, wäre demnach, nach dem Gedankengang der Bayreuther Spruchkammer, falls sie die Auswirkungen ihrer persönlichen Freundschaft zu verhindern gedachte, zum aktiven Widerstand verpflichtet gewesen. Allein das Gesetz zur Befreiung von Nationalsozialismus und Militarismus konnte und wollte eine Pflicht der Deutschen zur Résistance nicht etablieren.

Blieb die Nutznießerschaft: »Was die Frage der Nutznießung (Art. 9 des Gesetzes) seitens der Betroffenen anbetrifft, so verneint die Kammer diese Frage. Die Nutznießung könnte darin gesehen werden, daß die Betroffene aus nachfolgenden beiden Fällen persönliche oder wirtschaftliche Vorteile herausgeschlagen hat.

1. Für Neuinszenierung zweimal je 55 000.– RM, insgesamt 550 000.– RM bis zum Jahre 1939 und

2. Nach der Übernahme des Theaters durch KdF bekam die Betroffe-

ne von KdF, das den gesamten Kartenverkauf übernahm, ihre Effektiv-Unkosten von ca. 1–1,3 Millionen pro Festspieljahr ersetzt. Als Reinverdienst wurde ihr von KdF die Summe von 5 % der Unkosten vergütet. Die Kammer ist der Auffassung, daß die Betroffene diese Vorteile nicht in eigensüchtiger Weise gemäß Art. 9/I herausgeschlagen hat und daß der Verdienst von 5 % den bei anderen großen Unternehmungen üblichen Gewinn nicht überschritten hat. Der Nutzen belief sich auch von der Einschaltung der Arbeitsfront in ähnlicher Höhe. Die Betroffene wird daher seitens der Kammer nicht als Nutznießerin betrachtet. Auch die von Hitler Frau Winifred Wagner gemachten Geschenke einschl. des Mercedes-Wagens werden von der Kammer nicht als Zuwendung im Sinne des Art. 9 des Gesetzes angesehen. Sie dürfen sich außerdem auch mit den von Frau Wagner an Hitler gemachten Geschenken ungefähr die Waage halten.« Trotzdem die Einstufung als Aktivistin und die Anordnung von schweren Sühnemaßnahmen.

Gegen die Entscheidung legte Winifred Wagner sogleich Berufung ein, aber auch der »Öffentliche Kläger« wollte sich mit dem Spruch nicht zufriedengeben. Er drängte darauf, die Leiterin der Bayreuther Festspiele im Dritten Reich als Hauptschuldige zu verurteilen. Die Berufungskammer Ansbach ordnete an, daß die neue Verhandlung vor dem Berufungssenat Bayreuth stattzufinden habe. Dort kam man, am 8. Dezember 1948, also mehr als drei Jahre nach Kriegsende, zur Zurückweisung der Berufung des Öffentlichen Klägers und zur Aufhebung des Spruches der Ersten Instanz. Winifred Wagner wurde als Minderbelastete der dritten Kategorie eingestuft, die Dauer der Bewährungsfrist auf $2^1/_2$ Jahre festgesetzt. Während dieser Zeit wurde ihr untersagt, als selbständige Unternehmerin oder in selbständiger Tätigkeit innerhalb eines Unternehmens tätig zu sein. Auch das Predigen wurde ihr abermals neben den anderen Tätigkeiten als Redakteur, Schriftsteller, Lehrer und so weiter untersagt.

Auch der Berufungssenat sieht sich genötigt, den logisch wie rechtlich einigermaßen fragwürdigen Gedankengängen der Ersten Instanz zu folgen: »Die Schuld – oder im Sinne des Befreiungsgesetzes ausgedrückt – die Sühnefälligkeit Winifred Wagners ist weiter darin zu sehen – und *diesen* Tatbestand erachtet der Senat als entscheidend für den Grad der Unterstützung –, daß sie das Gewicht eines der berühmtesten Namen der Kulturgeschichte für Hitler in die Waagschale warf.«

Aber die sehr interessante und sorgfältig gearbeitete Urteilsbegründung greift diesmal weit über den Sonderfall hinaus. Sie versucht, geistige Beziehungen herzustellen nicht allein zwischen der Ideologie Richard Wagners und jener von Frau Winifred, sondern auch zwischen Adolf Hitler und Richard Wagner. Sogar die berühmte Lohengrin-Parodie aus *Heinrich Manns* Roman »Der Untertan« wird zitiert: zum Beweis einer Kontinuität deutschen Obrigkeitsgehorsams zwischen Kaiserreich und Nationalsozialismus. »Hier, in einem mißverstandenen, weil unter einem zu engen Horizont verstandenen Wagner – ein moderner Musikschriftsteller sieht entgegen jeder tendenziösen Auslegung das Grundthema des Lohengrindramas beispielsweise in der Liebe der Elsa –, haben wir nicht nur eine der Nahtstellen des Hitlerreiches zum Wilhelminischen zu suchen, sondern auch den Ansatzpunkt für die Beziehungen Hitlers zu Bayreuth. Charakteristisch ist es nämlich, daß es gerade Lohengrin war, den Hitler 12- oder 14jährig in Linz sah und der ihn ganz in seinen Bann geschlagen hat.«

Die Berufungsinstanz geht so weit in ihrer Analyse von Motivationen jenes Wagnerianers aus Braunau am Inn, daß sie die frühe Freundschaft des gescheiterten Künstlers und Politikers mit der Schwiegertochter Richard Wagners als Element einer Selbstfindung und Selbstbestätigung interpretiert.

Auch der Berufungssenat verkennt andererseits nicht, daß Winifred Wagner in vielen Fällen geholfen hat, gefährdete Menschen zu retten, und in einzelnen Fällen, fast immer mit Erfolg, in der Reichskanzlei intervenierte. Es wird auch als unstreitig anerkannt, daß die Initiative für jene *Kriegsfestspiele* keineswegs von der Festspielleitung kam. Die Initiative sei zweifellos von Berlin ausgegangen. Nicht einmal als wesentliche Unterstützung des Dritten Reiches dürfe man jene Festspiele interpretieren.

Hingegen kommt der Senat in einer sehr bemerkenswerten Analyse, und im Gegensatz zu Auffassungen der Ersten Instanz, zu der Folgerung, bei der »Nutznießerschaft« dürfe nicht der private vom öffentlichen Vorteil getrennt werden. Weder bei der Frage nach Winifred Wagners Aktivistentum noch bei Prüfung eines Profitlertums ist der Senat bereit, »die Aufspaltung in eine rein private und in eine politische oder politisch orientierte Persönlichkeit vorzunehmen«. Er bezeichnet solchen Versuch sogar ausdrücklich als »ein Unterfangen, das an sich abzulehnen ist«.

Hiermit jedoch entscheidet er nicht bloß gegen Winifred Wagners Einlassung vor Gericht, sondern auch *gegen ihr reales inneres Lebenskonzept.* Sie hatte in der Tat geglaubt, die private und die öffentliche Existenz ganz voneinander trennen zu können. Hier die Freundschaft mit einem Mann, den sie verehrte und bewunderte; dort die Ignorierung der Tatsache, daß dieser Mann als allmächtiger Diktator, als Herr über Leben und Tod zu wirken gedachte. Hier eine private Sympathie für die Ideologie und Politik des Freundes; dort die Festspiele, die ihre eigene Tradition und Ideologie besitzen und nicht andern Göttern dienen sollen.

Ernst und Würde der Urteilsbegründungen in beiden Instanzen sollten nicht verkannt werden. Beide Spruchkammern müssen gespürt haben, daß sie einen Fall beurteilten, der weit weniger einen einzelnen Menschen betraf, als widerspruchsvolle Tendenzen der deutschen Geschichte und Kulturgeschichte.

Am 21. Januar 1949 geht Winifred Wagner folgende Verpflichtung ein:»Ich verpflichte mich hiermit feierlich, mich jedweder Mitwirkung an der Organisation, Verwaltung und Leitung der Bayreuther Bühnenfestspiele zu enthalten. Einer schon lange gehegten Absicht entsprechend, werde ich meine Söhne Wieland und Wolfgang Wagner mit den bezeichneten Aufgaben betrauen und ihnen die entsprechenden Vollmachten erteilen. Ich beauftrage meinen Verteidiger, Herrn Rechtsanwalt Dr. Fritz Meyer I in Bayreuth, diese Erklärung dem Sonderministerium und im Abdruck allen mit dieser Angelegenheit betrauten Ministerien und Dienststellen zu übergeben.«

Damit war sowohl der Auffassung des Bayerischen Sonderministeriums für alle Fälle der sogenannten »Entnazifizierung« im Grunde Genüge getan, wie auch, was genauso wichtig war, nunmehr dem Wortlaut des Gemeinsamen Testaments von Siegfried und Winifred Wagner entsprochen wurde.

Durch diese Entscheidung wurde eine Weiterführung der Bayreuther Festspiele durch die beiden Söhne ermöglicht. In München schien man nunmehr, zu Beginn dieses vierten Nachkriegsjahres und wenige Monate vor Gründung der Bundesrepublik Deutschland, entschlossen zu sein, alle Versuche einer Internationalisierung der Festspiele, mit oder ohne Thomas Mann, abzuwehren. Die Bayerische Staatsregierung teilte die einstigen Gedanken Maximilian Hardens über die unlösbare Verbindung zwischen dem Bayerischen Staat und der Bayreuther Institution. Durch eine Entschließung vom 28. Februar 1949 hob der Bayerische »Staatsminister für Sonderaufgaben«, Dr. Hagenauer, die Vermögenssperre, insbesondere die Sperre »des dem Unternehmen der Bayreuther Festspiele gewidmeten Vermögens«, auf. Damit konnten die Erben Wieland und Wolfgang eine erste Planung versuchen. Schwierigkeiten mußten noch überwunden werden, aber es war anders als noch im August 1946, wo Wolfgang in einem Brief dem älteren Bruder mitteilen mußte, was in Bayreuth beim Konzert zur 70jährigen Eröffnung der Festspiele verkündet worden war. Der Bayreuther Oberbürgermeister, so schreibt Wolfgang, »behauptete, die letzten 20 Jahre der Bayreuther Geschichte gehörten ausgestrichen und ausgelöscht, und die Familie hätte ihre Aufgabe dahin mißbraucht und das Haus entweiht, da sie ausschließlich auf materielle Vorteile die Sache betrieben hätte... Butterfly und Tiefland usw. werden damit gerechtfertigt, daß das Geld für die Unterhaltung des Hauses gebraucht würde und lauter so schöne leicht widerlegbare Ammenmärchen...«

Der Oberbürgermeister Dr. Meyer verfolgt seinen Kurs jedoch weiter. Wolfgang Wagner muß noch zwei Jahre später, am 23. Mai 1948, dem Bruder mitteilen, bei einer Veranstaltung »Jugend bekennt sich zur Neuen Musik«, die im Festspielhaus stattfand, habe der Oberbürgermeister gefordert, das Festspielhaus auch der modernen Musik zugänglich zu machen. Das war an sich ein vernünftiger und denkbarer Plan. Er stand jedoch ausdrücklich mit dem Letzten Willen Siegfried Wagners im Widerspruch, und damit gleichzeitig im Gegensatz zu Richard Wagners eigener Konzeption in und für Bayreuth.

Es scheint in München starken Widerstand gegeben zu haben gegen eine Wiedereröffnung der Festspiele durch Mitglieder der Familie Wagner. Dr. Dieter Sattler, später Botschafter der Bundesrepublik, hegte noch zu Beginn des Jahres 1949 die Hoffnung, das Werk Richard Wagners von der Familie Wagner trennen zu können. Der Bayerische Kultusminister Dr. Hundhammer jedoch vertrat am 9. April 1949 in einem Gespräch mit Wieland und Wolfgang Wagner die Meinung, »das Festspielhaus dürfe ausschließlich dem Werk Richard Wagners dienen« und »es verbleibe selbstverständlich im Besitz der Familie«. Allerdings stellte Dr. Hundhammer die Bedingung, daß ein Gremium »aus Vertretern des Staates, des Rundfunks, der Industrie, der Stadt Bayreuth und eines Internationalen Freundeskreises« gegründet werde, um den Intendanten der Festspiele zu wählen. Andernfalls werde der Bayerische Staat keinen Zuschuß zum Festspiel-

unternehmen bewilligen. Wieland und Wolfgang halten als Aktennotiz fest: »Diese Bedingung wird von uns auf Grund der Rechtslage
und der Verhältnisse in Bayreuth, die sich mit einem gewöhnlichen
Theaterbetrieb nicht vergleichen lassen, abgelehnt.« Man geht auseinander an jenem Apriltag 1949, um einen Kompromiß zu suchen.
Dr. Hundhammer wünscht unbedingt eine Beteiligung der exilierten
Schwester *Friedelind Wagner* bei der Reorganisation der Festspiele.
Als dies Gespräch zwischen dem Bayerischen Kultusminister und
den Enkeln Richard Wagners stattfand, hatte sich aber der Bayerische
Ministerpräsident Dr. Ehard schon im Sinne der Familie Wagner
entschieden. Dr. Hundhammer war deshalb irritiert, wie die Aktennotiz mitteilt, weil er sich übergangen fühlte. Der Ministerpräsident
nämlich hatte in Übereinstimmung mit dem neuen Bayreuther Oberbürgermeister H. Rollwagen schon am 24. Februar 1949 dahin entschieden, »der Familie Wagner in der Person der Söhne Wieland
und Wolfgang die Handlungsfreiheit wiederzugeben«.

Nun konnte die neue Weihe des Hauses vorbereitet werden. Heinz
Tietjen kam nicht in Betracht. Das war unmöglich angesichts seiner
Beziehungen zur »Wahnfriedjugend«. Auch hatte er in einem Brief
vom 3. Mai 1947 ausdrücklich erklärt, »daß ich nicht mehr den
Wunsch habe, bei Bayreuther Festspielen aktiv mitzuwirken«. Übri-
gens hielt er sich auch nicht an *diese* dezidierte Erklärung. Als Wieland
Wagner unter Tietjens Hamburger Intendanz eine Inszenierung des
Lohengrin ausprobiert hatte, die dann in Bayreuth zur Festspieleröff-
nung 1958 vorgestellt wurde, beschloß er, die scharfen politischen
und persönlichen Spannungen der Jugendzeit in einer freundlichen
Geste abklingen zu lassen. Heinz Tietjen hat am 15., 19. und 25. Au-
gust 1959 in Bayreuth den *Lohengrin* in der Inszenierung Wieland
Wagners dirigiert.

Besiegt und ausgeschaltet war *Franz W. Beidler.* Als die Festspiele
unter Wielands und Wolfgangs Leitung im Sommer 1951 stattgefunden hatten, schrieb der Sohn der Isolde Beidler-von Bülow und Enkel
Richard Wagners einen Aufsatz mit dem Titel »Bedenken gegen Bayreuth«. Veröffentlicht wurde er in der von der Deutschen Akademie
für Sprache und Dichtung damals in Heidelberg herausgegebenen
Zeitschrift »Das literarische Deutschland«. Franz Beidler bestreitet
nicht, daß die beiden Enkel, seine Vettern, im politischen Sinne
unbelastet seien. Aber: »Belastet ist, was sich in 75 Jahren zu dem
Begriff Bayreuth verfestigt hat, mit dem Schwergewicht einer bedenk-

lichen Tradition...« Es sei grundfalsch, die Politisierung Bayreuths erst mit dem Jahre 1933 anzusetzen:»Ausgestattet mit der suggestiven Ausdruckskraft Wagners waren die Festspiele in Bayreuth mit ihrem obligaten Zubehör an Weltanschauung immer ein Politikum hohen Grades. 1933 ist lediglich die Drachensaat aufgegangen, die vorher während Jahrzehnten vornehmlich von dort ausgesät worden war. Wenn im Nationalsozialismus überhaupt eine Ideologie, eine Gesinnung enthalten ist, so ist es zu einem erschreckend großen Teil Bayreuther Gesinnung.«

Die Söhne

Die Abtretungserklärung vom 21. Januar 1949 machte den Weg frei für neue Bayreuther Festspiele unter Leitung der Söhne Wieland und Wolfgang Wagner. Am 23. April wurde die bisherige Treuhänderschaft über das Festspielhaus aufgehoben. Zwei Tage später begann man mit der Arbeit an einem provisorischen Ausbau der unzerstörten Teile von Haus Wahnfried. Im Herbst 1949 ziehen Wieland und Gertrud Wagner dort ein. Man plant für 1950 die Wiedereröffnung des Festspielhauses. Zwischen den Brüdern wird eine Vereinbarung über Arbeitsteilung vorgenommen; am 25. April 1950 kommt es zu einer vertraglichen Abmachung zwischen der Mutter und ihren beiden Söhnen. Wolfgang Wagner übernimmt für die erste Zeit die Sorge um Verwaltung, Finanzen, Verträge mit den Künstlern etc. Wieland Wagner ist seit der Rückkehr vom Bodensee fast ausschließlich mit den Vorstudien für seine Neudarstellung des *Parsifal* beschäftigt. Er arbeitet in Bayreuth mit Kurt Overhoff, seinem früheren Musiklehrer und langjährigen geistigen Berater.

Bald stellt es sich heraus, daß die Schwierigkeiten nur langsam behoben werden können. An Festspiele im Jahre 1950 ist nicht zu denken. Übrigens gibt es seit August 1949 ein staatlich-politisches Gebilde mit Namen»Bundesrepublik Deutschland«. Ihm war im Oktober eine»Deutsche Demokratische Republik« auf dem Gebiet der sowjetischen Besatzungszone entgegengestellt worden.

Wolfgang Wagner hatte darauf verzichtet, für die ersten Nachkriegsfestspiele selbst eine Inszenierung beizusteuern. Dafür war ihm am 21./22. September 1949 eine wichtige Organisationsleistung geglückt: als Gründung einer»Gesellschaft der Freunde von Bayreuth«.

Das war ein Kreis von reichen Leuten, der sich bereit erklärte, für das jeweilige Defizit eines Festspieljahres einzustehen. Mitglieder der Gesellschaft beginnen mit Spenden und setzen dadurch die seit Richard Wagner praktizierte Überlieferung eines Appells an die jeweiligen – fürstlichen, staatlichen, nunmehr vor allem kapitalistischen – Mäzene fort. Trotzdem kann erst mit einer Wiedereröffnung im Sommer 1951 gerechnet werden.

Daß der *Ring des Nibelungen* in einer völligen Neuinszenierung auf dem Programm fungieren muß, ist für die Enkel Richard Wagners selbstverständlich. Der vom *Parsifal* faszinierte Wieland sieht in der gleichfalls unumgänglichen Neuinszenierung des Bühnenweihfestspiels seine wichtigste Arbeit: als Gelegenheit zur Präsentierung der neuen ästhetischen Konzepte.

Daneben sollen die *Meistersinger von Nürnberg* aufgeführt werden. Für diese Entscheidung spricht nicht allein die Attraktionskraft des Werkes, sondern auch die Überlegung, die Festwiese, die man während jener »Kriegsfestspiele« so oft und nahezu schematisch, übrigens im Widerspruch zu Wagners Text, gleichsam als Fortsetzung der kriegerischen Tiraden aus dem *Lohengrin* inszeniert hatte, wieder in der von Wagner vorgeschriebenen Kunstgesinnung darzustellen: als skeptische Mahnung an die deutschen Zeitgenossen, über allen Träumen von deutscher Staatlichkeit und Staatsmacht nicht zu vergessen, daß Werke der Kunst dauerhafter und gültiger seien als alle Eroberungen und Expansionen. Da Wolfgang Wagner als möglicher Regisseur der *Meistersinger* ausfällt, bitten die neuen Leiter der Festspiele den Münchener Intendanten Rudolf Otto Hartmann, das Werk zu inszenieren. Der Architekt Hans Reissinger in Bayreuth, ein Onkel von Gertrud Wagner, erhält den Auftrag, Bühnenbilder für das Nürnberger Lustspiel zu entwerfen. Die Kostüme wurden vom Stadttheater Nürnberg ausgeliehen.

Die Schwierigkeiten Wieland Wagners bei Verpflichtung seiner Dirigenten hat Geoffrey Skelton in seinem Buch über »Wieland Wagner. The Positive Sceptic« (London 1971) sehr ausführlich und oft erheiternd dargestellt. Daß eine Erneuerung »an Haupt und Gliedern« beabsichtigt und weitgehend auch realisiert wurde, zeigt ein rascher Vergleich zwischen den Namen der Mitwirkenden bei den neuen Festspielen von 1951 und in der Vorkriegszeit 1933–1944. Beide Brüder legten größten Wert darauf, den Dirigenten *Hans Knappertsbusch* endlich für Bayreuth zu gewinnen, von wo man ihn, aus den sonderbarsten Gründen, immer wieder ferngehalten hatte, obwohl Knappertsbusch als blutjunger Musiker schon kurz nach der Jahrhundertwende in Bayreuth assistiert und noch, was kaum ein anderer Dirigent unter seinen Zeitgenossen von sich sagen durfte, mit Hans Richter gearbeitet hatte.

Knappertsbusch wurde im Jahre 1936 von der Münchener Oper weggeekelt. Dem Braunen Haus war er unerwünscht gewesen. Dann ging er an die Wiener Staatsoper, wo ihn zwei Jahre später der »Anschluß« erreichte. Nach München hatte man den in Wien aus politischen Gründen suspekt gewordenen Clemens Krauss geholt. Dadurch aber war für Wieland und Wolfgang Wagner sogleich eine Krisensituation entstanden. Von Clemens Krauss durfte man jenen leichten und beschwingten Orchesterklang erwarten, der, im Gegensatz zur oft massiven Pathetik der üblichen Wagner-Interpreten, den beiden als Musiker vollkommen ausgebildeten Brüdern Wieland und Wolfgang vorschweben mochte. Aber man mußte sich entscheiden. Knappertsbusch war nicht bereit, gemeinsam mit seinem damaligen Münchener »Nachfolger« in Bayreuth zu dirigieren. So mußte auf Krauss zunächst verzichtet werden.

Die berühmte Neuinszenierung des *Parsifal* durch Hans Knappertsbusch und Wieland Wagner, die man sogleich als eigentlichen Beginn einer neuen Bayreuther Ära verstand – entweder entrüstet oder fasziniert –, fand am 30. Juli 1951 statt. Es wird berichtet, daß der 63jährige Hans Knappertsbusch, als er an jenem Nachmittag zum erstenmal in Richard Wagners »mystischem Abgrund« ans Dirigentenpult trat, tief bewegt war und eine Weile brauchte, bis er den Stab heben konnte.

Als Leiter der *Meistersinger von Nürnberg* war Herbert von Karajan berufen worden. An ihn hatte Wieland Wagner schon während der Kriegszeit als einen möglichen Dirigenten für Bayreuth gedacht. Damals jedoch war er noch der Meinung gewesen, gerade die *Meistersinger von Nürnberg* seien für den Musiker von Karajan kein besonders geeignetes Debüt. Karajan teilte sich auch mit Knappertsbusch in die Leitung des neuinszenierten Nibelungenrings.

Wer Festspiele in Bayreuth veranstalten will, hat weder ein eigenes Orchester zur Verfügung noch ein eigenes Opernensemble, noch einen bühnentechnischen Apparat. Der Gedanke Richard Wagners war es gewesen, das außerordentliche Ereignis des festlichen Spiels als eine Summierung der Besten und Vortrefflichsten zu begehen.

Er hatte die besten Sänger ausgezeichnet, indem er sie nach Bayreuth einlud. Die besten Musiker in allen deutschen Orchestern, von allen Hof- und Stadttheatern sollten nichts inniger für sich begehren, als in Bayreuth mitzuwirken und dabei auf ihre eigenen sommerlichen Urlaubswochen zu verzichten. Der Konzertmeister vielleicht als Gast von der Wiener Hofoper, der Hornist für Siegfrieds Hornruf möglicherweise vom damals berühmten Meininger Orchester.

Das Genie Richard Wagners und später dann, unter Frau Cosima, der Bayreuther Mythos im Deutschen Kaiserreich, ließen immer wieder das Wunder programmmäßig eintreffen. In jenen fränkischen Sommerwochen formierten sich die künstlerischen Individualitäten zum wahrhaft festlichen Orchester. Freilich hatte man bis zum Jahre 1936 immer nur an zwei Jahren hintereinander gespielt, so daß ein drittes und spielfreies Jahr den Engagements, Vorbereitungen und Proben dienen konnte.

Unter der Ägide von Winifred Wagner und Heinz Tietjen hatte sich Bayreuth weitgehend auf Ensemble und Apparat der Preußischen Staatsoper in Berlin stützen können. Allein der Staat Preußen gehörte im Jahre 1951 zur abgelebten Vergangenheit.

Die neuen Leiter von Bayreuth waren von nun an auf Mitwirkung derjenigen Fachleute angewiesen, die alles besaßen, was man in Bayreuth entbehren mußte: Orchester, Sängerensemble und technischen Apparat. Dadurch wurde die Verbindung zu den neuen Intendanten der großen deutschen Opernhäuser lebenswichtig. Ein ungnädiger Intendant in Berlin oder München und Wien konnte sich unter billiger Berufung auf dringende Proben im eigenen Hause einfach weigern, den für Bayreuth so erwünschten Alberich oder Mime oder Gurnemanz für den Sommer freizustellen. Zusammenarbeit mit den Intendanten und Ensembles war notwendig geworden. Im besonderen Falle der Westberliner Oper bedeutete das für Wieland und Wolfgang Wagner die unabdingbare Kollaboration mit einem alten Bekannten: mit Heinz Tietjen.

Das haben beide Seiten rasch begriffen. Es kam zu einer sachlichen Zusammenarbeit, die fortgesetzt wurde, als Tietjen in der Nachfolge von Günther Rennert, noch in vorgeschrittenem Alter, für einige Zeit die Leitung der Hamburgischen Staatsoper übernahm.

Die Ära von Emil Preetorius war in Bayreuth beendet. Wieland Wagners Regiekonzeptionen hätten sich dem von Grund auf widersetzt. Die Verbindung hingegen zu *Wilhelm Furtwängler* wurde gesucht, doch kam es zu keinem Erfolg. Furtwängler hatte sich bereits für die Salzburger Festspiele entschieden, nahm aber die Einladung an, am 29. Juli 1951 die neue Ära mit einer Aufführung der Neunten Symphonie von Beethoven einzuleiten. Damit sollte ein Bogen zurückgeschlagen werden zum 22. Mai 1872, dem Tag der Grundsteinlegung, zur festlichen Aufführung der Neunten unter Wagners Leitung im Markgräflichen Opernhaus. Furtwängler hat dann noch einmal am 9. August 1954 eine Aufführung der Beethoven-Symphonie geleitet. Ein Jahr vorher, am 11. August 1953, stand das Festkonzert unter Paul Hindemiths Leitung, womit die neuen Leiter der Festspiele zum erstenmal – und demonstrativ – einen im Dritten Reich verfemten, weil »entarteten« Komponisten des 20. Jahrhunderts nach Bayreuth einluden.

Debütanten in Bayreuth, gleich den Dirigenten Knappertsbusch und Karajan, waren auch die wichtigsten Sänger, die an den Festspielen des Jahres 1951 mitwirkten. Man hatte, nach dem Verzicht auf eine verfrühte Eröffnung im Jahre 1950, in Ruhe vorbereiten und auswählen können. Bei diesen ersten Festspielen sind fast alle bedeutenden Interpreten zur Stelle, die im nächsten Jahrzehnt den Stil des Neuen Bayreuth prägen sollten: Martha Mödl, Astrid Varnay, Wolfgang Windgassen, Josef Greindl und der Amerikaner George London. Mit den international nahezu unbekannten Interpreten der Rollen von Kundry und Parsifal (Mödl und Windgassen) ließ sich Wieland Wagner eingestandenermaßen auf einen Versuch ein. Er hatte sich mit diesen beiden jedoch, wie nach der Premiere des »Parsifal« sogleich und allgemein erkannt wurde, eine wesentliche Voraussetzung für die weiteren Neuinterpretationen der Werke Richard Wagners in kommenden Festspieljahren gesichert.

Die *Meistersinger von Nürnberg* präsentierten sich als gut gemachtes, doch herkömmliches Wagner-Theater, das gefiel. Von seiner ersten Inszenierung des Nibelungenrings sprach Wieland Wagner später – im ganzen durchaus mit Unrecht – nur noch voller Entsetzen und wandte viel Mühe und detektivische Sorgfalt darauf, die Verbreitung jener Szenenausschnitte zu verhindern. Dennoch wurden die Grundzüge seiner musikdramatischen Arbeit auch hier bereits in wichtigen Episoden erkennbar. Es fehlte noch, wie ein Vergleich mit Wieland Wagners *Ring*-Interpretation von 1965 erweist, die genaue dramaturgische Neudeutung der Tetralogie und ihrer strukturellen Grundlagen.

Uneingeschränkt bekennen konnte sich Wieland Wagner hingegen zum neuen *Parsifal*. Hier legte er das Arbeitsergebnis vieler Lehr- und Wanderjahre vor. In skurriler Weise wiederholte sich bei dieser ersten künstlerischen Produktion aus der Neubayreuther Werkstatt der Eindruck einer offenbar erzielten Endgültigkeit. Der unter Richard Wagners Leitung entstandene *Parsifal* von 1882 mit den berühmten Wandeldekorationen des Malers Paul von Joukowsky war in ähnlicher Weise und jahrzehntelang als definitive Lösung empfunden worden. Darum die wunderliche Parsifal-Eingabe vom Jahre 1934. Wieland Wagner hatte das Bühnenweihfestspiel in einer Weise interpretiert, die als Zurücknahme aller früheren Szenen-Konzeptionen verstanden werden sollte, sowohl der Bilder Joukoswskys wie Alfred Rollers, wie auch seiner eigenen frühen Entwürfe zum *Parsifal*. Als Wieland Wagner am 17. Oktober 1966 starb, war es die »Gesellschaft der Freunde von Bayreuth«, die anregte, jene Parsifal-Inszenierung von 1951, die bis dahin niemals in ihrer Grundstruktur verändert worden war, als endgültig anzusehen und gleichsam unter Denkmalschutz zu stellen. Dem widersprach man im Festspielhaus mit guten und praktischen Gründen. Ein neuer *Parsifal* in der Inszenierung von Wolfgang Wagner wurde jedoch erst 1975 aufgeführt.

Wie man bei der Wiedereröffnung von 1951 mit einer festlichen Aufführung der Neunten Symphonie an die Tradition Richard Wagners anknüpfte, so auch durch eine gleichsam ideologische und sogar ideologiekritische Vorbereitung der neuen Ära. Richard Wagner war unablässig bemüht gewesen, seiner Mitwelt durch Manifeste, Reden, dramaturgische und philosophische Traktate eine geistige Hilfe zum Verständnis seiner Innovationen zu liefern.

Diese Tradition wird bei Wieland Wagner sehr bewußt fortgesetzt. Zur Eröffnung der Festspiele erscheint ein »Bayreuther Festspielbuch 1951«, herausgegeben von der Festspielleitung. Darin findet sich ein Beitrag, gezeichnet »Wieland Wagner, Bayreuth«. Er behandelt das Thema *»Überlieferung und Neugestaltung«*. Mit Recht hat man darin eine erste Programmschrift erblicken wollen. Wieland Wagner selbst verstand es gleichfalls so. Im Jahre 1952 ließ er in englischer Sprache eine Broschüre »Life, Work, Festspielhaus« publizieren, worin der grundsätzliche Artikel von 1951 als »Tradition and Innovation« abermals im Mittelpunkt stand.

Das Konzept des Enkels unterscheidet grundsätzlich zwischen den von Richard Wagner geschaffenen Werken und ihrer Wieder-

gabe. Die Musikdramen selbst betrachtet er als konstant, alle Wiedergabe jedoch als variabel und geschichtlich determiniert. Die Werke
stehen fest, doch verlangen sie eine permanente Neudeutung und
eine Wiedergabe, die dem Wandel der Sehweise und auch Hörweise
bewußt Rechnung trägt:
»Diese Neugestaltung – und nur sie – unterliegt dem Wandel.
Ihm ausweichen zu wollen, hieße die Tugend der Treue zum Laster
der Erstarrung machen. Eine solche Erstarrung aber würde es töten.
Wer ihr das Wort redet, wird zum Totengräber am Werk.
Der Übergang von Treue zum Wechsel ist unvermeidlich. Es
gibt nichts ›Ewiges‹. Was wir unter diesem großen Wort verstehen,
ist nur ein Langandauerndes, für uns Menschen nicht mehr zu Überse-
hendes. So betrachtet erscheint der Wandel – modern gesprochen
– gleichsam nur als Frage des Taktgefühls, nur der Vorschnelle ist
im moralischen Sinne des Wortes ›untreu‹.«

Charakteristischerweise dominiert in dieser Programmschrift Wieland Wagners noch die Phantasie eines bildenden Künstlers. Die
Dramaturgie des Nibelungenrings und des *Parsifal* wird weitgehend
durch Vorstellungen des Bühnenbildners beherrscht, weit weniger
durch ein Nachdenken über den philosophischen und sozialgeschicht-
lichen Wandel, der sich in jenen 75 Jahren seit Begründung der Bayreuther Festspiele vollzog. Der Verfasser dieses Traktats ist fasziniert
vom technischen Wandel, und damit von einer neuen Sehweise. Hier
die Welt des Gaslichts, dort der moderne Scheinwerfer. Der Enkel
ist davon überzeugt, daß der restlose Neuerer und Erneuerer Richard
Wagner als erster in unserer Zeit solche technischen Wandlungen
für sich übernommen hätte:»Was ihm – selbst noch bei der Aufführung seines *Parsifal* im Jahre 1882 – zur Verfügung stand, war ausschließlich die Gasbeleuchtung. In ihrem mühseligen, wenig wandel-
baren aber warmen Schein konnten Eindrücke entstehen, die in der
Erinnerung all jener lebendig sind, welche noch von diesem ›Wunder‹
zu erzählen wissen: das geheimnisvolle Halbdunkel, in dem die Farben der herrlich gemalten Hängedekorationen jene magische Illusion
erzielen konnten, der Wagners Werk nicht zu entraten vermag. Hier
war aus der Not eine Tugend geworden. Die um so viel größere
Strahlkraft des elektrischen Lichtes würde die berühmte Wandeldekoration Joukowskys aus dem Mysterium ihres Dämmerlichtes unbarmherzig herausreißen, wir stünden vor nichts als einem Streifen bemalter Leinwand, der uns höchstens mit historischem Interesse erfüllte.

Wirklich glaubhaft erschiene uns diese Art der Bühnenbildkunst nicht mehr.«

Scheinbar ist das eine bloß technische Antithese, allein Wieland Wagner versteht sie als prinzipiellen Gegensatz zwischen einst und jetzt. Wogegen er sich abzugrenzen sucht, das ist weit weniger die Bühnenverwirklichung bei Wagner und Joukowsky, als bei Tietjen und Preetorius. Ihnen wirft er, ohne daß Namen genannt werden, insgeheim vor, im Zeitalter des elektrischen Scheins unverdrossen und jahrelang einen Inszenierungsstil gepflegt zu haben aus dem Zeitalter der Gasbeleuchtung. Ein präziser Satz unterstreicht den Widerspruch:»*Der ausgeleuchtete Raum ist an Stelle des beleuchteten Bildes getreten.*« Mit dieser These wird die neue Bayreuther Dramaturgie und Bühnengestaltung begründet. *Der ausgeleuchtete Raum nämlich wird verstanden als leerer Raum.*

In Zeitungsartikeln und Interviews nach dem Erfolg der ersten Festspiele hat Wieland Wagner gern von einer notwendigen »Entrümpelung« gesprochen. Dabei mochte man in oberflächlicher Konstatierung an den Wegfall der pseudogermanischen Requisiten denken, natürlich auch an die Widder der Fricka und das Bühnenroß Grane. Sogar an den einäugigen Wotan, denn von nun an schaute der Heldenbariton, der Allvater darzustellen hat, mit beiden Augen auf das jeweilige Bühnengeschehen. Auch dies steht, wie Wieland Wagner genau weiß, im Widerspruch zu den Regieanweisungen seines Großvaters, allein er unterscheidet offensichtlich zwischen essentiellen und akzidentiellen Bestandteilen der Werke. Womit er freilich – ungewollt – zu der Folgerung gelangen muß, daß auch diese Werke selbst, entgegen seiner vorangestellten Behauptung, weniger konstant sind, als vermutet. Die Analyse einer Wechselwirkung von Innovation und Tradition bemüht sich um doppelte Abgrenzung: sowohl gegen die konservativen und bei jedem ungewohnten Anblick erschreckenden Wagnerianer, wie gegen modisches Experimentieren und scheinbares Aktualisieren der Musikdramen.

Es ist Wieland Wagner überaus ernst mit dem Konzept des ausgeleuchteten, im übrigen aber leeren Raums. Indem er nachdrücklich den Vorrang der Musik vor jedem szenischen Requisit betont, entwirft er im Grunde eine Dramaturgie des »unsichtbaren Theaters«; er stellt sich auch dieser Konsequenz, kokettiert sogar ein bißchen mit ihr, denn unmittelbar auf seinen Text läßt er ein Zitat aus einer Tagebuchaufzeichnung von Cosima Wagner vom 23. September 1878

folgen, wonach Richard Wagner erklärt habe:»Ach, es graut mir
vor allem Kostüm- und Schminkewesen; wenn ich daran denke, daß
diese Gestalten, wie Kundry, nun sollen gemummt werden, fallen
mir gleich die ekelhaften Künstlerfeste ein, und nachdem ich das
unsichtbare Orchester geschaffen, möchte ich auch das unsichtbare
Theater erfinden!«

In allen Inszenierungen Wieland Wagners, die er in der Folge
und als Wirkung seiner Bayreuther Inszenierung in Hamburg und
Stuttgart zeigen konnte, in Brüssel und Rom, Paris und Wien, und
zwar nicht bloß mit Richard Wagners Musikdramen, sondern auch
bei Beethoven und Gluck, bei»Salome« und»Wozzeck«, gibt es
den leeren, ausgeleuchteten Raum und den Vorrang des Musikalischen, was heißen muß: des Orchestralen. Nirgends baut sich ein
historisch situierter Werkraum um die Gestalten. Im Gegensatz zum
Psychologisieren Tietjens und wohl auch bereits Siegfried Wagners
stellt Wieland Wagner, darin durchaus ein Schüler von Carl Orff,
das tragische Geschehen zwischen den singenden Kunstfiguren auf
Isolation und Getrenntsein. Die Figuren werden gemäß der dramaturgischen Struktur einander zugeordnet, nicht aber mit Hilfe scheinbar
menschlicher Kontakte. Das gilt auch für Wieland Wagners berühmte
und bei der ersten Aufführung am 24. Juli 1956 so heftig umstrittene
Neudeutung der *Meistersinger von Nürnberg*. In dem programmatischen
Essay von 1951 war noch behauptet worden, man könne bei den
Meistersingern arbeiten mit»einem gewissen Naturalismus, wie er
sich schon aus der geographischen und historischen Fixierung des
Schauspiels von selbst ergibt«. Beim *Parsifal* hingegen handle es sich
um einen»mystischen Ausdruck von kaum zu umgrenzenden Seelen-
zuständen, die im Irrealen wurzeln und nur von der Intuition erfaßt
werden können«.

Fünf Jahre später scheint Wieland Wagner erkannt zu haben,
daß auch der angeblich so notwendige Naturalismus der *Meistersinger*
als Opfer der Entrümpelung fallen müsse. Nach dem *Parsifal* von
1951 werden diese *Meistersinger von Nürnberg* des Jahres 1956 zur
Folgerung aus den früh erarbeiteten Prämissen und den inzwischen
gewonnenen Erfahrungen. Mit einem neuen Ensemble, einem neuen
Musizierstil, nicht zuletzt mit einer neuen ästhetischen Besinnung
auf die geistigen Grundlagen sowohl der Epoche Richard Wagners
wie derjenigen seiner Enkel. Daraus erwächst das Projekt, auch die
Meistersinger von Nürnberg von der traditionellen Bindung an das

19. Jahrhundert und die bürgerliche Sehnsucht nach »ungebrochener« deutscher Renaissance zu befreien.

»Meistersinger« ohne 19. Jahrhundert

Am 24. Juli 1956 geschah im Bayreuther Festspielhaus etwas Unerhörtes, für Bayreuthpilger geradezu Erschreckendes: es wurde kräftig gebuht. Gegenstand einer solchen Kundgebung des Mißfallens – wohin sind wir gekommen! – war Wieland Wagner, der Enkel Richard und Cosimas. Schlimmer noch: er wirkte nicht einmal schuldbewußt, als er vor den Vorhang trat und sich den Protesten stellte, sondern eher vergnügt, gleichsam innerlich bestätigt. Man hat jene Neudeutung der *Meistersinger von Nürnberg*, die im nachhinein sehr gelobt und häufig interpretiert wurde, gegen Wielands Interpretation desselben Werkes vom Jahre 1963 ausgespielt, worin ein Anschluß an die einstige Bühnentradition des musikalischen Lustspiels vollzogen zu sein schien. Zu Unrecht übrigens, denn beide Interpretationen der *Meistersinger von Nürnberg* durch den Regisseur und Bühnenbildner Wieland Wagner hatten eines miteinander gemein: daß sie das Werk vom Entstehungsbereich des 19. Jahrhunderts abzuheben und in einer neuen geistigen Totalität zu integrieren suchten. Bei der Aufführung von 1956 war diese Totalität eine überwirkliche Traumwelt, bei der Aufführung von 1963 ein Versuch, das Lustspiel Richard Wagners nicht mit Vorstellungen des 19. Jahrhunderts von deutscher Renaissance zu verbinden, sondern als deutsches 16. Jahrhundert unmittelbar zu evozieren.

Abermals hatte Wieland Wagner, wie schon beim *Parsifal* von 1951, eine sorgfältige historische Vorbereitung absolviert, woran er sein Publikum teilnehmen ließ. Im Programmheft 1956 zu den Meistersingern stellte er knappe, aber konzentrierte Thesen vor unter der Überschrift »Ein Kind ward hier geboren«: als Zitat aus dem Taufspruch von Hans Sachs in der Schusterstube des dritten Aktes der *Meistersinger von Nürnberg*. Daß Wieland Wagner seine Interpretation durchaus polemisch auffaßt gegenüber seinem Publikum wie seinen Kritikern, ist evident. Darin reproduziert er die Position Richard Wagners, geht aber noch weiter als der Großvater. Während Richard Wagner als Gegenstände der Abneigung vor allem den Merker und jene Meister hatte treffen wollen, deren Reaktion auf die

neue Musik eines Stolzing vom Vereinsvorsitzenden Fritz Kothner
dahin zusammengefaßt worden war:»Ja, ich verstand gar nichts
davon«, spart Wieland Wagner im Grunde nur Sachs und das Liebespaar aus bei seiner abschätzigen Analyse. Nicht einmal den Nachtwächter läßt er ungeschoren:»Und wann wäre jemals eine ›neue
Weise‹ geschaffen worden ohne ›viel Lärm auf der Gassen‹, ohne
heillose Verwirrung kluger Köpfe, ohne nächtliche Prügelei der aktiven und passiven ›Geburtshelfer‹ – kurz ohne jenen ›Wahn‹, dem
der fünfzigjährige gereifte und wissende Kunstphilosoph Wagner
einen sehr wesentlichen Anteil an der Entstehung des Kunstwerks
beimißt? ›Nachtwächter‹ – Zeitgenossen, die von nichts etwas bemer-
ken – unbegabte, aber desto ehrgeizigere Kunstaspiranten wie der
stets hungrige David und allzu verständnisvolle mütterliche Freun-
dinnen à la Magdalena vervollständigen, fast parodistisch, Richard
Wagners ›kleines Kunsttheater‹.«

Bei solcher Interpretation muß die individuelle Figur der Gestalten reduziert werden auf ihren angeblichen Symbolwert. Die bezau-
bernde, humoristische Situation des Nachtwächters, der stets erscheint, wenn sich nichts ereignet, und der nicht ahnt, daß es ein
Vorher gegeben hat und ein Nachher, wird in der Interpretation
Wieland Wagners als stellvertretend gedeutet für das Verhalten vieler
Menschen im Angesicht einer Wandlung des Denkens und Fühlens.

Man sah im Festspielhaus gleichsam *Meistersinger ohne Nürnberg,*
ganz gewiß ohne den vertrauten historischen Kontext. Im Programmheft hatte der Regisseur die sorgfältig ausgesuchten Dokumente abgedruckt, die Richard Wagners Lebensleid bei der Schöpfung der»Meistersinger« belegen konnten. Es war offensichtlich, daß hier Tragik
hinter der Komik hervortreten sollte. Während der Arbeit am Text
und vor allem an der Musik seines Lustspiels hatte sich Wagner,
wie bekannt, mit der spanischen Dramatik eines Calderón beschäftigt,
also eines trotz zahlreicher Lustspiele nicht eigentlich»heiteren« Dramatikers.

Die Kritik hat vor dieser Aufführung das Wort von den»bösen
Meistersingern« geprägt. Ein Johannisnachtstraum: unheimliche Züge, die bis dahin überspielt und verdrängt worden waren, kamen
plötzlich zum Vorschein. Das Treiben der Lehrbuben erinnerte nicht
mehr an spaßhafte Choristen, sondern gemahnte bisweilen an die
skurrilen Wasserspeier der gotischen Kathedralen. Wer diesem Werk
begegnete, ahnte nicht bloß den tragischen Unterton des Ganzen,

sondern erlebte mit Staunen, daß das Calderón-Erlebnis Richard Wagners nicht nur den *Tristan* geprägt hatte, sondern auch die *Meistersinger*. Allein: viel von der Werksubstanz ging diesmal verloren. Szene und Orchester fielen auseinander: zugunsten des Musikalischen, wenn man so will. Auch der vom Komponisten sorgfältig in der Musik pointierte Dialog fand nicht mehr statt. Zwischen Sachs – Stolzing – Beckmesser ging es statuarisch zu. Die musikdramatischen Beziehungen werden geopfert.

Der herkömmlicherweise so milde, scheinbar überlegene, fast gottvatermäßige Hans Sachs erhielt durchaus böse und tückische Züge. Es war durchaus nicht ausgemacht, daß er nicht mit dem Gedanken spielte, Klein Evchen für sich zu gewinnen. Das Rüpelspiel in der Johannisnacht wird von ihm gleichsam inszeniert. Über dem Leiberknäuel der Prügelnden, einem rechten Pogrombild, erscheint Sachs als Drahtzieher, der dann freilich in der Schusterstube auch mit sich selbst ins Gericht geht. Unvergeßlich das Bild dieses zweiten Aktes, ganz ohne altdeutsche Veduten und historische Reminiszenzen. Eine riesige Fliedervision im abermals ausgeleuchteten leeren Raum: schillernd in allen Farben der Nacht, der Geilheit und auch der Mordlust. Böse Meistersinger. Auch die Inszenierung der *Meistersinger von Nürnberg* vom 25. Juli 1963 wurde von Kundgebungen des Mißfallens begleitet, allein unter den Protestierenden gab es nunmehr zwei Richtungen, die bloß in der Negation übereinstimmten. Die einen sehnten sich zurück nach dem fast 90 Jahre lang, seit der Münchener Uraufführung, praktizierten Regieschema; die anderen waren leidenschaftliche Anhänger des Konzepts von 1956 und schienen Wieland Wagner vorzuwerfen, sich nunmehr selbst verleugnet zu haben. Kein Johannisnachtstraum, frei nach Shakespeare, wie noch im Jahre 1956, sondern der Versuch mit einer *erweiterten Shakespearebühne*. Diese neuen *Meistersinger* wurden nicht mehr aus der romantischen Nürnberger-Vorstellung des vergangenen Jahrhunderts inszeniert, erst recht nicht mehr als anachronistischer Überhang der Makartzeit. Wieland Wagner ging nicht auf das Nürnberg Richard Wagners zurück, sondern auf das reale Nürnberg des Hans Sachs. Man lebt in einer Übergangszeit zwischen Mittelalter und Neuzeit, zwischen ausgehendem Feudalismus und bürgerlicher Emanzipation. Der Junker von Stolzing hat seine Burg im Frankenland verlassen, die vermutlich baufällig wurde. Daß sich seine unmittelbaren Vorfahren als Raubritter bei Überfällen auf Geleitzüge der Nürnberger Pfeffersäcke betätigten, ist nicht ausgeschlossen. Zuzutrauen wäre es ihnen, und der etwas rüde Junker, der sich bei Meister Pogner als Gast einstellt, läßt ein bißchen davon ahnen. Er ist zunächst auch als Künstler ein Anachronismus. Die inzwischen verbürgerlichte Literatur nahm er nicht zur Kenntnis und ist bei Herrn Walther von der Vogelweide stehengeblieben. Damit kommt er bei den Meistern schlecht an. Sie lieben die Raubritter nicht besonders, haben sich eine bürgerliche, humanistisch formale Literatur erarbeitet und empfinden den Junker in jeder Weise als »fehl am Ort«. Übrigens sind bloß ein paar Jahre vergangen, seit der Versuch des Ritteraufstandes von Hutten und Sickingen durch die Territorial-Fürsten mit Hilfe der reichsstädtischen Kaufleute niedergeschlagen wurde.

Auch in der Reichsstadt Nürnberg lebt man in einer Übergangszeit. Wieland Wagner zeigt das genau und eindrucksvoll. Beim Gottesdienst zu Beginn gibt es Kniende der alten katholischen Tradition, aber auch schon die aufrecht Stehenden des neuen und reformierten Glaubens. Die Meister kommen aus der Werkstatt, auch Meister Pogner. Dies sieht aus wie bei Peter Vischer oder Adam Krafft. Die Lehrbuben mit David sind reales Nürnberg: gleichzeitig einstig und heutig. Leute, die man aus den Bildern der deutschen Renaissance-Meister kennt, aber sie sitzen immer noch in den Kneipen im Schatten von Sankt Lorenz und Sankt Sebald. Dies ist Nürnberg als Substanz, nicht als Kulisse.

Beckmesser wird als hochangesehener Intellektueller dargestellt, den die anderen Meister gleichzeitig respektieren und fürchten. Er imponiert in seinem unerschütterlichen Selbstbewußtsein, sie glauben ihn zu brauchen, weil er vermutlich als einziger die humanistische Tradition mit Apollo und Musen kennt, die sie, die Meistersinger, in ihrer Kunstbemühung sowohl mit ihrem reformierten Glauben wie mit ihrem Stadtbürgertum verschmelzen möchten. Sachs hat sich gegenüber diesem arroganten Humanisten als Schwankdichter und Volksdichter seiner Haut zu wehren. Schon die erste Begrüßung zwischen beiden in der Singschule zeigt bei Sachs die distanzierte Feindlichkeit, auch ein bißchen Angstgefühl, während Beckmesser, nach außen hin wenigstens, den Schuster recht gönnerhaft behandelt.

Sachs ist kein gütig polternder Schicksalslenker, sondern ein leidenschaftlicher, schwer entsagender Mensch, der seine Kraft und Männlichkeit braucht, um Stolzing als Dichter und Nebenbuhler ertragen zu können. Ein Mann, der auf der Hut ist, gefährdet und

gelegentlich auch gefährlich. Sein Gegenspieler Beckmesser entbehrt
der Tragik. Diesem hier können alle Niederlagen innerlich nichts
anhaben, denn er glaubt es nun einmal besser zu wisssen. Vielleicht
hält er in geheimen Augenblicken den Sachs für den besseren Dichter,
sich selbst aber für den besseren Meister für Ton und Weise, wodurch
wieder alles ausgeglichen wird. Kein Grund zum Gelächter, auch
kein Grund zur Tragik. Der Stolzing läßt die Raubritter-Aura erkennen, die diesen Junker aus Frankenland umgibt. Dadurch erst wird
die Schärfe des Konflikts zwischen Stolzing und den Meistern, aber
auch zwischen Stolzing und Sachs spürbar. Eva verfällt diesem Rauf-
bold vom ersten Augenblick an. Sie kennt weder Vater noch väter-
lichen Freund. Bürgerrecht und Herkunft – nichts zählt vor diesem
neuen Gefühl. Auch hier gibt es, was die Gestalt betrifft, erschrecken-
de Züge. Als der Geliebte die Meisterwürde ablehnt, erlebt sie als
einzige keinen Konflikt. Sie zöge mit ihm davon, wohin immer es
gehen mag.

Hatte Wieland Wagner zu Beginn der Ära, also seit 1951, einer
gewissen Vorliebe für tiefenpsychologische Deutung und archetypi-
sche Konstellationen gefrönt, so findet er auch in seinen Lektüren
immer mehr den Anschluß an das dialektische Denken der Hegel-
und Marx-Traditionen. Verbindungen werden hergestellt zu *Theodor
W. Adorno* und vor allem zu *Ernst Bloch*.

Ein Gedanke des dialektischen Philosophen und Musiktheoreti-
kers Adorno über Wagner wird auch in den neuen Bayreuther Inszenierungen erprobt. Adornos These lautete: »Ist das Werk Wagners
in sich wahrhaft ambivalent und brüchig, so tut ihm Gerechtigkeit
an nur eine Aufführungspraxis, die davon Rechenschaft gibt und
die Brüche realisiert, statt sie zuzuschminken.« Wieland Wagner hatte
auch Wert darauf gelegt, einen schon in den 20er Jahren von Ernst
Bloch entworfenen Essay über »Paradoxa und Pastorale bei Wagner«,
den Bloch überarbeitet hatte, den Bayreuther Theaterbesuchern und
Lesern der Programmhefte zur Kenntnis zu bringen. Die Wirkung
und »Widerspiegelung« solcher Reflexionen zeigte sich in Wieland
Wagners letzten Bayreuther Arbeiten: im neuen *Tristan* von 1962,
und in seiner letzten großen Bayreuther Arbeit, dem *Ring des Nibelungen* von 1965.

Die erste Interpretation von *Tristan und Isolde* vom 23. Juli 1952
war ein Versuch gewesen. Es fehlte an der Übereinstimmung zwischen Wieland Wagner und Herbert von Karajan. Der Dirigent des

Tristan reiste nach Abschluß seiner vorgesehenen Tätigkeit grußlos davon. Wer Karajans spätere Wagnerinszenierungen kennt, wird verstehen, daß hier nicht persönliche Animositäten aufgetreten waren, sondern prinzipielle ästhetische Gegensätze.

Mit der Inszenierung des *Tannhäuser* von 1954, deren geistige Ansätze zurückreichten bis in die frühen 40er Jahre, war Wieland Wagner, nach eigenem Eingeständnis, nicht zurechtgekommen. Er war auch mit seiner späteren Inszenierung von 1961 nicht einverstanden. Da waren die unlösbaren Konflikte zwischen der Dresdener und der späteren Pariser musikalischen Fassung des Werkes. Unüberwindlich schwierig auch eine ästhetisch erträgliche Darstellung des Schlusses. Immer wieder zitierte der Enkel bei seinen Bemühungen das von Cosima überlieferte Wort Richard Wagners aus der letzten Lebenszeit:»Ich bin der Welt noch den *Tannhäuser* schuldig.«

Ähnlich wie zu Beginn der Festspiele 1951, mit dem Referat über Erneuerung und Gestaltung, nahm Wieland Wagner, nunmehr in aller Welt anerkannt als Mitbegründer eines neuen Stils, also als Mitschöpfer von»Neubayreuth«, im Jahre 1958 mit einer programmatischen Rede abermals Stellung zur inzwischen praktizierten künstlerischen Doktrin. Das Referat wurde vor jener»Gesellschaft der Freunde von Bayreuth« gehalten, deren großbürgliches Kunstverständnis hinter den meisten Neubayreuther Inszenierungen einen geheimen neuen Kulturbolschewismus witterte. Bedenklicherweise praktiziert von den Enkeln des Bayreuther Meisters.

In diesem Vortrag unterscheidet Wieland Wagner schroff zwischen den von Richard Wagner geschaffenen Kunstwerken und seiner unermüdlichen Vielschreiberei über alle Themen des gesellschaftlichen Lebens. Hatte sich Altbayreuth innig einverstanden erklärt mit jedem Einfall, auch jeder Allergie eines großen Künstlers, so heißt es beim Enkel in ziemlich schnöder Formulierung:»Für das Theater von heute hat die viel strapazierte Spekulation Wagners nicht mehr Bedeutung, als etwa seine Gedanken über den Vegetarismus oder ›Kunst und Klima‹. Es ist eines jener heillosen Mißverständnisse, denen Wagner immer ausgesetzt war, aus der Theorie des Gesamtkunstwerkes ein stilistisches Dogma für ein Theater abzuleiten, um dieses dann als schweres Prinzipiengeschütz gegen alle Inszenierungen aufzufahren, die den übergreifenden Begriff der Romantik nicht mit dem Naturalismus des neunzehnten Jahrhunderts zu verwechseln bereit waren. Wagner spricht später selber von dem ›unglücklichen

Gesamtkunstwerk‹. Es bedeutet also kein Sakrileg, wenn man heute diesen wahrscheinlich notwendigen Irrrtum des Theoretikers auf sich beruhen ließe.« Die Schlußfolgerung lautete so:»Die Ideen des Wagnerschen Werkes sind zeitlos gültig, da sie ewig menschlich sind. Wagners Bild- und Regievorschriften gelten ausschließlich dem zeitgenössischen Theater des neunzehnten Jahrhunderts. Da ›Werktreue‹ keine Erfüllung ist, kann bei dem Versuch, Wagners archetypischem Musiktheater auf der Bühne unserer Zeit Gestalt zu geben, nur die nachschöpferische geistige Leitung treten, die den Gang zu den Müttern – also zum Ursprung des Werkes – wagt. Von diesem Kern aus wird das Werk durch die Entzifferung der Hieroglyphen und Chiffren, die Wagner zukünftigen Generationen in seinen Partituren als Aufgabe hinterließ, immer neu gestaltet werden müssen…«

Im Laufe der 50er Jahre hatten die Brüder Wagner große Schwierigkeiten mit ihren Kapellmeistern. Knappertsbusch war 1953 ausgeschieden, als Clemens Krauss in Bayreuth am Pult erschien. Allein Krauss starb plötzlich auf einer Konzertreise in der Neuen Welt. Von nun an hat Knappertsbusch bis zu seinem Tode den musikalischen Stil des Bayreuther *Parsifal* von 1951, mit dessen Inszenierung er sich innerlich niemals einverstanden erklären mochte, bestimmt. Mit dem Flamen und Franzosen André Cluytens war ein eleganter und»lockerer« Dirigent gewonnen worden, der den Bayreuther *Tannhäuser* dirigierte, den *Lohengrin* in Wieland Wagners statisch-oratorischer Inszenierung von 1958, vor allem die berühmt-berüchtigten *Meistersinger* von 1956. Auch Wolfgang Sawallisch und Lorin Maazel bestimmten während einiger Jahre die musikalische Interpretation. Mit dem neuen *Tristan* von 1962 begann jene Verbindung von musikalischer und darstellerischer Einheit als Zusammenarbeit von Wieland Wagner und *Karl Böhm*. Mit *Pierre Boulez* war nach dem Tode von Knappertsbusch ein neuer Dirigent als Repräsentant einer Neuen Musik in Bayreuth erschienen. Die Zusammenarbeit von Bayreuth und Karl Böhm erbrachte eine musikalische Erneuerung der *Meistersinger;* nach dem frühen Tode Wieland Wagners übernahm Böhm auch noch für eine Spielzeit die Leitung des *Fliegenden Holländer.* Der Erfolg des Musikers Boulez als Bayreuther Interpret des *Parsifal* war so überzeugend, daß Wolfgang Wagner dem französischen Komponisten und Interpreten, nach Ablauf seiner Tätigkeit bei den New Yorker Philharmonikern, die Leitung des Nibelungenrings für die Jubiläumsfestspiele des Jahres 1976 anbieten konnte. Die musikali-

sche Theaterarbeit von Karl Böhm gipfelte in Bayreuth mit seiner
Neueinstudierung des Nibelungenrings in Wieland Wagners Inszenierung vom Jahre 1965.

Abstieg der Götter nach Walhall

Erlebt man Richard Wagners Tetralogie im zeitlichen und geistigen
Zusammenhang, so fällt auf, daß der gewaltige Bau zwar vieler Darsteller von Helden, Göttern, Kobolden oder Riesen bedarf, aber mit
drei – allerdings höchst bedeutsamen – Requisiten auskommt. Gewiß
gibt es Siegfrieds Horn und das Horn für Hagens Anruf an die
Mannen, Tränke werden gereicht, Mimes Schmiedewerkstatt im Wal-
de, unweit von Fafners Neidhöhle, ist wohlausgerüstet. Wichtig für
das Gesamtgeschehen sind allein drei Objekte: der Ring, Wotans
Speer – und das Schwert Nothung.

Ihr Verhältnis zueinander bestimmt den Zusammenhang des Geschehens und damit die eigentliche *Ring*-Konzeption Richard Wagners. Soll man in diesem Fall von Symbolträgern sprechen? Man
zögert, denn freilich bedeutet jeder dieser drei Gegenstände nicht
bloß sich allein: mit ihm sind höchst komplexe Sinnzusammenhänge
ausgesprochen. Die Technik der musikalischen Leitmotive sorgt dafür, daß sie in ihrer Sinnbildlichkeit verstanden werden. Wotans Speer
»steht« für Vertragstreue und gesetzliche Ordnung in der Menschen-
wie Götterwelt. Das markante, gleichsam abwärtsschreitende Motiv,
auch im Partiturbild gleichsam ein Schreiten mit gesenktem Speer
illustrierend, tritt überall dort auf, wo von Bindung, Vertragstreue
und rechtlicher Einordnung die Rede ist: gleichgültig, ob Wotan
mit dem Speer selbst auf der Szene sichtbar ist oder nicht.

Dennoch ist der Speer auch in seiner sachlich-gegenständlichen
Form wichtig. Er *ist* vor allem, dann erst *bedeutet* er. Mit seiner
Erschaffung beginnt der Urfrevel: lange bevor Alberich das Rheingold raubte. Im Vorspiel zur »Götterdämmerung« berichten die Nornen darüber:

> »Von der Weltesche
> brach da Wotan einen Ast;
> eines Speeres Schaft
> entschnitt der Starke dem Stamm.

In langer Zeiten Lauf
zehrte die Wunde den Wald;
halb fielen die Blätter,
dürr darbte der Baum,
traurig versiegte
des Quelles Trank:«

Als Siegfried den Speer zerschlägt und dadurch selbst wissend wird, kehrt Wotan mit den Splittern nach Walhall zurück. Hatte der Speer aus dem Holz der Weltesche einst dazu gedient, Loge zu bändigen, das Feuer, so soll der befreite Loge nun die Götterburg niederbrennen und mit ihr den zertrümmerten Speer. Brandholz liefert die abgestorbene Weltesche. Der Ring hat sich geschlossen. Der Speer half ihn schließen.

Daß jenes andere Erzeugnis des Frevels, der Ring des Nibelungen Alberich, gleichfalls »ist« und »bedeutet«, ist evident.

Das Schwert aber, das Wotan in Hundings Esche stieß, um durch Siegmund die Freiheit zu erlangen von den widerwillig geschlossenen Verträgen, die sein eigener Speer hüten muß, steht in sonderbar kontrapunktischem Verhältnis zu Wotans Speer. Vom Speer wird es in der Hand Siegmunds zerschlagen, aber von Siegfried geführt, zerschlägt es den Speer. Im Brand, der den toten Siegfried und Brünnhilde und die Götterwelt vernichtet, zerschmilzt auch Nothung, das neidliche Schwert.

Der Ring kehrt zurück zu den Rheintöchtern, das Schwert schmilzt im Weltbrand dahin – zusammen mit seinem Gegenspieler, dem Speer, der sich, als Brandscheit, wieder mit dem Holz des Baumes zusammenfand, von dem er stammt.

Drei Requisiten. Drei Handlungs- und Sinnträger. Drei Symbole. Die Weltmacht, verstanden als Goldmacht. Vertragstreue, die der ursprünglichen Untreue entstammt. Das Schwert, das Freiheit von den Verträgen schaffen soll und damit Freiheit schlechthin, aber bloß Gewalt bewirkt, rechtlose Tat, oder auch Untat. Goldmacht, Selbsthelfertum durch Gewalt, Vertragstreue aus Untreue.

Wie eng und genau das Riesenwerk in dramaturgischer und musikalischer Verknüpfung gearbeitet ist, spürt man beim Anhören der Gesamtschöpfung. Dadurch entsteht für den Regisseur stets neue Schwierigkeit. Er wird die Widder der Fricka und auch das Roß Grana weglassen, wenngleich sie mitkomponiert wurden. Das ist kein Nachteil. Schwieriger ist es, will er versuchen, die Konstellationen der Gestalten zueinander zu ändern oder den Handlungsablauf unabhängig zu machen von den illusionistischen Anweisungen, die der große Theatermann des 19. Jahrhunderts gab. Sogleich zeigt sich eine Brüchigkeit im Aufbau; es werden Risse spürbar, an manchen Stellen ist, gesehen vom Standpunkt des heutigen Dramaturgen und Spielleiters, das Gesamtwerk einfach zu gut gearbeitet.

Die zweite Schwierigkeit entspringt gleichfalls einer Divergenz des historischen Standpunkts; aber sie hängt mit Wagners Lebensgeschichte zusammen. Der Nibelungenring ist in seiner Grundkonzeption ein Erzeugnis des Revolutionärs Richard Wagner, der mit dem Anarchisten Bakunin befreundet war, aus dem Jahre 1848.

Bakunins Satz, die »Lust der Zerstörung sei eine schaffende Lust«, verbindet sich im Konzept der *Ring*-Tetralogie in sonderbarer Weise mit Gedanken des Rousseauismus und der »Rückkehr zur Natur«. Wotan frevelt an der zweck- und funktionslosen Natur, als er die Weltesche mißbraucht, um eine Vertragswelt für Menschen zu schaffen. Alberich mißbraucht die Natur, als er das Rheingold »zweckentfremdet«. Alles entartet unter den Händen der Götter und Menschen, die danach streben, Natursubstanzen in Funktionen zu verwandeln. Am Schluß steht die rousseauistische Rückkehr zur Natur. Das Gold liegt wieder –funktionslos – in der Tiefe des Rheins: ein Gegenstand ästhetischer Anschauung für Rheintöchter. Die alte Welt, samt Weltesche und Vertragsbindung, versinkt im Brande Walhalls.

Zerstörung im Dienst eines neuen Naturzustandes. Das war Rousseau plus Bakunin plus Ludwig Feuerbachs Vision vom neuen – nachrevolutionären – Menschen. Utopischer Sozialismus aus der Zeit von 1840 bis 1848 in reinster Form. Die neue Welt ersteht aus dem Brand der alten: als neue Gemeinschaft, die befreit ist von der Goldherrschaft, darum auch der Selbsthelfer Siegmund und Siegfried nicht mehr bedarf. Noch an der Schlußanmerkung zur *Götterdämmerung* kann man diese Grundkonzeption ablesen: »Aus den Trümmern der Halle sehen die Männer und Frauen in höchster Ergriffenheit dem wachsenden Feuerschein am Himmel zu.« Die neuen Menschen als Zeugen des Untergangs alter Herrschafts- und Unheilsverhältnisse.

In diesem Geist entstand das Werk noch in den ersten Jahren des Exils. Vollendet aber wurde es erst im Hause Wahnfried zu Bayreuth. Viel hatte sich in und um Richard Wagner verändert. Das spürt man nicht nur im musikalischen Bereich mit den ersten

Takten des Vorspiels zum 3. *Siegfried*-Akt: Wagner hatte bekanntlich die Komposition entmutigt nach dem 2. *Siegfried*-Akt abgebrochen. Erst nach Gründung des Kaiserreichs und Komposition des »Kaisermarsches« wird die Komposition zu Ende geführt. Ein Künstler beendet ihn, der inzwischen Schopenhauer las und den Bakunin oder Feuerbach von einst in sich zurückgenommen hatte. Komponiert ist im wesentlichen der Text aus dem Geiste des Revolutionsjahres: aber von einem tief verwandelten Künstler. Das spürt man nicht bloß daran, daß musikalisch im 3. *Siegfried*-Akt plötzlich die *Meistersinger* umgehen; stärker wird die Diskrepanz spürbar zwischen ursprünglichem Textentwurf und musikalischer Ausdeutung in der *Götterdämmerung*. Der Siegfried des Schlußtages ist weder Held noch tragisch. Das Werk, das als Tragödie angelegt war, nimmt Züge eines Mysterienspiels an.

Darum auch besitzt der *Ring des Nibelungen* einen dreifachen Schluß, also keinen. Komponiert wurde die ursprüngliche Fassung aus Bakunin und Rousseau. Aber Wagner entwarf auch in einer zweiten, nicht komponierten Versgruppe einen Schluß im Sinne utopischen Menschentums. Bei Veröffentlichung des Textes zur *Götterdämmerung* machte er mit einer später entstandenen Versgruppe bekannt, die reinen Schopenhauer darstellt:

>»der Welt-Wanderung Ziel,
> von Wiedergeburt erlöst.«

Allein komponiert hat Wagner diese Sinngebung nach Schopenhauer gleichfalls nicht.

Dies also muß heute dargestellt werden: mit allen Brüchigkeiten und dem historischen Perspektivenwechsel. Das hat Wieland Wagner getan. Keine *Ring*-Darstellung als Germanentheater. Mit den Bärten und blonden Perücken fielen die mittelalterlichen Ritterrequisiten, die man jahrzehntelang unsinnigerweise in dieser mythisch-geschichtslosen Welt für unentbehrlich hielt. Dadurch wird die Tragödie Siegmunds und Sieglindes »entrümpelt«. Man erlebt das Schicksal von zwangshaft und schuldhaft liebenden Menschen, Siegmund nicht als reisigen Wikinger, sondern als einen unruhigen Stifter gesellschaftlicher Unordnung, der überall Unrecht beseitigen will und dadurch Unordnung schafft, und der den Mut hat, um seiner Liebe und Menschlichkeit willen, auf Wotan und Walhall zu verzichten.

Möglich ist von nun an ebensowenig die Darstellung der Tetralogie als eines Mythos, der vom heiteren Beginn unaufhaltsam in den Untergang führen müsse: ohne daß einzusehen wäre, warum diese prächtigen Götter, die unter prächtigem Fanfarenklang auf prächtigem Regenbogen ins prächtige Walhall ziehen, schließlich zugrunde gehen müssen.

Wieland Wagners Gesamtkonzept zeigt, warum diese Interpretation nicht schlüssig ist. Weil es bei Richard Wagner in Text und Musik anders gelesen werden muß. Der Regisseur hat vom Vorspiel zur *Götterdämmerung* her den Gesamtaufbau angelegt: von der Nornenszene, die den Urfrevel enthüllt, dem Wotans Vertragswelt entstammte. Die Erda-Szene des *Siegfried* hat diese Deutung vorbereitet, die Wagner als geschickter Dramatiker erst gegen Ende der Handlung enthüllt, um dadurch den Rückblick und die rückdeutende Bewertung des dramatischen Geschehens möglich zu machen. Daher muß man den Beginn des Werkes im *Rheingold* von dieser dramatischen Ursituation her, die so spät erst vom Dichter enthüllt wird, inszenieren.

Nahezu alle bisherigen Gesamtdarstellungen des *Ring* begannen mit einer»Rheingold«-Inszenierung, als ob das tiefe Es des musikalischen Werkbeginns zugleich den Anfang der dramatischen Geschichte bedeuten könnte. Man tat so, als gäbe es keine Vorgeschichte, als sei einzig Alberich der Sünder, und als sei es »bestens« um die Herrlichkeit Wotans und seiner Götter bestellt, während wir bereits die erste Götterszene als Inbegriff ohnmächtig gebundener, gleichzeitig arroganter und schuldverstrickter Potenzen verstehen müssen.

Die Unschuld der Natur war lange vor Alberich zerstört. Mit Frevel begann Wotans Weg, mit Betrug will er ihn – als Hüter der Verträge – weiterführen. Wie kann unter solchen Auspizien der Einzug in Walhall als strahlendes Fest gezeigt werden? Das Jubeln der Musik ist, hört man genau hin, nicht durchaus ehrlich. Wagner hat sich gehütet, die von ihm bevorzugte Tonart der Reinheit C-Dur, die er Siegfried und Brünnhilde gewährt, den einziehenden Göttern zuzubilligen.

Das Spiel vom Rheingold ist ein böses Spiel. So hat es Wieland Wagner auch inszeniert. Das Publikum war durch den Schluß bedrückt, nicht erhoben, wie es gehofft hatte. *Die Götter steigen hinab in eine Zwingburg mit Namen Walhall:* Loge bleibt zurück und konstatiert ihren unausweichlichen Untergang; der erschlagene Fasolt liegt sichtbar als erstes Opfer des Fluchs auf der Szene. Diese Dreiheit des Schlusses wurde rücksichtslos und klar in Szene gesetzt. Damit ergab sich die organische Verbindung zur *Götterdämmerung* schon vom Beginn her. Zwischen Vorspiel und Schlußtag wurde geistige Einheit hergestellt, die nicht erbaulich wirkt. Die Welt des Goldes ist gehaßte Bankierswelt. Der Nibelungenhort als Lösegeld für Freia wird durch Wieland Wagner als götzenhafte, aus Goldblöcken aufgebaute Frauenfigur demonstriert. Die Liebe wurde in einer Waren-Gesellschaft gleichfalls zur Ware.

In diesem Rahmen entfaltet sich – in der *Walküre* – die Geschwisterliebe der Wälsungen Siegmund und Sieglinde mit der Wucht einer antiken Tragödie. Sie ist gedoppelt durch die tragische Beziehung, die gleichfalls der erotischen Bindung nicht entbehrt (die Musik plaudert es aus), zwischen Wotan und Brünnhilde. Hier entfaltet sich – fern aller Germanenspielerei – ein bürgerliches Trauerspiel, wie es Wagner nur allzuoft selbst erleben mußte.

Seltsam beziehungslos steht daneben der *Siegfried*. Da gab es weder das bürgerliche Parabelspiel noch die bürgerliche Tragödie. *Siegfried* vermittelte Märchenwelt, von einem, der auszog, das Fürchten zu lernen. Das ergibt im 1. Akt einen reizvollen geistigen Kontrapunkt aus Märchenhandlung und musikalischem Scherzo. Der 2. Akt hat die Reize der Naturlyrik, die bösartige Börsianer-Satire zwischen Mime und Alberich, aber die Gestalt des tumben Toren, das kann keine Musik und Regie verhindern, geht auf die Nerven. Der ausgepichte Künstler Wagner hatte die Naivität und Brutalität nur allzu kunstvoll serviert.

Wenn Siegfried mit Waldvöglein-Motiven auf Brünnhilde einsingt, die ihm mit Walkürenrufen antwortet, bevor die Umarmung beginnen kann, muß man ein leidenschaftlicher Wagnerianer sein, um dergleichen ertragen zu können. Dies ist kein Problem Wieland Wagner, sondern hat mit Richard Wagner zu tun.

Die Welt der Gibichungen ist neurasthenische moderne Welt, ohne daß eine einzige Geste oder Kostümierung in äußerlichem Sinne modernisiert hätte. Siegfried im Gespräch mit den Rheintöchtern wurde zur tragischen und wissenden Gestalt. Die Märchenwelt hat ihn verlassen. Der Trauermarsch ist, wie Wagner gewollt hat, ein Abgesang auf ein gescheitertes Menschentum, das zur Freiheit strebte. Unvergeßlich das Schlußbild des von den Rheintöchtern hinabgezogenen Hagen. Der Schluß bleibt – wie könnte es anders sein? – vieldeutig und frag-würdig. Bedeutet das Festland im Morgenschein,

das einen Augenblick sichtbar wird, wenn der Rhein zurückgeflutet
ist, das neue Utopia, wie die Musik andeuten möchte, oder hat man
einem Endspiel beigewohnt?

Bildnis Wieland Wagners

Er war, wie sein Vater, das Kind eines alternden Mannes und einer
jungen Frau. Als Wieland Wagner am 5. Januar 1917 in Bayreuth
zur Welt kam, stand sein Vater im 48. Lebensjahr, die Mutter in
ihrem zwanzigsten. Er ist 13jährig beim Tode Siegfried Wagners
und erlebt, wenige Wochen nach seinem 16. Geburtstag, den 30. Januar 1933, und damit den Aufstieg eines Mannes, von dem man
im Haus Wahnfried seit Jahren geschwärmt hatte. In einem Weih-
nachtsbrief Siegfried Wagners an Rosa Eidam vom 25. Dezember
1923, sechs Wochen also nach dem Bürgerbräu-Putsch in München,
schaumte es auf:»Am 8. und 9. Nov. erlebten wir in München in
nächster Nähe die ganzen Ereignisse. Himmelhoch jauchzend, zu
Tode betrübt. So ein schändlicher Verrat ist noch nie geschehn!
Gegen solche Gemeinheit ist allerdings ein so reiner Mensch wie
Hitler u. Ludendorff nicht gefeit. Der Deutsche *kann* so etwas nicht
fassen! Und diese Zwietracht in den Reihen der Nationalen! Es ist
zum Verzweifeln! Eitelkeit, Bockbeinigkeit, nur nie Eintracht. Da
hat's der Jud u. Pfaff leicht.«

So ist der älteste Enkel von Richard und Cosima aufgewachsen:
unter Nationalisten und Antisemiten, Ideologen der Deutschtümelei
und Hassern der Demokratie. Die Konstellation seines Elternhauses
machte ihn überdies zum Mitglied einer Herrenschicht in Deutschland, die ihren Status als gleichsam naturgegeben empfand und mit
Hilfe von Thesen Richard Wagners, übrigens auch von Friedrich
Nietzsche, weltanschaulich zu unterbauen liebte.

Wieland Wagner und Heinrich Böll sind Jahrgangsgenossen. An ihrem
Antagonismus läßt sich die Besonderheit der Jugendgeschichte Wieland Wagners demonstrieren. Wieland Wagner mußte den 30. Januar
1933 als offizielle Bestätigung alles dessen empfinden, was man in
seinem Elternhaus ersehnt oder auch verflucht hatte. Heinrich Böll
hat erzählt, wie er jenen 30. Januar erlebte: als Kind eines durch
Wirtschaftskrise und Arbeitslosigkeit verarmten Mittelstandes. Man
hat Schulden, der Rundfunkapparat ist abgeschaltet worden. Der

16jährige Heinrich liegt mit einer Grippe zu Bett, die Mutter erfährt beim Nachbarn die Radionachrichten und teilt sie mit. Heinrich Böll hat die klaren und plebejischen Frauengestalten seiner Bücher wahrscheinlich stets nach dem Bild seiner Mutter entworfen. Damals sei die arme und fromme Frau mit der Kunde vom neuen Reichskanzler nach Hause gekommen und habe hinzugesetzt: das bedeute Krieg.

Wieland Wagner war 1927 ins Humanistische Gymnasium aufgenommen worden, machte 1936 sein Abitur und leistete sechs Monate lang den obligaten Arbeitsdienst. Damals war er 19 Jahre alt und konnte zum erstenmal, in Lübeck, die Bühnenbilder zu einer Oper entwerfen: zur ersten Oper seines Vaters, dem »Bärenhäuter«. Für die Festspiele entwarf er, noch innerhalb des Bühnenbildes von Alfred Roller zum *Parsifal* aus dem Jahre 1934, das Bild der »Blumenaue«. Am 16. Oktober wurde er für ein Jahr zur Wehrmacht eingezogen. 1936 kann er für Bayreuth alle Bilder zum *Parsifal* entwerfen. Regie führt Heinz Tietjen. Im selben Jahr gastiert er zum erstenmal im Ausland, in Antwerpen, abermals für eine Oper seines Vaters, diesmal für »Schwarzschwanenreich«. Im Frühjahr 1938 wird ihm und seinem Bruder Wolfgang eine Studienreise nach Italien bewilligt. Nach der Rückkehr beginnt er ein Malstudium bei Professor Ferdinand Staeger in München; er übersiedelt Anfang 1939 nach München. Vom Kriegsdienst ist er auf ausdrückliche Anordnung des Führers freigestellt, während der Bruder Wolfgang den Feldzug von 1939 mitmachen muß und schwer verwundet, als Musiker mit einer verkrüppelten Hand, aus Polen zurückkehrt. Wieland Wagner beginnt im August 1940 ein intensives Musikstudium bei Kurt Overhoff. Er heiratet (12. September 1941) Gertrud Reissinger aus Bayreuth. Während des Krieges entwirft Wieland zum erstenmal die Bühnenbilder zu Werken Richard Wagners: im November 1942 für Nürnberg und für den *Fliegenden Holländer*, am 1. Juni 1943, gleichfalls in Nürnberg, für die *Walküre*. Diesmal zeichnet er zugleich verantwortlich für die Regie. Seitdem hielt er an dem Grundsatz fest, bei allen Aufführungen zugleich die Verantwortung für Inszenierung und Ausstattung tragen zu wollen. In Bayreuth freilich muß er sich in diesem Jahr 1943 noch auf die Bühnenausstattung der *Meistersinger* beschränken, die dort, zugunsten der Vereinigung »Kraft durch Freude« und zum großen Unbehagen Wieland Wagners, hintereinander gespielt werden: unter Leitung von Wilhelm Furtwängler und Hermann Abendroth.

Die entscheidende Lehrzeit als Bühnenbildner und Regisseur absolviert der Enkel Richard Wagners am ehemaligen Hoftheater des
sächsischen Städtchens Altenburg. Hier wirkt er seit Beginn der Spielzeit 1943 als Oberspielleiter und inszeniert bis Juni 1944 zum ersten-
mal den gesamten *Ring des Nibelungen*, dazu den »Freischütz« von
Weber. Die Altenburger Aufführungen der Tetralogie werden ein
Erfolg, so daß Karl Böhm im Juni 1944 bei Wieland Wagner die
Entwürfe für eine Neuinszenierung der *Walküre* an der Wiener Staats-
oper bestellt. Die ersten Modelle werden in Bayreuth angefertigt.
Dann beginnt, auch dem Buchstaben nach, der »totale Krieg«. Alle
Theater des Großdeutschen Reiches bleiben geschlossen. Wieland
Wagner zieht mit seiner Frau und den beiden Kindern Iris und Wolf-
Siegfried nach Bayreuth und arbeitet »kriegsdienstverpflichtet« an
einem nach Franken verlagerten Forschungsinstitut.

Im Februar 1945 kommt es zu einer letzten Begegnung mit dem
Reichskanzler. Dem schenkte man zum 50. Geburtstag jene Originalpartituren Richard Wagners, die der Komponist seinem Mäzen Ludwig von Bayern dediziert hatte. Die Handschriften hatten zum »Wit-
telsbacher Ausgleichsfonds« gehört, nun waren sie vorübergehend
Eigentum des Reichskanzlers. Wieland verlangte bei dieser Unterre-
dung, man solle die Originalpartituren aus der Reichskanzlei entfernen und an sicherem Ort deponieren, was ihm abgeschlagen wurde.
Albert Speer erinnert sich (Eintragung vom 2. Januar 1962), daß
Wieland damals, zum Unmut seines Protektors, von der »entarteten«
Kunst schwärmte, worauf für den Führer nun auch der »Niedergang
dieser Familie« feststand.

Wielands Familie war, ebenso wie seine jüngste Schwester Verena,
an den Bodensee gezogen: ins Sommerhaus seiner Mutter in Nußdorf.
Am 5. April wird Wahnfried bei einem Luftangriff teilweise zerstört.
Nun zieht auch Wieland an den Bodensee. Bei Kriegsende ist die
Familie getrennt. Friedelind lebt im Exil, die Mutter zusammen mit
Wolfgang und dessen Frau Ellen in der Nähe von Bayreuth in Oberwarmensteinach, Wieland und Verena wohnen am Bodensee. Am
22. April 1945 versuchen die beiden Familien, vom Bodenseegebiet
aus in die Schweiz zu gelangen, was mißlingt. Erst am 13. November
1947 kommt Wieland zum erstenmal wieder nach Bayreuth. Damals
wird die gerichtliche Auseinandersetzung über das Verhalten der
Familie, von Winifred Wagner vor allem, vor der Bayreuther Spruchkammer vorbereitet.

Zu Friedelind Wagner waren gleich nach Kriegsende die Beziehungen hergestellt worden. Wieland entwirft für sie die Bühnenbilder zu einer amerikanischen Tourneeaufführung von *Tristan und Isolde*. Daß er seinen Weg als Bühnenbildner weiterzugehen gedenkt, ist ihm keinen Augenblick zweifelhaft, mag man nun das Festspielhaus enteignen und dem Einfluß der Familie Wagner entziehen oder nicht.

Wolfgang Wagner lebt zur gleichen Zeit als ein durch den Krieg und die Kriegsfolgen schwer geschädigter Musiker in Bayreuth. Der Briefwechsel zwischen den beiden Brüdern in jenen ersten Nachkriegsjahren ist kühl, pragmatisch, nicht ohne Bitterkeit auf beiden Seiten. Nicht weniger ausgeprägt ist der Gegensatz der Söhne gegenüber der Mutter und ihrer (und Tietjens) Hinterlassenschaft.

Den praktischen Lehrjahren am Theater zu Altenburg folgten am Bodensee nicht minder konzentrierte Jahre der Reflexion und der Identitätsfindung. Daß Wieland Wagner, wie viele junge Menschen seiner Generation, dem Führer und Reichskanzler, der zugleich ein Duzfreund der Familie war, eng vertraute, wird man nicht leugnen können. Noch in den scharf kritischen Briefen an die Mutter während der Kriegszeit wird der Mann der Reichskanzlei ausgespart. Lange Zeit scheint auch Wieland Wagner noch, gleich seinem Führer, an ein bestimmt berechenbares Gralswunder geglaubt zu haben. So werden die Jahre am Bodensee mit Notwendigkeit zugleich zu einer Selbstabrechnung und damit zum Versuch, um ein Wort des später von Wieland Wagner bewunderten Ernst Bloch zu gebrauchen, sich selbst von nun an »zur Kenntlichkeit zu verändern«.

Das setzte nach Kriegsende, wie bei den meisten Deutschen seiner Generation, den Entschluß voraus, all jene politischen, sozialen und geistig-künstlerischen Phänomene kennenzulernen, die ein Verbot seit 1933 tabuisiert hatte. Vergleicht man Wieland Wagners Entwürfe aus der Zeit des Dritten Reiches mit seinen späteren Arbeiten für das Neue Bayreuth, so wird man nicht von schroffer Diskontinuität sprechen können. Der offizielle Monumentalstil des Dritten Reiches wirkt nach. Verbunden ist er freilich schon früh mit einer Farbgebung und architektonischen Strukturierung, die auf den lange Zeit verfemten und als entartet verschrienen Expressionismus zurückgriff. Wielands Lehrzeit am Bodensee, das hat er selbst immer wieder betont, galt dem Bestreben, im Nachholverfahren die ungekannten und damit unbekannten Strömungen und Hauptwerke der Bildenden Kunst im 20. Jahrhundert kennenzulernen. Die Folge dieses individuell und

gesellschaftlich notwendigen Wiederholungszwanges aber war, daß
in den ersten Jahren nach 1951 eine neue Kunst in Bayreuth gezeigt
wurde, die in der Tat ein Neubayreuth zu begründen vermochte,
jedoch in der internationalen Kunstentwicklung bereits einigermaßen
»gestrig« anmutete.

Wenn ein entscheidendes Verdienst der Brüder Wieland und
Wolfgang Wagner darin bestand, seit 1951 mit immer größerem
Nachdruck die Bayreuther Festspiele zur Gleichzeitigkeit mit der
zeitgenössischen Kunst- und Theaterentwicklung gebracht zu haben,
so mußte trotzdem von einer leicht »verspäteten« Gleichzeitigkeit
gesprochen werden. Als Wieland Wagner starb, hatte er die Verbindung wiederhergestellt zwischen dem Werk Wagners und dem modernen Denken. Richard Wagner war abermals unser Zeitgenosse
geworden. Oder vielmehr: er wurde wiederum, wie zu seinen Lebzeiten, das produktive Ärgernis eines immer noch Ungleichzeitigen.
In den Programmheften der Festspiele las man Beiträge von Ernst
Bloch, Theodor W. Adorno, Wolfgang Schadewaldt. Mit dem Geist
der einstigen »Bayreuther Blätter« hatte das nicht eben viel zu tun.
Dieser moderne Mensch und unersättlich neugierige Künstler, dem
man nachzureden pflegte, er sei autoritär und selbstherrlich, verstand
sich im Gegenteil in bezaubernder Weise auf die Kunst des Zuhörens.
Er merkte auf, wenn er etwas hörte oder las, was ihn faszinierte.
Dann packte er zu oder ging auf Entdeckungsreisen aus. Oder begann
zu fragen.

Vollkommene Eintracht mit anderen freilich war nicht möglich.
Sie konnte nicht gelingen, denn Eintracht auch mit sich selbst war
keine Stärke Wieland Wagners. Zu seiner unersättlichen Neugier
gehörte es, daß er die Werke jeweils neu zu sehen vermochte, ganz
anders, als er sie vorher selbst verstanden und interpretiert hatte.

Hier lebte ein Mensch im permanenten und produktiven Widerspruch mit sich selbst. Er war ebenso höflich wie listig, hörte genau
zu, gab einem auch recht, alles aber war ohne Garantie. Dieser Musiker und Bühnenbildner, Theatermann und Geisteswissenschaftler hatte sich diejenigen Werke, die er auf die Bühne zu bringen gedachte,
so radikal angeeignet, nämlich von der Wurzel her, daß sie ihm,
statt rascher Gewißheiten, immer neue Rätsel aufgaben.

Wieland Wagner war, wenn es ihm darum zu tun war, ein Meister
im Schreiben von Werbebriefen. Ihm genügte nicht, wie noch seinem
Vater, kaum zu reden vom Regisseur Heinz Tietjen, die Herausarbei-

tung sogenannter »Lebenswahrheit« innerhalb des musikalischen Dramas. Wieland Wagner war ein extremer Denker, kein bürgerlicher Rationalist. Das Wort »bürgerlich« hörte man aus seinem Munde stets im abschätzigen Tonfall. In einem Brief vom 20. Februar 1960 (an Karl Mühlberg in Berlin) setzte er sich geduldig mit den Einwänden seines Partners gegen die Inszenierung von *Tristan und Isolde* auseinander. Wieland Wagner replizierte! »Ich kann mich leider Ihrer Meinung, daß Isolde bis zu einem gewissen Motiv ihre Rache erhofft, nicht anschließen. Dagegen würde schon der berühmte Brief Richard Wagners an Devrient über die Auffassung der Isolde im I. Akt Tristan sprechen. Ich kann mich nicht dazu entschließen, die berühmten Takte sozusagen ›medizinisch‹ zu interpretieren. Auch am Schluß kann die Wagnersche Isolde nicht den konventionellen medizinischen Tod sterben, wenn man den ganzen Tristan – wie ich es versucht habe – als Mysterienspiel in der Nachfolge der spanischen Mysterienspiele, die Wagner gerade zur Zeit des Tristan täglich studiert hat, betrachtet. Text und Musik schildern eindeutig Isoldes Erlebnis der unio mystica mit der Tristan-Seele. Der sogenannte Tod ist bei Wagner immer der Durchbruch in die Transzendenz, das Erlebnis des kosmischen Eros. Tristan ›stirbt‹ in einem dionysischen Rauschzustand ($^5/_4$-Takt), der Fliegende Holländer, Tannhäuser und Siegfried sterben als ›Verklärte‹. Ich habe den körperlichen Tod der Isolde stets als sehr unbefriedigend empfunden und deshalb versucht – ich darf ausdrücklich sagen versucht –, eine vom Bisherigen abweichende darstellerische Lösung des Problems zu geben.«

In einem Vortrag vor amerikanischen Studenten über die »Kunst des Romans« hat Thomas Mann im Jahre 1942 behauptet, es gebe zwar unter den deutschen Romanen und Romanciers des 19. Jahrhunderts kaum etwas, das mit der großen Romankunst der Franzosen, Russen, Engländer, auch Amerikaner im gleichen Zeitraum zu vergleichen sei; hingegen habe Richard Wagner seit dem *Tristan* und insbesondere mit dem *Ring* ein deutsches Gegenstück zum bürgerlichen, realistischen und psychologisierenden Roman geliefert. Die Tetralogie wird hier als gleichsam episches Theater verstanden, wobei die Funktion der psychologischen Analysen in der eigentlichen Epik diesmal dem Orchester übertragen wird, das nicht bloß Sprechen oder Singen der Gestalten unterstützt, sondern bisweilen auch, mit höchster Artistik, eben das ausplaudert, was die Gestalt selbst nicht sagen will und verschweigen möchte. Tristans Schweigen und Mimes

Lügen werden erst durch die Verbindung von Wortaussage und Musikaussage als Ganzheit verständlich.

Wieland Wagner lernte vermutlich diesen Text Thomas Manns erst spät kennen: als sich sein eigener Interpretationsstil bereits entwickelt hatte. Allein bereits in seiner Programmschrift von 1951 war der Musik des Wagnerorchesters ein beherrschender Vorrang eingeräumt worden.

Das aber bedeutete immer wieder, auf mimisch-gestische Ausdeutung der Musik durch die Bühne zu verzichten. Darum eben wurde in Wieland Wagners Inszenierungen so wenig »gespielt«, daß manche Kritiker vom Oratorienstil sprachen. Es war aber alles andere als ein Konzert in Kostümen, was hier geboten wurde. Nur galt auch hier, wie bei allen modernen Bemühungen um Kunst, das Wort Franz Kafkas: »Zum letzten Mal Psychologie.« Gerade weil Wieland Wagner ein Kenner moderner Seelenforschung war, mußte es ihm unerträglich sein, die Werke seines Großvaters aus den psychologischen Motivationen des 19. Jahrhunderts zu inszenieren.

Damit war die Problematik des heutigen reproduktiven Künstlers vor dem Wagnerwerk sichtbar geworden. Romanciers in der Mitte des 20. Jahrhunderts entsagen dem psychologischen Roman und allwissenden Erzähler; ihr Realismus mißtraut früheren Gewißheiten und tastet sich meist nur zu »Mutmaßungen« vor über das zu Erzählende. Die schöne Abrundung der großen Romane von einst wird nicht mehr erreicht, auch nicht mehr angestrebt. Noch Thomas Mann schuf im Josephsroman eine Tetralogie in bewußter Anlehnung an den Aufbau des Nibelungenrings. Die heutigen Romane bleiben fragmentarisch, der offenen Form verpflichtet. Das Theater hat längst auf Einfühlung und rauschhafte Einstimmung zwischen Theaterbesucher und Bühnengestalt verzichtet. Auch ohne Brecht wäre es zu einer Theaterkunst der distanzierenden Verfremdung gekommen.

Dem Verzicht Wieland Wagners auf die psychologisierende Schauspielregie entsprach daher zugleich der Verzicht auf eine rauschhafte, über Einzelheiten kühn hinwegdirigierende musikalische Interpretation. Es war also folgerichtig, daß Wieland Wagner gerade auf Karl Böhm und Pierre Boulez verfiel.

Analysiert man das Auftreten des ältesten Sohnes von Siegfried und Winifred, so fällt die *Diskrepanz auf zwischen Wieland und seinem Vater*. Siegfried Wagner wird, in allen Berichten über Begegnungen, sogar von solchen, die seine politischen Ideen und Kompositionen ablehnten, als überaus liebenswerter, umgänglicher und duldsamer Mann geschildert. Seine Regiearbeit war einfühlsam und helfend, vor allem auch »dienend« in jenem von Cosima tradierten Sinne. Wieland Wagner war besessen von seinen Visionen und geplanten Realisationen; dabei ging es nicht immer ohne Schroffheit ab. Wenn er in einem Brief aus der letzten Lebenszeit, der insgeheim ein Werbebrief ist, der Sängerin Christa Ludwig, die er fest für Bayreuth gewinnen möchte, zunächst einmal auseinandersetzt, er habe sie lange Zeit bloß für eine typische »Kammersängerin« gehalten und sei erst während der Arbeit mit ihr anderen Sinnes geworden, so äußert sich darin eine ziemlich ungewöhnliche Art der Huldigung. Treue zu den von ihm erwählten Künstlern war selbstverständlich: sie wurde durch leidenschaftliche Treue der Sänger und Musiker erwidert. Aber Wieland Wagner war kein Mann des freundlich-belanglosen Gesprächs. Wenn ihn Partner und Thema nicht interessierten, mochte er unverhohlen seine Langeweile und sogar Ungeduld zeigen. Andererseits war er fast unersättlich neugierig. Nicht allein in allem, was den Bayreuther Spielplan und Kunstcharakter betraf, sondern in Fragen moderner Kunst und Literatur.

Gegen Ende seines Lebens konnte Wieland Wagner, verglich er den nunmehr erreichten Status mit den Anfängen im Jahre 1951, damit rechnen, eine neue Generation von Musikern und Sängern herangezogen zu haben, mit denen die Umsetzung seiner Visionen leichter sein würde als mit den einstigen Kammersängern und Staatskapellmeistern. Eine Sängerin wie *Anja Silja,* Heldendarsteller eines neuen Typs wie Thomas Stewart oder Theo Adam, ein moderner Komponist und Dirigent wie Pierre Boulez: mit ihnen und vielen anderen gedachten die Brüder die Theaterarbeit fortzusetzen. Freilich machte man sich nichts vor. Daß das Inszenierungskonzept von Neu-Bayreuth mitsamt dieser besonderen Personalunion von Bühnenbildner und Spielleiter, nicht unbegrenzt fortzusetzen sei, wußten beide genau. Wieland Wagner hatte sich viel vorgenommen. Im Gespräch tauchten immer wieder Pläne auf, die um *Schauspielregie* kreisten. Auch hatte er in all seinen Inszenierungen für das Musiktheater die Werke von *Mozart* nahezu ängstlich ausgespart. Pläne der Arbeit am »Don Giovanni« beschäftigten ihn seit langem.

Zu alledem ist es nicht mehr gekommen. Im Frühjahr 1965 tauchten erste Symptome einer schweren Krankheit auf. An den Festspielen des Jahres 1966 hat Wieland Wagner nicht mehr teilnehmen können.

Er mußte die Proben unterbrechen und das Krankenhaus aufsuchen. Der Gedanke, daß er vielleicht nicht alt werden könnte, schien ihm vertraut zu sein. Am 30. April 1962 schlossen die Brüder Wieland und Wolfgang Wagner einen Gesellschaftsvertrag, worin festgelegt wurde, wie die Festspiele weiterzuführen seien nach dem Tode eines Gesellschafters. Am 17. Oktober 1966 ist Wieland Wagner in der Universitätsklinik München gestorben: kaum drei Monate vor seinem 50. Geburtstag. Von nun an hatte, dem Gesellschaftervertrag zufolge, der jüngere Bruder Wolfgang die Festspiele zu leiten.

FESTSPIEL ALS BERUF
(Wolfgang Wagner)

Die Brüder

Das Gesamtwerk Richard Wagners seit dem *Fliegenden Holländer* hat Wieland Wagner von 1951 bis 1965 im Festspielhaus inszenieren können. In Stuttgart versuchte er sich außerdem an einer Neuaufführung des *Rienzi*, kam aber zum Ergebnis, auch weiterhin die Anweisung seines Großvaters zu respektieren und den *Rienzi* vom Bayreuther Repertoire fernzuhalten. Gelungen waren die Verwirklichungen des *Parsifal* und des *Tristan*. Auch die beiden antagonistischen Deutungen der *Meistersinger von Nürnberg* vermochten, just in ihrer extremen Profilierung, die Möglichkeiten zu erproben, die sich für eine Regie des ausgeleuchteten und leeren Raums ergeben mußten. Die Inszenierung des *Nibelungenrings* vom Jahre 1965 stimmte im Konzept, war aber in vielen Einzelheiten nicht fertiggeworden. Das wußte der Spielleiter, machte auch im Gespräch daraus kein Geheimnis. Hier sollte weitergearbeitet werden. Mit dem *Tannhäuser* ist Wieland Wagner, wie er sich und anderen eingestand, trotz vieler Anläufe nicht zurechtgekommen, obwohl er schon als junger Mensch und mitten im Krieg nichts sehnlicher angestrebt hatte als einen erfolgreichen Gegenentwurf zur *Tannhäuser*-Inszenierung seines Vaters im Jahre 1930. Der *Fliegende Holländer* in Wieland Wagners Regie erhielt ein heikles, aber erstaunliches Gleichgewicht durch die Zusammenarbeit der Regie mit einer ungewöhnlichen und in der Tat blutjungen Senta: der Sängerin Anja Silja. Wieland Wagners Inszenierung des *Lohengrin* war statisch gehalten; hier hatte ein Bildender Künstler inszeniert, dem es auf Farben und Konturen vor allem ankam.

Viel Arbeit war in kurzer Zeit geleistet worden, gar nicht zu reden von den Inszenierungen Glucks, Mozarts, Verdis oder Alban Bergs und von den Übertragungen des Bayreuther Modells auf deutsche und außerdeutsche Opernhäuser. Noch ein Jahrzehnt nach Wieland Wagners Tode sind die Wagner-Inszenierungen der großen

Opernhäuser durch ihn und die neue Bayreuther Ästhetik geprägt worden.

Es war aber nicht fortzusetzen. Das haben die Brüder nach dem ersten Jahrzehnt gemeinsamer Arbeit geahnt. Mit jeder neuen Einstudierung wurde ein solches Wähnen zur Gewißheit. Auch Wolfgang Wagner hatte bis zum Tode des Bruders den größten Teil seiner Versionen im Festspielhaus vorstellen können: einen *Lohengrin* (1953), den *Fliegenden Holländer* (1955), die Tetralogie im Jahre 1960. Ein Jahr nach Wielands Tode, und damit im ersten Jahr seines Amtierens als alleiniger Festspielleiter, hatte er abermals den *Lohengrin* neu einstudiert, unter Rudolf Kempes musikalischer Leitung. Die Jubiläumsinzenierung der *Meistersinger von Nürnberg*, hundert Jahre nach der Uraufführung in München im Jahre 1868, schloß sich an. Im Jahre 1970 inszenierte Wolfgang Wagner zum zweitenmal die Tetralogie; fünf Jahre später (1975) kam eine Neuinszenierung des *Parsifal* hinzu. Den *Tristan* hatte Wolfgang Wagner zwar nicht für Bayreuth entworfen, aber mehrfach bei Gastinszenierungen in Italien gezeigt: in Venedig (1958) und in Palermo (1960). Eine Bayreuther Aufführung des *Tannhäuser* unternahm er nicht.

Dies war auf die Dauer kaum mehr fortzusetzen. Wie sehr alle Inszenierungen der beiden Brüder einem gemeinsamen ästhetischen Konzept folgten, wurde evident, als der Kreis der Werke ausgeschritten worden war. Natürlich gab es Divergenzen im Grundkonzept einer Deutung und Darbietung des Nibelungenrings zwischen Wieland und Wolfgang Wagner; andererseits war die Gemeinsamkeit des Ansatzes ebensowenig zu verkennen. Auch Wieland Wagner hatte sich für seine Inszenierung der Tetralogie im Jahre 1965 jener »Weltscheibe« erinnert, die als Totalität und durch die Auflösung in Segmente charakteristisch gewesen war für Wolfgang Wagners Regieplan vom Jahre 1960.

Der neue Bayreuther Stil hatte sich von Anfang an aus der Negation entwickelt, und aus der Destruktion. Wieland Wagners Terminus der »Entrümpelung« meinte weit mehr als das Forträumen von Requisiten und den Verzicht auf Vorspiegelungen irgendeiner historischen oder gar mythischen »Wirklichkeit« im Bühnenbild. Die Inszenierungen der beiden Brüder waren expressiv, nicht realistisch. Das war nicht mehr Expressionismus wie im *Fliegenden Holländer* von Otto Klemperer und Jürgen Fehling, aber hinter den entschlossenen Stilisierungen spürte man das Mißtrauen der Enkel Richard Wagners gegenüber aller Bühnenkunst der Illusionen. Allein die Konstruktion, welche nach der Destruktion hier gewagt wurde, also nach einer Götterdämmerung im Leben und nicht im Opernhaus, präsentierte sich als ein neuer Illusionismus: als Illusion einer neuen Ausdruckskunst. Man hatte den Opernstil der Stadttheater ebenso in Bayreuth überwunden wie das psychologisierende und pseudorealistische Theater von Tietjen und Preetorius; allein man hatte es nicht gewagt, auch das Werk Richard Wagners mit Hilfe von *Verfremdungen* zu inszenieren. Im Jahre 1951 war versucht worden, zuerst mit ungewöhnlichem Erfolg, die Erneuerung zu bewirken mit Hilfe einer Theaterkunst und erst recht einer Bildenden Kunst, die ihrerseits hinfällig geworden war: Expressionismus nach dem Expressionismus. Mit weiterem Zeitvergang bestand für das Bayreuth sowohl Wieland wie Wolfgang Wagners die Gefahr, selbst zum neuen Anachronismus zu werden. Darüber haben die Brüder in Wieland Wagners letzter Lebenszeit immer wieder beraten müssen.

Natürlich gab es Gegensätze des Temperaments, des Verhältnisses zur ästhetischen Theorie und zur Bühnenpraxis. Andererseits ergänzten sich Wieland und Wolfgang Wagner in überaus glücklicher Weise. Keineswegs bloß dahin, daß Wieland von früh auf einem ästhetischen Absolutismus zu frönen suchte und nur unwillig auf praktisch-pragmatische Schwierigkeiten reagierte. Wolfgang Wagner wurde dadurch vom ersten Augenblick an zum Mann der Verwaltung, der Finanzen, der Rechtsverhältnisse. Wichtiger war vielleicht, wenngleich weniger sichtbar für die Außenwelt, daß Wieland Wagner, seiner ganzen Entwicklung und Neigung nach, den Primat des Visuellen, und damit der Bildenden Kunst, niemals negierte.

Wolfgang Wagner war vor allem ein Musiker, dem man beim Polenfeldzug im September 1939 das Handgelenk durchschossen hatte, so daß er kein Musikinstrument mehr zu spielen vermochte. Nach seiner Entlassung aus der Wehrmacht im Jahre 1940 wurde er Assistent bei Heinz Tietjen an der Preußischen Staatsoper Berlin und lernte dort als Musiker den Alltag eines großen Operntheaters kennen. Er inszenierte 1944 zum erstenmal an der Berliner Staatsoper. Auch er debütierte, wie sein Bruder Wieland, mit einem Werk seines Vaters. Am 7. Juni 1944 wurde Siegfried Wagners Oper »Bruder Lustig« unter dem neuen Titel »Andreasnacht« zum 75. Geburtstag Siegfried Wagners in der Regie seines Sohnes aufgeführt. Im August dieses letzten Kriegsjahres wurden alle Theater geschlossen. Wolf-

gang Wagner kehrte nach Bayreuth zurück: kriegsdienstverpflichtet
und dem Städtischen Bauamt zugeteilt. Das Kriegsende erlebte er
in Bayreuth. Seine erste Tätigkeit bestand in Aufräumungsarbeiten
in den Trümmern von Haus Wahnfried. Da der jüngere Bruder niemals Mitglied einer nationalsozialistischen Organisation gewesen war,
kamen in seinem Falle keinerlei Berufsbeschränkungen in Frage. Vier
Jahre nach Kriegsende wurde beiden Brüdern die Leitung der Festspiele übertragen. Die interne Abmachung zwischen Wieland und
Wolfgang legte fest, daß Wolfgang eine bereits für 1952 geplante
Inszenierung zurückstellte, um sich ganz den organisatorischen Auf-
gaben widmen zu können. Er leitete aber zusammen mit Wieland
ein Gastspiel der Bayreuther Festspiele in Neapel mit *Rheingold* und
Walküre. Drei Jahre später (1955) inszenierte er zum erstenmal in
Braunschweig den »Don Giovanni«. Es blieb die einzige Inszenierung
Wolfgang Wagners auf fremdem Gelände, nämlich außerhalb des
Gralsbereichs der Werke von Richard Wagner – von jenem Berliner-
Debüt abgesehen.

Nach dem Tode Wieland Wagners war es für den Überlebenden
klar, daß neue Spielleiter und Ausstattungsleiter für Bayreuth gewonnen werden mußten. Fünfzehn Jahre lang hatten die Brüder alle
Arbeit geleistet, einen Stil entwickelt, mit bis in seine extremen Möglichkeiten erprobt. Wenn Bayreuth aber, nach einem Lieblingswort
Wieland Wagners, eine »Werkstatt« bleiben sollte, so mußten neue
Leute von nun an mit neuen Mitteln proben und sich erproben.
Ein Gespräch Wolfgang Wagners mit Martin Gregor-Dellin zu Beginn der Festspiele von 1967 macht das deutlich. Noch liegen für
1968 die Pläne vor, die gemeinsam mit Wieland erarbeitet worden
waren. Die Jubiläumsinszenierung der *Meistersinger* gedenkt Wolfgang Wagner selbst vorzubereiten. Allein bereits für den *Fliegenden
Holländer* des Jahres 1969 muß ein Spielleiter gewonnen werden,
der von außerhalb kommt und nicht mehr zur Familie Wagner gehört.
(Die Inszenierung übernahm dann August Everding.) Die Haupt-
aufgabe sieht Wolfgang Wagner in jenem Gespräch darin, im Sinne
auch seines Bruders »Bayreuth ... als Stätte einer sich ständig er-
neuernden, besonderen Form des Musiktheaters weiterzuführen«. Ein
Jahr später (1968) entwickelt er im Gespräch mit dem Bayreuther
Musikschriftsteller Erich Rappl seine in entscheidenden Fragen divergierenden Ansichten zum Ring-Konzept Wieland Wagners. Zu Wielands Inszenierung vom Jahre 1965 meint er jetzt: »Ich bin sicher,

daß sie, würde mein Bruder noch leben, jetzt nach vier Jahren schon ganz anders aussehen würde. Mein Bruder hat das Werk damals ganz aus der Perspektive des Schwarz-Alben inszeniert – daher auch die vorwaltende Dunkelheit und Schwärze der Bilder. Diese Bilder aber sind für mein Empfinden zu präpotent, sie schieben sich zu sehr in den Vordergrund allen Erlebens. Richard Wagners Bildersprache ist zu vielschichtig, als daß man sie auf die Dauer auf eine einzige – sei es auch noch so interessante – extreme visuelle Ausdeutung festlegen könnte. Für die Zukunft glaube ich voraussagen zu können, daß das *Musikalische* wieder sehr viel stärker in den Vordergrund treten wird und daß die rein bildnerische Idee dahinter zurückzutreten hat. Im übrigen hat mein Bruder seiner Ring-Inszenierung selber nicht mehr als fünf Jahre Laufzeit gegeben...«

Veränderungen gab es auch bei den Mitwirkenden der Festspiele. Karl Böhm konnte sich mit zunehmendem Alter immer weniger entschließen, alle vier Abende der Tetralogie selbst zu leiten. Man einigte sich vorübergehend dahin, daß Otmar Suitner das Vorspiel und den *Siegfried* dirigieren sollte, während sich Böhm auf *Walküre* und *Götterdämmerung* konzentrierte. Auch den *Fliegenden Holländer* von 1969 hat Böhm noch geleitet. Wolfgang Windgassens plötzlicher Tod ließ die Konstellation Birgit Nilsson / Wolfgang Windgassen (Tristan und Isolde, Siegfried und Brünnhilde) vergehen. Wolfgang Wagner baute planmäßig ein neues Ensemble auf, nach dem Grundsatz, den er oft und etwas provokatorisch gegenüber der Presse dahin zu formulieren liebte, daß es in Bayreuth nicht darauf ankomme, berühmte Namen zu gewinnen. Man suche vielmehr begabte junge Künstler zu entwickeln, die in Bayreuth und durch die Festspiele berühmt werden könnten. Wolfgang Wagner hat bei seiner Lehrzeit an der Berliner Staatsoper die Fähigkeit entwickelt, künstlerische und stimmliche Möglichkeiten an jungen Sängern wahrzunehmen. Mit Wieland hatte er die weithin unbekannten Künstler der ersten Festspiele von 1951 zum Weltruhm geführt. Im Jahrzehnt nach dem Tode Wieland Wagners mußte eine neue Isolde und Brünnhilde erprobt werden (Catarina Ligendza), ein neuer Lohengrin und Stolzing (René Kollo), die Elsa und Eva der Hannelore Bode. In der Engländerin Yvonne Minton holte sich Wolfgang Wagner eine neue Brangäne nach Bayreuth. Als Karl Böhm, der von Anfang an fest an Salzburg gebunden war, immer weniger bereit sein wollte, die Anstrengungen des Sommers zwischen Bayreuth und Salzburg zu teilen, mußten neue Dirigenten erprobt werden. Horst Stein wurde ein neuer Bayreuther Hausdirigent: zunächst für den *Parsifal,* dann für den *Ring des Nibelungen.* Silvio Varviso übernahm den *Lohengrin* und die *Meistersinger.* Im Jahre 1974 erschien zum erstenmal Carlos Kleiber am Dirigentenpult: der Sohn jenes Erich Kleiber, den Bayreuth niemals hatte berufen wollen. Nun leitete der Sohn vom »mystischen Abgrund« aus das alte Spiel von Tristan und Isolde.

Ein Freischwebender Künstler namens Tannhäuser

Die Inszenierung des *Lohengrin, Holländer,* der *Meistersinger* und des *Nibelungenrings* wurden im allgemeinen vom Bayreuther Publikum am Premierenabend mit gewaltigem Applaus aufgenommen. Es gab einzelne Rufe des Mißbehagens, gerichtet gegen Dirigenten, Spielleitung, einzelne Sänger, manchmal wohl auch gegen das Ganze; aber diese Dissonanz gehörte dazu, wirkte bisweilen wie mitkomponiert. Die stürmischen Proteste, die man an Wieland Wagners Anschrift seit jenen denkwürdigen *Meistersingern* zu richten pflegte, wurden unter der Festspielleitung Wolfgang Wagners nicht mehr fortgesetzt. Auch gegen Everdings Neuinszenierung des *Fliegenden Holländer* hatte das Premierenpublikum offensichtlich nichts einzuwenden.

Die Festspiele des Jahres 1972 wurden eröffnet mit einer neuen Aufführung des *Tannhäuser.* Mit Richard Wagners »Großer Romantischer Oper« hatte Siegfried Wagner im Jahre 1930 seine Bayreuther Theaterarbeit gleichzeitig gekrönt und beendet. Der Sohn Wieland unternahm zwei Versuche, die ihn selbst nicht befriedigten. Wolfgang Wagner kam zur Entscheidung, dies in der Realisierung vielleicht schwierigste Werk des Bayreuther Meisters einem Spielleiter anzuvertrauen, dem die Bayreuther Tradition so fernzustehen schien wie nur denkbar. Der Regisseur *Götz Friedrich* wirkte im Augenblick, da er die Einladung erhielt, den neuen *Tannhäuser* in Bayreuth zu inszenieren, an Walter Felsensteins »Komischer Oper« in Ostberlin. Das repräsentierte ein Programm. Übereinstimmend mit Richard Wagner und der Bayreuther Überlieferung insofern, als auch Felsenstein mit seinen Schülern, aus ähnlichen Erwägungen wie Richard Wagner in seinen theoretischen Schriften, den Begriff der höfisch-bürgerlichen Oper ablehnte und ersetzen wollte durch den Terminus »Musiktheater«. Andererseits unterschied sich Felsensteins Konzept von jenem Richard Wagners durch einen entschiedenen Rationalis-

mus. Den Kreislauf von Mythos und Aufklärung lehnte man ab
in der »Komischen Oper«. Auch der Mythos sei Gegenstand der
realen Interpretation: der Aufklärung. Hier öffnete sich ein Konflikt
zwischen den ästhetischen Maximen der Bayreuther Tradition und
jenen des realistischen Musiktheaters. Felsenstein selbst war redlich
genug, in seiner eigenen Theaterarbeit das Werk Richard Wagners
auszuklammern. Man spielte Verdi, Offenbach, Mozart und den
»Freischütz«, vieles andere noch, durchaus nicht immer Lustspielhaf-
tes, doch nicht Richard Wagner. Eine Ausnahme wurde mit dem
Fliegenden Holländer gemacht, allein auch dieses Werk übergab der
Begründer der »Komischen Oper« einem Mitarbeiter. Er selbst ver-
sagte sich sogar noch diesem Frühwerk. Götz Friedrich war durch
Felsenstein früh geprägt worden, was Spannungen zwischen Meister
und Schüler beileibe nicht ausschloß. Auch er repräsentierte ein Theater der Aufklärung, des Ernstnehmens großer Operntexte, ihrer jeweils wechselnden Spannungen zwischen Text und Musik, der gleichfalls ernstgenommenen Spannung zwischen einem konkreten Kunstwerk der Vergangenheit und einem ebenso konkret vorgestellten
Publikum von heute.

Daraus ergaben sich Divergenzen zur Ästhetik Richard Wagners.
Vom *Tannhäuser* nämlich bis zum *Parsifal* hatte der Musikdramatiker
Richard Wagner für seine Zeit geschrieben, dabei die besondere Wir-
kungsweise auf ein zeitgenössisches Publikum einberechnet, wozu
auch die Besonderheiten des Bayreuther Festspielhauses gehörten;
allein seit jener Bayreuther Theaterarbeit war bald ein Jahrhundert
vergangen. Die Erfahrungen dieses Jahrhunderts aber, schmerzlich
in ihrer Mehrzahl, mußten von nun an mitinszeniert werden. Das
war ein Grundprinzip Walter Felsensteins und seiner Mitarbeiter.
Aufklärung hatte in kritischer Theaterarbeit auch das mythische
Kunstwerk von einst zu interpretieren. Der auf Identifikation mit
dem Bühnengeschehen beruhenden Bayreuther Ästhetik wurde eine
Ästhetik der Verfremdung entgegengesetzt. Nicht zufällig hatte Bertolt Brecht seit der Arbeit an seiner Oper »Aufstieg und Fall der
Stadt Mahagonny« (mit der Musik von Kurt Weill) ein Theater der
Verfremdung immer wieder als Antagonismus zur Bühnenkunst gera-
de Richard Wagners verstanden.

Die Premiere dieses neuen *Tannhäuser* am 23. Juli 1972 provozierte
einen Theaterskandal, der die einstigen Proteste gegen Wieland Wagners »Meistersinger ohne Nürnberg« bei weitem übertraf. Mißbeha-

gen schon im ersten Akt über die Jagdgesellschaft des Landgrafen; der Einzug der Gäste ins Festspielhaus auf der Wartburg parodierte unverkennbar den Einzug der Gäste ins Festspielhaus von Bayreuth. Gebet und Sterben der Elisabeth wurden nicht mit bewährtem Geschmack zur Metapher stilisiert. Gwyneth Jones, die in Götz Friedrichs Inszenierung auch die Venus gespielt hatte: als Projektion erotischer Phantasien des Künstlers Tannhäuser, demonstrierte wirklich das Sterben einer tief leidenden und todeswilligen Frau. Entrüstung wirkte nach, war nicht auf jenen Premierenabend beschränkt. Landesgewaltige der Politik schrieben Leserbriefe und beklagten die Störung des »Weihespiels« durch den Mann, den man sich aus Ostberlin geholt hatte. Auch von einer Sperrung staatlicher Zuschüsse für diese Art von Theater war die Rede. Andere Leserbriefe äußerten sich begeistert über diesen neuen Bayreuther *Tannhäuser*. In der Pressekonferenz erklärten sich die Sänger und Wolfgang Wagner solidarisch mit ihrem Regisseur. Spätere Aufführungen liefen ohne Störung ab. Als ein Jahr später (1973) die Inszenierung von neuem im Spielplan erschien, wurde Götz Friedrich begeistert vom Publikum gefeiert.

Was war geschehen? Die realistische und verfremdende Deutung der Tannhäuser-Geschichte hatte *Gleichzeitigkeit* hergestellt zwischen diesem Werk und diesem Publikum vom Jahre 1972. Das war geplant worden. Einer der »lieben Sänger« aus dem Gefolge eines bösartigen Autokraten und Landgrafen präsentierte sich in stilisierter SA-Uniform; der alte Biterolf (»Wenn mich begeistert hohe Liebe, / stählt sie die Waffen mir mit Mut...« singt er folglich auch bei Wagner) im schwarzen Leder einer gleichfalls unverkennbaren Tracht. Entsprechende Kostümierung, vom Ausstatter Jürgen Rose sehr ambivalent entworfen, beim Festspielpublikum im Palas der Wartburg: die thüringischen »Helden, tapfer, deutsch und weise, ein stolzer Eichwald, herrlich, frisch und grün...« in der schwarzen Einheitstracht: gleichzeitig gerüstet als Schwarzes Korps und als gehberockte Festspielgenießer. Die Frauen, »hold und tugendsam«, nach Wolframs Schmeichelwort eines Dichterprimus, halb gewandet als Uta von Naumburg, halb als Wagnerianerin von 1876 in Markarts Zeichen. Es kam hinzu, daß bei Wagner auch im *Tannhäuser*, wie nicht minder später im *Lohengrin*, ein wohlbekannter »froher Ruf erschallet«: »Heil! Heil! Thüringens Fürsten Heil! / Der holden Kunst Beschützer Heil! Heil! Heil!« Was Wunder, wenn bei solchem Klang und in diesem – Bayreuther – Saal des Festspielhauses einige der Chorsänger und Wartburgedlen die Hand zum deutschen Gruß erhoben: bedauerlicherweise nicht gehindert vom Regisseur. Den militanten Antifaschisten des Premierenabends ein Greuel. Das Weihespiel jedenfalls war einem gründlich verdorben. Beweis: viele Kritiken, Leserbriefe, entrüstete Kommentare in allen stilistischen Preislagen.

Der *Tannhäuser* mußte lange warten, bis auf der Bühne, und ausgerechnet in Bayreuth, freigesetzt werden konnte, was Wagner im Vormärz, in einer vorrevolutionären Lage (1845), konzipiert hatte. Götz Friedrich hatte sehr genau gelesen und inszeniert, so daß man bei diesem *Tannhäuser* im Festspielhaus nichts hörte, was Wagner nicht komponiert hat, nichts sah, was man nicht, beim Lesen des Textes, als authentisch ansehen muß. Es bedurfte keiner Manipulation durch den Spielleiter. Manipuliert war jahrzehntelang jener Stadttheater-*Tannhäuser*. Im Weihespielschema, von der Maas bis an die Memel, lief der Wartburgakt als ein Arienwettbewerb ab, wobei der Chor bisweilen malerisch die Schwerter zückte, sich bald aber beruhigte. Immerhin ist die heilige Elisabeth da. Was Wagner, vorahnend, davon hielt, steht in einem Brief aus dem Revolutionsjahr 1849, den das Bayreuther Programmheft mit Recht reproduziert:»Die Sänger durch Gesangskünste, Verzierungen, Cadenzen sich überbieten zu lassen, hätte die Aufgabe eines Concertstreites, nicht aber eines dramatischen Gedanken- und Empfindungskampfes sein können;... Ich hatte somit den Triumph, unser hierfür sehr entwöhntes Publikum in der Oper durch den Gedanken zu fassen, nicht bloß durch die Empfindung.«

Antithese also der Gedankensysteme und Empfindungsweisen in dieser»Großen Romantischen Oper«, die bereits mit ihrem sonderbaren Untertitel die gesellschaftliche Ambivalenz offenbart, denn der *Tannhäuser* ist weder Große Oper der Meyerbeer-Nachfolge, wie wenige Jahre vorher der *Rienzi*, noch gemüthafte Weiterführung der deutsch-romantischen Tradition des von Wagner bewunderten Freischütz-Komponisten. Alle bewährten Rezepte und Zutaten werden beachtet. Tieck und Heine beim Venusberg, E.T.A. Hoffmanns serapiontische Erzählung vom»Kampf der Sänger«, die Wagner sehr genau las, Götz Friedrich auch; kaum taten es die meisten Kritiker, sonst hätten sie entdeckt, daß der Auftritt der Jagdgesellschaft im ersten, die Attitüde der landgräflichen Leibgarde im zweiten Akt von Hoffmann präzis beschrieben, von Wagner im Libretto nachvollzogen wurde. Bei Hoffmann spricht der Landgraf so zu Ofterdingen:

»Ihr habt mit Euren wahnsinnigen Liedern mich, Ihr habt die holden Frauen an meinem Hofe schwer beleidigt. Euer Kampf betrifft also nicht mehr die Meisterschaft allein, sondern auch meine Ehre, die Ehre der Damen... Einer von meinen Meistern, das Los soll ihn nennen, stellt sich Euch gegenüber, und die Materie, worüber sie singen, mögt Ihr dann beide selbst wählen. – Aber der Henker soll mit entblößtem Schwerte hinter Euch stehen und wer verliert, werde augenblicklich hingerichtet.«

Das spürte man diesmal im Wartburgakt in Friedrichs Inszenierung. Erst dadurch wird evident, was Wagner unter dem Gegensatz der Gedanken und Empfindungsweisen verstand: die Antithetik von affirmativer und negierender Kunstauffassung.

Wagner begann die Arbeit an dieser romantisch-aufklärerischen Oper nach einer der schrecklichsten Erfahrungen seines Lebens: den Hungerjahren im Paris des Bürgerkönigtums, des Barons Rothschild, der Komponisten als Warenlieferanten. Seine Reaktion war auch hier, wie stets, gesellschaftlich zweideutig: der Venusberg ist die Hölle, und die liegt in Paris. Einige Jahre später konzipiert er den Brand von Walhall, nach der Anleitung des neuen Freundes Bakunin, als Einäscherung von Paris. Gleichzeitig jedoch wagt er im *Tannhäuser* die Antithese: Romantische deutsche Landschaft mit Hirten, Schalmei, Pilgerglauben und holdem Abendstern gegen die Orgien im »künstlichen Paradies« der Frau Venus. Er kann sich nicht entscheiden. Der *Tannhäuser* ist gleichzeitig rückwärts- und folgerichtig vorwärtsgewandt. Sehnsucht nach dem verlorenen Mittelalter, dem durch Ludwig Feuerbach weggebannten Kinderglauben, nach deutschen Helden und holden Frauen, wie in der Manessischen Handschrift, wo die Wolfram und Walther vorkommen. Dem entspricht in der Musik die liedhafte Struktur der erschreckend beliebten Stücke, wie Pilgerchor, Lied an den Abendstern, Einzug der Gäste, und auch die Militärmarschmusik, womit der deutsche Tonsetzer Tannhäuser die Frau Venus ansingt.

Allein da ist die andere Seite des Gedankens und der Empfindung: die mutige. Insgeheim mißtraute Richard Wagner, nach der Pariser Erfahrung, der romantischen Regression. Die Einsicht E. T. A. Hoffmanns kam schließlich auch ihm: daß in der bürgerlichen Gesellschaft die Kunst nicht als Schmuckwelt möglich sei, sondern nur als Gegenwelt. Nicht als bürgerliches Weihespiel, vielmehr als artifizielle Schöpfung einer Gegenwelt. In der Oper stehen so Wolfram und

Tannhäuser gegeneinander. Der Librettist entscheidet sich nicht zwischen Wolframs romantischem Traditionalismus und Tannhäusers aggressiver Gegenkunst. Wohl entscheidet sich der Musiker Wagner: musikalisch siegt der Venusberg über den Pilgerchor.

Wie kann dies dargestellt werden, gerade wenn man das Werk und seine Konflikte ernst nimmt? Es gibt, in Text und Musik, die harmonische Symbiose aus Tod und Verklärung. Wagner hat sie, auch hier zweiköpfig, gleichzeitig konzipiert und durch die Gesamtlage widerlegt. Befriedigt kann nur der fromme Katholik den Abschluß der Tragödien Tannhäusers, Wolframs, der Elisabeth entgegennehmen, allein Wagner war weder Katholik noch Christ, als er den *Tannhäuser* schrieb. Sein Abschluß ist religiöses Kunstgewerbe aus gesellschaftlicher Verlegenheit. Diese Unsicherheit des Werks übertrug sich auf Götz Friedrich. Zuerst wagte er den großen Sprung in die Vorwegnahme. Tannhäuser umgeben von Menschen einer künftigen Gesellschaft, worin seine Künstlertragödie »aufgehoben« wurde. Entsetzen der Wartburg – Pardon: der Bayreuther Festspielgesellschaft, als »Werktätige« am Schluß angeblich auf der Bühne erschienen. Es waren Choristen in stilisierter, halbwegs zeitloser Arbeitskleidung. Das war bedenklich. Nicht wegen der Arbeitsleute, sondern wegen einer falschen Konkretisierung der Utopie. Schließlich sind in irgendeinem heute bestehenden Staat der Arbeiter und Bauern, die Konflikte zwischen der nonkonformistischen Kunst und der Gesellschaft mitnichten gelöst. Immer noch Wartburgwelt.

Dieser Abschluß wurde dann vom Regisseur zurückgenommen. Sachlich mit Recht. Tannhäusers Einsamkeit wird nicht gesellschaftlich verklärt. Entseelt liegt er da und unerlöst, am Schluß auf der nackten und alltagsmäßig beleuchteten Bretterschräge. Was noch gesungen wird, bleibt musikalischer Abschluß, kein dramatischer.

Zum Abschluß eines Jahrhunderts

Die Festspiele des Jahres 1973 wurden mit einer Neueinstudierung der *Meistersinger von Nürnberg* am 25. Juli eröffnet. Wolfgang Wagner zeichnete erneut für Regie und Ausstattung; die musikalische Leitung hatte Silvio Varviso. Im Programmheft konnte man auf der ersten Seite, gleichsam programmatisch, einen Aufsatz über »Die Richard-Wagner-Stiftung Bayreuth« lesen, kommentiert von Martin Gregor-Dellin. Es handelte sich um die authentische, von der Festspielleitung autorisierte Darstellung eines juristischen Vorgangs, der nach 97 Jahren das Werk von Bayreuth in neuer Rechtsgestalt weiterzuführen gedachte. Das Festspielhaus Bayreuth war Privateigentum Richard Wagners. Auf dem Weg über Cosima und Siegfried war es durch das Gemeinschaftliche Testament von Siegfried und Winifred Wagner zum Eigentum der Schwiegertochter des Komponisten geworden. Seit dem Jahre 1949 fielen Eigentumslage und Festspielleitung auseinander. Festspielhaus nämlich, Wahnfried, vor allem das unschätzbare und unersetzliche Archiv, waren Privateigentum geblieben. Nunmehr aber war Wahnfried zerstört und mußte neu aufgebaut werden. Die Festspiele konnten ohnehin niemals ohne Zuschüsse der öffentlichen Hand durchgeführt werden. Jede Krisensituation im Wirtschaftsleben bedrohte die künstlerischen Pläne.

Der Gedanke an eine Nationalstiftung hatte Richard Wagner schon im ersten Festspieljahr 1876 beschäftigt. Am 31. März 1880 beklagte er in einem Brief an König Ludwig die »nutzlosen Bemühungen um den Gewinn der Mittel zu einer dauernden Stiftung, welche nun einmal der elende Zustand der deutschen ›Nation‹ nicht zu gewähren vermag«.

Im Zusammenhang mit dem Ablauf der Schutzfrist für *Parsifal* im Jahre 1913 hatten nicht nur Siegfried Wagner selbst, sondern auch seine Gegenspieler die Forderung nach Umwandlung des Familienunternehmens in eine nationale Institution erhoben. Maximilian Harden dachte dabei, wie schon erwähnt, vor allem an Bayern. Der Musikschriftsteller Paul Bekker schrieb am 11. August 1912 in der »Frankfurter Zeitung«: »Die Forderung nach der Isolierung des Parsifal ist nicht nur aus Gründen allgemeiner Art unhaltbar. Sie muß auch scheitern an der Unvereinbarkeit der dynastischen und der künstlerischen Erbfolge. Wie kann ein Privileg auf Kosten der Allgemeinheit einem Unternehmen zuerteilt werden, dessen Verwaltung und Weiterbildung lediglich einer Familie anheimgegeben und mit deren Schicksal für immer verknüpft ist?... Es gab damals (nach 1883) die Möglichkeit einer weitausgreifenden Entwicklung für Bayreuth, die ihm nicht nur scheinbar, sondern in Wirklichkeit zentrale Bedeutung gegeben hätte: den Ausbau zu einem nationalen Festspielhaus, das nicht dem Kultus eines Einzelnen, sondern der gesamten großen Kunst gewidmet worden wäre...«

Am zweiten Mai 1973 wurden in München die letzten Unterschriften unter die Gründungsurkunde einer »*Richard-Wagner-Stiftung Bay-*

reuth« gesetzt. Es unterzeichneten Winifred Wagner und ihre vier Kinder oder deren beauftragte Stellvertreter. Es unterzeichneten ebenfalls die anderen Mitglieder dieser Stiftung: die Bundesrepublik Deutschland, der Freistaat Bayern, die Stadt Bayreuth, die Gesellschaft der Freunde von Bayreuth E.V., die Bayerische Landesstiftung, die Oberfrankenstiftung und der Bezirk Oberfranken. Durch diese Urkunde übertrugen die Mitglieder der Familie Wagner unentgeltlich »das Festspielhaus Bayreuth nebst allen Nebengebäuden und allen dazugehörenden bebauten Grundstücken« auf die neue Stiftung. Haus Wahnfried war früher bereits der Stadt Bayreuth mit der Auflage geschenkt worden, das Wohnhaus Richard Wagners wiederherzustellen, als Richard-Wagner-Museum zu planen und »der Stiftung … mit allen Nebengebäuden und Park für dauernd leihweise zur Verfügung« zu stellen.

Wichtigstes Vermögensobjekt war natürlich das Familienarchiv. Gregor-Dellin kommentierte diesen Teil der neuen Stiftungsurkunde wie folgt: »Dieses Archiv, das schon bisher der Forschung zur Verfügung stand – Partituren, Erstschriften und Erstdrucke, die gesamte Bibliothek Richard Wagners, sowie die Bilder, Büsten, Erinnerungsstücke und das bis 1945 entstandene Bildmaterial – ist seinem Wert nach der Kern der Stiftung. Um seinen Verbleib in Bayreuth zu gewährleisten, hat die Bundesrepublik Deutschland, die Bayerische Landesstiftung und die Oberfrankenstiftung das Archiv vor Gründung der Stiftung angekauft. Der vereinbarte Kaufpreis von 12,4 Millionen DM, der von den drei Käufern in drei Jahresraten an die Familie Wagner bezahlt wird, beruht auf zwei Schätzungsgutachten der Bayerischen Staatsbibliothek und der Firma Stargardt. Der Betrag dürfte weit unter dem tatsächlichen Marktwert der Autographen liegen und ist, gemessen an dem Verlust, der der Forschung durch eine Einzelveräußerung oder Zersplitterung entstanden wäre, gegenüber der Öffentlichkeit durchaus zu verantworten. Die Stiftungsurkunde sieht vor, daß der Bund, die Bayerische Landesstiftung und die Oberfrankenstiftung das Richard-Wagner-Archiv der Stiftung ›für dauernd leihweise zur Verfügung‹ stellen und es somit als eines der wertvollsten Einzelarchive in öffentlicher Hand der Forschung zugänglich erhalten.«

Der Finanzierungsplan für die künftigen Festspiele entsprach weitgehend den Gedanken Maximilian Hardens und später auch der bayerischen Politiker vom Jahre 1949. Der *Freistaat Bayern* verpflich-

tete sich nunmehr durch Vertrag vom 2. Mai 1973, der Stiftung »jähr-
lich zum Verbrauch bestimmte Zuschüsse« zu gewähren, welche materiell geeignet seien, die »Erfüllung des Stiftungszwecks nachhaltig
zu ermöglichen«. Es handelte sich dabei um eine notfalls einklagbare
Rechtsverpflichtung, weshalb Gregor-Dellin kommentiert:»Damit
ist auch die Weiterführung der Festspiele verbrieft. Diese Klausel
wird unterstützt durch § 3 der Satzung, der als Stiftungsvermögen
ausdrücklich die ›Forderungen gegen den Freistaat Bayern, die Stadt
Bayreuth und den Bezirk Oberfranken auf laufende Unterstützung
nach Maßgabe der Stiftungsurkunde‹ festhält. Die Stiftung ist
gemeinnützig (§ 10).«

Stiftung aber und Festspielunternehmen sind rechtlich scharf von
einander getrennt. Mitglieder der Stiftung können folglich keinen
Einfluß nehmen auf das Programm oder die künstlerischen Entscheidungen der Festspielleitung. Andererseits versteht sich die neue Stiftung als Weiterführung der Letztwilligen Verfügung Siegfried Wagners. Das Festspielhaus Bayreuth bleibt auch in Zukunft jenen»Zwek-
ken dienstbar..., für die es sein Erbauer bestimmt hat, also einzig
der festlichen Aufführung der Werke Richard Wagners«. Die neue
Stiftung vermietet von nun an das Festspielhaus an den Festspielleiter.
Der Stiftungsrat wird auch über die Nachfolge des gegenwärtigen
Festspielleiters, also Wolfgang Wagners, zu entscheiden haben, wobei
festgelegt ist, daß »grundsätzlich« ein Mitglied der Familie Wagner
mit der Leitung betraut werden soll.

»Man kann sagen, daß sich der wichtigste Gehalt dieser kompli-
zierten Satzung in einem winzigen Satz unter § 8, Abschnitt 5, verbirgt: ›Der Mietvertrag sichert dem Unternehmer die künstlerische
Freiheit.‹ Dies klingt fast geschäftlich – wie ja überhaupt die Stifter
auf jede Phrase, auch auf die nationale Gebärde, zum Glück verzichten. Aber manche Utopien, auch die Wagners, erfüllen sich eben
nur auf eine ungefähre und profane Weise, und wenn sie sich in
einer künstlerisch unabhängigen Fortführung der Festspiele, in ihrer
materiellen Sicherung und in der Bewahrung eines wertvollen Erbes
einlösen lassen, so ist der Zweck dieser – alles in allem – kulturpoli-
tisch weit vorausschauenden Tat gewiß erreicht.« (Martin Gregor-
Dellin)

Die wichtigste Theaterarbeit Wolfgang Wagners seit dem Tode
seines Bruders galt im Sommer 1975 einer Neuinterpretation des
Bühnenweihfestspiels *Parsifal.* Im Gegensatz zu Wieland hatte der

jüngere Bruder im allgemeinen auf programmatische Manifeste und Selbstinterpretationen verzichtet. Die zahlreichen Interviews, die er jeweils vor Beginn und zum Abschluß der von ihm geleiteten Festspiele zu gewähren pflegte, wurden, manchmal unmerklich für die Fragenden, reduziert auf Organisationsprobleme, Besetzungen, Arbeitsperspektiven. Im Falle des neuen *Parsifal* jedoch durchbrach er diese Haltung einer – scheinbaren – Theoriefeindschaft. In Gesprächen mit seinem Assistenten O. G. Bauer wurden »Parsifal-Aspekte« formuliert, die man als Gegenentwurf zu Wieland Wagners *Parsifal*-Deutung von 1951 verstehen darf.

In jener Neuaufführung des Bühnenwerks, die im Jahre 1951 sogleich als Modell eines neuen Bayreuth verstanden wurde, hatte Wieland Wagner an den moralischen Antithesen nach wie vor festgehalten. Er inszenierte zugunsten einer intakten Grals-Gemeinschaft, für Titurel und – selbstverständlich – gegen den abtrünnigen Klingsor. Wielands graphische Darstellung der geistigen und geistlichen Zuordnungen beharrte auf einem manichäischen Dualismus von Gut und Böse, Reinheit und Schuld.

Wolfgang Wagners Interpretation mißtraut der von Titurel begründeten und vom siechen Amfortas ins Leid geführten Gemeinschaft der Gralsritter. Die neue Bayreuther Interpretation von 1975 war nicht allein »heller«, wie die Kritiker übereinstimmend und erfreut konstatieren durften; sie war vor allem, in der Konzeption, gegen den Schluß hin offen, im Gegensatz zur kreisförmigen Bewegung bei Wieland Wagner, die auch den neuen Gralskönig Parsifal am Schluß wieder in der statischen Rittergemeinschaft integriert hatte.

Wolfgang Wagner liebt sie nicht, jene elitäre Ritterwelt, während er für den weggestoßenen Klingsor unverkennbar einige Sympathie aufbringt. Nicht mit Unrecht erinnert der neue Interpret an eine briefliche Äußerung Wagners (1859) an Mathilde Wesendonck: »Es ging mir kürzlich nämlich wieder auf, daß dies wieder eine grundböse Arbeit werden müsse.«

Diese seltsamen Worte Richard Wagners werden dann allein verständlich, wenn die moralischen Antithesen der Eindeutigkeit entbehren. Das ist, nach Wolfgang Wagner, nach wie vor der Fall: »Die soziale Ordnungsfunktion der Ritterschaft wird eingeschränkt zugunsten des Strebens nach persönlicher Vollkommenheit, die ihren sinnfälligsten Ausdruck in der von Titurel geforderten Askese findet.

Die Hüter der Mitleidssymbole sind selbst mitleidslos, unfähig, aus sich selbst heraus die Heilung oder Erlösung des Amfortas zu leisten. Das verachtungsvolle Wegstoßen des um die Gralsidee ringenden Klingsor durch Titurel und der Hochmut eines sich über den Dualismus Mann – Frau hinwegsetzenden Männerbundes zeigen mit aller Bestimmtheit die Entfremdung von der ursprünglichen Gralsidee. Das Böse in Klingsor ist nicht Urprinzip, es entsteht durch den Mangel des Guten in Titurel. Die Begriffe Gut – Böse, noch im *Ring* klar unterschieden, werden skeptisch relativiert.«

Mit Recht wehrt sich Wolfgang Wagner ferner gegen die mit Nietzsche beginnende Fehldeutung des Bühnenweihfestspiels als christliche Erbauungsoper. Der *Parsifal*, als ein Gemisch der Mythen und auch als Erzeugnis einer Privatmythologie Richard Wagners, ist weder seiner Struktur noch seiner Idee nach ein christliches Kunstwerk. Darum gibt es im Schlußakt der neuen Bayreuther Interpretation keine Rückkehr zur Tradition eines Rittertums:»Der Schluß ist keine Restauration des ursprünglichen Zustandes. Die Polarität von Titurel- und Klingsor-Welt, die sich in ihrer Erstarrung und Verzerrung gegenseitig bedingen, wird von Parsifal aufgehoben. Seine erlösende Tat besitzt die Sprengkraft, die Auseinandersetzung nicht für die Gralswelt in ihrer bisherigen Form zu entscheiden, sondern These und Antithese zugunsten einer utopischen Hoffnung aufzuheben. Die Ordnungsfunktion des Ritters, die zugunsten einer elitären Lebensform vernachlässigt wurde, wird wiedereingesetzt. Parsifal versucht, seine Erkenntnis: Achtung dem anderen gegenüber und Mitleiden mit den anderen, zum allgemeinen Gut zu machen. Im hellen, offenen Raum, unverschlossen, sind die Mitleidssymbole Gral und Speer allen zugänglich, sollen sie für alle wirksam sein. Mitleid auch als soziale Qualität.«

Im Gegensatz zu manchen Urteilen über Wolfgang Wagner als bloßen Pragmatiker und Theaterchef wird in den Überlegungen und Interpretationsversuchen am *Parsifal* ein gedankliches Experimentieren spürbar, das auch in einem höheren Verstande das Wort von der permanenten»Werkstatt« in Bayreuth rechtfertigen könnte. Wolfgang Wagner stellt seine Interpretation am Schluß ausdrücklich unter das»Prinzip Hoffnung«, und will mehr dadurch demonstrieren als bloß seine Verehrung für den Philosophen Ernst Bloch. »Damit ein Ereignis Größe habe, muß Zweierlei zusammenkommen: der große Sinn derer, die es vollbringen, und der große Sinn derer, die es erleben.« Wie soll man diese Sätze Friedrich Nietzsches vom Jahre 1876 heute verstehen: die Anfangsworte seiner »Unzeitgemäßen Betrachtung« über »Richard Wagner in Bayreuth«? Was sich seit dem Jahre 1951 jeweils in der letzten Juliwoche in Oberfranken zusammenfindet, stolz auf die schwer erkämpften Eintrittskarten, ist längst nicht mehr die von Nietzsche visionär beschworene Gemeinschaft der Unzeitgemäßen. Es sind bürgerliche Theaterbesucher aus der zweiten Hälfte eines 20. Jahrhunderts. Auch das Publikum einer »Gewerkschaftsaufführung«, wie sie regelmäßig im Spielplan aufzutauchen pflegt, ist bürgerlich. Dem Betrachter würde in Kleidung und Verhalten des Publikums kein Unterschied auffallen zwischen der Gewerkschaftsaufführung und einem der üblichen Festspielabende. Der Traum Richard Wagners vom demokratischen Fest konnte auch im Ablauf eines Jahrhunderts nicht verwirklicht werden.

Dennoch bleiben die Bayreuther Festspiele unvergleichbar. Wer rasch die Premieren auf dem Festspielhügel absolviert, um weiterzureisen nach Salzburg, wird unwillkürlich des Unterschieds inne. Bayreuth unterscheidet sich von allen anderen Festspielen zwischen Edinburgh und Baalbek nicht allein durch die Exklusivität des Programms. Wer nach Bayreuth kommt, hat wenig Auswahl. Er kommt nach wie vor, um Werken Richard Wagners sich auszusetzen. Im Zeichen einer Musikentwicklung, und auch einer Entwicklung der musikalischen Vorliebe, die immer stärker die musikalische Romantik ausklammern, sogar den Übergang von der Wiener Klassik zur Frühromantik ignorieren möchte zugunsten einer Präferenz für die Alte und die entschieden Neue Musik, ist die Wagner-Tradition in Bayreuth in einem von Nietzsche durchaus nicht gemeinten Sinne »unzeitgemäß« geworden. Wer Wagner nicht mag, wofür es vielerlei Gründe gibt, auch sehr triftige, muß das Bayreuther Unternehmen unverkennbar als tönendes Museum ablehnen.

Aber das Gesamtwerk Richard Wagners hat standgehalten. Nicht in vielen Einzelheiten, noch weniger in den usurpatorischen Forderungen seines Schöpfers an die Zukunft, die hier, wie Wagner postulierte, das ihr gemäße Kunstwerk empfangen dürfe. Die Größe Wagners, und damit auch der heutigen Festspiele, kann nicht abgelesen werden am großen Sinn des Werkschöpfers, noch weniger am großen Sinn der Festspielbesucher. Die Größe Bayreuths beruht nach wie vor allein auf der Größe der dort aufgeführten Kunstwerke. Die Größe insbesondere der Tetralogie und des Bühnenweihfestspiels

ist zu ermessen, mit Wieland Wagner zu sprechen, an ihrer dialektischen Verknüpfung von Tradition und Inovation. Noch die gescheiterten Utopien Richard Wagners, noch seine Absagen an die eigene
Vision vom demokratischen Fest sind Ausdruck von Widersprüchen,
die weiterbestehen. *Theodor W. Adorno* hat es in seinem »Versuch
über Wagner« so formuliert: »Inmitten eines verzerrten Bildes von
Gemeinschaft indessen geht der Blick auf, der das echte Antlitz der
Gesellschaft erbarmungslos trifft. Noch die mythische Verstrickung
der Weltgeschichte im Ring ist nicht bloß Ausdruck der deterministi-
schen Metaphysik, sondern setzt zugleich Kritik an der schlecht deter-
minierten Welt.« Das ist eine These, die gültig bleibt und ein Jahrhundert der Bayreuther Festspiele als permanenten Konflikt zusammenfaßt. Als Konflikt, dessen Ende nicht abzusehen ist.

NACHSPIEL
IM LICHTE UNSERER ERFAHRUNG

»Im Lichte unserer Erfahrung.« Die sonderbare Formel erfand sich
Thomas Mann im Jahre 1947, als er den Festvortrag hielt beim ersten
Nachkriegskongreß des PEN-Clubs in Zürich. Er hatte das Riesenge-
schäft seines Romans vom deutschen Tonsetzer Adrian Leverkühn,
der um der Kunst willen mit dem Teufel paktiert, hinter sich gebracht. In diesem Roman vom »Doktor Faustus« ging auch der Geist
Friedrich Nietzsches um. Thomas Manns Essay über »Deutschland
und die Deutschen« und eben diese Züricher Rede über *»Nietzsches
Philosophie im Lichte unserer Erfahrung«* gehörten als kritische Texte
und Deutungshilfen unmittelbar zur Substanz des Faustus-Romans.
Nietzsches Philosophie wird mit ihren geschichtlichen Wirkungen
konfrontiert: »In mehr als einem Sinne ist Nietzsche historisch geworden. Er hat Geschichte gemacht, fürchterliche Geschichte, und über-
trieb nicht, wenn er sich ›ein Verhängnis‹ nannte. Seine Einsamkeit
hat er ästhetisch übertrieben.«
Dann kommt der Redner Thomas Mann auf diese Urschuld des
Philosophen Nietzsche zu sprechen: auf die *Ästhetisierung des Bösen.*
Hier in der Tat sprechen die Erfahrungen von Zeitgenossen des
Jahres 1947 gegen alles Spielen mit der schönen Ruchlosigkeit. »Wir
haben es in seiner ganzen Miserabilität kennengelernt«, sagte Thomas
Mann von dieser romantischen Bosheit, »und sind nicht mehr Ästhe-
ten genug, uns vor dem Bekenntnis zum Guten zu fürchten, uns
so trivialer Begriffe und Leitbilder zu schämen wie Wahrheit, Freiheit,
Gerechtigkeit… Eine ästhetische Weltanschauung ist schlechterdings
unfähig, den Problemen gerecht zu werden, deren Lösung uns
obliegt, – so sehr Nietzsches Genie dazu beigetragen hat, die neue
Atmosphäre zu schaffen.«
Nietzsches Betrachtung über »Richard Wagner in Bayreuth« gehört mitsamt ihrem Gegenstand, dem Festspielwerk Richard Wagners, zu einer Erfahrung, die man nur widerwillig als »Erfahrungs-
schatz« kennzeichnen möchte. Auch Richard Wagner hatte im Leben

wie im Denken, und schließlich in seinen künstlerischen Kreationen, den öden Tag mit seinen trivialen Antithesen von Gut und Böse, Recht und Unrecht verachtet: um der inkommensurablen Kunstschöpfung willen. Er blieb fasziniert vom freien Selbsthelfer Siegfried, der Konflikte löst mit Hilfe des Schwertes Nothung, und den Speer als Symbol menschlicher Vertragsgesittung zerschlägt. Auch der reine Tor Parsifal steht jenseits der Normen einer menschlichen Gemeinschaft. Sein Wissen aus Mitleid, das sich von keinem Gurnemanz belehren läßt, ist ein Gegenbild zu Siegfrieds Wissen aus scheinbar »natürlichem« Instinkt. Der frühe Nietzsche war beglückt über den jungen Siegfried, der auszog, das Fürchten zu lernen: also das Leben in einer Gemeinschaft, was nicht ohne Furcht abgehen kann. Den reinen Toren Parsifal hingegen hat er bitter verhöhnt. Zu Unrecht, denn beide gehören zusammen: ganz wie Nietzsches spätere Philosophie niemals loskam von Richard Wagner. Das hat er selbst nur zu gut gewußt.

Auch Siegfried, Parsifal und Zarathustra gehören zusammen. Zunächst waren das Künstlerträume aus dem bürgerlichen 19. Jahrhundert, gedacht als ästhetische Provokation und als Gegenposition zur Bürgerwelt. Im »Lichte unserer Erfahrung« wurde daraus eine unverkennbar bourgeoise Ideologie. Die ästhetischen Konzepte sowohl Wagners wie Nietzsches wurden, als sich die bürgerliche Gesellschaft bedroht fühlte, unmittelbar politisch genutzt. Das gilt für den Mißbrauch mit Nietzsches Formel vom »gefährlichen Leben« ebenso wie für die politischen Träume, denen man im Haus Wahnfried nachsann.

Es gibt eine Schrift »Politische Ideale« von *Houston Stewart Chamberlain* aus dem Kriegsjahr 1915. Sie war damals sehr erfolgreich und versuchte, von der Bayreuther Ideologie her, eine politische Neugestaltung Deutschlands zu entwerfen. Daß Parlamentarismus und bürgerliche Öffentlichkeit zu beseitigen seien, ist ausgemacht für den Schwiegersohn Richard Wagners. Es ist mehr als Terminologie, wenn Chamberlain dekretiert: »Politik im heutigen Sinne soll es im neuen Deutschland nicht geben; an ihre Stelle tritt Staatskunst. Und da wird man gut tun, den genialen Vorschlag Napoleons wieder aufzunehmen und alle Beratungen unter Ausschluß der Öffentlichkeit zu führen –.« Staats»kunst« anstelle der Politik; Beseitigung der Öffentlichkeit zugunsten irgendeiner geheimen und folglich unverantwortlichen politischen Machination. Natürlich ist auch dies eine Ästhetisierung der Politik, allein sie war erwünscht und erfüllte sehr konkrete Aufgaben. Chamberlain war kein isolierter Spinner, sondern ein ideologischer Repräsentant. Er hat nicht irgendeine Bayreuther »Idee« pervertiert, sondern offengelegt, was als Möglichkeit auch bei Richard Wagner bereits vorhanden war.

Auch dies gehört zu jenem schmerzhaften und bedenkenswerten Komplex »Richard Wagner in Bayreuth«. Wer sich damit abgibt, hundert Jahre nach Begründung von Festspielen in Bayreuth, zweihundert Jahre nach Entstehung jener Vereinigten Staaten, zu deren Ehren Richard Wagner im selben Jahr 1876, und gegen ein Honorar von 5000 Dollar, einen »Festmarsch zur Feier des einhundertjährigen Jubiläums der amerikanischen Unabhängigkeit« komponierte, hat die Folgen zu bedenken und auch die Möglichkeiten. Ein Jahrhundert dieser Festspiele stellt sich im Rückblick zunächst dar als bürgerlicher Kunstrausch und säkularisierte Religion. Das hatte Wagner gewollt und einberechnet. Nicht gewollt freilich war die Nebenwirkung, daß im rauschhaften Genießen die Konturen der Werke verschwimmen mußten. Das Werk, welches man hingegen auf sich einwirken ließ, wurde gerade dadurch *nicht* mehr befragt und ernstgenommen. Ästhetisierung hatte sich zunächst als Geniekult gegen die Politik gestellt, um dann ihrerseits politisch zu wirken. Schließlich fand die »Götterdämmerung« im Alltag statt. Die Götter waren einstmals in Wahnfried eingezogen. Jetzt brannte Wahnfried als Walhall.

Auch die Kunstwerke, die Wagner schuf, wandelten sich im Lichte unserer Erfahrung. Einige von ihnen traten den Rückweg an *vom Musikdrama zur Oper*. Sie sind nunmehr Repertoire der Opernhäuser, ganz wie »Don Giovanni«, der »Freischütz«, oder auch wie »Tosca« von Puccini. Das gilt für den *Fliegenden Holländer,* den *Lohengrin,* wohl auch für die *Meistersinger von Nürnberg.*

Die Entwicklung einer Musik des 20. Jahrhunderts inspirierte sich am *Tristan* und am *Parsifal.* Wer diese Werke von neuem hört, erlebt sie – hörend – als Zeitgenosse der Musiker unserer Epoche. Rätselhaft geblieben sind *Tannhäuser* und der *Ring des Nibelungen.* Sie ließen sich nicht zurückführen ins konventionelle Opernrepertoire, weshalb die Interpretation dieser Werke Richard Wagners immer von neuem umstritten und folglich ernstgenommen wird. Das läßt sich vermutlich aus ihrer programmatischen Bindung an die gesellschaftlichen Konflikte der Entstehungszeit erklären. Der freischwebende Künstler Tannhäuser sprach die Wahrheit über eine Epoche wachsender Entfremdung der Kunst von einer Gesellschaft, worin sie zu wirken hatte. Der *Nibelungenring* entstand als Konzept eines utopisch-sozialistischen Künstlers im Prozeß einer Revolution der Jahre 1848/49. Goldraub, Fluch und Brand von Walhall waren als Mythen des bürgerlichen Alltags zu verstehen. Am Beginn stand nicht ein märchenhaftes und geschichtsloses »Es war einmal«. Wer die Tetralogie heute interpretiert, bringt nach wie vor Gegenwart auf die Bühne. Das ist inzwischen längst wieder erkannt worden: im Lichte unserer Erfahrung.

Weshalb es nicht angeht, das Riesenwerk Richard Wagners, im Prozeß einer neuen Entfremdung, aufspalten zu wollen in eine gültig gebliebene und eine ungültig gewordene Portion. Hier die schöne Musik, dort die zeitgebundenen Texte mit Stabreimen, Gralsrittern, Heiligen und Huldinnen. Wer so verfährt, hat alles verkannt. Wieland Wagners früher Protest gegen eine gefällige Zubereitung der Werke im Sinne des üblichen Opernspielplans ist gültig geblieben. Unvermeidlich ist freilich, daß Bayreuth als »Stiftung« die Festspiele berufsmäßig organisiert. Man fährt nicht mehr nach Bayreuth, als gelte es, den Weg zum Gral zu finden. Aber »Richard Wagner in Bayreuth« bedeutet nach einem Jahrhundert immer noch Interpretation dessen, was damals geschaffen wurde.

Als Richard Wagner die Arbeit an der *Götterdämmerung* wieder aufnahm, schauderte er lange vor der Nornenszene zurück und schrieb am 5. Mai 1870 aus Tribschen an König Ludwig: »Aus Grauen und Angst wob ich endlich selbst an dem Seile, welches, wie es nun kunstvoll gesponnen vor mir liegt, mir allerdings zu seltsam erhebender Freude gereicht: so etwas hat doch noch keiner gesponnen, – so sage ich mir nun, und ich vermute, daß Jeder mir das einst noch sagen wird.« Der Nornen Gespräch aber kreist um die Zweideutigkeit des Wissens. Weißt du, was ward? und: Weißt du, was daraus wird? Dann reißt das Seil, welches die Welt zusammengehalten hatte. Die Nornen klagen: »Zu End ewiges Wissen! Der Welt melden Weise nichts mehr.« Die Darstellung aber dieses Nichtmehrwissens durch Richard Wagner sollte Wissen vermitteln. Das hat Wagner gewollt. Er hat damit seinen Bayreuther Festspielen nach wie vor den Sinn gegeben.

BAYREUTH 1976

Von der Oper zum Drama und zurück

Jedermann weiß es natürlich, aber es ist vielleicht nicht nutzlos, alles noch einmal kurz zu erinnern. Als Richard Wagner das Bayreuther Festspielhaus mit einer ersten zyklischen Aufführung der Ring-Tetralogie eröffnete, lebte man in einem jungen Kaiserreich, das am 18. Januar 1871, mitten in einem deutsch-französischen Kriege, im Spiegelsaal des Schlosses zu Versailles proklamiert worden war. Der König von Preußen war nunmehr Deutscher Kaiser, aber als ein gewähltes Oberhaupt unter gleichberechtigten Souveränen. Auch dieses neue Deutsche Reich blieb, wenngleich seiner staatsrechtlichen Struktur nach ein Bundesstaat, dem Grundkonzept nach ein Fürstenbund. Wilhelm von Hohenzollern wählte daher für sich die Formel: »Deutscher Kaiser und König von Preußen«.

Man lebte im Sommer 1876 nicht nur in einem noch unbeholfenen und unbewährten Deutschen Kaiserreich, sondern auch auf dem Höhepunkt einer exzessiven Wirtschaftskonjunktur, die im Begriff war, in eine ebenso ungewöhnliche Wirtschaftskrise mit Bankrotten und Verschuldungen, Selbstmorden von Unternehmern und Armut von Arbeitslosen umzuschlagen. Fünf Milliarden Goldfranken hatte die Kriegsentschädigung betragen, die Bismarck im Friedensschluß von Frankfurt am Main dem besiegten Frankreich, der gleichfalls jungen Dritten Republik, auferlegte. Mit zäher Entschlossenheit, worin französischer Nationalstolz und kluges wirtschaftliches Kalkül zusammengewirkt hatten, war es gelungen, das Geld weit schneller als erwartet zu zahlen und dadurch das Recht zu erhalten, die deutsche Besatzung in Frankreich abziehen zu sehen. Was gedacht war als Schaffung einer Krisensituation in Frankreich, wurde zum Krisenfaktor in der Wirtschaft des neugegründeten Deutschen Reiches. Der Goldüberfluß machte taumeln, und es gab ein arges Erwachen.

Die Bayreuther Festspiele wurden in dieser eigentümlichen und unwiederholbaren Konstellation begründet und vorbereitet. Für die Zeitgenossen des Sommers 1876, erst recht für das Publikum dieser vier Premierenabende, erfüllte sich damals der exzessivste Künstlertraum einer ganzen Epoche. Der säkularisierte Götzendienst am genialen Künstler gehörte zur Ideologie eines Bürgertums von freien Unternehmern und liberalen Zwischenträgern der Warenproduktion und des Kapitalmarktes. Richard Wagner mußte ihnen allen in doppelter Gestalt erscheinen, und zwar doppelt verehrungswürdig: als singuläres Genie und als erfolgreicher Großunternehmer.

Seitdem ist ein Jahrhundert abgelaufen. Das Deutsche Kaiserreich verging, eine deutsche Revolution blieb auf die staatsrechtliche Sphäre im wesentlichen beschränkt, eine Republik wurde begründet und im Nationaltheater zu Weimar gleichsam als Inkarnation weimarischer Klassik und Humanität mit einer Verfassung ausgestattet. Es verging diese Weimarer Republik; die Episode eines großsprecherischen tausendjährigen und großdeutschen Reiches ist in aller Erinnerung, siebzig Jahre nach dem Festspielauftakt des Jahres 1876 zerfiel das einstige Deutsche Reich. Es zerging zwar nicht »in Dunst«, um die Ansprache des Hans Sachs aus den *Meistersingern von Nürnberg* zu zitieren, und es blieb auch noch ein bißchen mehr als die »heil'ge deutsche Kunst«: allein Deutschland findet sich aufgeteilt in zwei deutsche Staaten mit antagonistischer Wirtschafts- und Sozialgestalt.

Zu schweigen von allen Veränderungen der Technik und des Verkehrswesens. Das rätselhafte Wort des Gurnemanz zum reinen Toren Parsifal hat in unserer heutigen Art des Lebens und der Fortbewegung einen seltsamen neuen Sinn bekommen: »Zum Raum wird hier die Zeit.«

Es wäre absurd, angesichts dieser Veränderungen behaupten zu wollen, trotz alledem sei das Werk Richard Wagners ein Jahrhundert hindurch sich selbst gleichgeblieben. Das ist es nicht, und das konnte auch nicht sein. Der Text von »Faust II« mag sich für den Leser, der das Buch zur Hand nimmt, im Jahre 1876 nicht anders präsentieren als hundert Jahre später. Dennoch wird ein anderer Leser einen anderen Text lesen, und er wird ihn anders lesen: auch unabhängig vom Unterfangen einer Theateraufführung der Faust-Tragödie.

Nun gar ein musikalisches Kunstwerk vom einzigartigen Rang und Wollen der Ring-Tetralogie. Das beginnt beim Notenbild, wie die Herausgeber der Richard-Wagner-Gesamtausgabe an zahllosen Beispielen einleuchtend demonstrieren können. Richard Wagner scheint, bei aller Sorgfalt, die er der Interpretation zuwandte, der Druckgestalt seiner Partituren nicht die gleiche Aufmerksamkeit zugewandt zu haben. Vielleicht hat er nicht immer sehr genau die Korrekturen gelesen, so daß sich Fehler einschlichen, die bald als geheiligte Fehler mitgeschleppt werden durften.

Wichtiger sind die Möglichkeiten unserer Bühnen, die Wandlung des Hörens, die neuen Erwartungen beim Opernbesuch an ein Werk des Musikalischen Theaters. Das beginnt mit der Bühnentechnik, mit dem Grundkonzept des Theaterraumes, mit gewandelten Vorstellungen von einer ästhetischen Festivität.

Als einer der ersten scheint sich *Wieland Wagner* darüber Gedanken gemacht zu haben. Sein programmatischer Aufsatz »Überlieferung und Neugestaltung« vom Jahre 1951, dem Eröffnungsjahr mithin der neuen Bayreuther Festspiele, betonte damals fast provokatorisch, was heute, nach 25 Jahren, zur Selbstverständlichkeit wurde: daß sich »Richard Wagner... der neuen Technik mit der gleichen souveränen Meisterschaft bedienen würde, wie er die Sprache des Orchesters in so grandioser Weise erweitert hat«. Das demonstriert Wieland Wagner, der im Begriff steht, in seiner Inszenierung des *Parsifal* selbst die Praxis zu dieser Theorie zu liefern, am Beispiel des Lichts und der Beleuchtung. »Eine einzige rein technische Erfindung wie die des elektrischen Lichtes, insonderheit des Scheinwerfers, bedeutet gerade für das Bühnenwesen einen solch revolutionären Umsturz, daß sie Möglichkeiten und Forderungen, damit aber vielleicht sogar die Eingebungen des Dramatikers zu verändern geeignet ist. Könnte Wagner an dieser Erkenntnis vorübergehen? Was ihm – selbst noch bei der Aufführung seines ›Parsifal‹ im Jahre 1882 – zur Verfügung stand, war ausschließlich die Gasbeleuchtung. ... Hier war aus der Not eine Tugend geworden. Die um so viel größere Strahlkraft des elektrischen Lichtes würde die berühmte Wandeldekoration Joukowskys aus dem Mysterium ihres Dämmerlichtes unbarmherzig herausreißen, wir stünden vor nichts als einem Streifen bemalter Leinwand, der uns höchstens mit historischem Interesse erfüllte. Wirklich erschiene uns diese Art der Bühnenbildkunst nicht mehr.«

Denkt man die These jedoch zu Ende, so wird gleichfalls offenbar, daß sich in allen Änderungen der Bühnentechnik, der Publikumserwartung, der Orchestertechnik wie der Regievorstellungen das Werk selbst gewandelt hat, das in Bayreuth aufgeführt wird. Die Werke Richard Wagners sind anders für uns geworden, und sie werden auch in anderer Weise von uns aufgenommen. Das beginnt mit mancher groben Proklamation aus dem *Lohengrin*, setzt sich fort in unserer

Art, die Wagnerschen Untermenschen Alberich und Mime verständnisvoller und darum menschlicher zu sehen; wir freuen uns nicht mehr rückhaltlos, wenngleich uns Wagner dazu einlädt, über Herrn Beckmessers Mißgeschicke. Abermals erkannte Wieland Wagner als einer der ersten, daß man das Format des Hans Sachs verkleinert, wenn man seinen Gegenspieler zum albernen Popanz degradiert.

Das alles ist symptomatisch, denn es läßt erkennen, daß wir das Festspielkonzept Richard Wagners und mit ihm die fast sakrale Rolle einer Pilgerschaft nach Bayreuth nicht mehr mitvollziehen können. Richard Wagner selbst war nüchtern geblieben in seinen geistigen und ästhetischen Vorwegnahmen. Er war ein Meister der *konkreten Utopie*. Weshalb er verärgert war bei der Aufführung des »Parsifal« im Jahre 1882, als die Patrone des Bayreuther Unternehmens dem Publikum den Applaus verbieten wollten.

Heute ist Bayreuth das älteste und ehrwürdigste aller Festspiele, aber es hat zahlreiche, allzu berechnende Nachfahren und Epigonen gefunden. Das Bayreuther Unternehmen blieb trotzdem einzigartig: durch die Beschränkung auf das Werk des Bayreuther Meisters, durch die enge Verbindung mit seiner Familie, die sich auch bei der Umwandlung des Familienunternehmens in eine Stiftung bisher nicht geändert hat; schließlich durch die Selektion des Publikums, die von alledem mitbestimmt wird. Wer nach Bayreuth reist, will nicht Ferien mit etwas Kunstgenuß verbringen, sondern hat es auf eine Begegnung mit dem Werk Richard Wagners abgesehen.

Andererseits betreibt der heutige Festspielleiter Wolfgang Wagner, der Enkel immerhin von Richard und Cosima, notwendigerweise das *Festspiel als Beruf*. Richard Wagner hatte vor hundert Jahren nicht bloß finanzielle Schwierigkeiten zu überwinden, sondern auch mit großen organisatorischen Sorgen zu kämpfen. Wenn König Ludwig das Bayerische Hoforchester nicht zur Verfügung stellte, noch dazu unentgeltlich, mußte jeder Gedanke an Festspiele aufgegeben werden. Die Grundvision Wagners, die er sich ausdachte, um solcher Sorgen ledig zu werden, ist bis heute immer wieder realisiert worden: das Festspielorchester bildet sich jedes Jahr neu durch Berufung der besten Orchestermusiker aus Deutschland, und nicht allein aus Deutschland. Da heißt es rechtzeitig und auf Jahre hinaus planen.

Vor hundert Jahren mußte König Ludwig umworben werden, heute hat sich der Festspielleiter von Bayreuth mit den Intendanten der großen Opernhäuser zu beschäftigen. Will man in Hamburg oder

München oder auch in Wien wegen eigener Proben oder Aufführungen den für Bayreuth ersehnten Siegfried oder Alberich nicht freigeben, so ist die geplante und angemessene Verwirklichung des Festspielkonzeptes in Gefahr. Das singuläre Unternehmen des Jahres 1876 muß gleichfalls heute mit den Techniken, Kalkulationen und Risiken aller anderen großen Operntheater der Welt arbeiten. Der Weg scheint vom singulären Musikdrama im Verlaufe eines Jahrhunderts zurückzuführen zu einem zwar gewandelten, doch strukturell nicht wesentlich veränderten Konzept jenes Operntheaters, gegen welches Richard Wagner seine Bayreuther Idee einst aufgestellt hatte. Die Einzigartigkeit des heutigen Bayreuth erweist sich sogar als *zusätzliche Schwierigkeit* in der Praxis der modernen Opernmusik. In Wien nämlich oder Leipzig oder London kann man ohne weiteres, im Rahmen des üblichen Repertoires, die Inszenierung der vier Abende des Nibelungenrings auf Jahre hinaus verteilen und in Ruhe vorbereiten. Die Osterfestspiele zu Salzburg boten in einem Turnus von vier Jahren jeweils nur ein einziges der vier Werke. Man begann mit einer Inszenierung des *Rheingold*, um mit der *Götterdämmerung* wie billig zu schließen. Aber jeweils wurde nur ein einziges dieser Werke aufgeführt. Der gesamte *Ring des Nibelungen* als Zyklus ist in Salzburg niemals aufgeführt worden.

Für Bayreuth hingegen bleibt es eine Selbstverständlichkeit, die Tetralogie als geschlossenen Zyklus aufzuführen. Der Weg vom einstigen Musiktheater zum modernen Operntheater ist dadurch um so steiniger geworden.

Er hat auch die Werke selbst beeinflußt. Das wird jäh ersichtlich, wenn man von neuem Richard Wagners Riesenessay über »Oper und Drama« liest, dies Werk einer ersten Züricher Emigrationszeit, worin aber das Grundkonzept der Bayreuth-Idee keimhaft enthalten war.

Die Antithese von Oper und Drama, die dem Buch den Titel und Grundgedanken gibt, wird in vierfacher Weise durchgeführt. Indem Wagner auf seine Thesen vom Kunstwerk der Zukunft zurückgreift, stellt er die unfreie Kunst der Gegenwart der zu befreienden Kunst einer künftigen Ära, einer revolutionären Umgestaltung gegenüber. Das ist die Antithetik des Sozialisten Wagner. Den zweiten Gegensatz liefert Feuerbach: zum eigenen Gebrauch umgedeutet durch Richard Wagner. Zwei Liebesformen sind gegeneinander gestellt, in ähnlicher Postierung wie im *Tannhäuser*. Dirnentum und

Koketterie gegen echte Liebe, erst recht gegen die Menschenliebe. Die dritte Antithese hat mit Wagners Nationalempfinden, aber auch, wie stets bei diesem Künstler, mit Wagners Nationalismus zu tun. Französische und italienische Kunst wird zu einer Kunst des Deutschtums in Gegensatz gebracht. Alle drei Antithesen jedoch, die revolutionäre, die nationale, die Opposition verschiedener Sympathiegefühle gipfeln in der für den Verfasser einzig wirklichen Antithese von Opernkunst und Musikdramatik.

»Die Musik ist ein Weib«, postuliert Richard Wagner. Italienische Musik vergleicht er geschmackvollerweise mit einer »Lustdirne«, um hinzuzusetzen: »Die französische Opernmusik gilt mit Recht als Kokette.« Allerdings nimmt Wagner bei diesen erotischen Vergleichen auch die deutsche Opernkunst, die nicht-wagnerische nämlich, keineswegs aus. Ihr wird die Rolle der Prüderie zugeteilt. Man sieht: wahre Liebe scheint nur im deutschen Kunstwerk der Zukunft, in jenem Richard Wagners, möglich zu sein.

Zu diesem Zweck aber muß der bisherige Opernbegriff preisgegeben werden. In der bestehenden Opernkunst war das Drama bloß ein Mittel zur Entfaltung, zur Entfesselung von musikalischem Glanz; Richard Wagner möchte die Musik in den Dienst einer neuen musikalischen Dramatik stellen. Dabei hat Wagner einen höchst frappierenden Ausgangspunkt, der als geschichtliche Analyse ganz indiskutabel, als künstlerische Zeiterkenntnis in der Mitte des 19. Jahrhunderts aber höchst geistreich ist: »Das moderne Drama hat zweierlei Ursprung: einen natürlichen, unsrer geschichtlichen Entwicklung eigentümlichen, den Roman –, und einen fremdartigen, unsrer Entwicklung durch Reflexion aufgepfropften, das nach den mißverstandenen Regeln des Aristoteles aufgefaßte griechische Drama.

Der eigentliche Kern unsrer Poesie liegt im Roman; im Streben, diesen Kern so schmackhaft wie möglich zu machen, sind unsre Dichter wiederholt auf fernere oder nähere Nachahmung des griechischen Dramas verfallen. – Die höchste Blüte des dem Roman unmittelbar entsprungenen Dramas haben wir in den Schauspielen des Shakespeare; in weitester Entfernung von diesem Drama treffen wir auf dessen vollkommensten Gegensatz in der ›Tragödie‹ des Racine. Zwischen beiden Endpunkten schwebt unsre ganze übrige dramatische Literatur unentschieden und schwankend hin und her.«

Dieser Gedanke Richard Wagners hat später einen *Thomas Mann* in einer Studie über die »Kunst des Romans« (1940) zu der Behauptung verführt, das eigentliche Gegenstück zu den großen bürgerlichen Romanen des 19. Jahrhunderts, zu Balzac also und Flaubert, Tolstoj und Dostojewsky, Dickens oder Melville, sei nicht bei einem Romancier deutscher Sprache zu finden, nicht einmal bei Fontane oder Gottfried Keller, sondern in der Ring-Tetralogie Richard Wagners.

Das stimmt nicht bloß mit Wagners Auffassung vom Musikdrama als einem existentiellen Gegensatz zur Oper genau überein, sondern auch mit der langjährigen Bayreuther Bühnenpraxis von Richard und Cosima Wagner.

Die Vorherrschaft der Handlung gegenüber dem Orchester und im weitesten Sinne sogar gegenüber aller Musik stand niemals in Frage. Deutlichkeit der Sänger war oberstes Gesetz, weil alles darauf ankam, dem Zuschauer beim Verständnis der Tragödie zu helfen. Das Orchester mußte zurücktreten, der Dirigent hatte sich den Geboten des dramatischen Ablaufs gehorsam und dienend anzupassen. Der mystische Abgrund des verdeckten Orchesters war natürlich erfunden worden, um ein einzigartiges Klangbild möglich zu machen. Wichtiger jedoch war an dieser Innovation, daß sie der romanhaften Tragödie, die sich Wagner unter der Bezeichnung »Musikdrama« ausgedacht hatte, zur vollen Wirkung verhalf.

Auch hier scheint der Weg, der einst von der Oper zum Drama geführt hat, zurückzuführen zur Oper. Einige der Kunstwerke, die Wagner schuf, traten den Rückweg an vom Musikdrama zur Oper. Sie sind nunmehr Repertoire der Opernhäuser, ganz wie »Don Giovanni«, der »Freischütz« oder auch wie »Tosca« von Puccini. Das gilt für den *Fliegenden Holländer*, den *Lohengrin*, wohl auch für die *Meistersinger von Nürnberg*.

Die Entwicklung einer Musik des 20. Jahrhunderts inspirierte sich am *Tristan* und am *Parsifal*. Wer diese Werke von neuem hört, erlebt sie – hörend – als ein Zeitgenosse der Musiker unserer Epoche.

Rätselhaft geblieben sind *Tannhäuser* und der *Ring des Nibelungen*. Sie ließen sich nicht zurückführen ins konventionelle Opernrepertoire, weshalb die Interpretation dieser Werke Richard Wagners immer von neuem umstritten und folglich ernstgenommen wird. Das läßt sich aus der programmatischen Bindung dieser Schöpfungen an die gesellschaftlichen Konflikte ihrer Entstehungszeit erklären. Der freischwebende Künstler Tannhäuser sprach die Wahrheit über eine Epoche wachsender Entfremdung der Kunst von der Gesellschaft, worin sie zu wirken hatte. Der Nibelungenring entstand als Konzept eines utopisch-sozialistischen Künstlers einer Revolution der Jahre 1848/49. Goldraub, Fluch und Brand von Walhall waren als Mythos des bürgerlichen Alltags zu verstehen. Am Beginn stand nicht ein märchenhaftes und geschichtsloses »Es war einmal«. Wer die Tetralogie heute interpretiert, bringt nach wie vor Gegenwart auf die Bühne.

»Der Ring des Nibelungen«
in Patrice Chéreaus Bayreuther Inszenierung

> *Verstehen wir doch jetzt, was es heißen will,*
> *in der Tragödie zugleich schauen zu wollen*
> *und sich über das Schauen hinaus zu sehnen.*
> *Friedrich Nietzsche, Die Geburt der*
> *Tragödie aus dem Geiste der Musik.*

Es liegt nahe, bei einem Bayreuth-Bericht aus dem Jahre 1976 zuerst vom Publikum zu sprechen. Das freilich ist notwendig, denn dabei entsteht unvermeidlicherweise ein politisches Gespräch. Andererseits ist dergleichen auf die Dauer ermüdend. Es gab turbulente Proteste mit Exzessen, die am Schlußabend offensichtlich darauf hingelenkt wurden, den Abbruch des dritten Aktes der *Götterdämmerung* zu erzwingen, was mißlang, weil Pierre Boulez unbeirrt weiterdirigierte. Wer die letzten Jahrzehnte in Bayreuth miterlebte, konnte jedoch bloß eine quantitative Steigerung des Lärms und den Einsatz neuer Lärminstrumente konstatieren. Im Prinzip hatte sich an der Motivation der unentwegten Altbayreuther kaum etwas geändert. Sie selbst, oder ihre Eltern, hatten sich im Jahre 1934 insgeheim entrüstet, als eine neue Dekoration des *Parsifal* dargeboten wurde, um jene uralte Kulisse vom Jahre 1882 zu ersetzen, worauf bekanntlich, wie wörtlich geschrieben wurde, »noch das Auge des Meisters geruht hatte«. Damals freilich wagte man nicht, im Festspielhaus zu demonstrieren. Es hatte sich herumgesprochen, daß der Führer höchstpersönlich die neue Dekoration bestellte und billigte.

Tobende Entrüstung dann gegen Wieland Wagner im Jahre 1956, als er es wagte, seine Konzeption, wie die Gegner spotteten, der »Meistersinger ohne Nürnberg« vorzuführen. Auch bei seiner Inszenierung des Nibelungenrings im Jahre 1965, ein Jahr vor dem frühen Tode, wurde der Regisseur Wieland Wagner mit Schmähungen empfangen. Wütende Exzesse des Protestes darauf im Jahre 1972 gegen die Bayreuther Inszenierung des *Tannhäuser* durch Götz Friedrich. Ein Jahr später konnte sich Götz Friedrich bei der Wiederaufnahme seiner Inszenierung für einhelligen und jubelnden Beifall bedanken. Im Jahre 1934 wurde die Tempelschändung beklagt; im Jahre 1956 war Wieland Wagner ein unwürdiger Enkel; im Jahre 1972 zeterte man über den »Kerl aus Ostberlin«. Diesmal hörte man haßerfüllte Reden gegen »die linken Franzosen«. Spaßvögel erklärten: dies sei eine französische Rache für 1871. Besagte Witzbolde übersahen dabei freilich, daß jene Rache bereits zweimal und höchst wirkungsvoll gewaltet hatte, und nicht bloß auf dem Theater: in den Jahren 1918 und 1945.

Bayreuth war ein Jahrhundert lang ein Politikum, und die Festspiele des Jahres 1976 sind nicht minder zum Politikum geworden. Bei der Pressekonferenz demonstrierten vor dem Glasfenster des Restaurants die treuen Wagnerianer: zumeist im jugendlichen Alter. Auf den Tafeln standen markante Fragesprüche wie »Gesamtkunstwerk oder Kitsch?« oder auch: »Mythos oder Blechtrommel?« Freundbilder und Feindbilder mithin scharf akzentuiert. Das Gute ist authentisches Gedankengut des Meisters, woran nicht gerüttelt werden darf. Es ist überdies mythisch, was immer das sein mag. Auf der Pressekonferenz beklagte ein italienischer Professor, in Chéreaus Inszenierung komme der »Kosmos« zu kurz. Chéreau antwortete, übrigens in ausgezeichnetem Deutsch, darunter könne er sich nichts vorstellen.

Den Protesten im Publikum hatten sich, unverkennbar und schließlich geradezu unverschämt, die Proteste innerhalb des Bühnenraums zugesellt. Ein gefeierter Bassist, der keine Gelegenheit vorübergehen läßt, offen zu verkünden, daß er auf ein abermals erwachendes Deutschland gesetzt hat, fand Bundesgenossen bei der Bühnentechnik und im Orchester. Die hervorragenden Solisten freilich der Ring-Tetralogie hatten sich mit leidenschaftlicher Überzeugung für die Konzeption des Spielleiters Chéreau und des Musikers Pierre Boulez eingesetzt. Eine Photographie erschien in der Tagespresse, wo Patrice Chéreau, den man soeben vor dem Vorhang ausgebuht hatte, hinter der Bühne von Ovationen seiner Solisten empfangen wird. Dem Dirigenten Boulez freilich ging es mit dem Festspielorchester weniger gut. Es gab Widerstände gegen seine Konzeption. Am Schlußabend häuften sich die Patzer bei den Hornisten, Flötisten, beim Blech. Es war schwer, dabei an Zufall zu glauben. Unwahrscheinlich auch, aller technischen Schwierigkeit der Inszenierung ungeachtet, daß es bei gutem Willen zu den vier markanten Pannen beim Vorhangziehen gekommen wäre. Ungeklärt blieb schließlich die auch in der Pressekonferenz vernehmlich gestellte Frage, warum plötzlich, mitten in der *Götterdämmerung,* hinter der Bühne eine Autohupe zu hören war. Sie gehörte zu einem Fahrgestell der Bühnentechnik. War das Fahrlässigkeit oder ein »dummer Scherz«, wie Wolfgang Wagner als Alternative mitzuteilen hatte? Nehmen wir an, daß es ein Versehen war.

Zur Reaktion der Mitwirkenden und des Publikums gehörte auch alles, was am Vorabend der Ring-Premiere auf dem Festspielhügel produziert worden war. Die griechische Tragödie, als deren Nachfolger und Fortsetzer sich Richard Wagner verstand, darin philosophisch unterstützt durch Friedrich Nietzsches Buch über »Die Geburt der Tragödie aus dem Geiste der Musik«, war im Athen des fünften vorchristlichen Jahrhunderts als Trilogie konzipiert worden. Ihr pflegte dann ein Satyrspiel zu folgen, um den kathartischen Abschluß zu bilden.

Wagners Musikdrama als neue Form der Tragödie aus dem Geiste der Musik ist als Tetralogie aufgebaut. Ein Satyrspiel fehlt. In Bayreuth jedoch wurde es, entgegen altgriechischer Tradition, am *Vorabend* geboten bei der festlichen Säkularfeier der Festspiele.

Richard Wagner wurde im Festspielhaus gepriesen in vier schönen Reden. Walter Scheel war »ausgewogen«, wie zu erwarten stand. Er sei kein Wagnerianer, doch ebensowenig ein Antiwagnerianer. Die Beziehung zwischen Meister und Führer wurde nicht ausgespart, was den eingeladenen Gästen aus der Stadt Bayreuth sichtbarlich mißfiel. Man fand es unpassend, daß der Präsident der Bundesrepublik Deutschland eine »politische« Ansprache gehalten hatte. Wo aber, wäre zu entgegnen, gäbe es einen besseren Anlaß für eine politische Rede, als eben hier und an diesem Abend?

Der Ministerpräsident des Freistaates Bayern bekam viel Jubel. Alfons Goppel versicherte treuherzig, daß Bayern und die Bayern stets fest und treu, voran offensichtlich die Bürokraten in München, zu Richard Wagner gestanden hätten. Im Geschichtsbuch liest man es anders.

Der Bayreuther Oberbürgermeister zählte auf, was Bayreuth für Richard Wagner geleistet hat. Er hatte die leichteste Aufgabe, denn Schönfärberei war diesmal entbehrlich. Der Festspielleiter schließlich und Enkel Richard Wagners hatte eine kurze Ansprache vorbereitet, die er jedoch nicht verlas, sondern am nächsten Tag verteilen ließ. Der Gegensatz zur Redefreudigkeit seines Großvaters war evident. Der Abschluß des Festes war gut ausgedacht. Da ein demokratisches Fest in jenem Sinne, den sich der utopische Sozialist und Revolutionär Richard Wagner einst erträumt hatte, auch hundert Jahre nach Eröffnung der Bayreuther Festspiele nicht zu erwarten stand, konzipierte man etwas wie eine verlängerte Festwiese der *Meistersinger von Nürnberg*. Das Bayreuther Volk, das sich hier eingefunden hatte und auf rohen Holzbänken rund um das Festspielhaus die Würstchen aß und das Bier aus dem Pappbecher trank, war kleinbürgerlich gleich jenem Volk im Schlußbild der Meistersinger, das den Merker Beckmesser auslacht, den Junker Stolzing begabt und sympathisch findet, vor allem aber dem Schuhmacher und Poeten Hans Sachs zujubelt. Wem wurde diesmal zugejubelt?

Man benahm sich innerhalb der Festspielmauern wie draußen, als hätte man, gleich dem jungen Siegfried aus der *Götterdämmerung,* einen *Vergessenstrank* heruntergeschluckt. Da nichts an diesem Eröffnungsabend ernstgenommen wurde: nicht die geistige Auseinandersetzung mit einer hundertjährigen Geschichte dieser Institution, erst recht nicht die utopische Grundkonzeption Richard Wagners, präsentierte sich die Festivität als vorangestelltes Satyrspiel ohne Lust und Laune: als Abend der Beschönigung und der Verdrängung.

Damit freilich war es am nächsten Tag zu Ende, als sich der Vorhang hob zum ersten Bild des *Rheingold.* Plötzlich war Gleichzeitigkeit hergestellt zwischen dem Werk Richard Wagners und seinen Zuhörern vom Jahre 1976.

Die Grundfrage für jede Inszenierung der Ring-Tetralogie, die vor jeglicher Einzelheit beantwortet werden muß, lautet bekanntlich: Wann und wo spielt Richard Wagners *Ring des Nibelungen?* Die herkömmliche Replik, das Werk des Meisters spiele natürlich im mythischen Bereich, vermag nicht zu genügen. Auch Mythen sind datierbar. Patrice Chéreau als Spielleiter entschied sich, zusammen mit seinem Bühnenbildner Richard Peduzzi und dem Kostümbildner Jacques Schmidt, eindeutig dahin, die vier Abende innerhalb der bürgerlichen Gesellschaft spielen zu lassen. Damit waren die alten

Germanen von vornherein ausgeschaltet. Blieb die Sorge, was mit
den Göttern anzustellen sei, mit den Rheintöchtern und Nornen,
den Riesen und Zwergen. Chéreau ging von dem Grundkonzept
aus, daß man dem chronologischen Fortgang der Handlung innerhalb
der vier Abende nicht unbedingt vertrauen dürfe. Das war richtig.
Wotan im *Rheingold* ist verändert bereits in der *Walküre;* im *Siegfried*
büßt er sogar seinen Namen ein und tritt bloß noch als »Der Wanderer« auf. Der junge Siegfried, den Chéreau in seiner Inszenierung
kräftig »demontierte«, nach eigenem Eingeständnis, weil der Spielleiter einen Typ nicht liebt, der sich ein Schwert schmiedet, dann zwei
Menschen erschlägt und unbekümmert weiterzieht, um die Braut
zu freien, ist wesentlich verändert in der *Götterdämmerung.* Siegfried
im Smoking und in der feinen Gesellschaft der Gibichungen am
Ufer des Rheins hat ausgiebig das Fürchten gelernt, was heißen soll:
er hat sich der bürgerlichen Gesellschaft angepaßt, den Gunthers
und Gutrunen.

In Bayreuth wird dies aber nicht als ein zeitliches Nacheinander
dargestellt, *sondern als ein dialektisches Nebeneinander* verschiedener Be-
wußtseins- und Gesellschaftsschichten. Die von Ernst Bloch immer
wieder entwickelte Interpretation gesellschaftlicher und ideologischer
»Ungleichzeitigkeiten« tritt hervor an diesen vier Theaterabenden.
Weshalb es Chéreau sorgfältig vermied, innerhalb der Fixierung auf
die bürgerliche Gesellschaft etwa zwischen Neuzeit und Jetztzeit,
also zwischen 1876 und 1976, allzu konkret zu werden. Es gibt in
Bayreuth nicht, wie in Kassel, eine Architektur der Reichskanzlei;
ebensowenig eine Evokation, wie in Leipzig, des Capitols von Wa-
shington beim Brand von Walhall. Umgekehrt hat man sehr oft
den Eindruck, und zwar gerade bei den gelungensten szenischen
und bildlichen Visionen, daß Chéreau und Peduzzi *bemüht waren, auch
unsere scheinbare Gegenwart bereits als historische Vergangenheit darzustellen.*
Das ist nicht weiter verwunderlich, denn die Tetralogie, die als Götterdämmerung ausläuft, repräsentiert sich, zum erstenmal aufgeführt
vor hundert Jahren, als ein *Endspiel* im modernen Sinne. Von hier
aus führt der Weg weiter zu Karl Kraus und den »Letzten Tagen
der Menschheit«, und zu den Endspielen eines Samuel Beckett. Es
ist deshalb folgerichtig, wenn die szenische Interpretation eine Welt
vorführt, die bereits gestorben ist, auch wenn sie, mit Smokings
und Karabinern und weißen Abendkleidern, scheinbar lebendige Gegenwart zu sein behauptet.

Der Bühnenbildner Peduzzi arbeitet deshalb mit Collagen und Bildzitaten. Auch Chéreau hat gelegentlich mit Zitaten gearbeitet. Im zweiten Akt der *Walküre* wirkt Wotan, wenn er seine Vergangenheit der Lieblingstochter erzählt, in bewußter Imitation wie der alternde »Leopard« Burt Lancaster im Film von Visconti. Viel Bildzitate: von den Friedhofsbildern jenes Arnold Böcklin, der Richard Wagners Bildphantasie immer wieder anzuregen wußte, bis zu Chirico oder Dali. Wenn Siegfried in der Verkleidung des Gunther das Feuer durchschreitet, um Brünnhilde für den König der Gibichungen zu freien, erscheint er in Gunthers Smoking mitten in der mythischen Welt des Walkürenfelsens und der Waberlohe. Das Erschrecken der Zuschauer bei diesem Anblick ist legitim: allein es entspringt einer genauen Analyse der dramatischen Situation wie der Musik. Nachher erinnert man sich, außerdem in diesem Augenblick gleichsam ein Bild von René Magritte gesehen zu haben.

Die Welt des Nibelungenrings strotzt von Aktionen der Geilheit und der Mordlust. Vor Jahrzehnten hat einmal ein Wagnerianer und strebsamer Jurist die vier Abende untersucht nach »strafbaren Handlungen« im Sinne unseres Strafgesetzbuches. Das ergab eine stattliche Broschüre. Chéreau beschönigt nichts. Morden ist abscheulich; Sterben ist sehr häßlich. Ein entsetztes Publikum im Festspielhaus bekommt das vorgeführt. Wer hinterher freilich den Text nachliest, um sich über die Willkür des Spielleiters zu entrüsten, muß immer wieder feststellen, daß Chéreau genau las und eifrig bemüht war, die Regieanweisungen Richard Wagners getreulich zu befolgen.

Daraus ergab sich mit Notwendigkeit *ein Kontrast zwischen* 1876 *und* 1976. Der war bewußt und gewollt. Indem Wagners Theatervorstellungen von 1876 peinlich genau befolgt werden, entsteht Belustigung als Folge der zeitlichen Distanz. Zu den sichtbar gemachten Widersprüchen innerhalb des Werkes treten, gleichsam als Verschärfung der Interpretation, die Gegensätze zwischen einstiger und heutiger Theater-Erwartung.

Um diese Widersprüche sichtbar zu machen, bedient sich Chéreau aller modernen Techniken des Theaters, des Musicals, des Balletts und nicht zuletzt des *Zirkus*. Wenn die Riesen Fafner und Fasolt auftreten als Zirkusriesen, wobei stattliche Bassisten auf den Schultern stämmiger Untermänner zu stehen haben, in herunterwallende Kaftane gekleidet und so plaziert, daß sie gelegentlich die Schultern der Untermänner an einer Brüstung verlassen können, um den Ge-

sangseinsatz nicht zu verfehlen, findet plötzlich Zirkus statt auf der
Festspielbühne. Die Nibelungen, ein verkleideter Kinderschwarm,
sind dazu als folgerichtige Ergänzung inszeniert. Hier findet die Geburt der Tragödie statt aus dem Geiste des Grand Magic Circus.
Am meisten Aufregung verursachte das erste Bühnenbild des
Rheingold. Keine schöne, unberührte Natur, worin sich die Rheintöchter wohlig tummeln, an den obligaten Seilen schwebend oder auch
ersetzt durch Ballettmädchen, während die Sängerinnen im Orchester
Platz genommen haben. Ein Stauwerk wird sichtbar, der Rhein fließt
spärlich hindurch, die eindeutigen Damen, genannt Rheintöchter,
warten auf Kunden. Alberich erscheint als frustrierter Mann, der
von seiner Schicht kommt. Als sich fünf Tage später der Vorhang
hob zum dritten Akt der *Götterdämmerung,* wurde abermals das Stauwerk sichtbar. Nun brach ein Sturm der Entrüstung los. Eine Minder-
heit beleidigter Wagnerianer hatte es darauf angelegt, den Abbruch
zu erzwingen. Das Bühnenbild jedoch war verändert. Nach dem
Raub des Rheingolds hatte das Fließen aufgehört. Der Stahl war
verrostet, die Rheintöchter präsentierten sich als armselige Vetteln.

Natürlich ist es leicht, von hier aus den Protest gegen interpretato-
rische »Willkür« des Spielleiters zu begründen. Das Stauwerk findet
sich nicht bei Richard Wagner. Das fließende Es-Dur der Musik
spricht für eine unzerstörte Natur. Allein der Widerspruch liegt trotzdem in Richard Wagners Werk. Das hatte schon *Wieland Wagner*
erkannt bei seiner Inszenierung vom Jahre 1965. In Wirklichkeit
beginnt nämlich der *Ring des Nibelungen* durchaus nicht mit dem ersten
Bild des *Rheingold.* Die Natur ist *nicht unberührt* im Augenblick, da
die Tetralogie anhebt. Als die Tetralogie beginnt, ist die Natur bereits
geschändet.

Im *Rheingold* ist die Natur mithin bereits domestiziert. Als Wotan
auftritt mit dem Speer, der die Weltesche verdorren machte und
den Quell allmählich versiegen ließ, war eine moderne Zeit angebro-
chen. Der Widerspruch liegt in Wagners dramatischer Konzeption.
Die erste Szene vom *Rheingold* täuscht, mitsamt der Musik, einen
absoluten Anfang vor. Die Musik steht jedoch im Widerspruch zum
dramaturgischen Konzept. Chéreau ist folgerichtig, wenn er eine
durchaus nicht unberührte Natur darstellt. So genau kannten die
meisten Wagnerianer im Publikum das Werk jedoch nicht, um diesen
gedanklichen Ansatz zu verstehen. Sie hatten sich bereits vor elf
Jahren über Wieland Wagner entrüstet, als er den scheinbar so wonni-

gen Aufstieg der verbrecherisch-ohnmächtigen Götter nach Walhall
als Abstieg inszenierte und Loge den Kommentar dazu sprechen
ließ:
Ihrem Ende eilen sie zu
die so stark im Bestehen sich wähnen. – In einem Aufsatz vom Jahre 1929 schrieb *Ernst Bloch* über die Möglichkeit einer »Rettung Wagners durch surrealistische Kolportage«.
Dadurch erst werde das Werk in seiner Unheimlichkeit von neuem
spürbar. »Dient die Ingenieurkonstruktion dieser Zeit dazu, daß der
gekommene Hohlraum zum wenigsten nicht einstürzt, so bildet –
unter anderem – das XIX. Jahrhundert genug Symbolstoff, der im
Hohlraum schwebt, auch dialektisch leuchtet, auch Fragmente neuer
Substanz bezeichnet. Versuche mit offenem Bühnenraum wären darum lehrreich, mit sichtbaren T-Trägern um die Kitschmythologie
und ihre Requisiten; völlige Illusionsleere umher, Blockhaus, Rhein-
terrasse, Brünnhildenfels, vu par un surréaliste, in der Mitte. Und
auf jeden Fall kann jetzt schon Kolportage in Wagner einbrechen.
Jahrmarkt, Zirkus, Rummelplatz in ihr darin...«
Die musikalische Leitung durch Pierre Boulez entsprach dem szenischen Konzept. Es war eine geistige Zusammenarbeit erreicht worden, die es auf deutschen Opernbühnen nur selten gegeben hat. Der
Dirigent hatte seinen Regisseur und Bühnenbildner gefunden, und
umgekehrt. Die Gesangsleistungen waren außerordentlich. Chéreau
hatte wirklich als Schauspielregisseur mit den Opernsängern arbeiten
können. Wenn der grimme Hagen plötzlich im Selbstgespräch in
die Haltung seines Vaters Alberich verfällt, so ist damit eine Intensität
des Verstehens erreicht worden, wie man sie weder in Bayreuth noch
auf anderen Opernbühnen seit langer Zeit erleben konnte. Das Ergebnis? Wenn man hören und sehen wollte: doch wiederum die Geburt
einer Tragödie. Nicht rauschhaft genossen, sondern in Betroffenheit
erlebt.

NACHWORT

In dem Buch »Richard Wagner. Mitwelt und Nachwelt« wird eine Zusammenfassung aller Studien des Verfassers über das Phänomen Richard Wagner versucht. Begonnen wurden die Untersuchungen im Jahre 1955. Der Abschluß war erst 23 Jahre später möglich. Das hängt nicht allein mit den Lebensumständen und wissenschaftlichen Arbeiten des Autors zusammen, sondern vor allem mit der wissenschaftlichen Quellenlage. Erst mit der Entsiegelung, Entschlüsselung und Publikation der Tagebücher Cosima Wagners ist es möglich geworden, gewisse Vermutungen und Konjekturen über Lebensgeschichte und Ansichten Richard Wagners schlüssig zu begründen: über das Verhältnis zur Judenfrage beispielsweise, zu König Ludwig, zur deutschen Politik, zum Renegatentum Friedrich Nietzsches.

Eine genaue Analyse von mehr als 2000 Seiten dieser Tagebücher hat im wesentlichen die ursprünglichen Thesen unserer Wagner-Interpretation bestätigt. Widerlegt wurde die frühere Vermutung, daß Cosima auf das Denken Richard Wagners und seine Entwicklung zum politischen Quietismus einen prägenden Einfluß ausgeübt hätte. Dem widerspricht der Text der Tagebücher. Wir erleben die Schreiberin durchaus und unbeschönigt in der Haltung einer Confidentin und Dienerin. Sie wagt kaum zu widersprechen, geschweige denn ihrerseits zu lenken. Auch widerlegen Richard Wagners vertraute Äußerungen in den späteren Jahren die ursprüngliche Ansicht, als habe es in Wagners geistiger Entwicklung nicht allein die bekannten Übergänge vom Jungen Deutschland zu Feuerbach, von dort zu Schopenhauer, von dort zu Gobineau gegeben, sondern auch eine nachdrückliche Tendenz zur Entpolitisierung und zum Quietismus. Im Gegenteil überrascht, dank der neu erschlossenen Quellen, die Konsequenz und Kontinuität in Wagners geistiger Entwicklung. Insgeheim hat er keine seiner einstigen Vorlieben und geistigen Entscheidungen wahrhaft von sich abgetan. Auch Heinse oder Proudhon sind weiter gegenwärtig im Umkreis von Haus Wahnfried. Sogar noch in Venedig in den Wochen der letzten Lebenszeit.

Eine erste Studie über »Richard Wagners geistige Entwicklung« erschien im Jahre 1955 im Heft III/IV der von Peter Huchel in Ostberlin herausgegebenen Zeitschrift »Sinn und Form«. Die Veröffentlichung führte zur Bekanntschaft des Verfassers mit Wieland Wagner, der die Studie las und den Autor aufforderte, nach Bayreuth zu kommen und für die Programmhefte der neu begründeten Festspiele zu schreiben.

Als einige Jahre darauf in Hamburg die Taschenbuchreihe »Rowohlts Monographien« begründet wurde und eine Einladung erfolgte, an dieser Reihe mitzuarbeiten, fiel die Entscheidung für eine monographische Studie über »Richard Wagner in Selbstzeugnissen und Bilddokumenten«. Die Monographie erschien zuerst im Jahre 1959. Sie schloß fast unvermittelt ab mit dem Bericht über Richard Wagners Tod in Venedig und die Umstände seiner Bestattung. Ein Ausblick über die Entwicklung des Wagnerianismus wurde nicht gegeben, denn es war von vornherein geplant, diese Geschichte des Nachruhms, insbesondere als Geschichte der Familie Wagner und der Bayreuther Institution, später folgen zu lassen. Dazu kam es dann erst im Jahre 1975, als sich die Möglichkeit ergab, durch die Mitwirkung von Gottfried Wagner und dank der großzügigen Unterstützung der Forschung durch Wolfgang Wagner, mit Hilfe noch unerschlossener Quellen das Thema »Bayreuth und die Nachwelt« abzuhandeln. Die von Michael Karbaum erarbeitete Dokumentation seines Buches »Hundert Jahre Bayreuth« (Regensburg 1976) konnte während der Arbeit eingesehen und genutzt werden. Unter dem Titel »Richard Wagner in Bayreuth« erschien diese Fortsetzung der Wagner-Monographie von 1959 im Jubiläumsjahr 1976 der Bayreuther Festspiele. Gottfried Wagner hatte zusammen mit dem Verfasser aus der Fülle der Bayreuther Bilddokumente eine repräsentative Auswahl von Illustrationen zur Bayreuth-Geschichte getroffen.

Im Jahre 1966 waren »Anmerkungen zu Richard Wagner« (edition suhrkamp 189) als Taschenbuch erschienen. Es handelte sich im wesentlichen um Beiträge, die seit 1962 auf Einladung von Wieland und Wolfgang Wagner für die Programmhefte der Festspiele geschrieben worden waren, dazu um Kritiken einzelner Aufführungen in Bayreuth. Auch nach Wieland Wagners Tod im Jahre 1966 wurden auf Einladung Wolfgang Wagners weitere Texte für die Festspielprogramme geschrieben: über die »Meistersinger von Nürnberg«, zum Problem der Ring-Tetralogie, zum »Parsifal«.

Einige dieser Texte wurden neu verarbeitet in dem Band »Richard Wagner in Bayreuth« (1976), die anderen sind im vorliegenden Buch zusammengefaßt unter dem Titel »Anmerkungen zum Werk Richard Wagners«. Die Anmerkungen über den »Fliegenden Holländer« wurden ursprünglich auf Einladung von Walter Felsenstein für eine Aufführung der Komischen Oper in Berlin geschrieben, dann aber im Bayreuther Programmheft von 1965 nachgedruckt. Der Text über »Siegfrieds Trauermarsch« entstand auf Anregung des Regisseurs Götz Friedrich für die Londoner Inszenierung der »Götterdämmerung« am Königlichen Opernhaus von Covent Garden im Jahre 1976. Die Anmerkungen über »Ortrud und Lohengrin« entnahm der Verfasser seinem 1975 erschienenen Buch »Außenseiter«, weil er diese Bemerkungen als notwendige Ergänzung empfand zu dem Bayreuther Text über »Lohengrin oder die Utopie in A-Dur«.

Es war unvermeidlich, daß bei diesem jahrzehntelangen Entstehungsprozeß eines Buches aus drei Teilen: Wagner-Monographie, Anmerkungen zum Werk, Darstellung der Bayreuth-Geschichte, thematische Wiederholungen und auch Textinterpretationen auftraten. Auch bei einzelnen Anmerkungen zum Werk Richard Wagners hatte der Verfasser auf Gedanken und Formulierungen der Monographie von 1959 zurückgreifen müssen.

In der vorliegenden Zusammenfassung aller Beiträge zum unerschöpflichen Thema Richard Wagner sind solche Überschneidungen und Wiederholungen nach Möglichkeit eliminiert worden. Sie wurden an einigen Stellen jedoch in Kauf genommen, um die jeweils wechselnden Ansätze des Gedankenganges nicht zu entschärfen.

Das Buch »Richard Wagner. Mitwelt und Nachwelt« will als neue Konzeption verstanden werden, nicht als Zusammenfassung von Einzelstudien. Es gibt die monographische Darstellung Richard Wagners in seiner Zeit, die Geschichte der Bayreuther Institution, verstanden sowohl als Familiengeschichte, als Werkgeschichte, nicht zuletzt als Weltgeschichte. Dazwischen Anmerkungen zum Werk, die jeweils von einem besonderen Ansatzpunkt her eine Interpretation der Musikdramen versuchen: »im Lichte unserer Erfahrung«.

Als Abschluß wurden zwei Texte unter der Überschrift »Bayreuth 1976« zusammengefaßt, die im Jubiläumsjahr entstanden. Eine Rückschau über »Von der Oper zum Drama und zurück«, geschrieben

für den Katalog einer Bayreuther Jubiläumsausstellung der Bayerischen Hypotheken- und Wechselbank. Dazu die Beschreibung und
Rezension der Jubiläumsveranstaltungen für die Zeitschrift »theater
heute« (Septemberheft 1976). Die Einleitung »Wir Wagnerianer« versucht mit Hilfe der Tagebücher Cosima Wagners eine Standortbe-
schreibung zwischen den Positionen der alten wie der neuen Wagnerianer und Anti-Wagnerianer.

Ohne die Unterstützung durch die Festspielleitung hätte das Buch
in der von Anfang an geplanten und konzipierten Art nicht entstehen
können. Dafür sei Wolfgang Wagner und seinen Mitarbeitern auch
an dieser Stelle abermals gedankt.

Tübingen, zu Ostern 1978.   Hans Mayer

REGISTER